Français 3e

séquences et expression

textes, images, pratique de la langue

Sous la direction de
Nathalie Fix-Combe
Docteur en Lettres et Civilisation françaises
Agrégée de Lettres modernes
Lycée Gustave-Eiffel, Rueil-Malmaison

Gaël Le Chevalier
Agrégé de Lettres modernes
Lycée Descartes, Tours

Catherine de La Hosseraye
Agrégée de Lettres modernes
professeur de collège à l'étranger

Valérie Presselin
Agrégée de Lettres modernes
Collège Gustave-Eiffel, Rueil-Malmaison

Marie-Françoise Santoni
Certifiée de Lettres classiques
Collège Romain-Rolland, Sartrouville

BELIN Éditeur
indépendant
depuis 1777

8, rue Férou
75278 Paris cedex 06
www.editions-belin.com

AVANT-PROPOS

■ Ce nouveau manuel de 3ᵉ met en œuvre toutes les **exigences notionnelles et culturelles** du **programme** et privilégie **trois grandes orientations** pour amener les élèves à la maîtrise des discours :
– leur faire comprendre et pratiquer les **grandes formes de l'argumentation**, en lien avec le **discours narratif, descriptif et explicatif**,
– leur donner les moyens de **s'exprimer** en choisissant **l'implication ou la distanciation**,
– leur permettre de **prendre en compte autrui** en s'ouvrant au **débat** et aux **littératures étrangères**.

■ Le manuel associe étroitement **lecture, expression** et **maniement des outils de la langue**. Il se compose de **trois parties** pour une mise en œuvre plus aisée de la progression des séquences didactiques et des dossiers.

▶ **LA PREMIÈRE PARTIE :** Raconter, témoigner, décrire
Elle approfondit les *techniques de la narration* (rôle du narrateur, enchâssement, alternance des points de vue), *l'insertion des différentes formes de discours* dans le récit (formes cadres et formes encadrées), les *types de récit* qui évoluent de *l'objectivité à l'adhésion* (récit réaliste, récit et bande dessinée de témoignage).

▶ **LA DEUXIÈME PARTIE :** S'exprimer, se justifier, s'impliquer
Elle est centrée sur *l'expression de soi et l'implication,* liées au rôle de l'énonciation, et aborde les différentes façons de *parler de soi* et de *s'adresser à autrui* sur le mode de l'adhésion, de *la justification*, de *l'implication* ou de *l'engagement* (récits autobiographiques et adaptation cinématographique, poésie lyrique et engagée, langage théâtral).

▶ **LA TROISIÈME PARTIE :** Commenter, persuader, convaincre
Elle analyse les différentes techniques et les visées de *l'argumentation* et la *prise en compte d'autrui* dans les textes (rôle de la presse, formes d'argumentation) et dans les images (dessin d'humour et caricature, stratégies de la publicité).

■ Le manuel s'organise en **séquences didactiques progressives** comprenant :
– une **Première approche** qui éclaire un genre ou une question historique ;
– 4 à 8 **Séances** de **textes** et d'**images**, terminées par une leçon et des prolongements ;
– une page **Faire le point** qui permet, à partir d'exercices, de faire le **bilan des acquis** de la séquence ;
– des pages de **Pratique de la langue** qui développent, à partir d'exercices, les notions de **vocabulaire** et de **grammaire** travaillées dans la séquence et qui se terminent par des leçons ;
– une double page **Écrire** qui présente des exercices d'écritures préparatoires (*S'exercer*) et met en place une rédaction finale (*Rédiger*) ;
– une **Évaluation** de fin de séquence, qui prépare au Brevet des Collèges.

Les Auteurs

TABLE DES MATIÈRES

◆ Ce losange signifie qu'il s'agit d'une étude d'image.

TABLE DES MATIÈRES

TABLE DES MATIÈRES

séquence 10

Un apologue
Claude Gueux, V. Hugo

Dossier

Les stratégies de la publicité

fiches

LES CLEFS DU MANUEL

Chacune des **trois parties** commence par une **page d'ouverture**
présentant le sommaire des séquences et des dossiers qui la composent.

Ouverture de partie

ORGANISATION DE CHAQUE SÉQUENCE

1 Double page d'**ouverture**

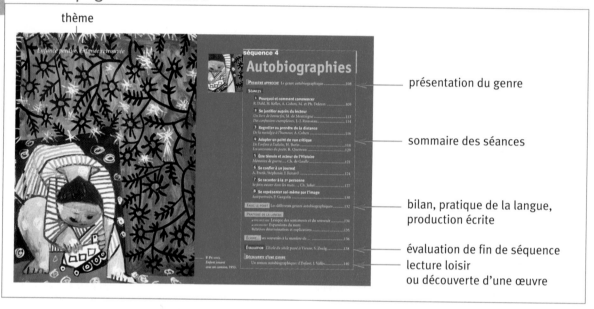

thème

présentation du genre

sommaire des séances

bilan, pratique de la langue,
production écrite

évaluation de fin de séquence

lecture loisir
ou découverte d'une œuvre

2 Succession de **séances** dont une d'analyse d'image

titre didactique
de la séance

texte(s) ou image

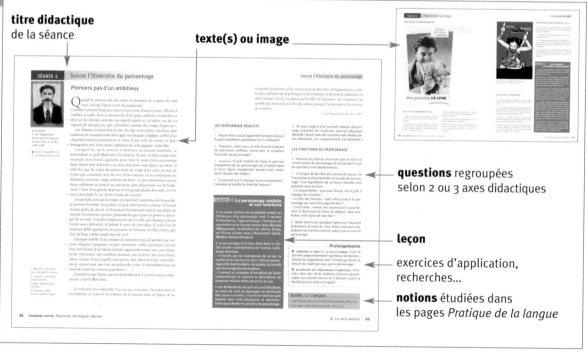

questions regroupées
selon 2 ou 3 axes didactiques

leçon

exercices d'application,
recherches...

notions étudiées dans
les pages *Pratique de la langue*

Bilan, pratique de la langue, production écrite

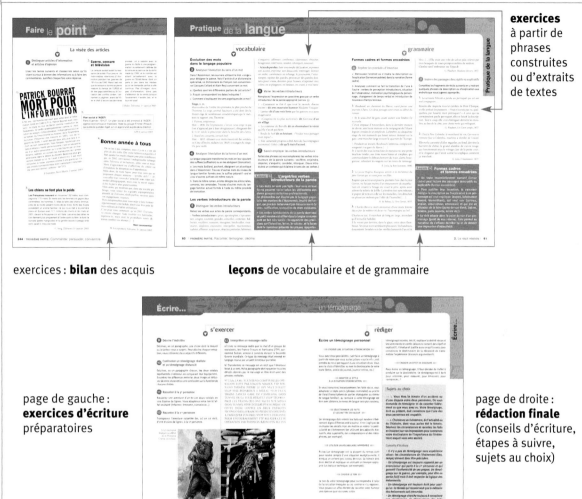

exercices : **bilan** des acquis

leçons de vocabulaire et de grammaire

exercices
à partir de
phrases
construites
ou d'extraits
de textes

page de gauche :
exercices d'écriture
préparatoires

page de droite :
rédaction finale
(conseils d'écriture,
étapes à suivre,
sujets au choix)

Évaluation

texte à étudier

questions : **test**
des connaissances
et **préparation**
au Brevet
des Collèges

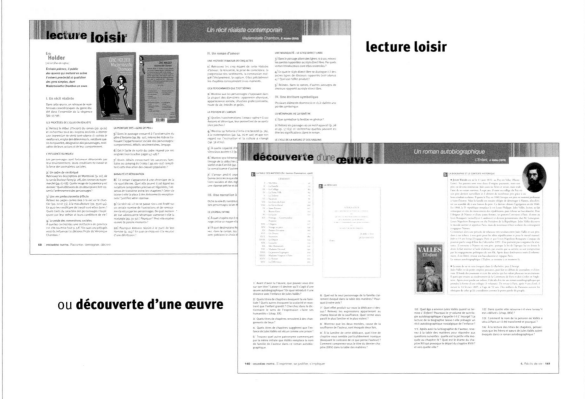

lecture loisir

ou **découverte d'une œuvre**

Dossiers

Trois dossiers,
en dehors des séquences,
sont consacrés
à l'étude des **relations
entre texte et image**.

séquence 1

Techniques de la narration

SÉANCES

F. BAZILLE,
L'Atelier de Bazille,
1870 (détail).

Léon
Tolstoï
[1828-1910]

*Écrivain russe, idéaliste
et mystique, qui décrit
les mœurs et l'âme russes
dans ses romans
comme* Guerre et Paix,
Anna Karénine *et dans
ses nouvelles.*

Effacement du narrateur
et illusion romanesque

Il se produisit à Pétersbourg, vers l'année 1840, un événement qui provoqua l'étonnement général : le séduisant prince commandant un escadron du régiment de cuirassiers à qui tout le monde prédisait le grade d'aide de camp et une carrière brillante sous l'empereur
5 Nicolas Ier, un mois avant de se marier avec une jolie demoiselle d'honneur qui jouissait d'une faveur toute particulière auprès de l'impératrice, prit sa retraite, rompit avec sa fiancée, donna son petit domaine à sa sœur et se rendit dans un monastère avec l'intention de devenir moine.

Cet événement paraissait extraordinaire et inexplicable à tous ceux
10 qui n'en connaissaient pas les causes profondes ; mais pour le prince Stépane Kassatski tout cela était si naturel qu'il ne concevait même pas la possibilité pour lui d'une autre attitude.

L. Tolstoï, « Le Père Serge », *Maître et serviteur,
nouvelles et récits* (1886-1904), Éd. Flammarion, 1992.

Denis
Diderot
[1713-1784]

*Écrivain français
et philosophe des
Lumières, animateur
de l'*Encyclopédie,
*auteur d'essais, de romans
pittoresques comme*
Jacques le Fataliste
et le Neveu de Rameau
et de drames bourgeois.

1. Avait son billet : était prévu, décidé par Dieu.

Interruptions du récit
et caprices du narrateur

*Le valet Jacques et son maître cheminent à cheval et Jacques ne cesse d'évoquer
la philosophie fataliste du capitaine qui le commandait à l'armée (où il s'était
enrôlé à la suite d'une dispute avec son père).*

Comment s'étaient-ils rencontrés ? Par hasard, comme tout le monde. Comment s'appelaient-ils ? Que vous importe ? D'où venaient-ils ? Du lieu le plus prochain. Où allaient-ils ? Est-ce que l'on sait où l'on va ? Que disaient-ils ? Le maître ne disait rien, et Jacques
5 disait que son capitaine disait que tout ce qui nous arrive de bien ou de mal ici-bas était écrit là-haut.

LE MAÎTRE – C'est un grand mot que cela.

JACQUES – Mon capitaine ajoutait que chaque balle qui partait d'un fusil avait son billet[1].

10 LE MAÎTRE – Et il avait raison…

Après une courte pause, Jacques s'écria : « Que le diable emporte le cabaretier et son cabaret ! »

LE MAÎTRE – Pourquoi donner au diable son prochain ? Cela n'est pas chrétien.

15 JACQUES – C'est que, tandis que je m'enivre de son mauvais vin, j'oublie de mener nos chevaux à l'abreuvoir. Mon père s'en aperçoit; il se fâche. Je hoche de la tête : il prend un bâton et m'en frotte un peu durement les épaules. Un régiment passait pour aller au camp devant Fontenoy; de dépit je m'enrôle. Nous arrivons; la bataille se donne…

20 LE MAÎTRE – Et tu reçois la balle à ton adresse.

JACQUES – Vous l'avez deviné; un coup de feu au genou; et Dieu sait les bonnes et mauvaises aventures amenées par ce coup de feu. Elles se tiennent ni plus ni moins que les chaînons d'une gourmette. Sans ce coup de feu, par exemple, je crois que je n'aurais été amoureux de ma 25 vie, ni boiteux.

LE MAÎTRE – Tu as donc été amoureux?

JACQUES – Si je l'ai été!

LE MAÎTRE – Et cela par un coup de feu?

JACQUES – Par un coup de feu.

30 LE MAÎTRE – Tu ne m'en as jamais dit un mot.

JACQUES – Je le crois bien.

LE MAÎTRE – Et pourquoi cela?

JACQUES – C'est que cela ne pouvait être dit ni plus tôt ni plus tard.

LE MAÎTRE – Et le moment d'apprendre ces amours est-il venu?

35 JACQUES – Qui le sait?

LE MAÎTRE – À tout hasard, commence toujours…

Jacques commença l'histoire de ses amours. C'était l'après-dîner. Il faisait un temps lourd, son maître s'endormit. La nuit les surprit au milieu des champs; les voilà fourvoyés. Voilà le maître dans une 40 colère terrible et tombant à grands coups de fouet sur son valet, et le pauvre diable disant à chaque coup : « Celui-là était apparemment encore écrit là-haut. »

Vous voyez, lecteur, que je suis en beau chemin, et qu'il ne tiendrait qu'à moi de vous faire attendre un an, deux ans, trois ans, le 45 récit des amours de Jacques, en le séparant de son maître et en leur faisant courir à chacun tous les hasards qu'il me plairait. Qu'est-ce qui m'empêcherait de marier le maître et de le faire cocu? d'embarquer Jacques pour les îles? d'y conduire son maître? de les ramener tous les deux en France sur le même vaisseau? Qu'il est facile de faire 50 des contes! mais ils en seront quittes l'un et l'autre pour une mauvaise nuit, et vous pour ce délai.

L'aube du jour parut. Les voilà remontés sur leurs bêtes et poursuivant leur chemin. – Et où allaient-ils? – Voilà la seconde fois que vous me faites cette question, et la seconde fois que je vous réponds : Qu'est-55 ce que cela vous fait? Si j'entame le sujet de leur voyage, adieu les amours de Jacques…

D. Diderot, *Jacques le Fataliste*, 1796 (posthume).

Raconter à la 3e personne

UN NARRATEUR DISCRET [texte 1]

1 À quelle personne ce texte est-il rédigé ? Le narrateur intervient-il ?

2 VOCABULAIRE Relevez les termes mélioratifs caractérisant le prince ou sa situation. Quelle expression laisse croire que ce jugement positif émane de la bonne société de Pétersbourg et non du narrateur ?

3 Relevez les informations précises que contient ce récit : lieu de l'action, date, nom, avenir et action du héros, réaction de l'entourage...

4 Quel élément essentiel manque-t-il cependant pour la compréhension de l'histoire ? Pourquoi ?

5 GRAMMAIRE À quels temps le texte est-il rédigé et pourquoi ?

6 Quelle relation pouvez-vous établir entre le début de ce récit et le titre de la nouvelle ?

Leçon ➔ Narration, situation d'énonciation et illusion du réel

▶ Le récit à la 3e personne peut donner l'impression de se dérouler tout seul, sans intervention ni jugement du narrateur. Il comporte des repères précis : indications de lieux réels, de date, renseignements sur le passé, la personnalité et les intentions des personnages... Il s'agit d'un énoncé coupé de la situation d'énonciation, au système du passé, où le narrateur s'efface pour créer l'illusion du réel.

▶ Mais le narrateur peut aussi jouer avec le lecteur en manifestant sa puissance : refuser les règles du roman, montrer que ses choix sont arbitraires et qu'il peut arrêter ou poursuivre le récit à son gré...
Il intervient alors dans des pseudo-dialogues avec le lecteur qui constituent – comme les dialogues entre personnages – des énoncés au système du présent, ancrés dans la situation d'énonciation. Le lecteur a l'impression de voir le roman se créer sous ses yeux et lui échapper selon les caprices du narrateur.

｜Outils de la langue

■ Les énoncés ancrés et non ancrés dans la situation d'énonciation, voir pp. 36-37.

UN NARRATEUR OMNIPRÉSENT [texte 2]

7 Qu'est-ce qui surprend dans le 1er paragraphe ? Montrez que ce début de récit est différent de celui qui précède : types de phrases, indications de lieu, de date, de noms...

8 Distinguez les passages de récit (au passé simple et à l'imparfait), les passages de dialogue entre les personnages et de dialogue simulé entre auteur et lecteur.

9 À l'intérieur du dialogue entre Jacques et son maître, précisez quel passage constitue un petit récit au présent de narration.

10 GRAMMAIRE À quels moments le système du présent (passé composé/présent/futur) est-il utilisé ?

11 Montrez que le narrateur retarde sans cesse le récit des amours de Jacques.

12 Sur quel ton le narrateur s'adresse-t-il au lecteur ? Montrez qu'il refuse les règles habituelles du roman : renseignements sur le cadre de l'action, le passé et les intentions des personnages, rebondissements.

13 Comment manifeste-t-il à plusieurs reprises sa puissance ?

DEUX MODES DE NARRATION [textes 1 et 2]

14 Quel texte vous donne davantage l'illusion de voir une histoire réelle se dérouler sous vos yeux et pourquoi ?

15 Dans le 2e texte, les interventions du narrateur créent-elles une complicité avec le lecteur en le faisant participer ou lui démontrent-elles qu'il n'a aucun pouvoir ? Justifiez votre réponse.

Prolongement

➔ INTERVENIR DANS UN RÉCIT. Poursuivez en une dizaine de lignes le texte de Diderot en racontant les amours de Jacques liées à un coup de feu. Intervenez à la 1re personne pour interpeller le lecteur et le faire attendre.

Guy de
Maupassant
[1850-1893]

*Auteur de romans,
de nouvelles réalistes
ou fantastiques.*

Du narrateur-prétexte au narrateur-personnage

1. *Sur un bateau...*

Nous étions là, six ou huit, silencieux, admirant, l'œil tourné vers l'Afrique lointaine où nous allions. Le commandant, qui fumait un cigare au milieu de nous, reprit soudain la conversation du dîner.

« Oui, j'ai eu peur ce jour-là. Mon navire est resté six heures avec ce
5   rocher dans le ventre, battu par la mer. Heureusement que nous avons été recueillis, vers le soir, par un charbonnier anglais qui nous aperçut. »

Alors un grand homme à figure brûlée, à l'aspect grave, un de ces hommes qu'on sent avoir traversé de longs pays inconnus, au milieu de dangers incessants, et dont l'œil tranquille semble garder, dans sa profon-
10   deur, quelque chose des paysages étranges qu'il a vus ; un de ces hommes qu'on devine trempés dans le courage, parla pour la première fois :

« Vous dites, commandant, que vous avez eu peur ; je n'en crois rien. Vous vous trompez sur le mot et sur la sensation que vous avez éprou-vée. Un homme énergique n'a jamais peur en face du danger pressant.
15   Il est ému, agité, anxieux ; mais la peur, c'est autre chose. »

Le commandant reprit en riant :

« Fichtre ! je vous réponds bien que j'ai eu peur, moi. »

Alors l'homme au teint bronzé prononça d'une voix lente :

– Permettez-moi de m'expliquer ! La peur (et les hommes les plus
20   hardis peuvent avoir peur), c'est quelque chose d'effroyable, une sen-sation atroce, comme une décomposition de l'âme, un spasme[1] affreux de la pensée et du cœur, dont le souvenir seul donne des frissons d'an-goisse. Mais cela n'a lieu, quand on est brave, ni devant une attaque, ni devant la mort inévitable, ni devant toutes les formes connues du
25   péril : cela a lieu dans certaines circonstances anormales, sous certaines influences mystérieuses, en face de risques vagues. [...]

– Eh bien ! voici ce qui m'est arrivé sur cette terre d'Afrique :

– Je traversais les grandes dunes au sud de Ouargla. C'est là un des plus étranges pays du monde. Vous connaissez le sable uni, le sable
30   droit des interminables plages de l'Océan. Eh bien ! figurez-vous l'Océan lui-même devenu sable au milieu d'un ouragan ; imaginez une tempête silencieuse de vagues immobiles en poussière jaune. Elles sont hautes comme des montagnes, ces vagues inégales, différentes, soulevées tout à fait comme des flots déchaînés, mais plus grandes
35   encore, et striées comme de la moire. Sur cette mer furieuse, muette et sans mouvement, le dévorant soleil du sud verse sa flamme implacable et directe. Il faut gravir ces lames de cendre d'or, redescendre, gravir

1. Spasme : crampe, crispation.

encore, gravir sans cesse, sans repos et sans ombre. Les chevaux râlent, enfoncent jusqu'aux genoux, et glissent en dévalant l'autre versant des
40 surprenantes collines.

Nous étions deux amis suivis de huit spahis[2] et de quatre chameaux avec leurs chameliers. Nous ne parlions plus, accablés de chaleur, de fatigue, et desséchés de soif comme ce désert ardent. Soudain un de ces hommes poussa une sorte de cri; tous s'arrêtèrent; et nous demeu-
45 râmes immobiles, surpris par un inexplicable phénomène connu des voyageurs en ces contrées perdues.

G. de Maupassant, *La Peur*, 1882.

Pierre Carlet de Chamblain
de **Marivaux**
[1688-1763]

*Écrivain français,
auteur de comédies
et de deux romans:*
Le Paysan parvenu
et La Vie de Marianne.
*La rédaction de ce dernier
roman, resté inachevé,
s'échelonna sur une
vingtaine d'années,
tant la passion du théâtre
emportait l'auteur.*

2. *Le narrateur explique qu'un manuscrit a été trouvé dans la maison qu'il vient d'acheter.*

On me l'apporta; je le lus avec deux de mes amis qui étaient chez moi, et qui depuis ce jour-là n'ont cessé de me dire qu'il fallait le faire imprimer: je le veux bien, d'autant plus que cette histoire n'intéresse personne. Nous voyons par la date que nous avons trouvée à la fin du
5 manuscrit, qu'il y a quarante ans qu'il est écrit; nous avons changé le nom de deux personnes dont il y est parlé, et qui sont mortes. Ce qui y est dit d'elles est pourtant très indifférent[1]; mais n'importe: il est toujours mieux de supprimer leurs noms.

Voilà tout ce que j'avais à dire: ce petit préambule m'a paru néces-
10 saire, et je l'ai fait du mieux que j'ai pu, car je ne suis point auteur, et jamais on n'imprimera de moi que cette vingtaine de lignes-ci.

Passons maintenant à l'histoire. C'est une femme qui raconte sa vie; nous ne savons qui elle était. C'est la *Vie de Marianne*; c'est ainsi qu'elle se nomme elle-même au commencement de son histoire; elle prend
15 ensuite le titre de comtesse; elle parle à une de ses amies dont le nom est en blanc, et puis c'est tout.

Quand je vous ai fait le récit de quelques accidents de ma vie, je ne m'attendais pas, ma chère amie, que vous me prieriez de vous la don-ner tout entière, et d'en faire un livre à imprimer. Il est vrai que l'his-
20 toire en est particulière, mais je la gâterai, si je l'écris; car où voulez-vous que je prenne un style?

Il est vrai que dans le monde on m'a trouvé de l'esprit; mais, ma chère, je crois que cet esprit-là n'est bon qu'à être dit, et qu'il ne vaudra rien à être lu. […]
25 N'oubliez pas que vous m'avez promis de ne jamais dire qui je suis; je ne veux être connue que de vous.

Il y a quinze ans que je ne savais pas encore si le sang d'où je sortais était noble ou non, si j'étais bâtarde ou légitime. Ce début paraît annoncer un roman: ce n'en est pourtant pas un que je raconte; je dis
30 la vérité comme je l'ai apprise de ceux qui m'ont élevée.

2. Chanoine:
dignitaire religieux.

Un carrosse de voiture qui allait à Bordeaux fut, dans la route, attaqué par des voleurs; deux hommes qui étaient dedans voulurent faire résistance, et blessèrent d'abord un de ces voleurs; mais ils furent tués avec trois autres personnes. Il en coûta aussi la vie au cocher et au postillon, et il ne restait plus dans la voiture qu'un chanoine[2] de Sens et moi, qui paraissais n'avoir tout au plus que deux ou trois ans.

Marivaux, *La Vie de Marianne*, 1728-1742.

DU *NOUS* AU *JE* [texte 1]

1 Pourquoi peut-on dire que le 1er narrateur ne se distingue pas des autres personnages présents ? Que savez-vous de lui ? Que raconte-t-il (récit-cadre) ?

2 À quel moment le 2e narrateur intervient-il dans la conversation ? Où commence-t-il précisément à raconter son aventure (récit encadré) ?

3 Le 1er narrateur connaît-il l'identité du 2e narrateur ? Quels verbes indiquent que le 1er narrateur décrit cet homme de l'extérieur, mais qu'il déduit de ses traits physiques son passé et sa personnalité (l. 7-11) ? Montrez que ce portrait se veut mélioratif mais aussi inquiétant.

4 Quelle différence est établie entre l'anxiété et la peur ? Comment l'envie de connaître le récit du 2e narrateur est-elle peu à peu suscitée chez le lecteur ?

5 GRAMMAIRE En dehors des passages de dialogue, quels temps sont utilisés dans le récit-cadre du 1er narrateur ? Pourquoi le 2e narrateur emploie-t-il

à la fois le système du passé et du présent dans le récit encadré ?

6 VOCABULAIRE Relevez, dans l'histoire du 2e narrateur, le champ lexical du déchaînement des éléments. Quel effet produit-il ?

7 Pourquoi Maupassant a-t-il enchâssé un récit à la 1re personne dans un autre récit au lieu de raconter directement l'aventure africaine du 2e narrateur ?

DU *JE* AU *JE* [texte 2]

8 Qui sont les deux narrateurs ? Où commence le récit encadré du 2e narrateur ? Dans ce 2e récit, où débute l'histoire de la vie de Marianne ?

9 Quelles phrases du 1er narrateur montrent que le récit-cadre s'arrête définitivement à la l. 16 et ne reprendra pas après le récit-encadré, comme l'indique le titre de l'œuvre ?

10 Montrez que les deux narrateurs affirment ne pas être des écrivains. Pourquoi ?

11 GRAMMAIRE Comment le destinataire du récit encadré est-il rendu présent ?

12 Dans le récit-cadre, quels éléments tendent à prouver que l'histoire de Marianne est bien réelle ? De même, quels procédés Marianne utilise-t-elle pour rendre son histoire plus crédible ?

Leçon ➔ Récit-cadre et récit encadré

▶ Dans un récit-cadre pris en charge par un 1er narrateur peut s'insérer un récit encadré (ou récit enchâssé), raconté par un 2e narrateur.

▶ Le 1er narrateur, dont on ignore souvent l'histoire personnelle, voire l'identité, n'est parfois qu'un prétexte : il rend le récit encadré plus crédible, en témoignant qu'il a trouvé un manuscrit qu'on ne peut pas mettre en doute ou qu'il a rencontré un personnage extraordinaire qui lui a raconté sa propre histoire.
Dans ces deux textes, les deuxièmes narrateurs sont les héros de l'histoire qu'ils racontent.

Prolongement

➔ POURSUIVRE UN RÉCIT ENCADRÉ. Imaginez la suite du récit encadré du texte 1, puis revenez au récit-cadre, raconté par le 1er narrateur.

Outils de la langue

■ L'énonciation, voir pp.36-37.

Du narrateur-auteur au narrateur-témoin

Henri
Bernardin de Saint-Pierre
[1737-1814]

Écrivain français. Il fit de nombreux voyages avant de séjourner deux ans à l'Île de France qui lui laissa un profond souvenir. Il publie en 1784 ses Études sur la Nature, dont le 4ᵉ volume est le roman Paul et Virginie. Il veut montrer la perfection de la nature qui «n'a rien fait en vain», embellit l'Île de France pour mieux prouver que le bonheur consiste à «vivre suivant la nature et la vertu».

Le narrateur séjourne à l'Île de France (actuelle Île Maurice) et contemple au fond d'un paisible bassin deux cabanes en ruine.

J'aimais à me rendre dans ce lieu où l'on jouit à la fois d'une vue immense et d'une solitude profonde. Un jour que j'étais assis au pied de ces cabanes, et que j'en considérais les ruines, un homme déjà sur l'âge vint à passer aux environs. Il était, suivant la coutume des anciens
5 habitants, en petite veste et en long caleçon. Il marchait nu-pieds, et s'appuyait sur un bâton de bois d'ébène. Ses cheveux étaient tout blancs, et sa physionomie noble et simple. Je le saluai avec respect. Il me rendit mon salut, et m'ayant considéré un moment, il s'approcha de moi, et vint se reposer sur le tertre où j'étais assis. Excité par cette marque de confiance,
10 je lui adressai la parole: «Mon père, lui dis-je, pourriez-vous m'apprendre à qui ont appartenu ces deux cabanes?» Il me répondit: «Mon fils, ces masures et ce terrain inculte étaient habités, il y a environ vingt ans, par deux familles qui y avaient trouvé le bonheur. Leur histoire est touchante: mais dans cette île, située sur la route des Indes, quel Européen peut s'inté-
15 resser au sort de quelques particuliers obscurs[1]? qui voudrait même y vivre heureux, mais pauvre et ignoré? Les hommes ne veulent connaître que l'histoire des grands et des rois, qui ne sert à personne.

– Mon père, repris-je, il est aisé de juger à votre air et à votre discours que vous avez acquis une grande expérience. Si vous en avez le
20 temps, racontez-moi, je vous prie, ce que vous savez des anciens habitants de ce désert, et croyez que l'homme même le plus dépravé par les préjugés du monde[2] aime à entendre parler du bonheur que donnent la nature et la vertu.» Alors, comme quelqu'un qui cherche à se rappeler diverses circonstances, après avoir appuyé quelque temps ses mains
25 sur son front, voici ce que ce vieillard me raconta.

En 1726 un jeune homme de Normandie, appelé M. de la Tour, après avoir sollicité en vain du service en France et des secours dans sa famille, se détermina à venir dans cette île pour y chercher fortune. Il avait avec lui une jeune femme qu'il aimait beaucoup et dont il était
30 également aimé. […]

Le vieillard raconte ensuite que Mme de la Tour perd son mari alors qu'elle est enceinte et qu'elle rencontre sur cette île une femme abandonnée, Marguerite, qui doit elle aussi élever seule son bébé. Le vieillard qui est leur voisin ne cesse de leur rendre service.

35 Moi-même j'ai coupé des palissades dans la montagne; j'ai apporté des feuilles de latanier[3] des bords de la mer pour construire ces deux cabanes, où vous ne voyez plus maintenant ni porte ni couverture.

1. Particuliers obscurs: gens inconnus.

2. Dépravé par les préjugés du monde: dénaturé par la société (ayant oublié les lois de la nature et de la vertu).

3. Lataniers: palmiers.

Hélas ! il n'en reste encore que trop pour mon souvenir ! Le temps, qui détruit si rapidement les monuments des empires, semble respecter
40 dans ces déserts ceux de l'amitié, pour perpétuer mes regrets jusqu'à la fin de ma vie.

À peine la seconde de ces cabanes était achevée que madame de la Tour accoucha d'une fille. J'avais été le parrain de l'enfant de Marguerite, qui s'appelait Paul. Madame de la Tour me pria aussi de nommer
45 sa fille conjointement avec son amie. Celle-ci lui donna le nom de Virginie. « Elle sera vertueuse, dit-elle, et elle sera heureuse. Je n'ai connu le malheur qu'en m'écartant de la vertu ».

H. Bernardin de Saint-Pierre, *Paul et Virginie*, 1788.

DU JEUNE HOMME AU VIEILLARD

1 À quelle personne l'ensemble du texte est-il rédigé ? Montrez cependant qu'il s'agit de deux narrateurs différents. Que racontent-ils chacun ?

2 Connaissez-vous l'identité du 1er narrateur ? Après avoir relu la biographie de Bernardin de Saint-Pierre, précisez en quoi ce 1er narrateur lui ressemble.

3 Où commence le récit du 2e narrateur ?

4 VOCABULAIRE D'après son apparence physique et certaines de ses remarques, montrez que le 2e narrateur représente la sagesse et la vertu. Quelle conception de la vie, quelles valeurs défend-il ?

DEUX POINTS DE VUE DIFFÉRENTS

5 Quels éléments, à l'intérieur et à l'extérieur du texte, révèlent que le vieillard ne raconte pas sa propre histoire, mais qu'il est témoin de l'histoire d'autres personnages ?

6 GRAMMAIRE Pourquoi le vieillard utilise-t-il le présent dans un récit au système du passé (l. 37-41) ?

7 Montrez qu'il manque des informations au 1er narrateur et qu'il ne nous décrit que ce qu'il voit (point de vue limité), alors que le 2e narrateur sait tout de la vie des familles qu'il évoque.

8 Pourquoi Bernardin de Saint-Pierre choisit-il de nous raconter la vie de Paul et Virginie par l'intermédiaire d'un 2e narrateur ?

Leçon ⊖ Le rôle du narrateur-témoin

▶ Dans un enchâssement de récits, le 2e narrateur peut ne pas être le personnage principal de l'histoire qu'il raconte (voir séance 2), mais un témoin avisé qui narre à la 1re personne : il connaît tout du passé, de la personnalité et de la vie des personnages dont il évoque l'histoire et qui donnent souvent leurs noms au roman (comme Paul et Virginie).

▶ Ce 2e narrateur apparaît souvent comme un personnage caractérisé par une grande expérience, une sensibilité et une sagesse profondes. Le lecteur fait confiance à ce témoin et adhère plus facilement à l'histoire qui semble ainsi plus vraie : le témoin fonctionne un peu comme une autorité.

Prolongements

⊖ FAIRE INTERVENIR UN 3e NARRATEUR. Marguerite conclut l'extrait en déclarant : « Je n'ai connu le malheur qu'en m'écartant de la vertu ». Imaginez qu'elle raconte sa propre histoire, à la 1re personne, en tant que 3e narrateur, puis revenez au récit du 2e narrateur (le vieillard).

⊖ INSÉRER LE RÉCIT D'UN NARRATEUR-TÉMOIN. Devenez le narrateur d'un récit à la 1re personne où vous raconterez votre rencontre avec un personnage particulier qui va vous narrer, comme 2e narrateur à la 1re personne, une histoire dont il a été le témoin.

Outils de la langue

▪ Les temps du récit, voir p. 37.

Michel Butor
[NÉ EN 1926]

Écrivain français, qui fit partie du mouvement littéraire intitulé Le Nouveau Roman *et inventa de nouvelles techniques de narration. Son roman* La Modification *reçut le prix Renaudot et fut traduit dans vingt langues.*

Mettre le lecteur à la place du personnage

Vous allez arriver dans quelques instants à cette gare transparente à laquelle il est si beau d'arriver à l'aube comme le permet ce train dans d'autres saisons.

Il fera encore nuit noire et au travers des immenses vitres vous aper-
5 cevrez les lumières des réverbères et les étincelles bleues des trams.

Vous ne descendrez pas à l'Albergo Quirinale, mais vous irez jus-qu'au bar où vous demanderez un *caffè latte*, lisant le journal que vous viendrez d'acheter tandis que la lumière apparaîtra, augmentera, s'en-richira, s'échauffera peu à peu.

10 Vous aurez votre valise à la main lorsque vous quitterez la gare à l'aurore (le ciel est parfaitement pur, la lune a disparu, il va faire une merveilleuse journée d'automne), la ville paraissant dans toute sa rou-geur profonde, et comme vous ne pourrez vous rendre ni à via Monte della Farina, ni à l'Albergo Quirinale, vous arrêterez un taxi et vous lui
15 demanderez de vous mener à l'hôtel Croce di Malta, via Borgognone, près de la place d'Espagne.

Vous n'irez point guetter les volets de Cécile ; vous ne la verrez point sortir ; elle ne vous apercevra point.

Vous n'irez point l'attendre à la sortie du palais Farnèse ; vous
20 déjeunerez seul ; tout au long de ces quelques jours, vous prendrez tous vos repas seul.

Évitant de passer dans son quartier, vous vous promènerez tout seul et le soir vous rentrerez seul dans votre hôtel où vous vous endormirez seul.

Alors dans cette chambre, seul, vous commencerez à écrire un livre,
25 pour combler le vide de ces jours à Rome sans Cécile, dans l'interdic-tion de l'approcher.

Puis lundi soir, à l'heure même que vous aviez prévue, pour le train même que vous aviez prévu, vous retournerez vers la gare,
    sans l'avoir vue.

M. Butor, *La Modification*, Éd. de Minuit, 1957.

Italo Calvino
[1923-1985]

Écrivain italien, souvent ironique, auteur de romans et d'essais.

Prendre le lecteur comme personnage

Donc, tu as lu dans un journal que venait de paraître *Si par une nuit d'hiver un voyageur*, le nouveau livre d'Italo Calvino, qui n'avait rien publié depuis quelques années. Tu es passé dans une librairie, et tu as acheté le volume. Tu as bien fait.

5 Dans une vitrine de la librairie, tu as aussitôt repéré la couverture et le titre que tu cherchais. Sur la trace de ce repère visuel, tu t'es aussitôt

frayé chemin dans la boutique, sous le tir de barrage nourri des livres-que-tu-n'as-pas-lus, qui, sur les tables et les rayons, te jetaient des regards noirs pour t'intimider. Mais tu sais que tu ne dois pas te laisser
10 impressionner. Que sur des hectares et des hectares s'étendent les livres-que-tu-peux-te-passer-de-lire, les livres-faits-pour-d'autres-usages-que-la-lecture, les livres-qu'on-a-déjà-lus-sans-avoir-besoin-de-les-ouvrir-parce-qu'ils-appartiennent-à-la-catégorie-du-déjà-lu-avant-même-d'avoir-été-écrits. Tu franchis donc la première rangée de
15 murailles : mais voilà que te tombe dessus l'infanterie des livres-que-tu-lirais-volontiers-si-tu-avais-plusieurs-vies-à-vivre-mais-malheureusement-les-jours-qui-te-restent-à-vivre-sont-ce-qu'ils-sont.

I. Calvino, *Si par une nuit d'hiver un voyageur*, Éd. du Seuil, 1981.

Charles
Juliet
[NÉ EN 1934]

Écrivain et poète français. Il raconte dans Lambeaux *l'enfance difficile et la vie douloureuse de sa mère, internée pour dépression un mois après la naissance de l'auteur, son dernier enfant. Celui-ci ne l'a jamais revue.*

Faire revivre une figure aimée

Extrait 1

Te ressusciter. Te recréer. Te dire au fil des ans et des hivers avec cette lumière qui te portait, mais qui un jour, pour ton malheur et le mien, s'est déchirée.

Extrait 2

Tu t'habilles en hâte, allumes la cuisinière, prépares les déjeuners. Tu es l'aînée, et c'est toi qui leur sers de mère. Rolande, Régine, Andrée. Plus jeunes que toi de deux, trois et cinq ans. À l'heure fixée, tu les appelles, elles descendent, et rien ne t'émeut plus que de les voir appa-
5 raître l'une après l'autre, à moitié endormies, les cheveux emmêlés, se frottant les yeux du revers de la main.

La journée commence, et jusqu'à l'instant de gagner ta chambre, tu n'auras aucun répit. Le ménage, les repas, les vaisselles, le linge à laver et repasser, l'eau à aller chercher pour vous et parfois pour les bêtes, les
10 lourds bidons de lait à porter à la « fruitière », les lapins, la volaille, les cochons… […]

Combien tu aimes l'école ! Chaque fois que tu pousses la petite porte de fer et t'avances dans la cour, tu pénètres dans un monde autre, deviens une autre petite fille, et instantanément, tu oublies tout du vil-
15 lage et de la ferme. Ce qui constitue ton univers – le maître, les cahiers et les livres, le tableau noir, l'odeur de la craie, les cartes de géographie, ton plumier et ton cartable, cette blouse noire trop longue que tu ne portes que les jours de classe – tu le vénères[1].

Ch. Juliet, *Lambeaux*, P.O.L. Éditeur, 1995.

1. Vénérer : considérer avec respect, comme quelque chose de sacré.

Raconter à la 2e personne

PRISE DE CONSCIENCE   [texte 1]

1 | Qui est désigné par le pronom de 2e personne du pluriel ? Montrez que ce « vous » est ambigu.

2 | Quels indices révèlent que le personnage est déjà venu à Rome ? Qui devait-il y retrouver ? Relevez tous les éléments du texte montrant qu'il renonce à faire ce qu'il avait prévu. Quelle forme de phrase traduit ce renoncement ?

3 | Le roman *La Modification* raconte le trajet de Paris à Rome effectué par le personnage : qu'est-ce qui s'est modifié en lui pendant son voyage en train, d'après ce que vous pouvez deviner à la lecture de l'extrait ?

4 | GRAMMAIRE Quel effet le temps choisi produit-il sur le lecteur ?

5 | À votre avis, quel livre le personnage va-t-il écrire ? Pourquoi le texte est-il rédigé à la 2e personne ?

DÉSIRS DE LECTEUR   [texte 2]

6 | Qui désigne le « tu » ? Quels sont les différents indices qui révèlent l'humour et la présence de l'auteur ?

Leçon → Impliquer le lecteur

▸ Certains auteurs veulent impliquer le lecteur en écrivant à la 2e personne.

▸ Le lecteur peut voir la vie et les réflexions du personnage se dérouler sous ses yeux tout en ayant l'impression de les vivre et de les penser en même temps que lui (M. Butor). Il a alors l'illusion de prendre la place du personnage.

▸ Il peut parfois être interpellé et se voir lui-même mis en scène comme le personnage du roman qu'il lit, un livre « sur le lecteur » (I. Calvino).

▸ Dans un récit à la 2e personne, le « tu » peut renvoyer à un personnage (ou une personne) auquel l'auteur s'identifie totalement par compassion et affection (Ch. Juliet). Le lecteur compatit alors en partageant cette sorte de fusion.

7 | GRAMMAIRE Pourquoi ce récit est-il écrit au système du présent ?

8 | VOCABULAIRE Expliquez la métaphore filée qui traduit le pouvoir intimidateur des livres.

9 | Cet extrait critique-t-il le lecteur ou certains types de livres ? Justifiez votre réponse. Expliquez ce que peut être l'avant-dernière catégorie de livres évoquée (l. 12-14).

10 | En quoi cet extrait peut-il donner envie au lecteur de lire le roman de Calvino ?

COMPASSION   [texte 3]

11 | Quels indices montrent que le « tu » désigne un personnage féminin ?

12 | Après avoir lu la biographie de Charles Juliet, précisez qui est ce « tu ». Pourquoi, à votre avis, l'auteur a-t-il choisi ce mode de narration ?

13 | Quel extrait est explicatif, quel extrait est narratif ? En quoi le « tu » de l'extrait 1 est-il légèrement différent de celui de l'extrait 2 ?

14 | Quels éléments révèlent que le récit se situe au début du siècle ? Pourquoi l'histoire est-elle alors rédigée au présent ?

15 | Montrez que l'auteur connaît la vie mais aussi les sentiments de la petite fille. Précisez ce qui a pu lui être rapporté par la famille proche, et ce qu'il a imaginé, deviné.

16 | Quel effet produit ce récit à la 2e personne ?

Prolongement

→ CHANGER DE PERSONNE. Réécrivez (à partir de la ligne 10) le 1er texte à la 3e puis à la 1re personne, en faisant les modifications nécessaires. Expliquez pourquoi l'effet produit est à chaque fois différent.

Outils de la langue

■ Les figures de style, voir pp. 187-189.
■ Le système du présent, voir pp. 36-37.

Annie
Ernaux
[NÉE EN 1940]

*Professeur de lettres
et romancière française,
qui écrit sur les gens
simples, les « dominés ».*

Le regard des autres :
point de vue externe

1. Dans le train vers Saint-Lazare, une vieille femme s'est assise à une place près de l'allée, elle parlait à un jeune garçon – peut-être son fils – resté debout : « Partir, partir, tu n'es pas bien où tu es ? Pierre qui roule n'amasse pas mousse. » Il a les mains dans les
5 poches, il ne répond pas. Puis : « Quand on voyage on voit des gens. » La vieille dame rit : « T'en verras des beaux et des laids partout ! » Son visage reste jubilant pendant qu'elle regarde devant elle, cessant de parler. Le garçon ne sourit pas et fixe ses chaussures, appuyé à la paroi du train.

A. Ernaux, *Journal du dehors*, Éd. Gallimard, 1993.

Philippe
Delerm
[NÉ EN 1950]

*Professeur de Lettres,
Philippe Delerm
connaît le succès avec*
La Première gorgée de
bière et autres plaisirs
minuscules. *Il écrit des
romans et des nouvelles,
souvent centrées
sur les instants fragiles
et fugitifs de l'existence.*

1. Ostentatoire : qui est
fait pour se mettre en
valeur, se faire remarquer.

2. Récriements :
(néologisme) exclamations
sous l'effet d'une vive
émotion.

3. Disséquer ses états d'âme :
détailler avec égocentrisme
tout ce que l'on ressent.

Le regard du personnage :
point de vue interne

2. D'emblée, il revint se poster devant une fenêtre. Il y avait beaucoup de monde ; la pluie, puis la nouveauté de cette exposition ouverte deux jours auparavant. Il regretta d'abord son choix, et se sentit gêné par une foule aussi jeune et bourgeoise. Immobile devant le
5 panorama, il entendait dans son dos des commentaires ostentatoires[1], des récriements[2]. Tout près de lui, une jeune femme à la voix suraiguë n'en finissait pas de disséquer ses états d'âme[3]. Il attendit qu'elle fût partie et, à la fois furieux et intrigué, vint se placer devant la toile qui suscitait tant de sensibilité offerte. Il était prêt à hausser les épaules
10 devant l'abstraction d'un tableau trop moderne pour lui.

Il n'y eut pas de choc, pas de surprise. Mais tout de suite, il oublia la foule, et se sentit glisser dans un vertige plutôt agréable. Il lui sembla qu'il ne s'arrêtait pas à quelques centimètres de la toile, mais continuait à avancer malgré lui. Dans son dos, les bavardages s'estompaient peu à
15 peu, se diluaient en buée sonore, élargissaient l'espace. À droite du tableau, une main amicale ouvrait pour lui un voile bleu d'opale. Derrière commençaient des collines très douces : un monde l'attendait. [...] il marcha voluptueusement pour la première fois, descendit, remonta des collines d'un sable étrange qui ne s'enfonçait pas – ou bien c'était
20 son corps qui ne pesait plus, désormais. Un sourire involontaire lui venait ; il ne pensait plus à rien. Dans sa tête, un grand vide l'attachait à l'espace ; il devenait sa marche, à chaque pas plus ample et lente, plus accordée à ce décor cotonneux et solide. Combien de temps erra-t-il ainsi avant de relever la tête ? Juste au-dessus de lui, dans un ciel rose et

25 sable, une bulle dansait. Un bulle, une terre… Légère comme une bulle de savon, mais grave et chargée de souffrance, comme une planète habitée. À l'intérieur, une silhouette appelait, les bras au ciel, tendait sa détresse étouffée au silence d'un regard. Il écouta longtemps cet appel.

Plus tard, l'employé qui gardait la salle se souvint de son inquiétude
30 devant l'immobilité de M. Delmas.

Ph. Delerm, *L'Envol*, 1996.

Jean
Giono
[1895-1970]

Romancier français qui prend souvent la Haute Provence pour cadre de ses récits.

Point de vue omniscient : un narrateur qui voit partout

3. Il n'y avait jamais eu un été semblable dans les collines. D'ailleurs, ce jour-là, cette même chaleur noire commença à déferler en vagues tout de suite très brutales sur le pays du sud : sur les solitudes du Var où les petits chênes se mirent à crépiter, sur les fermes
5 perdues des plateaux où les citernes furent tout de suite assaillies de vols de pigeons, sur Marseille où les égouts commencèrent à fumer.

J. Giono, *Le Hussard sur le toit*, Éd. Gallimard, 1951.

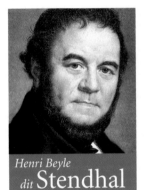

Henri Beyle
dit **Stendhal**
[1783-1842]

Écrivain français qui ne connut la gloire qu'après sa mort. Il écrivit des essais, des romans et des nouvelles souvent centrés sur la quête du bonheur et la puissance des passions.

1. Empreint : marqué.

Point de vue omniscient : un narrateur qui sait tout

4. À peine âgé de vingt ans, Octave venait de sortir de l'école Polytechnique. Son père, le marquis de Malivert, souhaita retenir son fils unique à Paris. Une fois qu'Octave se fut assuré que tel était le désir constant d'un père qu'il respectait et de sa mère qu'il aimait avec
5 une sorte de passion, il renonça au projet d'entrer dans l'artillerie. Il aurait voulu passer quelques années dans un régiment, et ensuite donner sa démission jusqu'à la première guerre qu'il lui était assez égal de faire comme lieutenant ou avec le grade de colonel. C'est un exemple des singularités qui le rendaient odieux aux hommes vulgaires.

10 Beaucoup d'esprit, une taille élevée, des manières nobles, de grands yeux noirs les plus beaux du monde auraient marqué la place d'Octave parmi les jeunes gens les plus distingués de la société, si quelque chose de sombre, empreint[1] dans ces yeux si doux, n'eût porté à le plaindre plus qu'à l'envier. Il eût fait sensation s'il eût eu l'habitude de parler ; mais
15 Octave ne désirait rien, rien ne semblait lui causer ni peine ni plaisir.

Stendhal, *Armance*, 1827.

POUR COMMENCER

1 À quelle personne sont rédigés ces quatre extraits ? Le narrateur intervient-il dans ces récits ?

VOIR LES AUTRES DE L'EXTÉRIEUR [texte 1]

2 Étant donné le lieu de l'action, quelles personnes pourraient apercevoir et décrire de l'extérieur la femme et le garçon ici évoqués ?

3 Relevez les détails de l'apparence et des attitudes des personnages. Quelles informations manquent ? Quelle remarque prouve que le narrateur fait une déduction, mais ne connaît pas le lien qui unit les personnages ?

4 Connaissez-vous les pensées des personnages ? Qu'est-ce qui vous permet de deviner ce qu'ils ont à l'esprit et d'imaginer leur caractère ? Comment savez-vous que le début de la conversation n'a pas été entendu par le narrateur ?

5 D'après le titre de l'œuvre, expliquez pourquoi le narrateur utilise le plus souvent dans son livre le point de vue externe.

Leçon ➔ Points de vue

▶ Le narrateur d'un récit peut adopter un point de vue particulier.

▶ Le point de vue externe lui permet de raconter les événements et de décrire les personnages de l'extérieur, comme un témoin anonyme, sans connaître leurs pensées ni même leur identité.

▶ Le point de vue interne lui permet de percevoir le monde à travers la conscience (limitée) d'un personnage dont il connaît donc les pensées et les désirs.

▶ Le point de vue omniscient (ou «point de vue de Dieu») lui permet de voir l'action se dérouler en des lieux différents (don d'ubiquité) et de tout connaître de la situation et des personnages (passé, liens, pensées, avenir, particularités...).

Outils de la **langue**

■ Les marques de l'opinion, voir p. 298.

VOIR À TRAVERS LE REGARD D'UN PERSONNAGE [texte 2]

6 En dehors du personnage principal, le public qui visite l'exposition de peinture est-il décrit ? Pourquoi ? Montrez que les réactions de ce public sont perçues à travers la conscience de M. Delmas.

7 Relevez tous les termes péjoratifs qui qualifient ces réactions. S'agit-il du jugement du narrateur ou du personnage ? Justifiez votre réponse.

8 Que se passe-t-il dans le 2e paragraphe ? Quels verbes et quel adverbe, au début de ce paragraphe, traduisent des impressions dont le personnage n'est pas tout à fait certain ? Pourquoi les bavardages s'estompent-ils autour de lui ?

9 Relevez les expressions soulignant que le lecteur n'en sait pas plus que le personnage.

10 À quel moment le lecteur ne perçoit-il plus le monde à travers la conscience de M. Delmas ? Qu'en déduisez-vous sur l'aventure ici racontée ? et sur le titre de la nouvelle ?

TOUT VOIR ET TOUT SAVOIR [textes 3 et 4]

11 [TEXTE 3] Quelle phrase révèle que le narrateur connaît le passé de la région évoquée ? Montrez qu'il peut être dans différents lieux à la fois.

12 [TEXTE 4] Montrez que le narrateur sait tout du personnage : ses études, ses sentiments, ses intentions, les réactions qu'il provoque, les particularités de sa personnalité. Comment le suspense est-il alors maintenu ?

13 Quelle phrase révèle que le narrateur connaît même les réactions qu'Octave pourrait provoquer en modifiant son attitude ?

14 Quel indice souligne que le narrateur juge positivement son héros ?

Prolongement

➔ ÉCRIRE EN POINT DE VUE EXTERNE. Annie Ernaux explique qu'elle a voulu transcrire «des scènes, des paroles, saisies dans le RER, les hypermarchés», pour «retenir quelque chose de l'époque et des gens qu'on croise juste une fois».
Sur le modèle du texte 1, racontez en point de vue externe une scène à laquelle vous avez assisté dans un lieu public.

D'un regard à l'autre

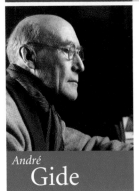

André
Gide
[1869-1951]

*Romancier français
dont les œuvres
proclament le refus
du conformisme et le désir
de sincérité absolue.*

Lafcadio connaissait ce quartier et l'aimait ; quittant les rues trop fréquentées, il fit détour par la tranquille rue Vaneau où sa plus jeune joie pourrait respirer mieux à l'aise. Comme il tournait la rue de Babylone il vit des gens courir : près de l'impasse Oudinot un attrou-
5 pement se formait devant une maison à deux étages d'où sortait une assez maussade fumée. Il se força de ne point allonger le pas malgré qu'il l'eût très élastique…

Lafcadio, mon ami, vous donnez dans un fait divers et ma plume vous abandonne. N'attendez pas que je rapporte les propos interrom-
10 pus d'une foule, les cris…

Pénétrant, traversant cette tourbe[1] comme une anguille, Lafcadio parvint au premier rang. Là sanglotait une pauvresse agenouillée.

– Mes enfants ! mes petits enfants ! disait-elle.

Une jeune fille la soutenait, dont la mise simplement élégante
15 dénonçait qu'elle n'était point sa parente ; très pâle, et si belle qu'aussitôt attiré par elle Lafcadio l'interrogea.

– Non, Monsieur, je ne la connais pas. Tout ce que j'ai compris, c'est que ses deux petits enfants sont dans cette chambre au second, où bientôt vont atteindre les flammes ; elles ont conquis l'escalier ; on a
20 prévenu les pompiers, mais, le temps qu'ils viennent, la fumée aura étouffé ces petits… Dites, Monsieur, ne serait-il pas possible d'atteindre au balcon par ce mur, et, voyez, en s'aidant de ce mince tuyau de descente ? C'est un chemin qu'ont déjà pris une fois des voleurs, disent ceux-ci ; mais ce que d'autres ont fait pour voler, aucun ici, pour sauver
25 des enfants, n'ose le faire. En vain j'ai promis cette bourse. Ah ! que ne suis-je un homme !…

Lafcadio n'en écouta pas plus long. Posant sa canne et son chapeau aux pieds de la jeune fille, il s'élança. Pour agripper le sommet du mur il n'eut recours à l'aide de personne ; une traction le rétablit ; à présent,
30 tout debout, il avançait sur cette crête, évitant les tessons qui la hérissaient par endroits.

Mais l'ébahissement de la foule redoubla lorsque, saisissant le conduit vertical, on le vit s'élever à la force des bras, prenant à peine appui, de-ci, de-là, du bout des pieds aux pitons de support. Le voici
35 qui touche au balcon, dont il empoigne d'une main la grille ; la foule admire et ne tremble plus, car vraiment son aisance est parfaite. D'un coup d'épaule, il fait voler en éclats les carreaux ; il disparaît dans la pièce… Moment d'attente et d'angoisse indicible… Puis on le voit reparaître, tenant un marmot pleurant dans ses bras. D'un drap de lit
40 qu'il a déchiré et dont il a noué bout à bout les deux lés, il a fait une sorte de corde ; il attache l'enfant, le descend jusqu'aux bras de sa mère éperdue. Le second a le même sort…

2. Tourbe : foule de gens
méprisables.

Quand Lafcadio descendit à son tour, la foule l'acclamait comme un héros :

45 – On me prend pour un clown, pensa-t-il, exaspéré de se sentir rougir, et repoussant l'ovation[2] avec une mauvaise grâce brutale. Pourtant, lorsque la jeune fille, de laquelle il s'était de nouveau rapproché, lui tendit, confusément, avec sa canne et son chapeau, cette bourse qu'elle avait promise, il la prit en souriant, et, l'ayant vidée des soixante francs 50 qu'elle contenait, tendit l'argent à la pauvre mère qui maintenant étouffait ses fils de baisers.

– Me permettez-vous de garder la bourse en souvenir de vous, Mademoiselle ?

2. Ovation : acclamation publique.

A. Gide, *Les Caves du Vatican*, 1914.

PERSONNAGE ET NARRATEUR

1 À quelle personne ce texte est-il rédigé ? Quels éléments précisent le lieu de l'action ? Sur quel personnage l'ensemble du texte est-il centré ?

2 Montrez que le narrateur intervient dans le récit :
– en s'adressant au personnage dont il souligne la liberté, mais critique les choix,
– en qualifiant avec sympathie Lafcadio et en dévalorisant la foule des badauds,
– en refusant une écriture trop romanesque qui décrit les mouvements de foule.

Leçon ➡ Alternance de points de vue

▶ La narration est souvent faite selon un point de vue dominant, mais le narrateur peut varier les points de vue dans une même page, passant par exemple du point de vue interne au point de vue externe. Il peut également faire alterner le point de vue interne d'un personnage, puis celui d'un autre.

▶ L'alternance des points de vue permet :
– de maintenir un certain suspense (dans le texte de Gide, on ne sait pas tout de suite que Lafcadio va sauver les enfants, on ignore ce qu'il pense vraiment de la jeune fille à qui il sourit...) ;
– de révéler l'opposition des consciences, l'absence de communication entre les personnages ;
– de montrer les effets d'une rencontre chez chacun des personnages, etc.

Outils de la langue

■ Le système du présent, voir pp. 36-37.

D'UN POINT DE VUE À L'AUTRE

Du début à la ligne 26

3 Relevez les différents termes qui prouvent que le narrateur sait ce que pense et ressent Lafcadio.

4 Relevez les étapes qui permettent au lecteur d'apprendre la raison de l'attroupement. Pourquoi le lecteur ne connaît-il pas l'identité de la « pauvresse » et de la jeune fille aperçues par Lafcadio ?

5 Quel verbe de perception annonce que les événements vont être perçus à travers la conscience de Lafcadio ? Comment s'appelle ce point de vue ?

De la ligne 27 à la ligne 42

6 VOCABULAIRE Relevez les verbes d'action. Pourquoi dominent-ils dans ce passage ?

7 GRAMMAIRE Pourquoi le narrateur utilise-t-il soudain le système du présent (l. 35 à 42) ?

8 Repérez les expressions qui révèlent que la scène est perçue de l'extérieur par la foule.

De la ligne 43 à la fin

9 Délimitez le passage où le narrateur pénètre à nouveau dans la conscience du personnage. Montrez qu'il présente ensuite en point de vue externe l'échange entre Lafcadio et la jeune fille.

10 Quels effets produit l'alternance des points de vue dans le texte ?

Prolongement

➡ CHANGER DE POINT DE VUE. Réécrivez ce texte, à partir de la ligne 27 (« Lafcadio n'en écouta pas plus long ») du point de vue (interne) de la jeune fille dont vous pénétrerez les pensées. Vous ferez toutes les modifications nécessaires.

Dans l'encadrement d'une fenêtre

Détail du tableau.

E. Hopper, *Chambre à New York*, 1932.

Edward
Hopper
[1882-1967]

*Né et mort à New York,
il trouva très vite un style
personnel, sobre et franc.
Ses œuvres nombreuses
se caractérisent
par le choix de sujets :
paysages, figures solitaires
et décors urbains (bars,
chambre d'hôtel…)
qui donnent l'image
d'une certaine Amérique.*

UNE SCÈNE QUOTIDIENNE

1 Décrivez avec précision le tableau : personnages, vêtements, décor. Diriez-vous qu'il s'agit d'un intérieur ordinaire ? Justifiez votre réponse et indiquez le milieu social représenté.

2 Que peut-on supposer des liens entre l'homme et la femme ? Pourquoi ?

Leçon → Peinture et narration

▶ Le tableau, par définition, est une image arrêtée. Cet aspect figé, qui peut être accentué par un peintre comme Hopper, n'interdit pas la narration : la disposition des personnages et l'univers dans lequel ils évoluent (espace ouvert, fermé, privé, public) racontent une histoire au spectateur.

▶ La tenue vestimentaire des personnages et le décor permettent d'identifier un milieu social, mais aussi de montrer un style de vie, voire un type de métier : une femme en tailleur, un homme en bleu de travail renvoient le spectateur à des univers bien différents.

▶ L'attitude des personnages, leurs accessoires montrent une activité (lire un journal, travailler sur un bureau, jouer, rêver…) à partir de laquelle le spectateur peut imaginer une histoire en mouvement.

UN COUPLE MAL ASSORTI ?

3 Comment sont placés les personnages ? Cette disposition traduit-elle un échange entre eux ? Justifiez votre réponse.

4 Que font les deux personnages ? Ces deux activités sont-elles solitaires, ou permettent-elles un partage ? Justifiez votre réponse.

5 La femme joue-t-elle vraiment du piano (voir le détail) ? Qu'exprime son geste ? Qu'attend-elle de l'autre personnage ?

6 Quelle vision du couple nous donne le peintre ? Peut-on parler de critique ? Pourquoi ?

UNE RÉFLEXION SUR LA CONDITION HUMAINE

7 Comment le regard pénètre-t-il dans la pièce ? Dans quelle position est mis le spectateur ? Montrez que ce choix renvoie le spectateur à sa propre vie quotidienne.

8 Relevez les éléments de symétrie dans le décor et chez les personnages (couleurs, positions). Montrez que ce qui pourrait les réunir les sépare (voir le détail).

9 Quelle est la forme géométrique la plus représentée ? Diriez-vous qu'elle traduit la fantaisie ? la banalité ? Justifiez votre réponse.

10 Les personnages et les lieux ne sont pas clairement identifiés. Montrez que cette forme « d'abstraction » permet la généralité. En quoi le titre renforce-t-il cette idée ?

Prolongement

→ ÉCRIRE UN MONOLOGUE INTÉRIEUR. À partir de la scène représentée par Hopper, imaginez les pensées de la jeune femme au piano. Votre texte, d'une quinzaine de lignes, sera rédigé à la 1re personne.

Changements de points de vue...

1 **Repérer et expliquer les changements de point de vue**

a] Précisez les points de vue adoptés dans le 1er texte. Quel est le but de l'auteur dans ce texte ? Pourquoi a-t-il choisi de varier les points de vue ?

b] Expliquez, dans le second texte, l'alternance des points de vue. Quel effet produit-il ? En quoi contribue-t-il à présenter les personnages et à construire la scène ?

1/ À onze heures, la famille se retira et, à onze heures et demie, toutes les lumières étaient éteintes.

Au bout d'un certain temps, M. Otis fut éveillé par un bruit singulier qui venait du couloir, près de sa chambre. On eût dit un cliquetis de métal et le bruit semblait de plus en plus proche. Il se leva tout aussitôt, fit flamber une allumette et regarda l'heure. Il était exactement une heure. Très calme, M. Otis se tâta le pouls. Ce n'était pas la fièvre. Le bruit étrange continuait et, bientôt, M. Otis perçut distinctement des pas. Il enfila ses pantoufles, prit dans son nécessaire de toilette une petite fiole oblongue et ouvrit la porte. Devant lui, dans un pâle clair de lune, il vit un horrible vieillard. Ses yeux, qui ressemblaient à des charbons ardents, jetaient des lueurs rouges. De longs cheveux gris tombaient sur ses épaules en mèches emmêlées. Ses vêtements, de coupe antique, étaient tachés et en lambeaux. De lourdes chaînes toutes rouillées pendaient à ses poignets et à ses chevilles.

« Mon cher monsieur, dit M. Otis, pardonnez-moi d'insister, mais il faut absolument que vous graissiez ces chaînes. J'ai pris à votre intention ce petit flacon de lubrifiant. On le dit très efficace dès la première application. Sur la notice, vous trouverez plusieurs attestations des savants les plus éminents du pays. Je vais le laisser ici, près des candélabres, et serai très heureux de vous en procurer d'autres si vous en avez besoin. »

Là-dessus, le ministre des États-Unis posa le flacon sur une table de marbre et, fermant la porte, regagna son lit.

Le fantôme des Canterville resta un moment immobile, plein d'une indignation bien naturelle ; puis, jetant violemment le flacon sur le parquet ciré, il s'enfuit dans le couloir en poussant des grognements caverneux et projetant de terrifiantes lueurs vertes. Ayant gagné une petite chambre secrète située dans l'aile gauche, il s'appuya, pour reprendre haleine, contre un rayon de lune et se prit à réfléchir à sa position. Dans toute sa carrière de trois cents ans, brillante et ininterrompue, il n'avait jamais été si grossièrement insulté.

O. Wilde, *Le Fantôme des Canterville*, 1887.

2/ *Mme de Rênal, la femme du maire, attend avec inquiétude le nouveau précepteur de ses enfants.*

Avec la vivacité et la grâce qui lui étaient naturelles quand elle était loin des regards des hommes, madame de Rênal sortait par la porte-fenêtre du salon qui donnait sur le jardin, quand elle aperçut près de la porte d'entrée la figure d'un jeune paysan presque encore enfant, extrêmement pâle et qui venait de pleurer. Il était en chemise bien blanche, et avait sous le bras une veste fort propre en ratine[1] violette.

Le teint de ce petit paysan était si blanc, ses yeux si doux, que l'esprit un peu romanesque de madame de Rênal eut d'abord l'idée que ce pouvait être une jeune fille déguisée, qui venait demander quelque grâce à M. le maire. Elle eut pitié de cette pauvre créature, arrêtée à la porte d'entrée, et qui évidemment n'osait pas lever la main jusqu'à la sonnette. Madame de Rênal s'approcha, distraite un instant de l'amer chagrin que lui donnait l'arrivée du précepteur. Julien, tourné vers la porte, ne la voyait pas s'avancer. Il tressaillit quand une voix douce dit tout près de son oreille :

– Que voulez-vous ici, mon enfant ?

Julien se tourna vivement, et, frappé du regard si rempli de grâce de madame de Rênal, il oublia une partie de sa timidité. Bientôt, étonné de sa beauté, il oublia tout, même ce qu'il venait faire. Madame de Rênal avait répété sa question.

– Je viens pour être précepteur, madame, lui dit-il enfin, tout honteux de ses larmes qu'il essuyait de son mieux.

Mme de Rênal resta interdite, ils étaient fort près l'un de l'autre à se regarder. Julien n'avait jamais vu un être aussi bien vêtu et surtout une femme avec un teint si éblouissant, lui parler d'un air doux. Madame de Rênal regardait les grosses larmes qui s'étaient arrêtées sur les joues si pâles d'abord et maintenant si roses de ce jeune paysan. Bientôt elle se mit à rire, avec toute la gaieté folle d'une jeune fille ; elle se moquait d'elle-même et ne pouvait se figurer tout son bonheur.

Stendhal, *Le Rouge et le Noir*, 1830.

1. Ratine : tissu de lainage épais.

... et rôle du narrateur

2 Préciser le rôle du narrateur

a] Dans le texte suivant, montrez que le narrateur est omniscient. Comment manifeste-t-il sa liberté au lecteur ? Comment critique-t-il les exigences de ce dernier ?

b] Délimitez le passage qui constitue un récit dans le récit (enchâssement). Pourquoi le narrateur a-t-il introduit cette anecdote ?

Jacques, qui a quitté l'armée et le capitaine qu'il admirait, voyage à cheval avec son maître et aperçoit un corbillard.

Voilà nos deux voyageurs arrivés au côté de cette voiture funèbre. À l'instant Jacques pousse un cri, tombe de son cheval plutôt qu'il n'en descend, s'arrache les cheveux, se roule à terre en criant : « Mon capitaine ! mon pauvre capitaine ! c'est lui, je n'en saurais douter, voilà ses armes… » Il y avait, en effet, dans le char, un long cercueil sous un drap mortuaire, sur le drap mortuaire une épée avec un cordon, et à côté du cercueil un prêtre, son bréviaire à la main et psalmodiant[1]. Le char allait toujours. Jacques le suivait en se lamentant, le maître suivait Jacques en jurant et les domestiques certifiaient à Jacques que ce convoi était celui de son capitaine, décédé dans la ville voisine, d'où on le transférait à la sépulture de ses ancêtres. Depuis que ce militaire avait été privé par la mort d'un autre militaire son ami, capitaine au même régiment, de la satisfaction de se battre au moins une fois par semaine, il en était tombé dans une mélancolie qui l'avait éteint au bout de quelques mois. Jacques, après avoir payé à son capitaine le tribut[2] d'éloges, de regrets et de larmes qu'il lui devait, fit excuse à son maître, remonta sur son cheval, et ils allaient en silence.

Mais pour Dieu, lecteur, me dites-vous, où allaient-ils ?… Mais pour Dieu, lecteur, vous répondrai-je, est-ce que l'on sait où l'on va ? Et vous, où allez-vous ? Faut-il que je vous rappelle l'aventure d'Ésope ? Son maître Xantippe lui dit un soir d'été ou d'hiver, car les Grecs se baignaient dans toutes les saisons : « Ésope, va au bain, s'il y a peu de monde nous nous baignerons. » Ésope part. Chemin faisant il rencontre la patrouille d'Athènes… « Où vas-tu ? – Où je vais ? répond Ésope, je n'en sais rien. – Tu n'en sais rien ! marche en prison. – Eh bien ! reprit Ésope, ne l'avais-je pas bien dit que je ne savais où j'allais ? Je voulais aller au bain, et voilà que je vais en prison. »

D. Diderot, *Jacques le Fataliste*, (posthume) 1796.

1. Psalmodiant : récitant des psaumes.
2. Tribut : ce qu'on est obligé d'accorder.

3 Repérer l'enchâssement dans l'image

a] Dans le texte de Diderot (exercice 2) un récit est enchâssé dans un autre. En quoi peut-on parler d'un enchâssement à propos du tableau ci-contre ?

b] Cette scène pourrait être peinte à travers les yeux d'un personnage venant d'entrer dans l'atelier. Montrez que son point de vue ne s'arrête pas à la pièce.

F. Bazille, *L'Atelier de Bazille*, 1870.

grammaire

**Énoncés ancrés
dans la situation d'énonciation**

**Énoncés coupés
de la situation d'énonciation**

Énoncés mixtes

 **Distinguer les énoncés ancrés
et les énoncés coupés**

Dites si les énoncés suivants sont ancrés dans la situation d'énonciation ou coupés de cette dernière. Précisez quels éléments (de personne, de temps, de lieu...) vous ont guidé.

1. Cher ami, vous me manquez chaque jour davantage depuis votre départ.

2. Hier, nous avons eu une mer agitée.

3. Victor Hugo écrivit son roman *Les Misérables* en 1862.

4. Ce jour-là, les chasseurs aperçurent un cerf qui s'enfuyait au loin. Ils le revirent le lendemain dans la forêt de Montmirail.

5. Rendez-vous ici, demain et à la même heure.

6. Il n'y a que quatre-vingt quatre ans qu'est parue *La Métamorphose* de Kafka.

**5 Transformer un énoncé ancré
en énoncé coupé**

Relevez dans l'énoncé suivant les indices spatio-temporels ancrés dans la situation d'énonciation ; transformez ensuite le texte en énoncé coupé de la situation d'énonciation, en faisant toutes les modifications nécessaires (de temps, de lieu...).

Aujourd'hui, en cette belle matinée ensoleillée comme on en voit peu ici, à la fin de l'hiver, les Parisiens défilent dans la rue pour protester. Contre quoi ? Peu d'honnêtes gens pourraient le dire, alors qu'hier encore, toute idée de manifestation semblait abandonnée. Maintenant cependant les cris s'amplifient. Certains journalistes affirment que la police n'osera pas intervenir contre une manifestation aussi inattendue qu'inefficace, mais qui risque de se poursuivre jusqu'à demain. Dans trois jours, plus personne n'en parlera. Il y a deux ans déjà, à une centaine de mètres d'ici, un défilé d'un genre similaire,

en faveur de la libération des nains de jardin, a provoqué quelques haussements d'épaules. Que faut-il en conclure ?

**6 Transformer un énoncé coupé
en énoncé ancré**

Ce texte est un énoncé coupé de la situation d'énonciation qui comprend un passage ancré (le dialogue). Transformez tout le texte en énoncé ancré, en faisant toutes les modifications nécessaires. Dans le dialogue, faites attention à tout ce qui ne doit pas être changé.

À sept heures du soir, en avril 1560, la nuit commençait ; donc les apprentis, ne voyant plus que quelques personnes passant sous les piliers de droite et de gauche de la rue, rentraient les marchandises exposées comme échantillon, afin de fermer la boutique et la maison. Christophe Lecamus, ardent jeune homme de vingt-deux ans, était debout sur le seuil de la porte, en apparence occupé à regarder les apprentis.
– Monsieur, dit l'un d'eux à Christophe, en lui montrant un homme qui allait et venait sous la galerie d'un air indécis, voilà peut-être un voleur ou un espion ; mais en tout cas, ce croquant ne peut être un honnête homme : s'il avait à parler d'affaires avec nous, il nous aborderait franchement au lieu de tourner comme il le fait… […]
Quand l'inconnu décrit ainsi par l'apprenti vit Christophe seul sur le pas de sa boutique, il quitta rapidement la galerie opposée où il se promenait, traversa la rue, vint sous les piliers de la maison Lecamus, et quand il passa le long de la boutique, avant que les apprentis ne revinssent pour fermer les volets, il aborda le jeune homme.

H. de Balzac, *Sur Catherine de Médicis*, 1842.

**7 Analyser des textes comportant
les deux types d'énoncés**

a] Dans le texte suivant, distinguez les passages coupés de la situation d'énonciation et les passages ancrés. Précisez quels éléments (temps verbaux, indices de personne, de temps, de lieu) les différencient.

Je traduis cette histoire de deux manuscrits volumineux, l'un romain, et l'autre de Florence. À mon grand péril, j'ai osé reproduire leur style, qui est presque celui

grammaire

de nos vieilles légendes. Le style si fin et si mesuré de l'époque actuelle eût été, ce me semble, trop peu d'accord avec les actions racontées et surtout avec les réflexions des auteurs. Ils écrivaient vers l'an 1598. Je sollicite l'indulgence du lecteur et pour eux et pour moi.

«Après avoir écrit tant d'histoires tragiques, dit l'auteur du manuscrit florentin, je finirai par celle de toutes qui me fait le plus de peine à raconter. Je vais parler de cette fameuse abbesse du couvent de la Visitation à Castro, Hélène de Campireali, dont le procès et la mort donnèrent tant à parler à la haute société de Rome et de l'Italie. Déjà, vers 1555, les brigands régnaient dans les environs de Rome, les magistrats étaient vendus aux familles puissantes. En l'année 1572, qui fut celle du procès, Grégoire XIII, Buoncompagni, monta sur le trône de saint Pierre. Ce saint pontife réunissait toutes les vertus apostoliques; mais on a pu reprocher quelque faiblesse à son gouvernement civil; il ne sut ni choisir des juges honnêtes, ni réprimer les brigands; il s'affligeait des crimes et ne savait pas les punir. [...]
Cette jolie ville d'Albano, si voisine du quartier général des brigands, vit naître, en 1542, Hélène de Campireali.

Son père passait pour le patricien le plus riche du pays, et, en cette qualité, il avait épousé Victoire de Carafa, qui possédait de grandes terres dans le royaume de Naples. Je pourrais citer quelques vieillards qui vivent encore, et ont fort bien connu Victoire de Carafa et sa fille. Victoire fut un modèle de prudence et d'esprit; mais, malgré tout son génie, elle ne put prévenir la ruine de sa famille.

Stendhal, *L'Abbesse de Castro*, 1839.

b] Reprenez le texte de Diderot proposé dans l'exercice 2 p. 35, à partir de la phrase «Il y avait, en effet...» (1re colonne).
– Distinguez les passages d'énoncés coupés de la situation d'énonciation (récit) et les énoncés ancrés dans la situation d'énonciation (intervention du narrateur, dialogue).
– Précisez quel passage constitue un petit récit (qui n'est pas le récit principal) à l'intérieur d'une intervention du narrateur.
– Montrez que ce récit à l'intérieur du récit contient un dialogue, au présent d'énonciation.

Leçon → Énoncés ancrés, énoncés coupés, énoncés mixtes

▶ Le locuteur, son destinataire, le lieu et le moment de l'énonciation constituent la situation d'énonciation.

▶ Certains textes narratifs contiennent des indices de personne, de temps et de lieu qui ne peuvent être compris que si l'on connaît la situation d'énonciation : *je, tu, nous, vous, tes, vos, le mien.../aujourd'hui, hier, demain, dans deux jours.../ici, chez moi, dans notre quartier...* Ce sont des énoncés ancrés dans la situation d'énonciation, rédigés au système du présent (présent/passé composé/futur).

▶ D'autres textes, au contraire sont coupés de la situation d'énonciation (on ne la connaît pas) : ils contiennent des indices comme *il(s), elle(s), son, sa, leur(s), le sien.../ce jour-là, la veille, le lendemain, deux jours plus tard.../là, à cet endroit-là...* Ces énoncés utilisent surtout la 3e personne et sont rédigés au système du passé (passé simple-imparfait/plus-que-parfait ou passé antérieur/futur du passé).

▶ De nombreux énoncés sont mixtes, ils mêlent les deux types d'énoncés :
– un récit à la 3e personne au passé (énoncé coupé de la situation d'énonciation) peut contenir des passages d'énoncés ancrés : dialogues, interventions du narrateur (sauf si elles sont faites au présent de vérité générale) ;
– un discours à la 1re personne au système du présent, un dialogue romanesque ou théâtral par exemple (énoncé ancré dans la situation d'énonciation), peut contenir des passages d'énoncés coupés de la situation d'énonciation dans lesquels un locuteur fait le récit à la 3e personne d'un événement passé.

1. Techniques de la narration | 37

s'exercer

8 Prolonger un texte
en respectant le point de vue choisi

a] Précisez à quelle personne et selon quel point de vue les textes suivants ont été rédigés.

b] Relevez les verbes de perception utilisés dans le 1er texte et les expressions traduisant le doute ou les déductions de ceux qui aperçoivent le jeune homme dans le 2e texte.

c] Prolongez chaque extrait d'une dizaine de lignes. Respectez le point de vue adopté par le narrateur et utilisez des procédés semblables à ceux que vous avez relevés dans la question précédente.

1/ *Lucien défile à cheval avec son régiment.*

Lucien leva les yeux et vit une grande maison, moins mesquine[1] que celles devant lesquelles le régiment avait passé jusque-là ; au milieu d'un grand mur blanc, il y avait une persienne peinte en vert perroquet. « Quel choix de couleurs voyantes ont ces marauds de provinciaux ! »
Lucien se complaisait dans cette idée peu polie lorsqu'il vit la persienne vert perroquet s'entr'ouvrir un peu ; c'était une jeune femme blonde qui avait des cheveux magnifiques et l'air dédaigneux : elle venait voir défiler le régiment. Toutes les idées tristes de Lucien s'envolèrent à l'aspect de cette jolie figure ; son âme en fut ranimée. Les murs écorchés et sales des maisons de Nancy, la boue noire, l'esprit envieux et jaloux de ses camarades, les duels nécessaires, le méchant pavé sur lequel glissait la rosse[2] qu'on lui avait donnée, peut-être exprès, tout disparut. Un embarras sous une voûte, au bout de la rue, avait forcé le régiment à s'arrêter. La jeune femme ferma sa croisée[3] et regarda, à demi cachée par le rideau de mousseline brodée de sa fenêtre. Elle pouvait avoir vingt-quatre ou vingt-cinq ans. Lucien trouva dans ses yeux une expression singulière ; était-ce de l'ironie, de la haine, ou tout simplement de la jeunesse et une certaine disposition à s'amuser de tout ?

Stendhal, *Lucien Leuwen*, 1834.

1. Mesquine : médiocre. 2. Rosse : mauvais cheval. 3. Croisée : fenêtre.

2/ … il y avait foule au Palais-Royal, et les restaurants commençaient à s'emplir. En ce moment un coupé s'arrêta devant le perron, il en sortit un jeune homme de fière mine, étranger sans doute ; autrement il n'aurait eu ni le chasseur à plumes aristocratiques, ni les armoiries que les héros de Juillet poursuivaient encore. L'étranger entra dans le Palais-Royal et suivit la foule sous les galeries, sans s'étonner de la lenteur à laquelle l'affluence des curieux condamnait sa démarche, il semblait habitué à l'allure noble qu'on appelle ironiquement un pas d'ambassadeur ; mais sa dignité sentait un peu le théâtre : quoique sa figure fût belle et grave, son chapeau, d'où s'échappait une touffe de cheveux noirs bouclés, inclinait peut-être un peu trop sur l'oreille droite, et démentait sa gravité par un air tant soit peu mauvais sujet…

H. de Balzac, *Gambara*, 1839.

9 Modifier un texte
en changeant le point de vue

a] Transposez le texte de Stendhal (ex. 8) en adoptant le point de vue de la jeune femme. En utilisant des verbes de perception, vous décrirez à travers ses yeux le régiment qui défile, puis le personnage de Julien et vous imaginerez les jugements qu'elle peut porter ou l'émotion qu'elle peut ressentir.

b] Transposez le texte d'Oscar Wilde (ex. 1 p. 34) en adoptant le point de vue du fantôme. Auparavant, réfléchissez à tout ce qu'il ne pourrait pas voir et que vous devez supprimer, à ce qu'il peut percevoir des émotions de l'autre personnage et que vous pouvez garder.

10 Transposer un point de vue

En tenant compte de la situation et de l'attitude des personnages (image ci-dessous), décrivez, sous forme de dialogue, ce que chacun d'eux voit (point de vue interne) à travers l'une des fenêtres de la cour.

A. Hitchcock, *Fenêtre sur cour*, 1954.

rédiger

Prolonger un récit en alternant les points de vue

Prolongez d'une quinzaine de lignes l'extrait suivant en adoptant alternativement :

• le point de vue interne de l'héroïne qui aperçoit de loin son mari s'impatienter sur la plage et qui regarde en même temps le jeune homme nageant vers elle ;

• le point de vue interne du mari qui aperçoit de la plage sa femme nageant puis discutant avec un jeune homme.

Estelle Chabre, en vacances avec son mari près de Saint-Nazaire, a rencontré un jeune homme qu'elle va retrouver par hasard lors d'une baignade.

Et elle fila rapidement, par brassées longues et régulières.
– Estelle ! Estelle ! criait M. Chabre. Veux-tu bien ne pas t'éloigner… ! Tu sais que je déteste les imprudences.
Mais Estelle ne l'écoutait pas, il dut se résigner. Debout, se haussant pour suivre la tache blanche que le chapeau de paille de sa femme faisait sur l'eau, il se contenta de changer de main son ombrelle, sous laquelle l'air surchauffé le suffoquait de plus en plus.
– Qu'a-t-elle donc vu ? murmurait-il. Ah ! oui, cette chose qui flotte là-bas… Quelque saleté. Un paquet d'algues, bien sûr. Ou un baril… Tiens ! non, ça bouge. Et tout d'un coup, il reconnut l'objet.
– Mais c'est un monsieur qui nage !
Estelle, cependant, après quelques brassées, avait aussi parfaitement reconnu que c'était un monsieur. Alors, elle cessa de nager droit à lui, ce qu'elle sentait peu convenable. Mais, par coquetterie, heureuse de montrer sa hardiesse, elle ne revint pas à la jetée, elle continua de se diriger vers la pleine mer. Elle avançait paisiblement, sans paraître apercevoir le nageur. Celui-ci, comme si un courant l'avait porté, obliquait peu à peu vers elle.

É. Zola, *Les Coquillages de M. Chabre*, 1876.

TENIR COMPTE DU CARACTÈRE DES PERSONNAGES

À partir de cet extrait, vous pouvez deviner en partie la personnalité du mari (qui se veut en vain autoritaire et qui s'exaspère facilement) et le caractère indépendant et déterminé de sa femme. Intégrez ces éléments dans la suite de votre récit de façon à accentuer le contraste entre les deux points de vue interne (de la jeune femme et du mari) qui vont alterner dans votre texte.

TENIR COMPTE DE LA SITUATION DES PERSONNAGES

La position des personnages est déterminante dans le point de vue interne : l'éloignement de la jeune femme et de son mari s'oppose au rapprochement qui s'opère entre la jeune femme et le nageur. Elle ne sait donc pas ce que vocifère son mari, mais peut en revanche deviner son exaspération ou par exemple son incompréhension à travers les gestes qu'elle entrevoit de loin. Lui-même ne peut exactement voir si elle parle au jeune homme. En revanche, la jeune femme aura sans doute du jeune homme qui nage vers elle une vision de plus en plus précise jusqu'à ce qu'ils se parlent.

RESPECTER LES CARACTÉRISTIQUES DU RÉCIT EN POINT DE VUE INTERNE

• Le récit sera rédigé au système du passé et à la 3e personne, mais à travers la conscience et les émotions d'un personnage puis de l'autre qui vont s'opposer dans leur jugement et dans leur compréhension de la situation. Chacun des personnages n'aura donc qu'une vision partielle de la scène.

• Utilisez des verbes de perception (*voir, distinguer, entendre…*), des termes qui traduisent l'incertitude, l'hésitation, le doute (*peut-être, sans doute, sembler, paraître, avoir l'air, se demander…*), des expressions qui révèlent les sensations et les émotions successives des personnages (bien-être ou malaise, sérénité ou colère, jalousie, agacement…).

• Développez les pensées des personnages en employant des verbes de jugement (*penser, croire, considérer, comprendre, reconnaître, juger…*). La jeune femme peut utiliser un lexique mélioratif lorsqu'elle voit de plus en plus distinctement le jeune homme qui s'approche d'elle, alors que le mari peut décrire en des termes péjoratifs cet inconnu importun.

Autre sujet

>>> **Prolongez le texte de Gide (séance 6 p. 30) en une vingtaine de lignes. Vous montrerez la progression de l'intérêt que les deux personnages éprouvent l'un pour l'autre, en adoptant successivement le point de vue interne de chacun d'eux.**

Point de vue de l'artiste
et point de vue sur les artistes

Honoré de
Balzac
[1799-1850]

*Voir la biographie
d'Honoré de Balzac,* p. 47.

Vers la fin de l'année 1612, par une froide matinée de décembre, un jeune homme dont le vêtement était de très mince apparence, se promenait devant la porte d'une maison située rue des Grands-Augustins, à Paris. Après avoir assez longtemps marché dans
5 cette rue avec l'irrésolution d'un amant qui n'ose se présenter chez sa première maîtresse, quelque facile qu'elle soit, il finit par franchir le seuil de cette porte, et demanda si maître François PORBUS[1] était en son logis. Sur la réponse affirmative que lui fit une vieille femme occupée à balayer une salle basse, le jeune homme monta lentement
10 les degrés, et s'arrêta de marche en marche, comme quelque courtisan de fraîche date, inquiet de l'accueil que le roi va lui faire. Quand il parvint en haut de la vis[2], il demeura pendant un moment sur le palier, incertain s'il prendrait le heurtoir grotesque[3] qui ornait la porte de l'atelier où travaillait sans doute le peintre de Henri IV délaissé pour
15 Rubens par Marie de Médicis. Le jeune homme éprouvait cette sensation profonde qui a dû faire vibrer le cœur des grands artistes quand, au fort de la jeunesse et de leur amour pour l'art, ils ont abordé un homme de génie ou quelque chef-d'œuvre. Il existe dans tous les sentiments humains une fleur primitive, engendrée par un noble enthou-
20 siasme qui va toujours faiblissant jusqu'à ce que le bonheur ne soit plus qu'un souvenir et la gloire un mensonge. Parmi ces émotions fragiles, rien ne ressemble à l'amour comme la jeune passion d'un artiste commençant le délicieux supplice de sa destinée de gloire et de malheur, passion pleine d'audace et de timidité, de croyances vagues et de
25 découragements certains. […]

Accablé de misère et surpris en ce moment de son outrecuidance[4], le pauvre néophyte[5] ne serait pas entré chez le peintre auquel nous devons l'admirable portrait de Henri IV, sans un secours extraordinaire que lui envoya le hasard. Un vieillard vint à monter l'escalier. À
30 la bizarrerie de son costume, à la magnificence de son rabat de dentelle, à la prépondérante[6] sécurité de sa démarche, le jeune homme devina dans ce personnage ou le protecteur ou l'ami du peintre ; il se recula sur le palier pour lui faire place, et l'examina curieusement, espérant trouver en lui la bonne nature d'un artiste ou le caractère
35 serviable des gens qui aiment les arts ; mais il aperçut quelque chose de diabolique dans cette figure, et surtout ce *je ne sais quoi* qui affriande[7] les artistes.

H. de Balzac, *Le Chef-d'œuvre inconnu*, 1831.

1. François Porbus, dit le Jeune, peintre flamand (1570-1622). Il fut attaché à la cour de France et exécuta les portraits de Henri IV et de Louis XIII enfant. Marie de Médicis lui préféra Rubens.

2. Vis : escalier tournant.

3. Grotesque : à l'époque l'adjectif désigne des représentations bizarres d'objets ou de personnages découvertes dans les fouilles des monuments antiques.

4. Outrecuidance : audace excessive.

5. Néophyte : nouveau partisan d'une doctrine.

6. Prépondérante : dominante, pleine d'autorité.

7. Affriander : attirer.

QUESTIONS
(15 points)

A. Caractéristiques de la narration (6,5 points)

1 a. À quelle personne et à quel système de temps le récit est-il rédigé ? (1,5 point)

b. Relevez les différents indices, notamment spatio-temporels, qui permettent de l'ancrer dans la réalité. (2 points)

2 Quel passage constitue une intervention du narrateur ? Pourquoi se fait-elle au présent ? (1 point)

3 Expliquez ce que veut dire le narrateur. S'agit-il d'une vision positive des artistes ? Justifiez votre réponse. (2 points)

B. D'un point de vue à l'autre (8,5 points)

4 Du début à la ligne 11 (« lui faire »). Montrez que le personnage est présenté d'un point de vue externe. (2 points)

5 Relevez les comparaisons qui constituent cependant des interventions du narrateur et qui permettent de connaître l'état d'esprit du personnage. Qu'ont-elles en commun ? (2 points)

6 Dans la 2e comparaison, précisez quel terme est une indication psychologique qui prépare le passage à un point de vue interne. (0,5 point)

7 De la ligne 11 à la fin. Quels sont les sentiments qui animent le jeune homme au moment où il s'apprête à rencontrer le célèbre peintre Porbus ? (1 point)

8 Montrez que le vieillard qu'aperçoit le jeune homme est décrit à travers son regard, en point de vue interne. Que déduit-il de l'apparence du vieillard ? (2 points)

9 Pourquoi Balzac a-t-il choisi ici de passer d'un point de vue externe à un point de vue interne ? (1 point)

RÉÉCRITURE
(5 points)

Réécrivez le 1er paragraphe de ce texte au système du présent (présent/passé composé/futur). Quel passage n'avez-vous pas eu à modifier ? Pourquoi ?

RÉDACTION
(20 points)

Poursuivez le texte, à la manière de Balzac, en commençant par « Imaginez un front… » pour décrire le vieillard à travers le regard du jeune homme (point de vue interne). Adoptez ensuite le point de vue omniscient du narrateur pour expliquer qui est ce vieillard à l'air « diabolique » et quelles sont ses intentions.

Consignes d'écriture.

◉ *Respectez les caractéristiques propres à chaque point de vue (limité/illimité) et utilisez un procédé qui semble naturel pour passer de l'un à l'autre.*

◉ *Tenez compte des renseignements que le texte fournit sur le personnage du vieillard.*

séquence 2

Le récit réaliste

— E. DEGAS, *Repasseuse
à contre-jour*, 1876.

LE RÉALISME

■ **Le réalisme** est un courant littéraire et artistique qui vise à **représenter le réel**, sans chercher à l'embellir ou à l'idéaliser. Il s'est développé dans la seconde moitié du XIXe siècle, en réaction contre le romantisme qui donnait une grande importance à l'imagination, à la sensibilité et à l'expression personnelle des sentiments.

■ **Balzac**, le premier, a fixé le rôle de l'écrivain réaliste dans *l'Avant-Propos* de *La Comédie humaine* (1842). Celui-ci doit, sur le modèle des sciences naturelles, classer et décrire les espèces sociales et devenir l'historien des mœurs de son époque. Cette tâche nécessite l'observation des différents milieux, l'analyse de leur influence sur l'évolution des personnages et doit être préparée par un important travail de documentation. Ce courant a influencé des écrivains mais aussi des peintres comme Courbet, Millet, Manet, Degas.

É. Manet, *Portrait d'Émile Zola*, 1868.

■ **Flaubert** est l'un des plus grands représentants du réalisme : il s'est efforcé d'atteindre, grâce à un important travail de style, l'objectivité et le détachement, en portant sur la réalité un « coup d'œil médical ».

LE NATURALISME

■ **Le naturalisme** s'inscrit dans le prolongement du réalisme. Dès 1870, avec **Zola**, son **chef de file**, il pousse encore plus loin cette recherche de vérité et propose au romancier de s'inspirer des méthodes de la science, en soumettant ses personnages à de véritables expériences. Le **roman expérimental** permettra ainsi à l'écrivain de dégager des lois (concernant l'hérédité, l'influence des milieux) qui contribueront à la connaissance de l'homme. La peinture de certains milieux sociaux pourra aussi éclairer l'action politique.

■ Ce courant connaît son **âge d'or en 1880**, mais, accusé de peindre une réalité trop crue et de limiter la portée de la littérature, il s'éteint une dizaine d'années plus tard.

■ Quant au réalisme, après avoir été contesté au cours du XXe siècle, il est encore revendiqué de nos jours par de nombreux écrivains qui visent la représentation de la réalité sociale ou historique par le biais du document ou du témoignage.

■ Ces doctrines ont entraîné un important **renouvellement** du récit.
— Introduction de **nouveaux sujets** et intérêt pour de **nouveaux milieux** : les romanciers réalistes, comme les Goncourt, considèrent comme un devoir démocratique de faire connaître les conditions de vie des « basses classes ».
— Introduction de **nouveaux personnages** liés à l'évolution de la société et au monde du travail : ambitieux et parvenus (Rastignac, Bel-Ami), mineurs, cheminots, vendeurs, journalistes.
— Mise au point de **nouvelles techniques de narration** pour **reconstituer** le réel :
• **l'illusion de la réalité** est donnée par une série de procédés d'authentification (voir séance 1) ;
• la **description** minutieuse, fruit de recherches documentaires, vise à mettre en évidence l'influence réciproque du personnage et de son milieu ;
• la saisie des **personnages** se fait par des portraits détaillés qui ont aussi une portée générale et rattachent le personnage à un groupe social (portrait-type). Par souci de vérité, le narrateur fait entendre la voix des personnages par le biais notamment du style indirect libre.
• La **construction du récit** tend à refléter l'aspect décousu de la vie ordinaire. Le roman réaliste présente souvent des **itinéraires de vie** dont il épouse les réussites, les échecs ou la platitude, comme dans *L'Éducation sentimentale* (Flaubert), *Une vie* (Maupassant).

Une histoire vraie

Ce passage constitue le début (l'incipit) de la nouvelle.

C'était à la fin du dîner d'ouverture de chasse chez le marquis de Bertrans. Onze chasseurs, huit jeunes femmes et le médecin du pays étaient assis autour de la grande table illuminée, couverte de fruits et de fleurs.

5 On en vint à parler d'amour, et une grande discussion s'éleva, l'éternelle discussion, pour savoir si on pouvait aimer vraiment une fois ou plusieurs fois. On cita des exemples de gens n'ayant jamais eu qu'un amour sérieux ; on cita aussi d'autres exemples de gens ayant aimé souvent, avec violence. Les hommes, en général, prétendaient que la pas-
10 sion, comme les maladies, peut frapper plusieurs fois le même être, et le frapper à le tuer si quelque obstacle se dresse devant lui. Bien que cette manière de voir ne fût pas contestable, les femmes, dont l'opinion s'appuyait sur la poésie bien plus que sur l'observation, affirmaient que l'amour, l'amour vrai, le grand amour, ne pouvait tomber qu'une fois
15 sur un mortel, qu'il était semblable à la foudre, cet amour, et qu'un cœur touché par lui demeurait ensuite tellement vidé, ravagé, incendié, qu'aucun autre sentiment puissant, même aucun rêve, n'y pouvait germer de nouveau.

Le marquis ayant aimé beaucoup combattait vivement cette
20 croyance :

« Je vous dis, moi, qu'on peut aimer plusieurs fois avec toutes ses forces et toute son âme. Vous me citez des gens qui se sont tués par amour, comme preuve de l'impossibilité d'une seconde passion. Je vous répondrai que, s'ils n'avaient pas commis cette bêtise de se suicider, ce
25 qui leur enlevait toute chance de rechute, ils se seraient guéris ; et ils auraient recommencé, et toujours, jusqu'à leur mort naturelle. Il en est des amoureux comme des ivrognes. Qui a bu boira – qui a aimé aimera. C'est une affaire de tempérament, cela. »

On prit pour arbitre le docteur, vieux médecin parisien retiré aux
30 champs, et on le pria de donner son avis.

Justement il n'en avait pas :

« Comme l'a dit le marquis, c'est une affaire de tempérament ; quant à moi, j'ai eu connaissance d'une passion qui dura cinquante-cinq ans sans un jour de répit, et qui ne se termina que par la mort. »
35 La marquise battit des mains.

« Est-ce beau cela ! et quel rêve d'être aimé ainsi ! Quel bonheur de vivre cinquante-cinq ans tout enveloppé de cette affection acharnée et pénétrante ! Comme il a dû être heureux et bénir la vie celui qu'on adora de la sorte ! »

Guy de
Maupassant
[1850-1893]

Initié par Flaubert aux règles de l'écriture réaliste, il est le maître dans l'art de la nouvelle. Son œuvre regroupe trois cents contes et nouvelles parmi lesquels on peut citer les Contes de la Bécasse, Boule-de-Suif, Toine. *Il est aussi l'auteur de romans dont* Une Vie, Bel Ami, Pierre et Jean.

40 Le médecin sourit :

« En effet, Madame, vous ne vous trompez pas sur ce point, que l'être aimé fut un homme. Vous le connaissez, c'est M. Chouquet, le pharmacien du bourg. Quant à elle, la femme, vous l'avez connue aussi, c'est la vieille rempailleuse de chaises qui venait tous les ans au château.
45 Mais je vais me faire mieux comprendre. »

G. de Maupassant, « *La rempailleuse* », *Contes de la bécasse*, 1883.

UNE SCÈNE D'OUVERTURE

1 Sur quelle scène s'ouvre la nouvelle ? Relevez, dans la 1re phrase, un indice signalant que cette scène est déjà engagée lorsque le récit débute. En quoi cela concourt-il à donner l'illusion de la réalité ?

2 Quel est le thème abordé au cours de la conversation ? En quoi consiste l'opposition des hommes et des femmes ? Quels arguments chaque groupe avance-t-il pour défendre son point de vue ?

3 VOCABULAIRE Relevez, dans le 2e paragraphe, deux comparaisons qui caractérisent la passion amoureuse. Citez ensuite les autres termes qui se rattachent à chacune de ces comparaisons.

Leçon → Les procédés de l'illusion réaliste

▶ Le récit réaliste ne cherche pas tant à représenter le réel qu'à donner l'illusion de la réalité. Il utilise pour cela divers procédés :
– début du récit *in medias res* (au beau milieu), comme s'il s'insérait dans un réel préexistant ;
– récit délégué à un narrateur digne de foi dont le savoir et l'expérience sont gages de sérieux ;
– références à un réel supposé connu du lecteur : nom de lieux, ou usage de déterminants définis : *le Marquis*, *le pharmacien du bourg* ;
– détails dont la gratuité apparente renforce l'« effet de réel » : *onze chasseurs, huit jeunes femmes*.

▶ Le récit réaliste vise le réel sous toutes ses formes, et met au premier plan des classes sociales auparavant dédaignées ou négligées par la littérature. Ainsi, pour peindre la passion amoureuse, cette nouvelle met en scène un personnage humble et non un personnage appartenant à la noblesse, comme c'est le cas dans la littérature classique.

4 Montrez que cette conversation annonce le récit enchâssé et permet de faire le lien avec lui.

5 Comment est accueilli le récit de ce narrateur secondaire ?

6 Ce dernier se laisse-t-il cependant décourager par son auditoire féminin ? À quels milieux sociaux le récit réaliste juge-t-il « normal » de s'intéresser ?

DES PROCÉDÉS D'AUTHENTIFICATION

7 Citez les termes qui présentent la discussion comme banale. Pourquoi la crédibilité du récit en est-elle renforcée ?

8 Relevez la façon dont les personnages sont caractérisés : identité, appartenance sociale.

9 GRAMMAIRE Repérez les articles définis et les adjectifs numéraux qui contribuent à produire un effet de réel.

10 Quel personnage est chargé de raconter l'histoire de la rempailleuse ? Quels traits en font un narrateur digne de foi ?

11 Quelles expressions confirment auprès des auditeurs du récit « l'existence réelle » de Chouquet et de la rempailleuse ?

Prolongement

→ LIRE ET ANALYSER. Comparez le début de *La Rempailleuse* à celui de *Berthe*, une autre nouvelle de Maupassant, et retrouvez-y les procédés utilisés pour créer l'illusion de la réalité.

Outils de la langue

■ La comparaison, voir pp. 187-189.

Une description réaliste

Le roman s'ouvre sur la description de la pension Vauquer dont le père Goriot est l'un des occupants. Cette pension est d'abord située dans l'espace parisien et décrite de l'extérieur puis le lecteur est conduit à en visiter les différentes pièces, dont la salle à manger.

Il s'y rencontre de ces meubles indescriptibles, proscrits partout, mais placés là comme le sont les débris de la civilisation aux Incurables. Vous y verriez un baromètre à capucin qui sort quand il pleut, des gravures exécrables qui ôtent l'appétit, toutes encadrées en bois
5 noir verni à filets dorés ; un cartel[1] en écaille incrustée de cuivre ; un poêle vert, des quinquets d'Argand[2] où la poussière se combine avec l'huile, une longue table couverte en toile cirée assez grasse pour qu'un facétieux externe y écrive son nom en se servant de son doigt comme de style[3], des chaises estropiées, de petits paillassons piteux en sparte-
10 rie[4] qui se déroule toujours sans se perdre jamais, puis des chaufferettes misérables à trous cassés, à charnières défaites, dont le bois se carbonise. Pour expliquer combien ce mobilier est vieux, crevassé, pourri, tremblant, rongé, manchot, borgne, invalide, expirant, il faudrait en faire une description qui retarderait trop l'intérêt de cette histoire et
15 que les gens pressés ne pardonneraient pas.

C'est dans ce cadre qu'apparaît Madame Vauquer, la patronne de la pension…

Sa figure fraîche comme une première gelée d'automne, ses yeux ridés, dont l'expression passe du sourire prescrit aux danseuses à l'amer renfrognement de l'escompteur, enfin toute sa personne
20 implique la pension, comme la pension implique sa personne. Le bagne ne va pas sans l'argousin[5], vous n'imaginerez pas l'un sans l'autre. L'embonpoint blafard de cette petite femme est le produit de cette vie, comme le typhus[6] est la conséquence des exhalaisons d'un hôpital. Son jupon de laine tricotée, qui dépasse sa première jupe faite
25 avec une vieille robe, et dont la ouate s'échappe par les fentes de l'étoffe lézardée, résume le salon, la salle à manger, le jardinet, annonce la cuisine et fait pressentir les pensionnaires.

H. de Balzac, *Le Père Goriot*, 1835.

Honoré de Balzac

[1799-1850]

Père du réalisme, il est l'auteur de La Comédie humaine, *vaste ensemble de romans consacrés à l'histoire des mœurs de son temps et à l'analyse des milieux sociaux. Parmi ses œuvres, on peut citer* La Peau de Chagrin, Eugénie Grandet, Le Père Goriot, Les Illusions perdues.

1. Cartel : pendule.
2. Quinquets d'Argand : lampes à huile.
3. Style : poinçon servant à écrire.
4. Sparterie : tissage de fibres végétales.
5. Argousin : officier des galères.
6. Typhus : maladie infectieuse.

Émile
Zola
[1840-1902]

Romancier naturaliste, il est l'auteur du cycle des Rougon-Macquart qui regroupe 20 romans dans lesquels il étudie l'influence de l'hérédité et des milieux sur les membres d'une même famille. Les plus connus sont Germinal, L'Assommoir, Le Ventre de Paris, Au Bonheur des dames. Zola est célèbre aussi par son combat contre l'injustice dans l'Affaire Dreyfus.

Une description documentaire

Étienne Lantier, jeune ouvrier venu chercher du travail dans le Nord, découvre l'univers de la mine et assiste pour la première fois à la descente des hommes dans la fosse d'extraction.

Il ne comprenait bien qu'une chose : le puits avalait des hommes par bouchées de vingt et de trente, et d'un coup de gosier si facile, qu'il semblait ne pas les sentir passer. Dès quatre heures, la descente des ouvriers commençait. Ils arrivaient de la baraque, pieds nus, la lampe
5 à la main, attendant par petits groupes d'être en nombre suffisant. Sans un bruit, d'un jaillissement doux de bête nocturne, la cage de fer montait du noir, se calait sur les verrous, avec ses quatre étages contenant chacun deux berlines pleines de charbon. Des moulineurs, aux différents paliers, sortaient les berlines, les remplaçaient par d'autres, vides
10 ou chargées à l'avance des bois de taille. Et c'était dans les berlines vides que s'empilaient les ouvriers, cinq par cinq, jusqu'à quarante d'un coup, lorsqu'ils tenaient toutes les cases. Un ordre partait du porte-voix, un beuglement sourd et indistinct, pendant qu'on tirait quatre fois la corde du signal d'en bas, « sonnant à la viande », pour prévenir
15 de ce chargement de chair humaine. Puis, après un léger sursaut, la cage plongeait silencieuse, tombait comme une pierre, ne laissait derrière elle que la fuite vibrante du câble.

« C'est profond ? demanda Étienne à un mineur, qui attendait près de lui, l'air somnolent.
20 – Cinq cent cinquante-quatre mètres, répondit l'homme. Mais il y a quatre accrochages au dessus, le premier à trois cent vingt. »

Tous deux se turent, les yeux sur le câble qui remontait. Etienne reprit :

« Et quand ça casse ?
25 – Ah ! quand ça casse… »

Le mineur acheva d'un geste. Son tour était arrivé, la cage avait reparu, de son mouvement aisé et sans fatigue. Il s'y accroupit avec des camarades, elle replongea, puis jaillit de nouveau au bout de quatre minutes à peine, pour engloutir une autre charge d'hommes. Pendant
30 une demi-heure, le puits en dévora de la sorte, d'une gueule plus ou moins gloutonne, selon la profondeur de l'accrochage où ils descendaient, mais sans un arrêt, toujours affamé, de boyaux géants, capables de digérer un peuple.

É. Zola, *Germinal*, 1885.

UNE DESCRIPTION RÉALISTE [H. de Balzac]

1 Montrez que la pension fait l'objet d'une description précise et détaillée.

2 Relevez certaines notations que l'on pourrait qualifier de «gratuites». Quelle est leur fonction dans un récit réaliste ?

3 VOCABULAIRE Quelle impression générale donne la salle à manger ? Justifiez votre réponse en relevant les mots qui se rapportent aux deux champs lexicaux principaux.

4 Citez les phrases qui soulignent de manière explicite l'influence du milieu sur le personnage et du personnage sur son milieu.

5 Quels éléments du portrait de Madame Vauquer viennent confirmer ce phénomène ? Justifiez votre réponse.

6 GRAMMAIRE Souvent, la description est insérée dans une narration dont elle interrompt le cours. Ce passage, situé au tout début du roman, obéit-il à ce schéma ?

7 La description a-t-elle pour seule fonction d'ancrer le récit dans le réel ? Quelle fonction supplémentaire peut-on déceler d'après ce texte ?

UNE DESCRIPTION DOCUMENTAIRE [É. Zola]

8 Quel est le milieu décrit dans ce passage ? Quelle opération particulière donne lieu à des explications ?

9 VOCABULAIRE Relevez les mots relevant d'un vocabulaire technique et spécialisé.

10 Relevez les indices signalant que la scène écrite est vue par un ouvrier débutant. Quels éléments trahissent son inquiétude ?

11 VOCABULAIRE À quoi le narrateur assimile-t-il le puits de mine ? Relevez les éléments de la métaphore développée tout au long du texte. À quel personnage mythologique le texte fait-il sans doute référence ?

12 GRAMMAIRE La description de la descente dans le puits interrompt-elle le récit ? Quelle est ici la forme cadre et la forme encadrée (voir leçon) ? Précisez le rôle joué par le personnage dans l'insertion de la description.

13 Relevez les termes montrant que les ouvriers ne sont pas traités comme des humains. Quelle vision de la condition des mineurs est donnée dans ce passage ? Cette description vise-t-elle uniquement à informer ?

Leçon → La description dans le récit réaliste

▶ La description occupe une place importante dans le récit réaliste qui fait du **personnage** le produit de son milieu.

▶ Généralement, c'est la narration (forme cadre) qui intègre des passages descriptifs ou explicatifs (formes encadrées). Or, de nombreux romans de Balzac s'ouvrent sur une description initiale qui devient une forme cadre. La narration qui s'y insère est alors une forme encadrée.

▶ Le roman naturaliste, dont Zola est le chef de file, se propose d'étudier l'influence des milieux de façon scientifique et expérimentale. Au cours d'une véritable enquête, l'auteur recueille une documentation détaillée qu'il intègre dans le récit par le biais du regard curieux d'un personnage en situation d'apprentissage ou de découverte.

Prolongements

→ INSCRIRE UN PERSONNAGE DANS UN MILIEU. Sur le modèle du texte de Balzac, rédigez deux paragraphes dont l'un décrira un lieu et l'autre un personnage dont vous ferez apparaître l'harmonie avec ce même lieu.

→ INSÉRER DES INFORMATIONS DANS UN RÉCIT. Documentez-vous sur un milieu professionnel, puis, à la façon de Zola, insérez ces informations dans un court récit par le biais du regard curieux d'un débutant.

Outils de la langue

■ La métaphore, voir pp. 187-189.
■ Les formes cadres et les formes encadrées, voir p. 61.

Passants et peinture

L. Anquetin, *Rue à cinq heures de l'après-midi*, 1887.

Louis
Anquetin
[1861-1932]

Peintre français, Louis Anquetin s'intéressa d'abord à l'impressionnisme avant de trouver un style simple, aux contours délimités, le « cloisonnisme ». Il reviendra vers la fin de sa vie à des œuvres plus classiques.

UN THÈME RÉALISTE...

1 Quel est le thème du tableau ? Ce thème vous paraît-il original ? Pourquoi ? Montrez que le titre souligne ce thème.

2 À l'aide de la biographie, du titre et de l'image, identifiez :
– le lieu probable de la scène ;
– la saison pendant laquelle elle a lieu ;
– les indices d'un temps pluvieux.
Quels sont les éléments qui vous ont conduit à ces réponses ?

3 À quelle hauteur se situe le regard du peintre ? Que veut-il traduire ? Pourquoi ?

4 À la lumière des textes de la séquence que vous avez étudiés, montrez que le thème de ce tableau est « réaliste » ; relevez un ou deux détails qui confirment votre réponse.

... MAIS UN TRAITEMENT PLUS ORIGINAL

5 Quelle est la couleur dominante de ce tableau ? Pourquoi cette couleur a-t-elle été choisie ?

6 Retrouvez sa couleur complémentaire dans le tableau, et montrez que nuit et lumière s'opposent.

7 Un journaliste parlant de l'art de Louis Anquetin a inventé en 1888 le terme de « cloisonnisme ».
a. Cherchez la racine de ce mot et proposez une définition.
b. Diriez-vous que le découpage du tableau dépend des couleurs ou du dessin ? Justifiez votre réponse en la liant au terme de « cloisonnisme ».

8 Les passants sont-ils identifiables ? Pourquoi ? Anquetin voulait-il qu'on les reconnaisse ? Pour quelles raisons ?

9 Comment le peintre suggère-t-il la profondeur de l'image ? Vous pouvez, pour justifier votre réponse, repérer dans le tableau les axes de la perspective.

10 Indiquez, dans le tableau, les axes verticaux et horizontaux et montrez que la rue est un espace à la fois ouvert et fermé.

Leçon → Couleurs et formes

▶ **Les couleurs.** On appelle couleurs primaires les trois couleurs fondamentales (jaune/bleu/rouge) qui se combinent entre elles pour former des couleurs binaires (ou mixtes). Celles-ci s'opposent à des couleurs complémentaires : le vert (jaune + bleu) est la couleur complémentaire du rouge, le violet (bleu + rouge) celle du jaune, l'orangé (rouge + jaune) celle du bleu.

▶ On distingue également les couleurs chaudes (rouge, jaune...) et les couleurs froides (bleu, vert...), les couleurs saturées (pures, sans mélange), etc.

▶ **Les formes.** Elles obéissent à des principes de composition qui s'appuient :

– sur des règles strictes, comme celle de la perspective (deux droites qui tendent vers un point de fuite), ou celle de l'équilibre (deux tiers/un tiers...) ;
– sur des lignes de forces (ou axes) qui organisent l'image sans suivre nécessairement le trait du dessin : axes horizontaux, verticaux, obliques...
– sur des figures géométriques plus ou moins complexes (triangles mais aussi pyramides, rectangles mais aussi trapèzes...) qui donnent une unité à certains motifs.
– sur l'organisation des « groupes » dans le tableau (personnages ou objets) : organisation symétrique ou dissymétrique jouant sur les volumes.

Premiers pas d'un ambitieux

Portrait de
G. de Maupassant,
dessin pour la jaquette
de ses *Contes*, G. Eisler,
1988-1989.

■ *Voir la biographie de*
G. de Maupassant, p. 45.

Quand la caissière lui eût rendu la monnaie de sa pièce de cent
sous, Georges Duroy sortit du restaurant.

Comme il portait beau par nature et par pose d'ancien sous-officier, il
cambra sa taille, frisa sa moustache d'un geste militaire et familier, et
5 jeta sur les dîneurs attardés un regard rapide et circulaire, un de ces
regards de joli garçon, qui s'étendent comme des coups d'épervier[1].

Les femmes avaient levé la tête vers lui, trois petites ouvrières, une
maîtresse de musique entre deux âges, mal peignée, négligée, coiffée d'un
chapeau toujours poussiéreux et vêtue d'une robe de travers, et deux
10 bourgeoises avec leurs maris, habituées de cette gargote[2] à prix fixe.

Lorsqu'il fut sur le trottoir, il demeura un instant immobile, se
demandant ce qu'il allait faire. On était au 28 juin, et il lui restait juste
en poche trois francs quarante pour finir le mois. Cela représentait
deux dîners sans déjeuners, ou deux déjeuners sans dîners, au choix. Il
15 réfléchit que les repas du matin étant de vingt-deux sous, au lieu de
trente que coûtaient ceux du soir, il lui resterait, en se contentant des
déjeuners, un franc vingt centimes de boni[3], ce qui représentait encore
deux collations au pain et au saucisson, plus deux bocks sur le boulevard. C'était là sa grande dépense et son grand plaisir des nuits ; et il se
20 mit à descendre la rue Notre-Dame-de-Lorette.

Il marchait ainsi qu'au temps où il portait l'uniforme des hussards[4],
la poitrine bombée, les jambes un peu entrouvertes comme s'il venait
de descendre de cheval ; et il avançait brutalement dans la rue pleine de
monde, heurtant les épaules, poussant les gens pour ne point se déran-
25 ger de sa route. Il inclinait légèrement sur l'oreille son chapeau à haute
forme assez défraîchi, et battait le pavé de son talon. Il avait l'air de
toujours défier quelqu'un, les passants, les maisons, la ville entière, par
chic de beau soldat tombé dans le civil.

Quoique habillé d'un complet de soixante francs, il gardait une cer-
30 taine élégance tapageuse, un peu commune, réelle cependant. Grand,
bien fait, blond, d'un blond châtain vaguement roussi, avec une moustache retroussée, qui semblait mousser sur sa lèvre, des yeux bleus,
clairs, troués d'une pupille tout petite, des cheveux frisés naturellement, séparés par une raie au milieu du crâne, il ressemblait bien au
35 mauvais sujet des romans populaires. […]

Quand Georges Duroy parvint au boulevard, il s'arrêta encore,
indécis sur ce qu'il allait faire.

La rencontre providentielle d'un ancien camarade l'introduit dans le
journalisme où il gravit les échelons de la réussite grâce à l'appui de ses

1. Épervier : filet lancé
pour attraper le poisson.

2. Gargote : restaurant
à bon marché.

3. Boni : bonification,
bénéfice.

4. Hussard : soldat
dans la cavalerie légère.

conquêtes féminines, d'où son surnom de Bel-Ami. Il fréquente les cercles les plus influents de la politique et de la finance et devient le rédacteur en chef Georges Duroy en épousant la fille du directeur. Sa trajectoire ne semble pas terminée à la fin du roman puisqu'il est promis à la carrière de ministre.

G. de Maupassant, *Bel-Ami*, 1885.

UN PERSONNAGE RÉALISTE

1 À quel milieu social appartient Georges Duroy ? À quels problèmes quotidiens est-il confronté ?

2 Pourquoi, selon vous, le récit fournit-il autant de précisions chiffrées concernant la situation financière du personnage ?

3 GRAMMAIRE À quel endroit du texte le portrait proprement dit du personnage est-il inséré dans le récit ? Quel changement pouvez-vous noter dans l'emploi des temps ?

4 Ce portrait est-il statique ou en mouvement ? Comment se justifie le choix de l'auteur ?

5 En quoi s'agit-il d'un portrait réaliste (personnage présenté de l'extérieur, portrait physique détaillé) ? Quels traits de caractère sont révélés par ses vêtements, son comportement, ses attitudes ?

LES FONCTIONS DU PERSONNAGE

6 Relevez les indices montrant que le récit est centré autour du personnage de Duroy dont il suit les pensées et les déplacements.

7 L'intrigue de *Bel-Ami* est construite autour de l'ascension professionnelle et sociale du personnage. Trois ingrédients de sa future réussite sont présents dans le texte.
– La disponibilité : pourquoi Duroy est-il prêt à changer de situation ?
– Le rôle des femmes : quel effet produit le personnage sur son entourage féminin ?
– L'arrivisme : relevez les expressions caractérisant la façon dont le héros se déplace. Que symbolise cette façon de marcher ?

8 Après avoir lu les quelques lignes qui résument brièvement la suite du récit, dites comment s'expliquent les transformations subies par le nom du personnage.

Leçon → **Le personnage réaliste et ses fonctions**

▶ Le roman réaliste est en général centré sur l'itinéraire d'un personnage dont il raconte l'initiation ou l'apprentissage. L'intrigue est construite sur la réussite comme dans *Bel-Ami* (Maupassant), *Au Bonheur des dames* (Zola), ou l'échec comme dans *L'Assommoir* (Zola), *Madame Bovary* (Flaubert).

▶ Le personnage principal, situé dans la réalité sociale contemporaine de l'auteur, a plusieurs fonctions.
– Il fournit, par les événements de sa vie, la matière et la structure du récit. C'est un personnage actif, dont les désirs, les projets, la volonté vont faire progresser la narration.
– Il permet au narrateur d'introduire de façon vraisemblable et motivée la description de nouveaux milieux selon son point de vue.

▶ Les éléments de son portrait sont distribués au cours du récit ou regroupés en instituant une pause narrative. Le portrait réaliste part souvent des traits physiques et vestimentaires pour révéler le caractère du personnage.

Prolongements

→ COMPARER LE DÉBUT ET LA FIN DU ROMAN. Lisez la dernière page présentant l'apothéose de Bel-Ami ; relevez les oppositions avec l'incipit qui donne la mesure du trajet parcouru par le personnage.

→ RECHERCHER DES PERSONNAGES D'AMBITIEUX. Cherchez, dans des récits réalistes, d'autres personnages qui veulent réussir en s'élevant contre la fatalité de leur milieu d'origine.

Outils de la langue

■ Les formes cadres et les formes encadrées, voir p. 61.

La langue du peuple

François Perrier (Coupeau) dans *L'Assommoir*, film réalisé par René Clément, 1956.

■ *Voir la biographie d'É. Zola*, p. 48.

L'ouvrier zingueur Coupeau, et sa femme, la blanchisseuse Gervaise, tentent, par le travail et la morale, d'échapper à la fatalité de leur milieu miné par l'alcoolisme. Malheureusement, à la suite d'une chute, Coupeau perd le goût du travail et passe ses journées à flâner et à boire. Il est entraîné par Lantier, ancien chapelier, autrefois mari de Gervaise, beau parleur et parasite sans scrupules…

Ainsi, vers les premiers jours de novembre, Coupeau tira une bordée[1] qui finit d'une façon tout à fait sale pour lui et pour les autres. La veille, il avait trouvé de l'ouvrage. Lantier, cette fois-là, était plein de beaux sentiments ; il prêchait le travail, attendu que le travail
5 ennoblit l'homme. Même, le matin, il se leva à la lampe, il voulut accompagner son ami au chantier, gravement, honorant en lui l'ouvrier vraiment digne de ce nom. Mais, arrivés devant la *Petite-Civette* qui ouvrait, ils entrèrent prendre une prune[2], rien qu'une, dans le seul but d'arroser ensemble la ferme résolution d'une bonne conduite. En
10 face du comptoir, sur un banc, Bibi-la-Grillade, le dos contre le mur, fumait sa pipe d'un air maussade.

« Tiens ! Bibi qui fait sa panthère, dit Coupeau. On a donc la flemme, ma vieille ?

– Non, non, répondit le camarade en s'étirant les bras. Ce sont les
15 patrons qui vous dégoûtent… J'ai lâché le mien hier… Tous de la crapule, de la canaille… »

Et Bibi-la-Grillade accepta une prune. Il devait être là, sur le banc, à attendre une tournée. Cependant, Lantier défendait les patrons ; ils avaient parfois joliment du mal, il en savait quelque chose, lui qui sor-
20 tait des affaires. De la jolie fripouille, les ouvriers ! Toujours en noce, se fichant de l'ouvrage, vous lâchant au beau milieu d'une commande, reparaissant quand leur monnaie est nettoyée. Ainsi, il avait eu un petit Picard, dont la toquade[3] était de se trimballer en voiture ; oui, dès qu'il touchait sa semaine, il prenait des fiacres pendant des journées. Est-ce
25 que c'était là un goût de travailleur ? Puis, brusquement, Lantier se mit à attaquer aussi les patrons. Oh ! Il voyait clair, il disait ses vérités à chacun. Une sale race après tout, des exploiteurs sans vergogne[4], des mangeurs de monde. Lui, Dieu merci ! pouvait dormir la conscience tranquille, car il s'était toujours conduit en ami avec ses hommes, et avait préféré
30 ne pas gagner des millions comme les autres.

« Filons, mon petit, dit-il en s'adressant à Coupeau. Il faut être sage, nous serions en retard. »

Bibi-la-Grillade, les bras ballants, sortit avec eux. Dehors, le jour se levait à peine, un petit jour sali par le reflet boueux du pavé ; il avait plu

1. Tirer une bordée : faire la tournée des cabarets.

2. Prune : verre d'eau de vie de prune.

3. Toquade : caprice.

4. Vergogne : honte.

35 la veille, il faisait très doux. On venait d'éteindre les becs de gaz ; la rue des Poissonniers, où des lambeaux de nuit étranglés par les maisons flottaient encore, s'emplissait du sourd piétinement des ouvriers descendant vers Paris.

É. Zola, *L'Assommoir*, 1877.

UN MAUVAIS CONSEILLER

1 Quel rôle Lantier prétend-il jouer auprès de Coupeau ? Relevez les expressions qui témoignent des « bons sentiments » de Lantier. Son attitude vous paraît-elle sincère ?

2 En quoi les recommandations du chapelier (« filons mon petit… retard ») manifestent-elles la duplicité (ou « l'hypocrisie ») du personnage ?

LA VOIX DES PERSONNAGES

3 GRAMMAIRE Citez les passages au style direct. Est-ce le seul endroit du texte où sont rapportés les propos des personnages ?

4 Dans le passage allant de « Cependant Lantier défendait les patrons » à « comme les autres » (l. 18 à 30), distinguez les phrases qui rapportent les paroles de Lantier et celles qui les introduisent.

5 GRAMMAIRE Dans ce passage, les paroles du personnage sont rapportées au style indirect libre. Quelles sont les ressemblances et les différences avec le style direct ? le style indirect ?

Leçon ➜ Style indirect libre et voix des personnages

▶ Le récit réaliste, dans un souci de vérité, veut faire voir le peuple, mais aussi le faire entendre. Ainsi, il donne une place importante au discours des personnages et il rapporte souvent leurs paroles au style indirect libre, ce qui permet de ne pas interrompre la narration tout en conservant la vivacité du style direct.

▶ Le discours indirect libre mêle la voix des milieux sociaux à celle du narrateur et il est parfois difficile de les distinguer l'une de l'autre. Le narrateur adopte ainsi un point de vue objectif en s'effaçant derrière la réalité de ce qu'il dépeint.

Retrouvez des traces du langage oral dans ce discours rapporté.

6 VOCABULAIRE Quel est le niveau de langue utilisé dans ce même passage ? Justifiez votre réponse en donnant des exemples.

7 Dans le 1er paragraphe, le récit est assuré par le narrateur et cependant, on entend la « voix » de Lantier. Relevez les expressions ou les tournures de phrases qui peuvent lui être attribuées.

LA PEINTURE DU MILIEU OUVRIER

8 Quels griefs Lantier formule-t-il contre les ouvriers ? contre les patrons ? Son point de vue est-il cohérent ?

9 Quelle image de la condition ouvrière est donnée dans ce texte à travers les personnages, leurs discours et leurs dérives ?

10 Peut-on connaître avec certitude le point de vue du narrateur et de l'auteur sur la « lutte de classes » qui oppose patrons et ouvriers ? Sait-on vraiment à qui va sa sympathie ? Justifiez votre réponse.

11 En quoi les propos de Bibi-la-Grillade et les derniers mots du texte peuvent-ils cependant évoquer des lendemains révolutionnaires ?

Prolongements

➔ TRANSPOSER AU STYLE DIRECT. Mettez au style direct les propos de Lantier concernant les ouvriers et les patrons.

➔ VARIER LE NIVEAU DE LANGUE. Imaginez le même discours sur les ouvriers tenu par un patron. Vous choisirez le niveau de langue approprié.

Outils de la langue

■ Le discours rapporté, voir pp. 62-63.

Deux scènes révélatrices

Boule-de-Suif, affiche du film réalisé par Christian-Jaque, paru pour la première fois sur les écrans en 1946.

■ *Voir la biographie de G. de Maupassant, p. 45.*

Lors de la guerre de 1870 contre les Prussiens, une diligence emporte, à travers la Normandie occupée, un groupe de personnes en fuite où se trouvent réunis des nobles, de riches bourgeois, un « démocrate », Loiseau, deux religieuses et une prostituée, Boule-de-Suif. Au cours du voyage, la faim se fait sentir. Seule Boule-de-Suif a eu la prévoyance d'emporter un alléchant panier de provisions.

Tous les regards étaient tendus vers elle. Puis l'odeur se répandit, élargissant les narines, faisant venir aux bouches une salive abondante avec une contraction douloureuse de la mâchoire sous les oreilles. Le mépris des dames pour cette fille devenait féroce, comme
5 une envie de la tuer ou de la jeter en bas de la voiture, dans la neige, elle, sa timbale, son panier, et ses provisions.

Mais Loiseau dévorait des yeux la terrine de poulet. Il dit : « À la bonne heure, madame a eu plus de précaution que nous. Il y a des personnes qui savent toujours penser à tout. » Elle leva la tête vers lui : « Si
10 vous en désirez, monsieur ? C'est dur de jeûner depuis le matin. »

Loiseau cède le premier à son offre suivi des bonnes sœurs puis de sa femme. Les autres résistent encore stoïquement, jusqu'au malaise de Mme Carré-Lamadon…

Alors, Boule-de-Suif, rougissante et embarrassée, balbutia en regardant les quatre voyageurs restés à jeun : « Mon Dieu, si j'osais offrir à ces messieurs et à ces dames … » Elle se tut, craignant un outrage. Loiseau prit la parole : « Eh, parbleu, dans des cas pareils tout le monde est frère
15 et doit s'aider. Allons, mesdames, pas de cérémonie, acceptez, que diable ! Savons-nous si nous trouverons seulement une maison où passer la nuit ? Du train dont nous allons nous ne serons pas à Tôtes avant midi. » On hésitait, personne n'osant assumer la responsabilité du « oui ».

20 Mais le Comte trancha la question. Il se tourna vers la grosse fille intimidée, et, prenant son grand air de gentilhomme, il lui dit : « Nous acceptons avec reconnaissance, madame. »

Le premier pas seul coûtait. Une fois le Rubicon[1] passé, on s'en donna carrément. Le panier fut vidé. Il contenait encore un pâté de foie
25 gras, un pâté de mauviettes[2], un morceau de langue fumée, des poires de Crassane, un pavé de Pont-l'Évêque, des petits fours et une tasse pleine de cornichons et d'oignons au vinaigre, Boule-de-Suif, comme toutes les femmes, adorant les crudités.

1. Rubicon : fleuve séparant la Gaule de l'Italie que César franchit avec ses troupes, malgré l'interdiction du Sénat. « Passer le Rubicon » : prendre une décision audacieuse.

2. Mauviettes : alouettes.

On ne pouvait manger les provisions de cette fille sans lui parler.
30 Donc on causa, avec réserve d'abord, puis, comme elle se tenait fort
bien, on s'abandonna davantage. Mmes de Bréville et Carré-Lamadon,
qui avaient un grand savoir-vivre, se firent gracieuses avec délicatesse.
La comtesse surtout montra cette condescendance aimable des très
nobles dames qu'aucun contact ne peut salir, et fut charmante. Mais la
35 forte Mme Loiseau, qui avait une âme de gendarme, resta revêche, parlant peu et mangeant beaucoup.

G. de Maupassant, *Boule-de-Suif*, 1880.

Maria Schell (Gervaise)
dans *L'Assommoir*, film
réalisé par René Clément,
1956.

■ *Voir la biographie
d'É. Zola*, p. 48.

*Gervaise (voir séance 4) s'est installée comme blanchisseuse et son commerce
prospère. Elle a invité son entourage à un banquet mémorable pour fêter son
anniversaire…*

Ah! tonnerre! quel trou dans la blanquette! Si l'on ne parlait guère,
on mastiquait ferme. Le saladier se creusait, une cuiller plantée
dans la sauce épaisse, une bonne sauce jaune qui tremblait comme une
gelée. Là-dedans, on pêchait les morceaux de veau; et il y en avait tou-
5 jours, le saladier voyageait de main en main, les visages se penchaient et
cherchaient des champignons. Les grands pains, posés contre le mur,
derrière les convives, avaient l'air de fondre. Entre les bouchées, on
entendait les culs des verres retomber sur la table. La sauce était un peu
trop salée, il fallut quatre litres pour noyer cette bougresse de blanquette,
10 qui s'avalait comme une crème et qui vous mettait un incendie dans le
ventre. Et l'on n'eut pas le temps de souffler, l'épinée[1] de cochon, montée
sur un plat creux, flanquée de grosses pommes de terre rondes, arrivait
au milieu d'un nuage. Il y eut un cri. Sacré nom! c'était trouvé! Tout le
monde aimait ça. Pour le coup, on allait se mettre en appétit; et chacun
15 suivait le plat d'un œil oblique, en essuyant son couteau sur son pain,
afin d'être prêt. Puis, lorsqu'on se fut servi, on se poussa du coude, on
parla, la bouche pleine. Hein? quel beurre, cette épinée! quelque chose
de doux et de solide qu'on sentait couler le long de son boyau, jusque
dans ses bottes. Les pommes de terre étaient un sucre. Ça n'était pas salé;
20 mais, juste à cause des pommes de terre, ça demandait un coup d'arro-
soir toutes les minutes. On cassa le goulot à quatre nouveaux litres. Les
assiettes furent si proprement torchées, qu'on n'en changea pas pour
manger les pois au lard. Oh! les légumes ne tiraient pas à conséquence.
On gobait ça à pleine cuiller, en s'amusant.

1. Épinée: échine.

É. Zola, *L'Assommoir*, 1877.

DEUX SCÈNES RÉALISTES

1 Quel est le point commun entre ces deux scènes ? Quel titre pourriez-vous donner à chacune d'elles ?

2 VOCABULAIRE Comment est soulignée, dans chacun de ces textes, l'importance du corps et de ses besoins ? Relevez un champ lexical lié à la nourriture et regroupant des termes de physiologie, des notations de goût et des synonymes du verbe « manger ».

3 Comment est donnée, dans ces deux textes, l'impression d'une surabondance de nourriture ? Citez les phrases mettant en évidence les appétits des personnages.

4 GRAMMAIRE Le repas est un rite social, mettant en scène une collectivité. Quel pronom personnel met ce fait en évidence dans les deux textes ? Quel effet produit son usage répété ?

DEUX SCÈNES D'OBSERVATION ET DE CRITIQUE

5 Que révèle, dans le 1er passage, l'attitude des nobles et des bourgeois à l'égard de Boule-de-Suif ?

6 Que pensez-vous des arguments donnés par Loiseau pour les convaincre d'accepter la nourriture proposée ?

7 Dans le 2e passage, citez les traits soulignant le manque de savoir-vivre des convives. Que symbolise leur comportement d'un point de vue social ?

Leçon ⊖ La scène romanesque

▶ La scène romanesque est un **temps fort** de la construction du récit. Elle correspond à des **rites de la vie sociale** connus du lecteur (repas, fête, bal, rencontre, arrivée, départ, combat).

▶ Elle favorise **l'observation** de groupes sociaux (ouvriers, bourgeois, nobles) dont le narrateur peut **critiquer** le fonctionnement en s'impliquant plus ou moins directement dans le récit.

▶ Les scènes liées à la **nourriture** sont assez fréquentes dans le récit naturaliste en particulier, car elles révèlent l'importance des pulsions et des besoins physiologiques dans la nature de l'homme.

---

8 Montrez que, dans les deux textes, la faim joue le rôle d'un révélateur et met à nu la véritable nature de l'être humain.

DEUX MODES DE PRÉSENCE DU NARRATEUR

9 [TEXTE 1] Relevez des phrases qui sont des commentaires et des jugements témoignant de la présence directe du narrateur. Comment se manifeste son ironie dans le dernier paragraphe ?

10 [TEXTE 2] Montrez que le narrateur n'est pas présent directement et qu'il s'efface plutôt derrière les personnages dont il fait entendre la voix et emprunte le langage.

11 GRAMMAIRE Quels sont les passages au style indirect libre introduits par les expressions « il y eut un *cri* » (l. 13) et « on *parla*, la bouche pleine » (l. 17). Quels types de phrases caractéristiques du langage oral sont employés ? Peut-on déterminer exactement où s'arrête, dans ces deux passages, le discours indirect libre ?

12 VOCABULAIRE Dans le reste du texte, citez des expressions et des tournures de phrases, appartenant au niveau de langue familier, que le narrateur paraît emprunter au langage populaire des personnages.

Prolongement

⊖ COMPARER DES SCÈNES ROMANESQUES. Chacune de ces deux « scènes de repas » occupe une place significative dans la construction du récit :
• dans *L'Assommoir,* elle est située au milieu du roman et marque le point culminant de l'ascension de Gervaise avant la misère et la déchéance physique dans laquelle va l'entraîner Coupeau ;
• dans *Boule-de-Suif,* ces scènes de repas scandent la nouvelle. Dans la dernière d'entre elles, qui clôt le récit, le personnage principal éprouve l'ingratitude cruelle de ses compagnons de route. Comparez cette scène finale avec celle qui est présentée dans la séance.

Outils de la langue

■ Les mots du langage populaire, voir p. 60.
■ Le discours rapporté au style indirect libre, voir pp. 62-63.

Débuts de récit et illusion réaliste

▼

① Analyser les procédés de l'illusion réaliste dans les incipits de romans

Le début d'un roman ou d'une nouvelle réaliste est déterminant, car il effectue le passage du monde réel à celui du texte. Il définit aussi le genre en créant chez le lecteur une attente précise.

Comparez ces débuts de récits en retrouvant les divers procédés utilisés pour donner l'illusion de la réalité :
– choix relatifs à l'univers de l'histoire : citations de noms réels, précisions de date, descriptions minutieuses, scènes de la vie ordinaire, personnages socialement définis ;
– choix narratifs : présence du narrateur dans le texte, présence du destinataire, délégation du récit à un autre narrateur, début au beau milieu (*in medias res*), introduction dialoguée, citation d'un article de journal.

1/ À une heure du matin, pendant l'hiver de 1829 à 1831, il se trouvait encore dans le salon de la vicomtesse de Grandlieu deux personnes étrangères à sa famille. Un jeune et joli jeune homme sortit en entendant sonner la pendule.

H. de Balzac, Gobseck, 1830.

2/ Tenez, dit M. Mathieu d'Endolin, les bécasses me rappellent une bien sinistre anecdote de la guerre. Vous connaissez ma propriété dans le faubourg de Cormeil. Je l'habitais au moment de l'arrivée des Prussiens.

G. de Maupassant, « La folle »,
Contes de la bécasse, 1883.

3/ Comme il faisait une chaleur de trente-trois degrés, le boulevard Bourdon se trouvait absolument désert. Plus bas, le canal Saint-Martin, fermé par les deux écluses, étalait en ligne droite son eau couleur d'encre. Il y avait au milieu un bateau plein de bois, et sur la berge deux rangs de barriques.

G. Flaubert, Bouvard et Pécuchet, 1880.

4/ Ça, mon ami, dis-je à Labarbe, tu viens encore de prononcer ces quatre mots, « ce cochon de Morin ». Pourquoi, diable, n'ai-je jamais entendu parler de Morin sans qu'on le traitât de « cochon » ?

Labarbe, aujourd'hui député, me regarda avec des yeux de chat-huant. « Comment, tu ne sais pas l'histoire de Morin, et tu es de La Rochelle ? »

J'avouai que je ne savais pas l'histoire de Morin. Alors Labarbe se frotta les mains et commença son récit.

G. de Maupassant, « Ce cochon de Morin »,
Contes de la bécasse, 1883.

5/ Nous étions à l'étude, quand le Proviseur entra, suivi d'un *nouveau* habillé en bourgeois et d'un garçon de classe qui portait un grand pupitre. Ceux qui dormaient se réveillèrent, et chacun se leva comme surpris dans son travail.

G. Flaubert, Madame Bovary, 1856.

6/ Quand j'entrai dans la salle des voyageurs de la gare de Loubain, mon premier regard fut pour l'horloge. J'avais à attendre deux heures dix minutes l'express de Paris.

G. de Maupassant, Madame Baptiste, 1883.

7/ On lisait dernièrement dans les journaux les lignes suivantes :

BOULOGNE-SUR-MER, 22 janvier. – On nous écrit : « Un affreux malheur vient de jeter la consternation parmi notre population maritime déjà si éprouvée depuis deux années. Le bateau de pêche commandé par le patron Javel, entrant dans le port, a été jeté à l'Ouest et est venu se briser sur les roches du brise-lames de la jetée. » […]

Quel est ce patron Javel ? Est-il le frère du manchot ?

Si le pauvre homme roulé par la vague, et mort peut-être sous les débris de son bateau mis en pièces est celui auquel je pense, il avait assisté, voici dix-huit ans maintenant, à un autre drame, terrible et simple comme sont toujours ces drames formidables des flots.

G. de Maupassant, « En mer »,
Contes de la bécasse, 1883.

② Écrire des débuts de récits réalistes

En vous inspirant des procédés destinés à créer l'illusion du réel repérés dans l'exercice précédent, rédigez deux ou trois incipits de récits réalistes d'un paragraphe chacun.

vocabulaire

Évolution des mots dans le langage populaire

3 Analyser l'évolution du sens d'un mot

Dans l'*Assommoir*, les ouvriers utilisent le mot «singe» pour désigner le patron. Voici l'article d'un dictionnaire spécialisé, *Le Dictionnaire du Français non-conventionnel* (Jacques Cellard et Alain Rey) concernant ce mot.

a] Quelles sont les différentes parties de cet article?

b] À quoi correspondent les dates indiquées?

c] Comment s'expliquent les sens argotiques de ce mot?

> **Singe,** n. m.
> Mammifère de l'ordre des primates, le plus proche de l'homme. Le *singe*, animal fascinant, a été doté dès le Moyen Âge de nombreuses caractéristiques qui le mettent en rapport avec l'homme.
> 1. Patron, employeur.
> Hist. – 1836. De l'expression : *c'est un vieux singe* (à qui l'on n'apprend pas à faire des grimaces), désignant dès le XVIIIe siècle le procureur dans la bouche des clercs.
> 2. Bœuf en conserve, *corned-beef*.
> Hist. – 1895. Allusion aux récits montrant des soldats, en Côte-d'Ivoire, réduits (en 1843) à manger du singe. Un peu vieilli.

4 Analyser l'évolution de la forme d'un mot

La langue populaire transforme les mots en leur ajoutant des suffixes (suffixation) ou en les abrégeant (troncation).

a] Les mots *soûlard, pochard*, désignent un alcoolique dans *L'Assommoir*. Trouvez d'autres mots du niveau de langue familier formés avec le suffixe péjoratif *–ard* et citez d'autres suffixes de même nature.

b] Dans le même roman, *aristos* désigne les aristocrates, *camaros,* les camarades. Trouvez d'autres mots du langage familier actuel formés à l'aide du même procédé de troncation.

Les verbes introducteurs de la parole

5 Distinguer les verbes introducteurs

Reliez les verbes aux actes de parole correspondants.

– **Verbes introducteurs :** prier, apostropher, s'époumoner, couper, soutenir, geindre, concéder, contester, balbutier, vociférer, susurrer, maugréer, bredouiller, murmurer, déplorer, enjoindre, interpeller, marmonner, radoter, affirmer, acquiescer, objecter, prétexter, fulminer, s'enquérir, affirmer, confirmer, claironner, objecter, bougonner, intervenir, insister, rétorquer, ressasser.

– **Actes de parole :** faire une simple déclaration, exprimer son accord, exprimer son désaccord, interroger, donner un ordre, commencer un échange, le poursuivre, l'interrompre, répéter des paroles, prononcer des paroles données pour vraies, données pour fausses, s'exprimer avec colère, en se plaignant, en hésitant, en criant, à voix basse.

6 Varier les verbes introducteurs

Remplacez l'expression en caractères gras par un verbe introducteur de la parole approprié (voir ex. 5).

1. «Comment se fait-il que tout le monde dorme encore» **dit avec mauvaise humeur** Madame Vauquer.

2. Lantier **dit d'une voix forte** que les patrons eux aussi exagéraient.

3. «Coupeau ne va plus au travail» **dit** Gervaise **d'un air affligé**.

4. La comtesse de Bréville **dit en dissimulant la vérité** qu'elle n'avait pas faim.

5. Boule de Suif **dit en hésitant** : «Voulez-vous partager mon repas?».

6. Son camarade proposa à Bel-Ami de l'accompagner au journal. Celui-ci **dit qu'il était d'accord**.

7 Savoir employer les verbes introducteurs

Faites des phrases où vous emploierez les verbes introducteurs de la parole suivants : vociférer, enjoindre, objecter, s'enquérir, concéder, rétorquer. (Vous introduirez un contexte qui éclairera le sens de ces verbes.)

Leçon → **L'argot/les verbes introducteurs de la parole**

▶ Les mots ne sont pas figés : leur sens et leur forme peuvent varier selon les utilisations des divers groupes sociaux ou professionnels. Ce phénomène est illustré par le langage populaire des ouvriers de *L'Assommoir*, inspiré de l'argot, qui procède notamment par détournement de sens, suffixation, troncation de mots existants.

▶ Les verbes introducteurs de la parole dont seul un petit nombre est utilisé dans la langue courante sont en fait très variés : ils apportent des précisions sur l'intention, le ton, le volume, et la façon dont le narrateur présente les propos rapportés.

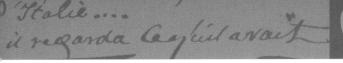

grammaire

Formes cadres et formes encadrées

8 Repérer les procédés d'insertion

a] Retrouvez l'endroit où s'insère la description ou l'explication (formes encadrées) dans la narration (forme cadre).

b] Analysez comment se fait la transition de l'une à l'autre : verbes de perception introducteurs, situation de l'observateur, motivation psychologique du personnage, changement de temps verbal et introduction de nouveaux champs lexicaux.

1/ *Roubaud, un cheminot du Havre, vient passer une journée à Paris. Ces deux passages sont situés au début du roman.*

1. Et le sous-chef de gare, ayant ouvert une fenêtre s'y accouda.
C'était impasse d'Amsterdam, dans la dernière maison de droite, une haute maison où la compagnie de l'Ouest logeait certains de ses employés. La fenêtre, au cinquième étage du toit mansardé qui faisait retour, donnait sur la gare, cette tranchée large trouant le quartier de l'Europe.

2. Pendant un instant, Roubaud s'intéressa, comparant, songeant à sa gare du Havre.[…]
Et il suivit des yeux la machine de manœuvre, une petite machine *tender*, aux trois roues basses et couplées, qui commandaient le débranchement du train, alerte, besogneuse, refoulant les wagons sur les voies de remisage.

É. Zola, La Bête humaine, 1890.

2/ *Le jeune Eugène Rastignac assiste à la déchéance du père Goriot qui se ruine pour ses filles…*

Eugène qui se trouvait pour la première fois chez le père Goriot, ne fut pas maître d'un mouvement de stupéfaction en voyant le bouge où vivait le père, après avoir admiré la toilette de la fille. La fenêtre était sans rideaux ; le papier de tenture collé sur les murailles, s'en détachait en plusieurs endroits par l'effet de l'humidité […].

H. de Balzac, Le Père Goriot, 1835.

3/ *Charles Bovary, mari amoureux d'une jeune femme déçue par la médiocrité de sa vie, l'accompagne au bal…*

Charles se tut. Il marchait de long en large, attendant qu'Emma fût habillée.
Il la voyait par derrière, dans la glace, entre deux flambeaux. Ses yeux noirs semblaient plus noirs. Ses bandeaux, doucement bombés vers les oreilles luisaient d'un éclat

bleu […]. Elle avait une robe de safran pâle, relevée par trois bouquets de roses pompon mêlées de verdure. Charles vint l'embrasser sur l'épaule.

G. Flaubert, Madame Bovary, 1857.

9 Insérer des passages descriptifs ou explicatifs

Complétez les fragments de récits suivants en y insérant quelques phrases de description ou d'explication aux endroits que vous jugerez appropriés.

1/ *La servante Félicité a perdu un perroquet qui est son seul compagnon…*

Ensuite elle inspecta tous les jardins de Pont-l'Evêque, et elle arrêtait les passants : « Vous n'auriez pas vu, quelquefois, par hasard, mon perroquet ? » À ceux qui ne connaissaient pas le perroquet, elle en faisait la description. Tout à coup, elle crut distinguer derrière les moulins, au bas de la côte, une chose verte qui voltigeait.

G. Flaubert, Un Cœur simple, 1877.

2/ *Chez le Père Colombe, le marchand de vin, Gervaise se retrouve face à l'alambic, machine à distiller de l'alcool.*

Elle eut la curiosité d'aller regarder, au fond, derrière la barrière de chêne, le grand alambic de cuivre rouge, qui fonctionnait sous le vitrage clair de la petite cour ; et le zingueur qui l'avait suivie lui expliqua comment ça marchait…

É. Zola, L'Assommoir, 1877.

Leçon → **Formes cadres et formes encadrées**

▶ **Un texte essentiellement narratif (forme cadre)** peut inclure des passages descriptifs ou explicatifs (**formes encadrées**).

▶ Pour justifier leur insertion, le narrateur délègue la **description ou l'explication** à un personnage qui **veut expliquer** (expert, informateur bavard, bienveillant), qui **veut voir** (curieux, espion, observateur, amoureux) et qui est en situation de le faire (point de vue élevé, balcon, fenêtre, porte ouverte, miroir, etc.).

▶ Le récit adopte alors le **point de vue d'un personnage (point de vue interne)**. Cela permet au narrateur de s'effacer derrière lui et de donner une impression d'objectivité.

Pratique de la langue

grammaire

Le discours rapporté

10 Reconnaître les marques du style indirect libre

Pour permettre la comparaison du style indirect libre avec les autres types de discours rapportés, le texte de Zola a fait l'objet de trois réécritures.

a] Comparez les deux premiers textes. Repérez les caractéristiques de chacun de ces deux styles.

b] Comparez le texte authentique de Zola aux deux précédents. Repérez les passages au style indirect libre. Quelles ressemblances et quelles différences remarquez-vous avec les styles direct et indirect ? Pourquoi, selon vous, le narrateur utilise-t-il différentes façons de rapporter le discours ?

c] Donnez les caractéristiques du résumé de paroles.

1/ Texte au **style direct** :
« Oh ! c'est vilain de boire, dit-elle à demi-voix !
Autrefois, avec ma mère, je buvais de l'anisette, à Plassans. Mais j'ai failli en mourir un jour, et ça m'a dégoûtée ; je ne peux plus voir les liqueurs. »

2/ Texte au **style indirect** :
Elle dit à demi-voix que c'était vilain de boire. Et elle raconta qu'autrefois avec sa mère, elle buvait de l'anisette à Plassans. Mais elle ajouta qu'elle avait failli mourir un jour et que ça l'avait dégoûtée. Elle conclut qu'elle ne pouvait plus voir les liqueurs.

3/ Texte de Zola :
« Oh ! c'est vilain de boire ! » dit-elle à demi-voix.
Et elle raconta qu'autrefois, avec sa mère, elle buvait de l'anisette, à Plassans. Mais elle avait failli en mourir un jour, et ça l'avait dégoûtée ; elle ne pouvait plus voir les liqueurs.

É. Zola, *L'Assommoir*, 1877.

4/ Texte réécrit sous forme de **résumé de paroles** :
Elle affirma son rejet de l'alcool, son dégoût, depuis qu'elle avait failli en mourir à Plassans, en buvant de l'anisette avec sa mère.

11 Identifier les types de discours rapportés

Repérez les types de discours rapportés utilisés dans les textes suivants en justifiant votre réponse.

1/ Un fermier d'à côté leur offrit ce conseil : « Vous devriez avoir un chien ».
C'était vrai, cela ; elles devraient avoir un chien, quand ce ne serait que pour donner l'éveil. Pas un gros chien, Seigneur ! Que feraient-elles d'un gros chien ?

G. de Maupassant, *Pierrot*, 1883.

2/ Un matin que le facteur n'était pas venu, elle s'impatienta ; et elle marchait dans la salle, de son fauteuil à la fenêtre. C'était vraiment extraordinaire ! depuis quatre jours, pas de nouvelles !
Pour qu'elle se consolât par son exemple, Félicité lui dit : « Moi, Madame, voilà six mois que je n'en ai reçu ! »

G. Flaubert, *Un Cœur simple*, 1876.

3/ On parla d'abord du malade, puis du temps qu'il faisait, des grands froids, des loups qui couraient la campagne.

G. Flaubert, *Madame Bovary*, 1857.

4/ Et, sous la rue couverte, ils causèrent. Florent raconta qu'il était allé rue Pirouette. Gavard trouva cela très drôle ; il rit beaucoup, il lui apprit que son frère Quenu avait déménagé et rouvert sa charcuterie à deux pas, rue Rambuteau, en face des Halles.

É. Zola, *Le Ventre de Paris*, 1873.

12 Transcrire un texte au style indirect libre

Les paroles du personnage sont rapportées au style direct. Rapportez-les en utilisant le style indirect libre et en faisant toutes les transformations qui s'imposent.

Le Colonel Chabert, officier de l'armée napoléonienne, a été tenu pour mort à la bataille d'Eylau. Sa femme, remariée avec le comte Ferraud, refuse d'admettre son retour. Il fait appel à un avoué pour lui intenter un procès afin de récupérer ses biens.

– Mais monsieur, la comtesse Ferraud n'est-elle pas ma femme ! Elle possède trente mille livres de rente qui m'appartiennent, et ne veut pas me donner deux liards. Quand je dis ces choses à des avoués, à des hommes de bon sens ; quand je propose, moi, mendiant, de plaider contre un comte et une comtesse ; quand je m'élève, moi, mort, contre un acte de décès, un acte de mariage et des actes de naissance, ils m'éconduisent, suivant leur caractère [...]. J'ai été enterré sous des morts, mais maintenant je suis enterré sous des vivants, sous des actes, sous des faits, sous la société tout entière, qui veut me faire rentrer sous terre !

H. de Balzac, *Le Colonel Chabert*, 1844.

grammaire

L'Assommoir, affiche de Steinlen, 1900.

13 Transcrire un texte en utilisant
les divers types de discours rapportés

Repérez les types de discours rapportés employés dans ce texte. Réécrivez une première version du passage sans utiliser le style indirect libre, puis une seconde version sans avoir recours au style direct.

Gervaise, qui l'écoutait, lui coupa brusquement la parole pour lui demander en souriant :
« Vous vous appelez donc Cadet-Cassis, monsieur Coupeau ?
– Oh ! répondit-il, c'est un surnom que les camarades m'ont donné, parce que je prends généralement du cassis, quand ils m'emmènent de force chez le marchand de vin… Autant s'appeler Cadet-Cassis que Mes-Bottes, n'est-ce pas ?

– Bien sûr, ce n'est pas vilain Cadet-Cassis », déclara la jeune femme.
Et elle l'interrogea sur son travail. Il travaillait toujours là, derrière le mur de l'octroi, au nouvel hôpital. Oh ! la besogne ne manquait pas, il ne quitterait certainement pas ce chantier de l'année. Il y en avait des mètres et des mètres de gouttières !

É. Zola, *L'Assommoir*, 1877.

14 Rapporter les paroles des personnages
en utilisant le style indirect libre

En vous inspirant de l'affiche ci-contre, imaginez les promesses faites par Coupeau à Gervaise au début de leur mariage et les réponses de la jeune femme que vous insérerez au style indirect libre dans un récit de quelques lignes.

Leçon → Style indirect libre et résumé de paroles

▶ Le **style indirect libre** emprunte certaines de ses caractéristiques au **style direct** et d'autres au **style indirect**.

▶ Comme au **style direct**, les paroles ne sont introduites par aucun mot subordonnant, elles conservent des marques de l'oral (interjections, niveau de langue familier) et tous les types de phrases peuvent être utilisés.

▶ Comme au **style indirect**, les paroles sont rapportées sans être introduites par une ponctuation (deux points, guillemets, tirets) et les verbes sont soumis à la concordance des temps du récit. Les indices de temps, de lieu, de personne sont aussi employés suivant les règles du **style indirect**.

▶ Le **style indirect libre** permet d'insérer les paroles du personnage sans interrompre le cours du récit. Il mêle la voix du personnage à celle du narrateur. Ses limites sont parfois difficilement repérables ; il est en général signalé par la proximité d'un verbe de parole.

▶ Le **résumé de paroles** rapporte les paroles en les résumant et en les intégrant totalement au récit.

s'exercer

Les procédés de l'écriture réaliste

15 Décrire un objet symbolique

a] Comment est organisée la description de la casquette ?

b] Relevez la phrase de jugement du narrateur sur cet objet à l'architecture compliquée. Quels renseignements donne-t-il sur le personnage qui la porte ?

c] Décrivez à votre tour, en un paragraphe, un objet (vêtement, élément de décoration) révélateur du caractère, de la situation ou de l'état d'esprit d'un personnage.

La casquette de Charles Bovary est présentée au début du roman comme la cible des moqueries de ses camarades de classe et de l'ironie du narrateur.

C'était une de ces coiffures d'ordre composite, où l'on retrouve les éléments du bonnet à poils, du chapska, du chapeau rond, de la casquette de loutre et du bonnet de coton, une de ces pauvres choses, enfin, dont la laideur muette a des profondeurs d'expression comme le visage d'un imbécile. Ovoïde et renflée de baleines, elle commençait par trois boudins circulaires ; puis s'alternaient, séparés par une bande rouge, des losanges de velours et de poil de lapin ; venait ensuite une façon de sac qui se terminait par un polygone cartonné, couvert d'une broderie en soutache compliquée, et d'où pendait, au bout d'un long cordon trop mince, un petit croisillon de fils d'or, en manière de gland. Elle était neuve ; la visière brillait.

G. Flaubert, *Madame Bovary*, 1857.

16 Créer un personnage-type

a] Par souci de vraisemblance, le récit réaliste établit des relations entre l'aspect physique du personnage, son caractère, son environnement ou son appartenance sociale. Relevez, dans chacun de ces textes, les liens existant entre ces divers aspects.

b] Citez les phrases qui font de ces personnages des personnages-types incarnant un milieu social, une passion, un tempérament.

c] Rédigez à votre tour, en un paragraphe, le portrait réaliste d'un personnage-type. Vous préciserez, dans un titre, le type de personnage choisi.

1/ Un dandy parisien à la mode

Une redingote de voyage à demi boutonnée lui pinçait la taille, et laissait voir un gilet de cachemire à châle

Un dandy, gravure d'H. Vernet, coll. part.

sous lequel était un second gilet blanc. Sa montre, négligemment abandonnée au hasard dans une poche, se rattachait par une courte chaîne d'or à l'une des boutonnières. Son pantalon gris se boutonnait sur les côtés, où des dessins brodés en soie noire enjolivaient les coutures. Il maniait agréablement une canne dont la pomme d'or sculptée n'altérait point la fraîcheur de ses gants gris. Enfin, sa casquette était d'un goût excellent. Un Parisien, un Parisien de la sphère la plus élevée, pouvait seul et s'agencer ainsi sans paraître ridicule, et donner une harmonie de fatuité à toutes ces niaiseries.

H. de Balzac, *Eugénie Grandet*, 1833.

2/ Un avare

Son nez pointu était si grêlé dans le bout, que vous l'eussiez comparé à une vrille. Il avait les lèvres minces de ces alchimistes et de ces petits vieillards peints par Rembrandt ou par Metsu. Cet homme parlait bas, d'un ton doux, et ne s'emportait jamais. Son âge était un problème : on ne pouvait pas savoir s'il était vieux avant le temps ou s'il avait ménagé sa jeunesse afin qu'elle lui servît toujours. Tout était propre et râpé dans sa chambre, pareille, depuis le drap vert du bureau jusqu'au tapis du lit, au froid sanctuaire de ces vieilles filles qui passent la journée à frotter leurs meubles.

H. de Balzac, *Gobseck,* 1830.

3/ Une charcutière plantureuse

C'était une belle femme. Elle tenait la largeur de la porte, point trop grosse pourtant, forte de la gorge, dans la maturité de la trentaine. Elle venait de se lever, et, déjà ses cheveux, lissés, collés et comme vernis, lui descendaient en petits bandeaux plats sur les tempes. Cela la rendait très propre. Sa chair paisible avait cette blancheur transparente, cette peau fine et rosée des personnes qui vivent d'ordinaire dans les graisses et les viandes crues.

É. Zola, *Le Ventre de Paris*, 1887.

rédiger

Écrire une suite de récit réaliste

Démarche à suivre pour rédiger une suite de texte :

■ ANALYSER LE TEXTE DE DÉPART ■

• Examiner le narrateur et les points de vue.
À quelle personne le récit est-il écrit ? S'agit-il d'un narrateur extérieur, témoin ou personnage de l'histoire ? Quel est le point de vue adopté ?

• Observer les temps du récit.
Quels sont les temps verbaux dominants ?

• Déterminer le cadre spatio-temporel.
À quelle époque, dans quel lieu l'action se déroule-t-elle ?

• Repérer la structure narrative.
À quelle étape le récit se situe-t-il ?

• Analyser les personnages.
Que sait-on d'eux ? Quel est leur rôle dans le récit ? Quelles sont leurs relations ?

• Tenir compte des niveaux de langue adoptés.

■ PRODUIRE UN RÉCIT RÉALISTE ■

• Insérer des descriptions précises et détaillées en vue de produire un « effet de réel », établir des correspondances entre les lieux et les personnages.

• Présenter les personnages en construisant des portraits partant de l'apparence physique pour détailler ensuite leurs traits de caractère et les décrire en mouvement.

• Insérer des passages explicatifs où les informations sont délivrées par un personnage « savant ou « spécialiste » à un personnage curieux, « naïf », débutant.

• Rapporter les paroles des personnages en respectant leur langage (sans aller jusqu'à la grossièreté) et en variant le style des discours rapportés : direct, indirect, indirect libre.

• Représenter des comportements liés à l'appartenance sociale des personnages.

• Vérifier la cohérence du récit avec le texte de départ par une relecture attentive qui tiendra compte des caractéristiques relevées lors de l'« analyse du texte de base » (voir la 1re étape ci-dessus).

Sujets au choix

》》》 1. **Vous raconterez la suite immédiate de l'un des extraits suivants, étudiés dans la séquence, en tenant compte des indications fournies.**
• *La Rempailleuse* (Maupassant), séance 1. Imaginez le récit fait par le vieux médecin.
• *Bel-Ami* (Maupassant), séance 3. Racontez la rencontre décisive faite par le personnage lors de sa promenade.
• *L'Assommoir* (Zola), séance 4. Imaginez la suite de cette scène avec l'intervention d'un ou plusieurs autres personnages et éventuellement de Gervaise, la femme de Coupeau.
• *Boule-de-Suif* (Maupassant), séance 5. Racontez la suite du voyage en diligence, perturbé par un autre incident qui opposera à nouveau les personnages.

》》》 2. **Terminez ce récit de Maupassant intitulé** *La Dot.*

Maître Lebrument, vient d'acheter une étude de notaire à Boutigny-le Rebours. Il épouse Jeanne Cordier, une gracieuse jeune femme, pour payer cette étude avec l'argent de sa dot. Peu de temps après, il se rend avec sa jeune femme à Paris pour régler le notaire muni de l'argent réclamé à son beau-père. À la Gare Saint Lazare, Jeanne souhaite prendre un fiacre pour aller au restaurant.

Il se mit à la gronder en souriant :
« C'est comme ça que tu es économe, un fiacre pour cinq minutes de route, six sous par minute, tu ne te priverais de rien.
– C'est vrai, dit-elle, un peu confuse. »
Un gros omnibus passait, au trot des trois chevaux. Lebrument cria :
«Conducteur ! eh ! conducteur ! »
La lourde voiture s'arrêta. Et le jeune notaire, poussant sa femme, lui dit, très vite :
«Monte dans l'intérieur, moi, je grimpe dessus pour fumer au moins une cigarette avant mon déjeuner. »

Conseil d'écriture

Il faudra concilier les règles générales du type d'exercice qu'est la suite de texte, avec les contraintes particulières liées à la production d'un récit réaliste.

L'histoire d'amour de Félicité

Elle avait eu, comme une autre, son histoire d'amour. Son père, un maçon, s'était tué en tombant d'un échafaudage. Puis sa mère mourut, ses sœurs se dispersèrent, un fermier la recueillit, et l'employa toute petite à garder les vaches dans la campagne. Elle grelottait sous des
5 haillons, buvait à plat ventre l'eau des mares, à propos de rien était battue, et finalement fut chassée pour un vol de trente sols, qu'elle n'avait pas commis. Elle entra dans une autre ferme, y devint fille de basse-cour, et, comme elle plaisait aux patrons, ses camarades la jalousaient.

Un soir du mois d'août (elle avait alors dix-huit ans), ils l'entraînè-
10 rent à l'assemblée de Coleville. Tout de suite, elle fut étourdie, stupéfaite par le tapage des ménétriers[1], les lumières dans les arbres, la bigarrure des costumes, les dentelles, les croix d'or, cette masse de monde sautant à la fois. Elle se tenait à l'écart modestement, quand un jeune homme d'apparence cossue, et qui fumait sa pipe les deux coudes sur
15 le timon[2] d'un banneau[3], vint l'inviter à la danse. Il lui paya du cidre, du café, de la galette, un foulard, et, s'imaginant qu'elle le devinait, s'offrit de la reconduire. Au bord d'un champ d'avoine, il la renversa brutalement. Elle eut peur et se mit à crier. Il s'éloigna.

Un autre soir, sur la route de Beaumont, elle voulut dépasser un
20 grand chariot de foin qui avançait lentement, et, en frôlant les roues elle reconnut Théodore.

Il l'aborda d'un air tranquille, disant qu'il fallait tout pardonner, puisque c'était « la faute de la boisson ».

Elle ne sut que répondre et avait envie de s'enfuir.

25 Aussitôt il parla des récoltes et des notables de la commune, car son père avait abandonné Colleville pour la ferme des Écots, de sorte que maintenant ils se trouvaient voisins. « Ah ! » dit-elle. Il ajouta qu'on désirait l'établir. Du reste, il n'était pas pressé et attendait une femme à son goût. Elle baissa la tête. Alors il lui demanda si elle pensait au
30 mariage. Elle reprit, en souriant, que c'était mal de se moquer. « Mais non, je vous jure ! » et du bras gauche il lui entoura la taille ; elle marchait soutenue par son étreinte ; ils se ralentirent. Le vent était mou, les étoiles brillaient, l'énorme charretée de foin oscillait devant eux ; et les quatre chevaux, en traînant leurs pas, soulevaient de la poussière. Puis,
35 sans commandement, ils tournèrent à droite. Il l'embrassa encore une fois, elle disparut dans l'ombre.

Mais Théodore a besoin d'argent pour payer un homme qui le remplace à l'armée. Il se mariera avec « une vieille femme très riche » et Félicité en éprouvera un très vif chagrin.

G. Flaubert, *Un Cœur simple*, 1877.

Gustave Flaubert
[1821-1880]

*Partagé entre son goût pour le romantisme et son souci de réalisme, il se consacre à l'écriture de romans (*Madame Bovary, L'Éducation sentimentale, Bouvard et Pécuchet*) qui témoignent de son souci d'exactitude documentaire, de son exigence d'objectivité et de son culte du style.*

1. Ménétriers : violonistes de village.
2. Timon : pièce de bois à l'avant d'une charrette servant à l'attelage.
3. Banneau : petite charrette.

QUESTIONS
(16 points)

A. Un récit réaliste (6 points)

1 Citez quatre éléments qui permettent d'affirmer que ce texte appartient au genre réaliste. (2 points)

2 a. Quel est le style employé dans la phrase « Il lui demanda si elle pensait au mariage » (l. 29) pour rapporter les paroles du personnage ?

b. Réécrivez cette phrase en utilisant le style direct.

c. Citez les deux autres types de discours rapportés utilisés dans le texte en donnant un exemple pour chacun d'eux. (2 points)

3 Que pensez-vous du dialogue que le narrateur a choisi de rapporter au style direct dans le passage ? Que révèle-t-il sur les personnages ? (1 point)

4 Pourquoi les mots : « la faute de la boisson » (l. 23) sont-ils entre guillemets ? Quelle est l'intention du narrateur ? (1 point)

B. Une rencontre amoureuse (6 points)

5 Relevez l'indication temporelle qui marque le début de la scène de rencontre. Montrez, en comparant avec le paragraphe précédent, qu'elle introduit un ralentissement du rythme du récit. (1,5 point)

6 Quel est l'état d'esprit de Félicité le jour de la fête ? Relevez un adjectif qualificatif et un adverbe qui justifient votre réponse. (2 points)

7 Comment se manifeste l'assurance de Théodore ? Justifiez votre réponse en citant le texte. (1 point)

8 Dans quelle forme cadre le passage descriptif (de « le vent était mou » à « poussière », l. 32 à 34) est-il inséré ? Comment cette description se justifie-t-elle par rapport à la scène ? Expliquez le changement de temps des verbes de cette phrase. (1,5 point)

C. Un cœur simple (4 points)

9 Félicité et Théodore ont-ils les mêmes attentes et partagent-ils les mêmes idées ? Relevez les phrases du texte qui vous permettent de répondre. (1,5 point)

10 Relevez un indice signalant, dès la première phrase du texte, la place que cette histoire occupera dans la vie de la servante. (0,5 point)

11 Quelles caractéristiques du personnage de Félicité ce texte met-il en lumière ? (2 points)

RÉÉCRITURE
(4 points)

Réécrivez le passage de « Elle grelottait » à « jalousaient » (l. 4 à 8) en remplaçant « elle » par « elles ». Soyez attentifs aux terminaisons des verbes et des participes passés.

RÉDACTION
(20 points)

Quelques années plus tard, Théodore raconte à un ami son histoire d'amour avec Félicité.

Consignes d'écriture.

◉ Vous insérerez un portrait de Félicité et la description d'un lieu évoqué dans le récit.

◉ Vous varierez le rythme de la narration en racontant une scène (Ex. : la scène de la rencontre avec Félicité).

◉ Le récit rapportera les paroles des personnages en utilisant les différents styles (direct, indirect, indirect libre, récit de paroles).

lecture loisir

Éric
Holder

[né à Lille en 1960]

*Écrivain précoce, il publie
des œuvres qui mettent en scène
l'univers provincial et quotidien
des gens simples, dont
Mademoiselle Chambon en 2002.*

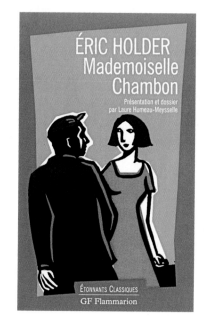

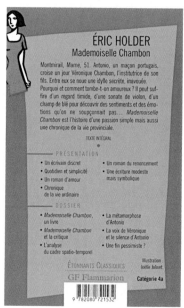

I. Un récit réaliste

Dans cette œuvre, on retrouve de nombreuses caractéristiques du genre étudié dans l'ensemble de la séquence (pp. 45-59).

LES PROCÉDÉS DE L'ILLUSION RÉALISTE

1] Relisez le début (l'incipit) du roman (pp. 19-21) et recherchez tous les moyens destinés à donner une impression de vérité (voir séance 1) : entrée *in medias res*, emploi des déterminants, notations spatio-temporelles, désignation des personnages, motivation de leurs actions et de leur comportement.

L'INFLUENCE DU MILIEU

Les personnages sont fortement déterminés par leur environnement, leurs conditions de travail et la force des contraintes sociales.

2] Un cadre de vie étriqué
Retrouvez les descriptions de Montmirail (p. 20), de la rue du Docteur-Farny (p. 28), des courses au supermarché (pp. 67-68). Quelle image de la province y est donnée ? Quels éléments de ces descriptions font ressentir l'enfermement des personnages ?

3] Une vie professionnelle difficile
Relisez les pages consacrées à la vie sur le chantier (pp. 22 et 33), à la manufacture (pp. 39 et 44). En quoi les conditions de travail sont-elles dures ? Quels traits du caractère des personnages s'expliquent par leur métier et leurs conditions de vie ?

4] Le poids des conventions sociales
À quelles contraintes une institutrice de province est-elle soumise (voir p. 58) ? En quoi ces préjugés vont-ils influencer la décision finale de Véronique Chambon ?

LA PEINTURE DES « GENS DE PEU »

5] Dans le passage consacré à l'anniversaire du père d'Antonio (pp. 89 - 92), relevez les indices trahissant l'appartenance sociale des personnages : comportement, détails vestimentaires, langage.

6] Est-il facile de sortir du cadre imposé par ses origines (voir la scène pages 47-48) ?

7] Quels détails concernant les vacances familiales au camping du Crotoy (pp.101-102) complètent cette évocation des classes populaires ?

BANALITÉ ET RÉSIGNATION

8] Ce roman s'apparente à une chronique de la vie quotidienne. Quel rôle jouent à cet égard les notations temporelles précises et régulières, l'absence de transition entre les chapitres ? Cette vie laisse-t-elle la place à des événements exceptionnels ? Justifiez votre réponse.

9] Ce récit où « il ne se passe rien » est fondé sur un certain nombre de frustrations et de renoncements vécus par les personnages. De quel moment de son adolescence Véronique conserve-t-elle la nostalgie (pp. 31-32) ? Pourquoi ? Peut-elle espérer revivre de pareils moments ?

10] Pourquoi Antonio rejoint-il le parti de Van Hamme (p. 114) ? En quoi ce choix est-il le résultat d'une désillusion ?

Un récit réaliste contemporain

Mademoiselle Chambon, **É. Holder (2002)**

II. Un roman d'amour

UNE HISTOIRE D'AMOUR EN CINQ ACTES

1] Retrouvez les cinq étapes de cette histoire d'amour : la rencontre, la prise de conscience, la progression des sentiments, la communion malgré l'éloignement, la rupture. Citez précisément les chapitres correspondant à ces moments.

DES PERSONNAGES QUE TOUT SÉPARE

2] Montrez que les personnages s'opposent dans la plupart des domaines : apparence physique, appartenance sociale, situation professionnelle, mode de vie, intérêts et goûts.

LE POUVOIR DE L'AMOUR

3] Quelles transformations l'amour opère-t-il sur Antonio et Véronique, leur permettant de se sentir plus proches ?

4] Montrez qu'Antonio s'initie à la beauté (p. 36), à la contemplation (pp. 64, 76 et 102) et que son regard sur l'instruction et la culture a changé (pp. 38 et 63).

5] À quelle capacité d'expression ce personnage silencieux accède-t-il (p. 108) ?

6] Montrez que Véronique Chambon fait l'apprentissage de la séduction (pp. 44 et 59), de la convivialité et de l'amitié (pp. 78-81) et qu'elle s'ouvre à la connaissance d'autres milieux (pp. 87-90).

7] L'amour peut-il cependant l'emporter sur la bonne conscience que donne le respect des conventions sociales et des règles de la morale ? Donnez une réponse précise et détaillée.

III. Une narration à plusieurs voix

Outre la voix du narrateur, le récit fait entendre celle des personnages selon des modes particuliers.

LE JOURNAL INTIME

1] À quel chapitre est-il mis en place ? Quel personnage utilise ce moyen d'expression ? Pourquoi ?

2] À quel destinataire fictif s'adresse-t-il ? Retrouvez, dans le roman, les passages qui expliquent avec précision le choix de ce destinataire.

UNE NOUVEAUTÉ : LE STYLE DIRECT LIBRE

3] Dans le passage allant des lignes 70 à 110, relevez les paroles rapportées au style direct libre. Par quels verbes introducteurs sont-elles annoncées ?

4] En quoi le style direct libre se distingue-t-il des autres types de discours rapportés (voir séance 4) ? Quel est l'effet produit ?

5] Relevez, dans le roman, d'autres passages de discours rapporté au style direct libre.

IV. Une écriture symbolique

Plusieurs éléments donnent à ce récit réaliste une portée symbolique.

LA MÉTAPHORE DE LA FENÊTRE

1] Que symbolise la fenêtre en général ?

2] Relisez les passages où ce motif apparaît (p. 28 et pp. 57-63) et recherchez quelles peuvent en être les significations dans le roman.

LE CYCLE DE LA NATURE ET DES SAISONS

3] Le roman est construit sur une correspondance entre l'évolution du sentiment amoureux et le cycle des saisons. Mettez en évidence ce parallèle en relevant les indications temporelles et climatiques données tout au long du récit et en les faisant correspondre à chaque étape de l'histoire d'amour (voir question II. 1).

4] Étudiez l'évolution tout au long des saisons du « paysage refuge » contemplé par Antonio (pp. 64, 76, 93 et 113).

Prolongement

> **COMPLÉTER UN JOURNAL INTIME.** Imaginez une page du journal intime que Véronique aurait pu rédiger après sa décision de ne plus revoir Antonio.

La guerre

séquence 3

Témoignages

A. MARE, « L'Artilleur
à la pelle », *Carnets
de guerre 1914-1918*,
Éd. Herscher, 1996.

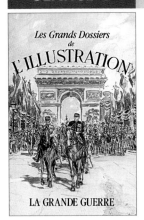

L'Illustration,
hebdomadaire illustré
publié de 1843 à 1944, fit,
pendant la guerre, la
chronique des événements
militaires, tout
en ne donnant que des
informations autorisées.

Pour rassurer « l'arrière »

La bataille de Verdun représente un tournant décisif de la Première Guerre mondiale. Après une offensive des Allemands, qui dominèrent pendant les quatre premiers mois, les Français finirent, en automne 1917, par regagner le terrain perdu.

1. 4 mars 1916.
La formidable lutte engagée depuis le 21 février, à la suite d'une canonnade extraordinaire, continue, après plus d'une semaine d'assauts héroïquement soutenus, dont le seul résultat pour l'ennemi a été
5 de gagner moins de deux lieues de terrain, au prix de pertes supérieures à tout ce que l'on avait vu jusqu'ici. Le repli de nos troupes, conduit avec une habileté remarquable, s'est prolongé jusqu'au 25, moment où notre front s'est fixé sur une ligne allant de la Meuse (vers Vacherauville) à Vaux-devant-Damloup, par Douaumont.

Ardouin-Dumazet, « L'Illustration » (1916),
Les Grands Dossiers de L'Illustration, La Grande Guerre, Éd. Le Livre de Paris, 1994.

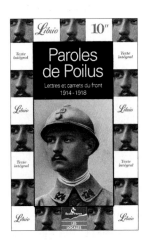

Jeunes ou moins jeunes,
les « poilus » mobilisés
dans les tranchées
entretinrent
avec « ceux de l'arrière »
des correspondances
importantes.
Radio-France fit
un appel pour retrouver
les témoignages de ces
hommes : 8 000 personnes
répondirent à l'initiative,
ce qui permit de faire
paraître ces *Paroles de
poilus* (textes 2, 3 et 4).

Lettre d'un fils à sa mère

Gaston Biron était âgé de vingt-neuf ans en 1914 quand il s'engagea dans un bataillon de chasseurs à pied.

2. Samedi 25 mars 1916 (après Verdun)
Ma chère mère,
[…] Par quel miracle suis-je sorti de cet enfer, je me demande encore bien des fois s'il est vrai que je suis encore vivant ; pense donc, nous
5 sommes montés mille deux cents et nous sommes redescendus trois cents ; pourquoi suis-je de ces trois cents qui ont eu la chance de s'en tirer, je n'en sais rien, pourtant j'aurais dû être tué cent fois, et à chaque minute, pendant ces huit longs jours, j'ai cru ma dernière heure arrivée. Nous étions tous montés là-haut après avoir fait le sacrifice de notre vie,
10 car nous ne pensions pas qu'il fût possible de se tirer d'une pareille fournaise. Oui, ma chère mère, nous avons beaucoup souffert et personne ne pourra jamais savoir par quelles transes et quelles souffrances horribles nous avons passé. À la souffrance morale de croire à chaque instant la mort nous surprendre viennent s'ajouter les souffrances phy-
15 siques de longues nuits sans dormir : huit jours sans boire et presque sans manger, huit jours à vivre au milieu d'un charnier humain, couchant au milieu des cadavres, marchant sur nos camarades tombés la veille ; ah ! j'ai bien pensé à vous tous durant ces heures terribles, et ce fut ma plus grande souffrance que l'idée de ne jamais vous revoir. […]
20 Ton fils qui te chérit et t'embrasse un million de fois.
Gaston

G. Biron, *Paroles de poilus,* Éd. Librio, 1998.

Lettre d'un ancien élève à son maître

L'identité de Roger B. n'est pas connue, mais par ses lettres, il est un témoin de l'Histoire. Télégraphiste, il était chargé de la transmission et de la réception des messages.

3. Au front, ce 31 décembre 1916
Cher Maître,

Si vous saviez comme on s'ennuie par les jours noirs et les nuits blanches, comme au long des lignes téléphoniques la boue des boyaux[1]
5 colle aux semelles lourdes d'eau, si vous saviez comment est long ce troisième hiver d'interminable bataille, comme on est seul parfois, au milieu même des camarades, quand on redit toutes les paroles de la veille lorsqu'il ne faut pas dormir ou que le sommeil ne vient pas. Si vous saviez qu'il nous manque des livres et si j'osais vous en demander ;
10 peut-être parmi tous les chefs-d'œuvre que vous avez écrits, trouve-riez-vous, dans un coin, deux ou trois brochures fatiguées et ternies et, paternellement, me les enverriez-vous ?

S'il en est ainsi, pour moi et les amis à qui vous aurez fait oublier le fardeau de quelques heures grises, je vous remercie de tout mon cœur
15 et vous prie d'accepter l'hommage de ma lointaine poignée de main.

Roger B., brigadier téléphoniste, *op. cit.*

Lettre d'amour

4. 20 août 1914
Ma bien aimée,

[…] Chérie, ma fille, ma beauté, ma fiancée, mon amour, quand je n'en puis plus de regret, de peine de ne plus t'avoir, je relis tes lettres. Je retrouve
5 dans ces pages bleues toute la confiance, toute l'ardeur qu'il faut. J'ai peur que ce que tu as vu à Auch (les discours ratés, la présentation au drapeau mal organisée, les hommes qui rigolent, cette atmosphère de caserne) ne t'ait enlevé cette flamme, cet esprit de sacrifice, ce désir sacré de la victoire. Amour, il faut que tu ne cesses pas de croire ardemment à ce que nous fai-
10 sons. Songe que nous marchons dès avant l'aube, que nous marchons des jours entiers sans savoir où nous allons, que nous attendons dans des cours de ferme des heures et des heures sans savoir pourquoi, songe à toute la patience, à toute la religion qu'il nous faut pour résister à ce chagrin d'avoir perdu ce que l'on aime. Songe que nous serons peut-être bientôt
15 couchés dans des tranchées dans l'eau et le froid et la boue, sous le feu. Il ne faut rien nous dire, il ne faut rien penser qui nous enlève un peu de foi et nous coupe les jambes. C'est de toi que j'attends toute ma force, toute ma vertu, toute mon audace, tout mon mépris de la mort.

Alain-Fournier, *op. cit.*

1. Boyaux : galeries secondaires reliant les tranchées entre elles.

Henri-Alban Fournier,
dit **Alain-Fournier**
[1886-1914]

Il allait avoir vingt-huit ans lorsqu'il écrivit ces lignes à celle qu'il devait épouser au terme de la guerre. Le jeune auteur du Grand Meaulnes *voulait faire son devoir de citoyen, malgré les protections qui lui avaient été proposées pour rester à l'arrière. Il fut tué dans la Meuse le 18 septembre 1914.*

ACTEURS ET TÉMOINS

1 Pour chacun de ces textes, dites quel en est l'auteur, dans quelle situation il se trouve et à qui il s'adresse.

2 Proposez, sous forme de groupe nominal, un titre pour chaque texte qui rende compte de l'essentiel du message.

3 Quelles sont les difficultés citées par les soldats ? Quels sont les réconforts évoqués ?

4 Comparez les textes 1 et 2 : les adjectifs sont-ils mélioratifs ou dépréciatifs ? Quel est le ton adopté ? Sur quoi chaque texte insiste-t-il ?

DES SITUATIONS EXTRÊMES

5 VOCABULAIRE Dans chacun des textes, relevez les expressions qui appartiennent au champ lexical de la guerre.

6 Dans quels textes y a-t-il le plus de détails sur la vie quotidienne ? À votre avis pourquoi ?

7 Quel texte insiste le plus sur l'idée de sacrifice ? Relevez le champ lexical du sacré qui s'y rapporte.

8 Quelles sont les différentes opinions sur la guerre et ses conséquences exprimées ou sous-entendues par chacun de ces textes ?

9 Classez les textes selon qu'ils sont optimistes ou pessimistes, sincères ou exagérés.

LES VISÉES DE L'ÉCRITURE

10 GRAMMAIRE
[TEXTE 4] Relevez les phrases de type injonctif. Précisez si elles ont pour but de formuler un ordre, un conseil ou une requête. Relevez ensuite les phrases de type déclaratif qui visent à donner un ordre.
[TOUS LES TEXTES] Retrouvez les procédés (tournures emphatiques, ordre des mots, comparatifs, superlatifs, etc.) qui permettent à celui qui écrit de mettre en évidence ce qui lui importe le plus.

11 [TEXTES 2, 3 ET 4] Certaines expressions sont répétées en début de phrase. Relevez ces anaphores et précisez l'effet produit par leur emploi.

12 Indiquez, pour chacun des textes, si celui qui écrit cherche avant tout à informer, émouvoir, convaincre, séduire...

13 D'après ces textes, expliquez pourquoi les réalités de la guerre suscitent le besoin de témoigner.

Leçon ⊖ La nécessité d'écrire

▶ Les difficultés de la guerre et la séparation obligent les hommes et les femmes à communiquer par écrit.

▶ Si les textes produits sont de genres différents (articles de presse, lettres de soldats ou de prisonniers, journaux ou carnets intimes), les positions divergent et les tons varient du désespoir à la confiance.

▶ Pour faire comprendre à son destinataire ce qu'il vit et le faire réagir, l'émetteur utilise un vocabulaire évaluatif et organise ses phrases pour mettre en évidence ses sentiments et ses opinions.

Prolongements

⊖ RÉAGIR À PARTIR DE DEUX POINTS DE VUE DIFFÉRENTS. Imaginez la réponse de la mère de Gaston, après la lecture de la lettre de son fils (texte 2) et de l'article de *L'Illustration* (texte 1).

⊖ PRENDRE EN COMPTE L'EXPRESSION D'AUTRUI. Choisissez une des lettres et répondez-y comme si vous en étiez le destinataire.

Outils de la langue

■ Le vocabulaire évaluatif, voir p. 298.
■ Les figures de répétition, voir p. 188.

Dire la vérité

Maurice
Genevoix
[1890-1980]

Il avait vingt-quatre ans quand il intégra l'armée comme sous-lieutenant. Blessé, il fut démobilisé et fit publier dès 1916 son journal de guerre, adapté des notes quotidiennes qu'il avait prises sur le front.

1. *Hurra! Vorwärts*: «en avant!».

2. *Heiligtum*: «lieu saint, chose sacrée».

3. Note de l'auteur: « Ça a été la première occasion – la seconde et dernière aux Éparges, le 18 février au matin – où j'ai senti en tant que telles la présence et la vie des hommes sur qui je tirais. Heureusement, ces occasions étaient rares; et, lorsqu'elles survenaient, elles n'admettaient guère qu'un réflexe à défaut de retour sur soi-même: il s'agissait de tuer ou d'être tué. Lors d'une réimpression de ce livre j'avais supprimé ce passage: c'est une indication quant à ces «retours sur soi-même» qui devaient fatalement se produire. Je le rétablis aujourd'hui, tenant pour un manque d'honnêteté l'omission volontaire d'un des épisodes de guerre qui m'ont le plus profondément secoué et qui ont marqué ma mémoire d'une empreinte jamais effacée. » (Note de 1949.)*

Tuer ou être tué

Je suis entouré de Boches; il est impossible que j'échappe, isolé ainsi de tous les nôtres. Pourtant je serre dans ma main la crosse de mon revolver: nous verrons bien.

J'ai buté dans quelque chose de mou et de résistant qui m'a fait
5   piquer du nez; peu s'en est fallu que je ne me sois aplati dans la boue. C'est un cadavre allemand. Le casque du mort a roulé près de lui. Et voici qu'une idée brusquement me traverse: je prends ce casque, le mets sur ma tête, en me passant la jugulaire sous le menton parce que la coiffure est trop petite pour moi et tomberait.
10 Course forcenée vers les lignes des chasseurs; je dépasse vite les groupes des Boches qui flottent encore, disloqués par notre fusillade de tout à l'heure. Et comme les Boches, je crie: *Hurra! Vorwärts!*[1] Et, comme eux, je marmotte un mot à quoi ils doivent se reconnaître, en pleines ténèbres, et qui est *Heiligtum*[2].
15 La pluie me cingle le visage; la boue colle à mes semelles, et je m'essouffle à tirer après moi mes chaussures énormes et pesantes. Deux fois je suis tombé sur les genoux et sur les mains, tout de suite relevé, tout de suite reprenant ma course malgré mes jambes douloureuses et mollissantes. Chantantes et allègres, les balles me dépassent et filent devant moi.
20 Un Français, sautillant et geignant:

«C'est toi, Léty?

– Oui, mon lieutenant; j'en ai une dans la cuisse.

– Aie bon courage; nous arrivons!»

Déjà il n'y a plus de braillards à voix rauque. Ils doivent se reformer
25 avant de repartir à l'assaut. Alors je jette mon casque, et remets mon képi que j'ai gardé dans ma main gauche.

Pourtant, avant de rallier les chasseurs, j'ai rattrapé encore trois fantassins allemands isolés. Et à chacun, courant derrière lui du même pas, j'ai tiré une balle de revolver dans la tête ou dans le dos. Ils se sont
30 effondrés avec le même cri étranglé[3].

Arrivée aux tranchées des chasseurs, où je retrouve une vingtaine de mes hommes, à genoux dans la boue, n'ayant pu se faire place auprès des camarades cramponnés à leur poste de combat.

«Amenez-vous par là, les enfants!»
35 Je sais que la route de la Vaux-Marie est à deux pas; je déploierai mes vingt poilus dans le fossé, le long du talus; et nous resterons là, bon Dieu! accrochés dur.

Enragée, cette fusillade. Cela pétille innombrablement, grêle, pressé, inlassable. À plat ventre dans l'herbe gorgée d'eau, je regarde la lueur
40 d'un incendie, rougeoiement terne qui semble plaqué sur le ciel opaque: ce doit être la ferme de la Vaux-Marie qui brûle.

M. Genevoix, «Sous Verdun» (1916), *Ceux de 14*, Éd. Omnibus, 1998.

L'EXPÉRIENCE DU FRONT

1 Énumérez, avec précision, les événements racontés par Maurice Genevoix.

2 GRAMMAIRE Relevez les adjectifs qualificatifs des lignes 15 à 19 et indiquez leur fonction (épithète ou apposition). Pourquoi ce paragraphe se termine-t-il par deux adjectifs mélioratifs ? Quel effet produisent-ils ?

3 VOCABULAIRE Cherchez l'étymologie, le niveau de langue et le sens des mots suivants : *boches, marmotter, cingler, braillards*. À quel corps d'armée appartiennent les fantassins et les chasseurs ?

4 Relevez les expressions désignant l'ennemi. Lesquelles sont péjoratives ? lesquelles sont objectives ?

L'AUTHENTICITÉ DU TÉMOIGNAGE

5 Après avoir lu la biographie de l'auteur et la note 3 (p. 75), précisez quand ce texte a tout d'abord été écrit, quand il a été ensuite retravaillé, et enfin quand il a été remanié.

6 Quel est l'effet produit par les citations au style direct ?

7 GRAMMAIRE Relevez les deux phrases nominales des lignes 10 et 38. En quoi peuvent-elles rappeler des notes prises sur le front ?

Leçon ➔ Auto-censure et authenticité

▶ Témoigner, c'est transmettre à autrui une expérience, le plus souvent vécue.

▶ Un témoignage sur une réalité dont on ne peut pas tout dire peut être soumis à la censure. La dimension autobiographique d'un témoignage vécu peut aussi entraîner une auto-censure, l'auteur hésitant parfois à parler des actes qui l'ont bouleversé.

▶ Néanmoins plus un témoignage est authentique et sincère, plus il a d'intérêt pour ses destinataires.

8 Comment Genevoix justifie-t-il le fait qu'il ait pu tuer un homme ?

9 Pourquoi raconte-t-il cet événement ? Pourquoi l'avait-il omis dans la 1re version de son témoignage (voir la note 3 p. 75) ?

10 Quelles sont, selon vous, les qualités du témoignage de Maurice Genevoix ?

Prolongements

➔ COMPARER 2 POSITIONS SUR LE TÉMOIGNAGE DE GUERRE.
■ Dans le texte suivant, Céline cherche-t-il à raconter, décrire, informer, expliquer ou convaincre ?
■ Partage-t-il la même opinion que Genevoix sur la guerre et sur le témoignage ? Justifiez votre réponse.
■ À quoi correspond l'emploi du niveau de langue familier dans l'extrait de Céline ? Répond-il à la même motivation que dans le texte de Genevoix ?

La grande défaite, en tout, c'est d'oublier, et surtout ce qui vous a fait crever, et de crever sans comprendre jamais jusqu'à quel point les hommes sont vaches. Quand on sera au bord du trou faudra pas faire les malins nous autres, mais faudra pas oublier non plus, faudra raconter tout sans changer un mot, de ce qu'on a vu de plus vicieux chez les hommes et puis poser sa chique et puis descendre. Ça suffit comme boulot pour une vie tout entière.

L.-F. Céline, *Voyage au bout de la nuit*,
Éd. Gallimard, 1952.

➔ CHANGER DE GENRE. Transposez le récit de Genevoix sous forme de lettre.

➔ JUSTIFIER UN ACTE. Écrivez une lettre dans laquelle vous vous justifiez d'une action que l'on vous reproche.

Outils de la langue

■ La formation des mots, voir p. 89.
■ Les fonctions des adjectifs, voir p. 91.

Un récit impossible

Jorge
Semprun
[NÉ EN 1923]

Romancier, scénariste et homme politique espagnol, il puisa dans son expérience de la déportation et de l'exil son inspiration autobiographique et son engagement politique. Il écrivit en français aussi bien qu'en espagnol et fut ministre de la Culture en Espagne de 1988 à 1991.

« S'en aller par la cheminée, partir en fumée » étaient des locutions habituelles dans le sabir de Buchenwald. Dans le sabir de tous les camps, les témoignages n'en manquent pas. On les employait sur tous les modes, tous les tons, y compris celui du sarcasme ; surtout,
5 même entre nous, du moins. Les S.S. et les contremaîtres civils, les *Meister*, les employaient toujours sur le ton de la menace ou de la prédiction funeste.

Ils ne peuvent pas comprendre, pas vraiment, ces trois officiers[1]. Il faudrait leur raconter la fumée : dense parfois, d'un noir de suie dans le
10 ciel variable. Ou bien légère et grise, presque vaporeuse, voguant au gré des vents sur les vivants rassemblés, comme un présage, un au revoir.

Fumée pour un linceul aussi vaste que le ciel, dernière trace du passage, corps et âmes, des copains.

Il y faudrait des heures, des saisons entières, l'éternité du récit, pour
15 à peu près en rendre compte.

Il y aura des survivants, certes. Moi, par exemple. Me voici survivant de service, opportunément apparu devant ces trois officiers d'une mission alliée pour leur raconter la fumée du crématoire, l'odeur de chair brûlée sur l'Ettersberg, les appels sous la neige, les corvées meurtrières,
20 l'épuisement de la vie, l'espoir inépuisable, la sauvagerie de l'animal humain, la grandeur de l'homme, la nudité fraternelle et dévastée du regard des copains.

Mais peut-on raconter ? Le pourra-t-on ?

Le doute me vient dès ce premier instant.
25 Nous sommes le 12 avril 1945, le lendemain de la libération de Buchenwald. L'histoire est fraîche, en somme. Nul besoin d'un effort de mémoire particulier. Nul besoin non plus d'une documentation digne de foi, vérifiée. C'est encore au présent, la mort. Ça se passe sous nos yeux, il suffit de regarder. Ils continuent de mourir par cen-
30 taines, les affamés du Petit Camp, les Juifs rescapés d'Auschwitz.

Il n'y a qu'à se laisser aller. La réalité est là, disponible. La parole aussi.

Pourtant un doute me vient sur la possibilité de raconter. Non pas que l'expérience vécue soit indicible. Elle a été invivable, ce qui est tout autre chose, on le comprendra aisément. Autre chose qui ne concerne
35 pas la forme d'un récit possible, mais sa substance. Non pas son articulation, mais sa densité. Ne parviendront à cette substance, à cette densité transparente que ceux qui sauront faire de leur témoignage un objet artistique, un espace de création. Ou de recréation. Seul l'artifice d'un récit maîtrisé parviendra à transmettre partiellement la vérité du
40 témoignage.

J. Semprun, *L'Écriture ou la vie*, Éd. Gallimard, 1994.

1. Ces trois officiers : officiers de l'armée alliée venus pour libérer les camps de concentration allemands.

Etty
Hillesum
[1914-1943]

Juive hollandaise, elle fut envoyée au camp de Westerbork (Pays-Bas), puis à celui d'Auschwitz. Son journal et sa correspondance reflètent sa lucidité, sa générosité et son optimisme.

Écrire des contes...

I ci, l'on pourrait écrire des contes. Cela vous paraît sans doute étrange, mais si l'on voulait donner une idée de la vie de ce camp, le mieux serait de le faire sous forme de conte. La détresse, ici, a si largement dépassé les bornes de la réalité courante qu'elle en devient
5 irréelle. Parfois en marchant dans le camp, je ris toute seule, en silence, de situations totalement grotesques, il faudrait vraiment être un très grand poète pour les décrire, j'y arriverai peut-être approximativement dans une dizaine d'années.

E. Hillesum, « Lettres de Westerbork » (1986), *Une Vie bouleversée*,
trad. française Ph. Noble, Éd. du Seuil, coll. « Points », 1995.

Roberto
Benigni
[né en 1952]

D'abord acteur de théâtre à Rome, il devint célèbre en conjuguant pour le grand écran ses talents de scénariste, de réalisateur et d'acteur comique, notamment dans La Vie est belle *(voir séance 6).*

Le rire qui sauve

U n jour Vincenzo Cerami et moi avons songé à raconter la vie d'un homme, un jeune juif, dans un camp de concentration, en compagnie d'un enfant. Et une femme qui est là, au même endroit, mais qui ne peut jamais voir ni son mari ni son fils. À l'évidence, le
5 comble du tragique. Mais pensez à Charlot, le plus grand clown du monde, quelles histoires n'a-t-il pas inventées ? [...]

Certes Charlot était un clown. Et si l'on examine un clown de près, on ne peut qu'être horrifié. La première impression qu'il nous communique est inquiétante, son rire épouvante ; mais si l'on prend ses
10 distances, si l'on s'éloigne, alors, on rit avec le sentiment d'échapper à un cauchemar.

Et, direz-vous, pourquoi faire rire d'une chose aussi tragique, de la plus grande horreur du siècle ? Mais parce que c'est une histoire *dédramatisée*, un film *dédramatisé*. Parce que la vie est belle, et que le germe
15 de l'espoir se niche jusque dans l'horreur ; il y a quelque chose qui résiste à tout, à quelque destruction que ce soit. C'est Trotski qui me vient aussitôt à l'esprit, et tout ce qu'il a subi : enfermé dans un bunker à Mexico, il attendait les hommes de main de Staline, et, pourtant, tout en regardant sa femme dans son jardin, il écrivait qu'en dépit de tout,
20 la vie est belle, digne d'être vécue.

Le rire nous sauve ; voir l'autre côté des choses, le côté surréel, amusant, ou parvenir à l'imaginer, nous empêche de nous briser, d'être emportés comme des fétus, nous aide à résister pour réussir à passer la nuit, même lorsqu'elle paraît longue.

R. Benigni et V. Cerami, *La Vie est belle* (présentation de l'auteur),
Éd. Gallimard, coll. « Folio », 1998.

UNE RÉFLEXION SUR LE TÉMOIGNAGE

1 Précisez, quand vous le pouvez, le lieu et le moment de rédaction de ces textes.

2 Repérez, dans chaque extrait, d'une part les passages de témoignage proprement dits, d'autre part les passages de réflexion sur l'acte de témoigner.

3 D'où vient l'envie ou la nécessité de témoigner ? Quel rôle le temps joue-t-il dans un témoignage écrit après coup ?

4 Relevez les termes ou les expressions (adjectifs évaluatifs, modalisateurs, etc.) qui montrent l'engagement des auteurs.

5 D'après ces textes, les témoignages doivent-ils respecter strictement la réalité ? peuvent-ils viser l'authenticité tout en ayant recours à la fiction ?

6 Quelles sont les différentes façons de prendre de la distance recommandées par ces textes ? Relevez, dans chacun d'eux, des phrases qui justifieront votre réponse.

7 GRAMMAIRE En observant l'emploi des pronoms, précisez si ces témoignages sont seulement personnels ou ont une portée universelle. Justifiez votre réponse.

UNE PRISE DE DISTANCE NÉCESSAIRE

8 Pourquoi, selon vous, le ton du sarcasme était-il utilisé dans les camps [texte 1] ?

9 [TEXTES 1 ET 3] Que permet le recours à la fiction ?

10 VOCABULAIRE Que signifie l'adjectif « dédramatisé » [texte 3] ? Relevez, dans les trois textes, tous les autres adjectifs commençant par les préfixes *in-* (*ir-*) ou *de-* (*dé-*). Quelle idée exprime l'utilisation répétée de ces préfixes ?

11 Relevez, dans chacun de ces textes, les termes évoquant le rire. Comment qualifieriez-vous ces façons de rire ? En vous aidant des arguments proposés par les textes, expliquez pourquoi l'on peut rire d'une situation tragique.

Leçon ➔ Témoignage et fiction

▶ Les soldats ou les prisonniers témoignent de leurs expériences de guerre pour faire entrer leur histoire personnelle dans une histoire universelle. Leur but est de faire comprendre l'horreur de la guerre à des gens qui ne l'ont pas nécessairement vécue afin qu'elle ne se répète pas.

▶ Mais cet objectif peut être manqué parce que les narrations ou les descriptions les plus fidèles peuvent ne pas rendre totalement compte de l'intensité vécue, ou au contraire choquer exagérément les destinataires. C'est pourquoi des écrivains ont préféré prendre de la distance par rapport à la réalité vécue, en ayant recours à la fiction par exemple : ils considèrent qu'un témoignage vaut plus par le message qu'il transmet que par un scrupuleux respect des faits.

Prolongements

➔ DIRE L'INDICIBLE. Décrivez un lieu ou un objet horrible en utilisant des termes évaluatifs, des modalisateurs, des tournures restrictives, etc., qui rendent compte de votre engagement.

➔ MÉLANGER LES TONS. Racontez un événement comique qui se produit dans une situation sérieuse ou même tragique.

➔ CHANGER DE POINT DE VUE. Vous êtes le témoin d'un accident : écrivez deux versions de votre témoignage, la première rédigée au moment des faits, la seconde plus tard, avec du recul.

Outils de la langue

■ Les modalisateurs, voir p. 299.
■ La formation des mots, voir p. 89.

avec énumérations, images, verbes...

■ Voir la biographie de
E. M. Remarque, p. 94.

1. Feu roulant, tir de barrage, rideau en feu, mines, gaz, tanks, mitrailleuses, grenades, ce sont là des mots, des mots, mais ils renferment toute l'horreur du monde.

Nos visages sont pleins de croûtes : notre pensée est anéantie ; nous
5 sommes mortellement las. Lorsque l'attaque arrive, il faut en frapper plus d'un à coups de poing pour qu'il se réveille et suive. Les yeux sont enflammés, les mains déchirées, les genoux saignent, les coudes sont rompus.

E. M. Remarque, À l'Ouest rien de nouveau, Éd. Stock, 1928.

Jean
Giono
[1895-1970]

La Première Guerre mondiale à laquelle Giono participa fit de lui un pacifiste convaincu.

2. Au-dessus du trou, on entendait passer la mitrailleuse. Elle griffait là tout autour avec ses ongles de fer. On entendait le déclic de ses grandes pattes, puis ce tressaillement de tout son corps, quand elle se secouait puis elle sautait comme un oiseau, grattait son corps
5 métallique, puis la terre fumait sous ses griffes.

Là-haut, la nue grise s'ouvrit ; un peu de bleu parut, un bleu sale et comme plein de pus, mais avec une goutte du blond soleil de là-haut.

J. Giono, Le Grand troupeau, Éd. Gallimard, 1931.

■ Voir la biographie
de M. Genevoix, p. 75.

3. Les lourdes marmites[1], par douzaines, achèvent de ravager les champs pelés. Elles arrivent en sifflant, toutes ensemble ; elles approchent, elles vont tomber sur nous. Et les corps se recroquevillent, les dos s'arrondissent, les têtes disparaissent sous les sacs, tous les
5 muscles se contractent dans l'attente angoissée des explosions instantanément évoquées, du vol ronflant des énormes frelons d'acier.

M. Genevoix, « Sous Verdun » (1916), Ceux de 14, Éd. Omnibus, 1998.

1. Marmites : obus de gros calibre.

... ou « envolées lyriques »

4. Le seul point clair, dans cette morne répétition, était l'arrivée vespérale de la roulante, à la corne du bois d'Hiller, où se répandait dès l'ouverture des marmites un savoureux fumet de pois au lard ou d'autres merveilles. Mais là aussi, les points noirs ne manquaient
5 pas : c'étaient les légumes desséchés, auxquels des gourmets déçus avaient donné le nom injurieux de « barbelés en conserve » ou de « raclures de silo ».

Je retrouve même dans mon journal, à la date du 6 janvier, cette observation furibonde : « Ce soir la roulante est arrivée cahin-caha pour
10 nous livrer une vraie provende à cochons, sans doute une ratatouille de

Ernst
Jünger
[1895-1998]

Écrivain allemand, il participa aux deux conflits mondiaux. Il condamna le nazisme, notamment dans Sur les falaises de marbre, *paru en 1939.*

betteraves à porcs gelées. » Le 14, au contraire, m'inspire une envolée lyrique : « délices de la soupe aux pois, délices d'une quadruple portion. Tourments de la satiété. Nous avons organisé un concours de boustifaille et avons discuté de la position dans laquelle on peut engloutir la
15 plus grande quantité de nourriture. J'étais pour la station debout. »

E. Jünger, *Orages d'acier* (1961), trad. H. Plard, Éd. Ch. Bourgois, 1970.

L'HORREUR DE LA GUERRE

1 Quel aspect de la guerre décrit chacun de ces textes ? À quels sens (vue, ouïe, odorat, goût, toucher) chacun d'eux fait-il appel ?

2 Quel effet les énumérations produisent-elles ?

3 Quels sont les objets décrits dans chaque extrait ? Pourquoi prennent-ils une si grande importance ?

4 Comment les personnes sont-elles décrites ? Montrez que leur dignité n'est pas préservée.

5 Citez des passages où d'autres formes de discours que la description sont utilisées.

LE POUVOIR DES MOTS

6 GRAMMAIRE Classez les adjectifs qualificatifs en deux groupes : ceux qui sont objectifs d'une part, ceux qui sont évaluatifs d'autre part.

7 VOCABULAIRE Relevez le champ lexical de la guerre. Quelles sont les métaphores employées pour désigner des armes ?
[TEXTES 3 ET 4] Trouvez le mot qui est utilisé, dans ces deux textes, avec des sens différents que vous préciserez.

8 [TEXTE 4] Expliquez les expressions « barbelés en conserve » et « raclures de silo ». Sur quels aspects de la nourriture insistent-elles ?

9 Relevez le champ lexical de la nourriture dans le dernier extrait. Pourquoi est-il si important et si contrasté ?

10 [TEXTE 4] Quelles sont les différences d'écriture entre les descriptions du journal intime de Jünger (l. 9-10 et 12-15) et celles de son roman, d'où est extrait le passage ?

11 Ces textes réussissent-ils à décrire l'horreur de la guerre ? Rédigez votre réponse en précisant les sentiments exprimés dans chacun d'eux.

Leçon ⊙ La description dans les témoignages

▶ Les témoins des guerres ont raconté et décrit ce qu'ils avaient vu, entendu, senti...

▶ La réalité vécue peut être décrite avec plus ou moins de détails, parfois présentés dans de longues énumérations.

▶ La description peut être fidèle ou au contraire être plus éloignée de la réalité : les métaphores, par exemple, permettent de produire un énoncé plus expressif pouvant même transfigurer le réel.

▶ En utilisant des verbes, on peut décrire un enchaînement d'actions, en utilisant des adjectifs évaluatifs, on peut enrichir une description en y ajoutant des jugements personnels.

Prolongements

⊙ CRÉER DES MÉTAPHORES. Choisissez un objet peu attractif et décrivez-le à l'aide d'une métaphore que vous développerez tout au long de votre description. Celle-ci doit évoquer au moins trois des cinq sens (goût, odorat, vue, ouïe, toucher).

⊙ TROUVER DES HOMONYMES. Les mots « boyaux » (p. 73) et « grenades » (p. 80) appartiennent au champ lexical de la guerre. Pour chacun d'eux, écrivez deux phrases : dans la 1re, il appartiendra au champ lexical de la guerre, dans la 2e, il appartiendra à un autre champ lexical que vous préciserez.

Outils de la langue

▪ La métaphore, voir pp. 187-189.
▪ La formation des mots, voir p. 89.

Dans les tranchées

«Dans une tranchée, un poilu rédige une lettre», *L'Illustration*, 13 février 1915.

UNE « ILLUSTRATION » DE CIRCONSTANCE

1 Qui appelait-on les « poilus » ? Pourquoi la date est-elle importante pour comprendre la portée de l'image ?

2 Où se trouvent précisément les personnages ? Comment le savez-vous ? Quel est l'indice rappelant la guerre dans l'illustration ?

3 Quels sont les aspects de l'image qui rappellent les conditions difficiles des combats ?

4 Sur quelle activité le titre insiste-t-il ? En quoi contraste-t-elle avec ce que fait la majorité des poilus ?

5 Par quels moyens l'image met-elle en relief une telle activité ?

Leçon → Image et témoignage

▶ L'image, comme le texte, peut constituer un témoignage sur une époque, un événement, une vie… Une image-témoignage s'adresse ainsi à des spectateurs et peut, comme dans le cas d'une illustration, compléter l'évocation des mots.

▶ Comme en littérature, l'image est rarement neutre :
– le choix du sujet oriente le regard du spectateur sur un aspect particulier, comme ici le repos des soldats, moins inquiétant qu'une scène de guerre ;
– le point de vue adopté par le dessinateur, le peintre ou le photographe traduit la volonté d'impliquer le spectateur dans l'image : le spectateur, à son tour, devient un témoin de la scène ;
– les techniques employées et le choix du support (journal, tableau, mur…) jouent un rôle important : la construction de l'image, sa lumière, la disposition des personnages ou des objets peuvent orienter le spectateur vers une lecture symbolique du témoignage.

UN « SOMBRE » TÉMOIGNAGE

6 Le contour des objets et des personnages est-il toujours très net ? Pourquoi ? Quels sont les éléments de l'image qui contribuent à l'aspect nocturne de la scène ?

7 Quel est le point de vue du dessinateur ? À qui assimile-t-il le spectateur ? Quel est l'effet produit ?

8 D'où vient la principale source de lumière de l'image ? Montrez que l'homme qui écrit symbolise la démarche du témoignage de guerre. En quoi est-ce une métaphore de l'espoir en temps de guerre ?

9 Trouvez dans l'image des aspects qui peuvent, à l'inverse, symboliser la mort des soldats.

UNE MÉTAPHORE DE LA GUERRE

10 Combien de plans distinguez-vous dans cette image ? Pourquoi peut-on affirmer que l'arrière-plan est inquiétant ?

11 Montrez que les axes qui délimitent la tranchée permettent aussi de donner l'impression de la perspective. De quoi cette tranchée peut-elle être le symbole ?

12 Trouvez des axes obliques qui croisent les lignes de la tranchée et montrez que certains d'entre eux ferment l'image.

13 Sachant que *L'Illustration* était un journal, quelle pouvait être la fonction d'une telle image pour les lecteurs ?

Prolongement

→ ÉCRIRE UNE LETTRE POUR TÉMOIGNER. Imaginez la lettre que le poilu au centre de l'image est en train d'écrire (à sa famille, sa fiancée, un ami). Vous rendrez compte de la situation d'écriture et de l'atmosphère de la tranchée en décrivant, à l'aide de l'image, l'environnement du soldat.

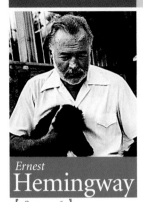

Ernest
Hemingway
[1899-1961]

*Écrivain américain,
il participa à la Première
Guerre comme
ambulancier sur le front
italien et y fut grièvement
blessé. L'Adieu aux armes,
roman d'amour et de
guerre inspiré de souvenirs
personnels, connut un
succès immédiat et fut
adapté à l'écran en 1932.*

Un débat polémique

« Il faut mener cette guerre jusqu'au bout, dis-je. Si un des adversaires cessait de se battre, ça ne la terminerait pas. Ça n'en serait que pire si nous cessions de nous battre.

– Ça ne pourrait pas être pire, dit Passini respectueusement. Il n'y a
5 rien de pire que la guerre.

– La défaite est pire.

– J'crois pas, dit Passini, toujours respectueusement. Qu'est-ce que c'est que la défaite ? Chacun rentre chez soi.

– Oui, mais on vous prend vos maisons, on vous prend vos sœurs.

10 – J'crois pas à tout ça. On n'peut pas faire ça à tout le monde. Chacun n'a qu'à défendre sa maison. On n'a qu'à garder ses sœurs chez soi.

– On vous pend, on vous force encore à être soldat, et pas dans les ambulances, cette fois, dans l'infanterie.

– On n'peut pas pendre tout le monde.

15 – Une nation étrangère ne peut pas vous obliger à être soldat, dit Manera. À la première bataille on ficherait le camp.

– Comme les Tchèques.

– On voit bien que vous ne savez pas ce que c'est que d'être vaincus, c'est pourquoi vous ne pensez pas que c'est un mal.

20 – Tenente, dit Passini, nous comprenons bien que vous nous laissez parler. Écoutez. Il n'y a rien de pire que la guerre. Nous, ici, dans les ambulances, on n'peut pas bien s'rendre compte combien c'est terrible. Quand les gens s'rendent compte de c'que c'est, ils ne peuvent rien faire pour l'arrêter, parce qu'ils deviennent fous. Il y a des gens qui n'se
25 rendent jamais compte. Il y a des types qui ont peur de leurs officiers. C'est ces types-là qui font la guerre.

– Je sais bien que c'est terrible, mais il faut aller jusqu'au bout.

– Ça ne finit jamais. Une guerre, ça ne finit jamais.

– Mais si, voyons, ça finit.

30 Passini secoua la tête.

– La guerre ne s'gagne pas par la victoire. À quoi ça nous avancerait-il de prendre le San Gabriele ? À quoi ça nous avancerait-il de prendre le Carso et Monfalcone et Trieste ? Ça nous ferait une belle jambe ! Avez-vous vu toutes ces montagnes à l'horizon, aujourd'hui ?

35 Est-ce que vous vous figurez que nous pourrions toutes les prendre ? Ça ne serait possible que si les Autrichiens cessaient de se battre. Il faut qu'un des combattants s'arrête. Pourquoi ne nous arrêtons-nous pas ? S'ils descendent en Italie, ils en auront vite assez et ils repartiront. Ils ont leur patrie à eux. Mais pas du tout, au lieu d'ça, on s'amuse à faire la guerre !

40 – Vous parlez comme un vrai orateur.

– On pense, on lit. On n'est pas des paysans, on est des mécaniciens.

Mais même les paysans ne sont pas assez gourdes pour croire à la guerre. Tout le monde la hait cette guerre.

— À la tête des pays il y a une classe qui est stupide et qui n'com-
45 prend rien et qui n'pourra jamais rien comprendre. C'est à cause de ça que nous avons cette guerre.

— Ça leur rapporte de l'argent aussi.

— La plupart n'en gagnent pas, dit Passini. Ils sont trop bêtes. Ils font ça pour rien… par bêtise. »

E. Hemingway, *L'Adieu aux armes* (1929),
trad. M.-E. Coindreau, Éd. Gallimard, coll. « Folio », 1972.

UN DIALOGUE DE SOLDATS

1 À propos de quoi les soldats s'opposent-ils ?

2 Qui sont les trois interlocuteurs identifiables ? Comment s'appelle le narrateur ?

3 Dans quel service de l'armée travaille Passini ?

4 Résumez l'opinion de chaque interlocuteur.

5 VOCABULAIRE Comparez le niveau de langue des répliques. Qu'en déduisez-vous sur les rapports hiérarchiques entre les interlocuteurs ?

6 GRAMMAIRE Relevez les adjectifs évaluatifs du texte et indiquez la nature de leur complément : groupe prépositionnel, groupe infinitif ou subordonnée conjonctive introduite par *que*.

7 Citez un jugement de valeur proposé par chacun des interlocuteurs.

UN ENCHAÎNEMENT D'ARGUMENTS

8 GRAMMAIRE Relevez les connecteurs logiques. Quel est le locuteur qui argumente le plus sa position ? Pourquoi, selon vous ?

9 Quels sont les arguments utilisés pour défendre la poursuite de la guerre d'une part, l'arrêt de la guerre d'autre part ?

10 Comment les « pacifistes » interprètent-ils la volonté des gouvernants de mener la guerre ? Que pensez-vous de leurs arguments ?

11 Citez des exemples de procédés utilisés pour persuader (répétitions, formes emphatiques, questions rhétoriques, hypothèses, etc.).

12 Ce texte est-il, à votre avis, un témoignage pour ou contre la guerre ? Justifiez votre réponse.

Leçon ➔ Témoignage et polémique

▶ Le témoignage peut s'accompagner d'une prise de position sur des situations qui engagent la vie humaine.

▶ Cette prise de position peut s'effectuer au sein d'un dialogue mettant en scène plusieurs témoins engagés qui font connaître leur expérience et échangent leurs points de vue.

▶ Le dialogue permet de présenter de façon vivante l'argumentation de chaque interlocuteur.

▶ Comme toute expérience est personnelle, les points de vue échangés peuvent être radicalement opposés : l'échange des idées suscite alors un débat polémique dans lequel sont confrontées les prises de position de chaque participant dont le but est de convaincre l'autre.

Prolongements

➔ DÉVELOPPER UNE ARGUMENTATION. Choisissez le point de vue de l'un des interlocuteurs et reprenez ses arguments en les développant.

➔ ÉCRIRE UN TÉMOIGNAGE CONVAINCANT. Un des personnages évoque implicitement son expérience de la défaite : « On voit bien que vous ne savez pas ce que c'est que d'être vaincus. » Rédigez le témoignage que ce personnage pourrait faire de son expérience pour convaincre ses interlocuteurs.

Outils de la langue

■ Les connecteurs logiques, voir p. 279.
■ Les compléments de l'adjectif, voir p. 90.

Une mise en scène de la dérision

La Vie est belle, affiche du film réalisé en 1998 par Roberto Benigni et qui a obtenu le Grand Prix du Jury au festival de Cannes, la même année.

■ *Voir la biographie de R. Benigni*, p. 78.

Guido et Giosuè sont dans un camp de concentration

Giosuè – Ils vont faire de nous des boutons, du savon…

Guido – Giosuè, que dis-tu ?

Giosuè – Ils vont tous nous brûler dans le four.

Guido – Mais qui te l'a dit ?

5 Giosuè – Un homme s'est mis à pleurer et il a dit qu'avec nous ils vont faire des boutons et du savon.

Guido éclate de rire.

Guido – Giosuè ! Tu t'es laissé abuser une fois de plus. Et pourtant, je croyais que tu étais un petit garçon vif et malin ! Avec nous… avec les

10 gens…, ils vont faire des boutons, c'est cela…, avec les Russes des ceintures et avec les Polonais des bretelles ! *Il sourit.* Des boutons et du savon… Hein, demain matin, je me lave les mains avec Bartolomeo, je me boutonne avec Francesco et je me peigne avec Claudio…

Il rit et, sur ces entrefaites, il arrache un bouton de la veste et le laisse

15 *tomber à terre.*

Guido – Oh, Giorgio m'est tombé des mains !

Il ramasse le bouton et le met dans sa poche.

Guido – Ils font des boutons avec les gens ! Et puis quoi encore ?

Giosuè – Ils nous brûlent dans un four !

20 *Guido le fixe en riant.*

Guido, *il rit.* – Ils nous brûlent dans un four ? J'avais entendu parler du four à bois, mais du four à hommes, jamais, ça alors, jamais ! Oh, il n'y a plus de bois, passe-moi un avocat ! Oh, cet avocat ne brûle pas, il est vraiment vert, hein ! Crois-moi… Giosuè, laisse tout cela, allez… Un

25 beau jour, on va finir par te dire qu'avec nous, ils feront des abat-jour, des presse-papiers… et toi, tu prends ça au sérieux. Parlons de choses sérieuses. Demain matin, j'ai une course de sacs avec les méchants méchants… Toi…

Giosuè, *il l'interrompt.* – Non, ça suffit comme ça, papa, je veux rentrer

30 à la maison.

R. Benigni et V. Cerami, *La Vie est belle*, Éd. Gallimard, coll « Folio », 1998.

UNE MISE EN SCÈNE IMPROVISÉE

1 Que cherche à faire Guido ? de quoi veut-il convaincre son interlocuteur ?

2 Quelle relation unit les interlocuteurs ?

3 Pourquoi, à votre avis, Guido fait-il répéter la 1re phrase de Giosuè ?

4 À quoi servent les didascalies ? Sur quoi insistent-elles ?

5 GRAMMAIRE Donnez la nature grammaticale et la fonction des deux mots dans l'expression « méchants méchants » (l. 27-28).

6 Énumérez les qualités dont Guido fait preuve.

R. Benigni, *La Vie est belle*, 1998.

Leçon ➲ La dénonciation ironique

▶ En faisant semblant de donner crédit à un énoncé inacceptable, on peut en exagérer l'absurdité et le ridiculiser : c'est le travail de l'ironiste qui, comme ici, joue jusqu'à l'insoutenable avec un énoncé pourtant vrai. L'ironie existe quand il y a du jeu, de la distance entre l'explicite et l'implicite.

▶ Pour faire réagir autrui sur un événement dont on veut témoigner, on peut donc préférer, au récit authentique et explicite, une dénonciation implicite. C'est au destinataire, lecteur ou spectateur, de repérer l'écart entre l'implicite et l'explicite ; il est aidé ici par les didascalies et le jeu de l'acteur.

UN JEU TRÈS SÉRIEUX

7 Quels sont les sentiments que Guido simule ? Citez un passage où il croit ce qu'il dit et un autre où il ne croit pas ce qu'il dit. Comment fait-il pour rendre ses affirmations crédibles ?

8 Qui désigne le pronom « ils » dans la phrase « ils vont faire de nous des boutons... » (l. 1) ?

9 De qui Giosuè tient-il son information ?

10 Quelle est la réaction de Guido par rapport au contenu de cet énoncé ? le rejette-t-il ? l'explique-t-il ? le développe-t-il ? le justifie-t-il ? le ridiculise-t-il ? Quelle est sa réaction implicite ?

11 VOCABULAIRE Expliquez le double sens de « Et puis quoi encore ? » (l. 18). Relevez dans la dernière réplique de Guido deux autres termes employés dans un double sens (homonymes).

12 Quels sont les éléments qui caractérisent le comique du personnage de Guido ? À quoi s'oppose ce comique ?

13 Guido a-t-il convaincu son fils ? Justifiez votre réponse.

Prolongements

➲ DONNER SON AVIS SUR LA REPRÉSENTATION DE L'HORREUR. Roberto Benigni dit, dans la préface de *La Vie est belle* : « Dans le film, les horreurs ne sont pas représentées, parce que, plus on imagine l'horreur, pire c'est. [...] Des allusions suffisent pour faire sentir qu'il y a une orque dans les parages, comme dans les récits qui nous épouvantaient lorsque nous étions enfants. » Donnez votre avis sur cette affirmation en vous appuyant sur deux exemples (un livre et un film).

➲ IMAGINER UN DIALOGUE À PARTIR D'UNE IMAGE. Observez l'image (ci-dessus) du film *La Vie est belle* et rédigez dix répliques que pourraient échanger les personnages. Votre dialogue doit faire sourire ou rire et dénoncer avec ironie la situation dans laquelle se trouvent les personnages.

Outils de la langue

■ Les homonymes, voir p. 89.
■ La place et la fonction de l'adjectif, voir p. 91.

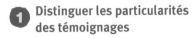

Pourquoi et comment témoigner ?

1 Distinguer les particularités
des témoignages

a] Parmi les textes suivants, lesquels sont des témoignages écrits sur le vif ? après coup ? lesquels dénoncent explicitement la guerre ?

b] D'après chacun de ces textes, pourquoi est-il nécessaire de témoigner ?

c] Quelles sont les plus grandes difficultés que rencontrent ceux qui témoignent ?

d] Quel est le ton de chacun de ces textes ?

1/ Jeudi 28 janvier 1915.
J'erre, toujours aussi incapable d'écrire. J'ai eu hier matin votre lettre du 23 et j'ai mis une enveloppe hier soir. Il gèle épouvantablement ce matin, sans que j'arrive à me réchauffer les doigts. S'il n'y avait encore que les doigts de gelés ; mais le bonhomme ne vaut guère mieux, et le cafard est pire que la gelée. Car n'est-ce pas, j'ai le cafard, vous vous en doutez, et je désespère de le chasser. Il y a de quoi, et ce n'est pas aujourd'hui qu'il passera. […] Hier, ou avant-hier, au rapport, on a lu des lettres de prisonniers boches. Pourquoi ? je n'en sais rien, car elles sont les mêmes que les nôtres. La misère, le désespoir de la paix, la monstrueuse stupidité de toutes ces choses, ces malheureux sont comme nous, les Boches ! Ils sont comme nous et le malheur est pareil pour tous.

É. Tanty, *Paroles de poilus*, Éd. Librio, 1998.

2/ Les échanges épistolaires avec ma famille restaient d'une banalité qui me permettait de coller au quotidien, en évitant de donner la moindre information sur mes blessures. Je n'avais rien à leur dire sous peine de dévoiler la réalité de mon état, et je n'étais pas homme à inventer. Je postais cependant une lettre par semaine, qui reprenait mes menus – viande hachée, soupe. Je m'attachais à poser le plus grand nombre de questions sur la santé de notre entourage.

M. Dugain, *La Chambre des officiers*, Éd. J.-C. Lattès, 1998.

3/ *Martin Gray, qui a réussi à s'échapper du camp où il avait été déporté, raconte…*

Ils ne voulaient pas me croire parce que le gouffre fait peur, et qu'ils préféraient ne pas voir, ne pas savoir ; ils ne pouvaient pas me croire parce qu'il était impossible d'imaginer Treblinka. Un homme sain ne peut pas comprendre qu'il est promis à la mort. Eux, ces braves gens, ne concevaient pas la folie meurtrière des bourreaux. Ils parlaient intérêt, raison, utilité ; les bourreaux voulaient l'extermination. […] Parfois je sentais que mes mots auprès des Juifs réfugiés de Varsovie pesaient, j'allais convaincre, et puis l'horreur était trop grande. Je ne pouvais pas montrer les cadavres, mes mains n'étaient que des mains, qui savait qu'elles avaient soulevé des centaines de corps ? Mes mots n'étaient que des mots.

M. Gray, *Au nom de tous les miens*, Éd. R. Laffont, 1971.

4/ Varsovie, jeudi 21 janvier 1943.
Calme, silence.
Je suis heureuse, si heureuse ! À partir de février, je dois aller à l'école, au lycée clandestin. C'est un vrai miracle ! Il y a déjà là quatre filles, je serai la cinquième. Avoir enfin des camarades ! Peut-être même une amie.
Mais ne pense pas, mon cher journal, que je t'abandonnerai pour autant !

Varsovie, mercredi 23 juin 1943, 16 heures.
J'ai décidé d'arrêter là mon journal, de ne plus rien écrire. C'est plus la peine… Ou plutôt c'est moi qui n'en peux plus… Peut-être un jour, quand les temps seront meilleurs. Mais maintenant je ne peux vraiment pas. Je serais obligée d'écrire trop de choses qui ne seraient pas sincères, alors le mieux est de ne pas écrire du tout. Car même si je voulais être sincère, je n'y arriverais pas, je ne saurais pas dire ce qui se passe dans mon cœur. Trop de souffrances qu'il est absolument impossible d'exprimer.

Varsovie, 27 juin 1944.
Je viens de relire mon ancien journal et sous l'influence de tous ces souvenirs, j'ai décidé de me remettre à écrire. C'est quand même très agréable d'avoir ses propres souvenirs fixés par écrit. C'est pourquoi je vais tout noter de nouveau. »

W. Przybylska, *Journal de Wanda* (écrit à Varsovie, 1942-1944), Éd. Le Livre de poche jeunesse, 1981.

5/ Vendredi 26 mai 1944
Très chère Kitty,
Enfin, enfin j'ai le temps de m'asseoir tranquillement à ma petite table, devant l'entrebâillement de la fenêtre, et de tout, tout te raconter.
Je n'ai jamais été aussi malheureuse depuis des mois, même après le cambriolage je n'étais pas à ce point brisée, physiquement et mentalement. […] Ce décalage, cet énorme décalage est toujours présent, un jour nous rions du comique de la situation, mais le jour suivant et beaucoup d'autres jours, nous avons peur, l'angoisse, la tension et le désespoir se lisent sur nos visages.

A. Frank, *Journal* (1947), trad. Ph. Noble et I. Rosselin-Bobulesco, Éd. Calmann-Lévy, 1989.

vocabulaire

La formation et le sens des mots

2 Comprendre la formation des mots

a] Transformez les mots suivants, à l'aide des suffixes appropriés, en mots péjoratifs.

Traîner, bavarder, vicieux, tiède, brave.

b] À l'aide des préfixes et des suffixes appropriés, transformez les noms suivants en noms évoquant l'action correspondante. Ex. Fusil / fusillade.

Canon, pilon, gaz, flamme, braise.

c] Retrouvez au moins un nom formé sur le même radical que chacun des verbes des deux listes suivantes.

1. Tuer, tressaillir, secouer, sauter, disparaître, rougeoyer, omettre, reculer, fracasser, tourmenter.
2. Assaillir, gémir, gagner, échouer, imprimer, rompre, produire, râler, suggérer, détruire.

d] À partir de chacun des noms suivants, retrouvez un adjectif formé sur le même radical.

Fémur, paix, miracle, douleur, croix.

e] Cherchez, à l'aide d'un dictionnaire, des mots appartenant à la même famille que chacun des termes suivants.

Satiété, authentique, savoureux, ambulance, locution, paix, foi, mémoire, fantassin, jugulaire.

3 Réfléchir au sens des mots

a] Donnez un synonyme pour chacun des mots suivants.

Ennemi, guerre, présage, cingler, authentique.

b] Donnez les antonymes des mots suivants.

Matinal, tragique, inquiétant, résister, belliqueux.

c] Quel est le champ lexical qui regroupe tous les termes suivants ? Donnez une définition de chacun de ces termes. Indiquez ensuite le champ lexical de chacun de leurs homonymes.

Marmite, boyau, front, mine, grenade, balle, cartouche, entonnoir, chenille, batterie.

d] Cherchez l'étymologie et le sens des mots de chacune des listes suivantes. Précisez le champ lexical auquel chacune d'elles appartient.

1. Escouade, baïonnette, munition, obus, uniforme.
2. Holocauste, shoah, exode, hécatombe, ghetto.
3. Conquête, capituler, trêve, armistice, servitude.

e] Reliez les mots d'argot utilisés en 1914-1918 aux termes correspondants de la langue courante.

1. Poilu, singe, barda, barbaque, seaux à charbon, as de carreau, Rosalie, bleuet, Boche, der des der.
2. Soldat, bombes, matériel, viande, conserves, sac, baïonnette, jeune soldat, Allemand, guerre.

f] Inventez deux phrases pour décrire cette image. Vous utiliserez des mots cités dans les exercices de cette page.

Calvo, *La Bête est morte*, Éd. Gallimard, 1995.

Leçon → Le classement des mots

▶ On peut classer les mots selon leur **formation** ou leur **sens**.

▶ Une **famille de mots** (voir ex. 2 e) regroupe des mots formés à partir d'un même **radical** auquel a été ajouté un **suffixe** ou un **préfixe** (ou les deux).

▶ Quand plusieurs mots évoquent un même thème, ils forment un **champ lexical** (voir ex. 3 c et d).

▶ Des mots d'une même classe peuvent avoir des sens identiques, ou du moins très voisins : ce sont des **synonymes**. Des mots d'une même classe qui ont des sens contraires sont appelés **antonymes**.

grammaire

Le groupe adjectival

4 Repérer la classe des adjectifs.

Relevez tous les adjectifs et classez-les en trois colonnes : adjectifs qualificatifs, participes passés employés comme adjectifs et adjectifs verbaux.

1/ Chantantes et allègres, les balles me dépassent.

> M. Genevoix, « Sous Verdun », *Ceux de 14* (1949),
> Éd. Omnibus, 1998.

2/ Je me souviens des derniers soldats français que j'ai vus, en juin 1940, se repliant en désordre, dans le malheur, la honte, gris de poussière et de défaite, défaits.

> J. Semprun, *L'Écriture ou la vie*, Éd. Gallimard, 1994.

3/ Serais-je donc le seul lâche sur la terre ? pensais-je. Et avec quel effroi !… Perdu parmi deux millions de fous héroïques et déchaînés et armés jusqu'aux cheveux ? avec casques, sans casques, sans chevaux, sur motos, hurlants, en autos, sifflants, tirailleurs, comploteurs, volants, à genoux, creusant, se défilant, caracolant dans les sentiers, pétaradant, enfermés sur la terre comme dans un cabanon, pour y tout détruire.

> L.-F. Céline, *Voyage au bout de la nuit*,
> Éd. Gallimard, 1952.

4/ Soleil couchant, très beau, très apaisant. La nuit s'annonce transparente et douce. Je me promène devant la tranchée, dans un champ de luzerne, m'arrêtant au bord des entonnoirs énormes creusés par les obus, et ramassant de-ci de-là des morceaux d'acier déchiquetés, encore chauds, ou des fusées de cuivre, presque intactes, sur quoi se lisent des abréviations et des chiffres.

> M. Genevoix, *op. cit.*

5/ La bataille devint une réalité non seulement pour les hommes, mais aussi pour les oiseaux sauvages qui voltigeaient dans l'air imprégné de fumée, pour les poissons qui descendaient dans les profondeurs de la Volga : l'eau déchirée par les bombes, les torpilles et les obus, tremblait en assommant d'immenses bélougas, de gros silures, des brochets séculaires tapis au fond de l'eau, des esturgeons géants à la grosse tête. Les fourmis, les hannetons, les guêpes, les grillons et les araignées qui habitaient les steppes environnantes ne purent ignorer la bataille : la terre creusée de trous et de galeries tremblait jour et nuit, secouée jusque dans ses tréfonds.

> V. Grossman, *Pour une juste cause*,
> Éd. L'Âge d'homme, 2000.

5 Analyser la structure du groupe adjectival

a] Retrouvez les compléments des adjectifs dans les textes suivants et indiquez si ce sont des groupes prépositionnels, nominaux ou infinitifs, ou des propositions subordonnées conjonctives introduites par *que* (souvent appelées complétives).

1/ Je te suis infiniment reconnaissant de l'éducation solide que tu m'as fait donner. Cela m'a permis de distinguer dans la vie les grandes et belles choses des idées et sentiments frivoles. Je suis fier d'être ton fils et je veux te le dire aujourd'hui car qui sait ce que nous réserve l'avenir, et je te jure d'être digne de notre Maison l'heure de l'attaque venue.

> Marius Maillet,
> *Paroles de poilus*, Éd. Librio, 1998.

2/ Il n'était pas le même avant la tuerie, il était tout le contraire, grimpant aux arbres, au clocher de l'église, bravant l'océan sur le bateau de son père, toujours volontaire aux feux de forêt, ramenant à bon port les pinasses dispersées par la tempête, si intrépide, si généreux de sa jeunesse qu'il donnait aux siens l'image d'un trompe-la-mort.

> S. Japrisot, *Un Long Dimanche de fiançailles*,
> Éd. Denoël, 1991.

3/ On s'amuse au moins au front. J'en étais sûr que je m'ennuierais moins qu'à la caserne.

> R. Dorgelès, *Les Croix de bois*, Éd. Albin Michel, 1919.

b] Faites des phrases en complétant chacun des adjectifs suivants avec des compléments dont vous préciserez la nature.

Bon, âpre, généreux, content, certain, heureux, capable, convaincu, sûr, difficile.

6 Repérer les degrés de l'adjectif

Relevez, dans les phrases suivantes, les adjectifs qui varient en degré. Indiquez s'il s'agit de superlatifs (relatifs ou absolus) ou de comparatifs (de supériorité, d'infériorité ou d'égalité).

1/ Les soldats de la nation, tombés ou vivants, sont unis par une fraternité profonde. Jamais guerre aussi cruelle n'a exigé plus d'abnégation, un don plus total des corps et des cœurs.

> Notes d'un capitaine, *L'Illustration*, 24 juin 1916.

2/ Depuis quatre semaines qu'elle durait la guerre, on était devenu si fatigués, si malheureux, que j'en avais

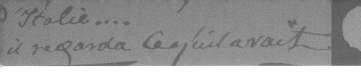

grammaire

perdu, à force de fatigue, un peu de ma peur en route. La torture d'être tracassés, jour et nuit, par ces gens, les gradés, les petits surtout, plus abrutis, plus mesquins et plus haineux encore que d'habitude, ça finit par faire hésiter les plus entêtés à vivre encore.

L.-F. Céline, *op. cit.*

7 **Distinguer les fonctions épithète, attribut, apposition**

Relevez les adjectifs et indiquez leurs fonctions.

1/ 1. Et la pluie tombe, lourde, serrée, plaquant les capotes sur le dos, ruisselant en fontaine au bord des visières des képis. Le vent a cessé de mugir. Il souffle plus lent, comme apaisé, mais glacé, traître. 2. Nous creusons, sous une crête où le vent souffle, de profondes tranchées pour tireurs debout. Je respire en goulu, heureux d'être au soleil, de me sentir allègre, pendant que mes hommes tapent du pic et lancent par-dessus le parapet ébauché des pelletées de cailloux. 3. Enragée, la fusillade. Cela pétaradait innombrablement, grêle, pressé, inlassable.

M. Genevoix, *op. cit.*

2/ Moi d'abord la campagne, faut que je le dise tout de suite, j'ai jamais pu la sentir, je l'ai toujours trouvée triste, avec ses bourbiers qui n'en finissent pas, ses maisons où les gens n'y sont jamais et ses chemins qui ne vont nulle part. Mais quand on y ajoute la guerre en plus, c'est à pas y tenir. Le vent s'était levé, brutal, de chaque côté des talus, les peupliers mêlaient leurs rafales de feuilles aux petits bruits secs qui venaient de là-bas sur nous. Ces soldats inconnus nous rataient sans cesse, mais tout en nous entourant de mille morts, on s'en trouvait comme habillés.

L.-F. Céline, *op. cit.*

3/ Plus la guerre durait, plus je le sentais, dans ses lettres, triste et abattu.

S. Japrisot, *op. cit.*

4/ Cette guerre devenait absurde, et le simple fait de le reconnaître nous rendait fragiles.

M. Dugain, *La Chambre des officiers*, Éd. J.-C. Lattès, 1998.

8 **Comprendre le sens de l'adjectif selon sa place**

a] **Trouvez une expression synonyme pour chacun des GN suivants de façon à mettre en évidence le changement de sens de l'adjectif en fonction de sa place.**

1. Un unique exemple/un exemple unique 2. La dernière année/l'année dernière 3. Une vraie aventure/une aventure vraie 4. Une vague idée/une idée vague 5. Un grand homme/un homme grand 6. Un brave homme/un homme brave 7. Un sacré cadeau/un cadeau sacré 8. Une sérieuse question/une question sérieuse 9. Un bon garçon/un garçon bon 10. Une pauvre fille/une fille pauvre.

b] **Permutez la place des adjectifs et des noms quand vous le pouvez ; repérez les cas où l'adjectif change de sens en changeant de place.**

Quatre heures du matin. Nous nous hissons au haut du chemin pierreux. Une brume légère flotte encore. Le régiment tout entier se rassemble auprès du village, dans un verger clos de haies vives. Et là, un commandant à monocle nous lit, d'une voix sèche, une proclamation vibrante : oraison funèbre du colonel, exhortations véhémentes, vers de Déroulède pour finir.

M. Genevoix, *op. cit.*

Leçon → L'adjectif et le groupe adjectival

▶ Les adjectifs appartiennent à l'une des classes suivantes : adjectif qualificatif (« un rude combat »), participe passé (« une bataille acharnée »), adjectif verbal (« un témoignage convaincant »).

▶ Le groupe adjectival est formé d'un adjectif, généralement évaluatif, et de ses compléments : groupe prépositionnel nominal (« avide de paix ») ou infinitif (« pressé de terminer la guerre »), subordonnée conjonctive introduite par *que*, dite aussi complétive (« désireux que la guerre finisse »).

▶ Un adjectif qualificatif peut varier en degré : comparatif (d'égalité, de supériorité ou d'infériorité) et superlatif, relatif (« le plus connu ») ou absolu (« très connu »).

▶ L'adjectif peut occuper trois fonctions : épithète (c'est alors une expansion, facultative, du GN), apposition (il ne fait pas partie du GN) ou attribut (il est alors obligatoire).

▶ La place de l'adjectif épithète peut varier : avant ou après le nom. Parfois, l'adjectif change de sens en changeant de place (« un grand homme »/ « un homme grand »).

Écrire...

s'exercer

9 Décrire l'indicible

Décrivez, en un paragraphe, une chose dont la beauté ou la laideur vous a surpris. Pour exprimer chaque sensation, vous utiliserez deux adjectifs différents.

10 Confronter un témoignage réaliste et un témoignage distancié

Décrivez, en un paragraphe chacun, les deux soldats représentés ci-dessous, en comparant leur équipement. Énumérez les différences entre les deux images et déduisez de votre observation une conclusion sur la fonction de chacune d'elles.

11 Raconter à la 3e personne

Racontez une aventure d'un de ces deux soldats en une dizaine de lignes. Vous adapterez votre ton à l'effet souhaité (informer, émouvoir, convaincre...).

12 Raconter à la 1re personne

Transposez l'aventure racontée (ex. 11) en un récit, d'une dizaine de lignes, à la 1re personne.

13 Interpréter un message-radio

a] Lisez ce message-radio que le chef d'un groupe de résistants, les Francs-Tireurs et Partisans (FTP), surnommé Sultan, envoie à Londres durant la Seconde Guerre mondiale. Ce type de message était envoyé en langage morse par un petit émetteur portable.

b] Transformez ce message en un récit que l'émetteur ferait à un ami. Votre paragraphe doit respecter tous les détails donnés par le message et être écrit avec des phrases verbales.

N° 72 du 1.8.44. : VOUS REND COMPTE BELLE OPÉRATION FAITE PAR MAQUIS MASSOL FTP FERNAND THÉRÈSE PIERRE LE DIX NEUF JUILLET STOP VOIE BEDARIEUX À MILLAU STOP DEUX TRAINS LANCÉS GARE DE CAMPLONG DANS TUNNEL DE LA TOUR HÉRAULT STOP TÉLESCOPAGE CES TRAINS QUI ONT SAUTÉ SUR MINES DANS TUNNEL STOP INTERRUPTION PRIMO DE CETTE LIGNE COUPÉE EN DEUX ENDROITS SECONDO DES LIVRAISONS PRODUITS DESTINÉS À FABRIQUER POUDRES STOP VOUS DEMANDE POUR ENCOURAGEMENT FTP RELATER CETTE OPÉRATION PAR ÉMISSION RADIO FIN SULTAN

1. Un fantassin français au début de la Première Guerre mondiale.

2. Affiche pour *Charlot soldat*, film réalisé par Ch. Chaplin, 1918.

rédiger

Écrire un témoignage personnel

CHOISIR UNE SITUATION D'ÉNONCIATION

Vous avez deux possibilités : soit faire un témoignage à partir de notes que vous auriez prises « sur le vif » ; soit prendre du recul par rapport à une situation vécue. Vous avez le choix d'identifier ou non le destinataire de votre texte (lettre, article de journal, journal intime, etc.)

ADAPTER LE STYLE À LA SITUATION D'ÉNONCIATION

Si vous transcrivez instantanément les faits vécus, vous adopterez un style concis (phrases nominales) ou proche de l'oral (transcriptions de parties dialoguées ou niveau de langue familier) ; au contraire si votre témoignage est écrit avec distance, le niveau de langue sera plus soutenu.

SÉLECTIONNER LES FAITS ET LES METTRE EN VALEUR

Un témoignage doit retenir les faits qui rendent l'événement digne d'être raconté à autrui. Il ne s'agit pas de multiplier les détails mais de mettre en valeur la particularité de l'événement (en utilisant des adjectifs évaluatifs, des superlatifs, des comparaisons et des métaphores, par exemple).

UTILISER UN VOCABULAIRE APPROPRIÉ

Puisqu'un témoignage est la plupart du temps écrit pour rendre compte d'une situation exceptionnelle, il évoque un univers peu connu de tous. Le témoin doit donc décrire et expliquer en utilisant un lexique approprié (un lexique technique, par exemple).

CHOISIR LE TON

Le ton de votre témoignage peut correspondre à celui de la situation évoquée ou au contraire s'y opposer. Vous pouvez en effet décider de raconter avec humour une épreuve que vous avez subie.

VARIER LES FORMES DE DISCOURS

Un témoignage, étant lié à une expérience, est chargé d'impressions qu'il cherche à transmettre. L'auteur du témoignage raconte, décrit, explique la réalité vécue et les sentiments ressentis (discours narratif, descriptif et explicatif). Il évalue et justifie aussi ce qu'il a vécu pour convaincre le destinataire de la nécessité de transmettre l'expérience (discours argumentatif).

CHOISIR UN EFFET DE DISCOURS

Pour écrire un témoignage, il faut décider de l'effet à produire sur le destinataire. Le témoignage est-il écrit pour informer, pour rassurer, pour émouvoir, pour convaincre... ?

Sujets au choix

>>> 1. **Vous êtes le témoin d'un accident ou d'une dispute entre deux personnes. On vous demande de témoigner et de raconter fidèlement ce que vous avez vu. Votre témoignage, écrit au présent, doit convaincre que l'une des deux personnes est coupable.**

>>> 2. **Choisissez un événement, de l'actualité ou de l'histoire, dont vous auriez pu être le témoin. Décrivez les circonstances et racontez les faits en insistant sur vos impressions pour convaincre votre destinataire de l'importance de l'événement auquel vous avez assisté.**

Conseils d'écriture

• *Il n'y a pas de témoignage sans expérience vécue : les circonstances de l'événement (lieu, temps) doivent donc être précisées.*

• *Un témoignage est toujours rapporté par un énonciateur qui parle à la 1re personne et qui garantit l'authenticité de ses propos. Un témoignage sur la guerre, par exemple, peut être en partie fictif mais il doit respecter la logique des événements.*

• *Un témoignage est toujours écrit pour quelqu'un : le témoin qui raconte veut que la mémoire des événements soit transmise.*

• *Un témoignage cherche toujours à convaincre son destinataire de l'importance des faits racontés : l'expérience vécue doit être transformée par le témoignage en événement.*

Écrire...

Comment as-tu pu être mon ennemi ?

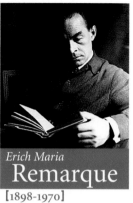

Erich Maria
Remarque
[1898-1970]

La Première Guerre mondiale inspira à cet écrivain allemand un roman aux idées pacifistes, À l'Ouest rien de nouveau. *L'avènement de Hitler en Allemagne poussa Remarque à s'exiler aux États-Unis où il reçut la nationalité américaine en 1947.*

C'est le premier homme que j'aie tué de mes mains et dont, je peux m'en rendre compte exactement, la mort soit mon ouvrage. Kat, Kropp et Müller ont déjà vu, eux aussi, des hommes qu'ils avaient tués ; c'est le cas de beaucoup d'autres, et même souvent
5 dans un corps à corps…

Mais chaque souffle met mon cœur à nu. Ce mourant a les heures pour lui, il dispose d'un couteau invisible, avec lequel il me transperce : le temps et mes pensées.

Je donnerais beaucoup pour qu'il restât vivant. Il est dur d'être cou-
10 ché là, tout en étant obligé de le voir et de l'entendre.

À trois heures de l'après-midi, il est mort.

Je respire, mais seulement pour peu de temps. Le silence me paraît bientôt plus pénible à supporter que les gémissements. Je voudrais encore entendre son râle saccadé, rauque, parfois sifflant doucement et
15 puis de nouveau rauque et bruyant.

Ce que je fais n'a pas de sens. Mais il faut que j'aie une occupation. Ainsi, je déplace encore une fois le mort, afin qu'il soit étendu commodément. Je lui ferme les yeux. Ils sont bruns, ses cheveux sont noirs, un peu bouclés sur les côtés.

20 La bouche est pleine et tendre sous la moustache. Le nez est un peu courbé, la peau basanée ; elle n'a pas à présent l'air aussi terne que lorsqu'il était encore en vie. Pendant une seconde, le visage semble même celui d'un homme bien portant ; puis il se transforme rapidement en une de ces étranges figures de mort, que j'ai souvent vues et qui se ressemblent toutes.

25 Maintenant sa femme pense à lui ; elle ignore ce qui s'est passé. On dirait, à le voir, qu'il lui a souvent écrit ; elle recevra encore d'autres lettres de lui – demain, dans une semaine, peut-être encore dans un mois, une lettre égarée. Elle la lira et ce sera comme s'il lui parlait.

Mon état empire toujours ; je ne puis plus contenir mes pensées.[…]
30 Certainement le mort aurait pu vivre encore trente ans, si j'avais mieux retenu mon chemin. S'il était passé deux mètres plus à gauche, maintenant il serait là-bas dans la tranchée et il écrirait une nouvelle lettre à sa femme.

Mais cela ne m'avance à rien, car c'est là le sort de nous tous ; si Kemmerich avait tenu sa jambe dix centimètres plus à droite, si Haie
35 s'était penché de cinq centimètres de plus…

*

Le silence se prolonge. Je parle, il faut que je parle. C'est pourquoi je m'adresse à lui, en lui disant : « Camarade, je ne voulais pas te tuer. Si, encore une fois, tu sautais dans ce trou, je ne le ferais plus à condition que toi aussi tu sois raisonnable. Mais d'abord tu n'as été pour moi
40 qu'une idée, une combinaison née dans mon cerveau et qui a suscité une résolution ; c'est cette combinaison que j'ai poignardée. À présent

je m'aperçois pour la première fois que tu es un homme comme moi. J'ai pensé à tes grenades, à ta baïonnette et à tes armes ; maintenant c'est ta femme que je vois, ainsi que ton visage et ce qu'il y a en nous de 45 commun. Pardonne-moi, camarade. Nous voyons les choses toujours trop tard. Pourquoi ne nous dit-on pas sans cesse que vous êtes, vous aussi, de pauvres chiens comme nous, que vos mères se tourmentent comme les nôtres, et que nous avons tous la même peur de la mort, la même façon de mourir et les mêmes souffrances ? Pardonne-moi, 50 camarade ; comment as-tu pu être mon ennemi ? »

E. M. Remarque, *À l'Ouest rien de nouveau*, Éd. Stock, 1928.

QUESTIONS
(15 points)

A. Le témoignage d'une expérience vécue
(3 points)

1. Quelle est l'expérience racontée par le narrateur ? (1 point)

2. Le narrateur est-il extérieur à l'histoire ou en est-il un acteur ? (1 point)

3. Quelles sont toutes les pensées qui traversent son esprit ? (1 point)

B. Un acte difficile à justifier (6 points)

4. Relevez les connecteurs temporels et logiques. À quoi servent-ils ? (1,5 point)

5. Pourquoi le narrateur formule-t-il des hypothèses (l. 29-32) ? (1 point)

6. Repérez un passage descriptif, un narratif, un explicatif, et un argumentatif. (2,5 points)

7. Comment le narrateur justifie-t-il son acte ? (1 point)

C. Une révélation (6 points)

8. Repérez les adjectifs qualificatifs dans les lignes 16 à 24 et relevez ceux qui ont un sens évaluatif. (3 points)

9. Précisez ce que cette expérience apprend au narrateur. (1 point)

10. En quoi ce texte est-il un témoignage ? (1 point)

11. Le texte vise-t-il essentiellement à raconter ? à décrire ? à informer ? à formuler une demande ? à émouvoir ? à convaincre ? Justifiez votre réponse. (1 point)

RÉÉCRITURE
(5 points)

Transposez le passage de style direct (l. 37 à 50) au style indirect. Vous rajouterez les verbes introducteurs de parole nécessaires et respecterez la concordance des temps.

RÉDACTION
(20 points)

Rédigez la lettre que le narrateur pourrait écrire à la femme de celui qu'il a tué pour lui annoncer la nouvelle.

Consignes d'écriture.

◎ *Votre texte respectera les caractéristiques de rédaction et de présentation d'une lettre.*

◎ *La lettre reprendra les formes de discours utilisées dans le texte.*

Sook
Nyul Choi

[née à Pyongyang
en Corée du Nord]

*Émigrée aux États-Unis
depuis ses études supérieures,
elle écrit en anglais
des romans pour la jeunesse.
Son premier roman,*
L'Année de l'impossible adieu
(en anglais, **Year of impossible
goodbyes***, 1991), largement
autobiographique, est un
témoignage sur ses années
d'enfance dans son pays
d'origine, la Corée, en guerre
contre le Japon.*

PAGE BLANCHE
Sook Nyul Choi

L'ANNEE
DE
L'IMPOSSIBLE
ADIEU
GALLIMARD

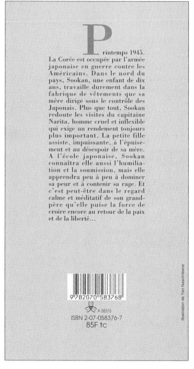

Printemps 1945.
La Corée est occupée par l'armée
japonaise en guerre contre les
Américains. Dans le nord du
pays, Sookan, une enfant de dix
ans, travaille durement dans la
fabrique de vêtements que sa
mère dirige sous le contrôle des
Japonais. Plus que tout, Sookan
redoute les visites du capitaine
Narita, homme cruel et inflexible
qui exige un rendement toujours
plus important. La petite fille
assiste, impuissante, à l'épuisement et au désespoir de sa mère.
À l'école japonaise, Sookan
connaîtra elle aussi l'humiliation et la soumission, mais elle
apprendra peu à peu à dominer
sa peur et à contenir sa rage. Et
c'est peut-être dans le regard
calme et méditatif de son grand-
père qu'elle puise la force de
croire encore au retour de la paix
et de la liberté...

ISBN 2-07-058376-7
85F tc

I. Première et quatrième de couverture

1] Le dessin de la première de couverture donne-
t-il des informations sur le ton du roman ? sur la
situation géographique ou historique du récit ?
sur les personnages ? sur les valeurs auxquelles
ils tiennent ?

2] Peut-on déduire de la couverture que ce roman
se situe pendant une guerre ?

3] Comment le dessin peut-il éclairer le titre ?

4] D'après la présentation proposée par la quatrième de couverture, en quoi va consister le
roman ? Peut-on en déduire qui est le personnage
principal ?

5] À votre avis, le roman s'appuie-t-il sur la réalité
ou est-il fictif ? Justifiez votre réponse.

6] En vous aidant du dessin et du résumé de la
quatrième couverture, proposez des hypothèses
sur la signification du titre.

II. Le contexte géographique et historique

1] Repérez sur la carte de la Corée (p. 6 du livre)
les deux villes de Pyongyang et Séoul. Expliquez à
quoi correspond le trente-huitième parallèle.

2] Repérez des traditions coréennes évoquées
dans ce livre.

3] Quelles sont les présences étrangères en Corée
au XXᵉ siècle citées dans le récit ? Lesquelles sont
présentées comme des oppresseurs ?

4] Depuis quand la Corée était-elle occupée par
les premiers oppresseurs cités ? quand en fut-elle
libérée ? par qui ?

III. Les personnages

1] Qui est le narrateur du récit ? Indiquez son nom
et son âge (au début et à la fin de l'histoire) et décrivez les différentes étapes de sa vie mentionnées.

2] Décrivez la famille du narrateur en précisant le nom, l'occupation, la religion de chacun des membres (grand-père, parents, frères et sœurs, cousin, tante). Précisez où vit chacun d'eux et quels sont ceux qui meurent.

3] Quels sont les autres personnages qui jouent un rôle important dans le récit ? Caractérisez-les par un adjectif.

4] Quels sont les personnages dont les noms ont une signification ? Indiquez-la.

IV. Le témoignage

LE RÉCIT DES ANNÉES DE GUERRE

1] Quand se passe l'histoire racontée dans ce récit ? Quand a-t-il été écrit ?

2] Dans quel lieu l'histoire commence-t-elle et où finit-elle ?

3] Ce témoignage de guerre insiste-t-il sur les combats ? sur la vie à l'arrière ? Justifiez votre réponse.

4] La guerre est-elle finie quand s'achève le roman ? À votre avis, pourquoi le témoignage prend-il fin à ce moment ?

LA DOMINATION

5] À quoi les premiers occupants obligeaient-ils les Coréens ? et plus particulièrement la famille du narrateur ?

6] Citez un exemple d'humiliation que les occupants ont infligée à la famille du narrateur.

7] Les seconds occupants se comportent-ils différemment des premiers ? Justifiez votre réponse.

L'EXPRESSION DU SOUVENIR

8] Par quelles expressions l'empereur japonais, les Américains sont-ils désignés ? Le narrateur invente-t-il ces périphrases ou les reprend-il ?

9] Citez des passages où sont évoquées les impressions du narrateur-personnage (enfant). Expliquez en quoi elles diffèrent de celles du narrateur-auteur (adulte).

10] Pourquoi le grand-père meurt-il ? Avant de mourir, que veut-il que sa fille raconte à l'enfant ? pourquoi ?

L'HÉROÏSME

11] Citez des passages où les personnages coréens se soumettent à l'ennemi ; lui résistent ouvertement ; lui résistent clandestinement.

12] Dans quel passage l'héroïne vous paraît-elle la plus courageuse ? Justifiez votre réponse.

13] Sur quelles qualités des membres de sa famille le narrateur insiste-t-il ? À votre avis pourquoi ?

14] Quel est le rôle joué par les femmes et par les « anciens » pendant cette guerre ?

LA VALEUR DU TÉMOIGNAGE

15] Pourquoi le grand-père meurt-il ? Avant de mourir, que veut-il que sa fille raconte à l'enfant ? Pourquoi ?

16] Quels sont les membres de la famille qui transmettent un témoignage ? Pourquoi le font-ils ?

17] Sur quel aspect de la guerre le narrateur-auteur veut-il insister dans son témoignage ?

Prolongements

➲ ÉCRIRE UN TÉMOIGNAGE SUR LE VIF. Choisissez un passage où le narrateur raconte un épisode dangereux ou risqué et réécrivez-le comme si l'enfant l'avait écrit au moment des événements.

➲ RACONTER ORALEMENT DES ÉVÉNEMENTS MARQUANTS. Imaginez le récit que l'enfant fait à sa mère quand il la retrouve après l'avoir perdue à la gare.

➲ INVENTER DES SURNOMS. Certains noms des membres de la famille du narrateur ont une signification. Inventez des surnoms que le narrateur pourrait donner aux personnages qui représentent l'occupation étrangère dans le récit. Vos surnoms peuvent être péjoratifs mais ne doivent pas être d'un niveau de langue familier.

I. Bande dessinée et mémoire

On a appris à devenir des soldats.

Je me suis trouvé dans les blindés avec une période d'entraînement de trois mois, parce que c'était nouveau, les blindés, et qu'on avait à apprendre énormément.

Les gars qui étaient à l'infanterie, eux, avaient quelques semaines d'entraînement et puis on les envoyait se faire tuer.

Le premier jour, tout appelé passait un test psychologique. Il y avait un soldat qui vous posait des questions, quelquefois assez embarrassantes.

Ensuite, on nous faisait passer un test d'intelligence. Alors là, j'étais très bon. Une note de 132.

Maintenant, je suis plus vieux, probablement ce serait moins bon.

Raconter la guerre en BD

E. Guibert, *La Guerre d'Alan,* Éd. L'Association, 2002

Une bande dessinée...

1] Toutes les vignettes de cette planche ont-elles la même forme ? Comment comprenez-vous ce choix de l'auteur ?

2] Y a-t-il des bulles ? Quel effet cela produit-il ?

3] Relevez les particularités du dessin : couleurs, détails, décors... Le dessinateur cherche-t-il à tout montrer ? Pourquoi, selon vous ?

4] Observez les vignettes et montrez leur évolution : du plus lointain au plus proche, du plus général au plus individuel.

Leçon ➔ Bande dessinée et mémoire

▶ La bande dessinée est, comme le roman, la poésie ou le cinéma, un moyen graphique de raconter une histoire et d'exprimer des émotions.

▶ Le scénariste écrit une histoire que le dessinateur met en images : celui-ci construit une planche (une page entière) et organise ses vignettes (ou cases) pour exprimer par le dessin les intentions du scénariste. Le texte, compris dans des cartouches ou dans des bulles (ou phylactères) vient ensuite compléter le dessin.

▶ La bande dessinée peut donc représenter tous les univers et s'adapter à tous les genres : certains auteurs choisissent le récit autobiographique et racontent leur propre existence, d'autres mettent en image la vie ou certains épisodes de la vie d'un homme célèbre ou d'un anonyme dont la rencontre les a marqués.

▶ Emmanuel Guibert a choisi de raconter en bande dessinée la seconde guerre mondiale telle que l'a vécue un Américain, Alan Cope. Il a rencontré cet homme alors âgé de soixante-neuf ans, il a enregistré les entretiens qu'il a eus avec lui ; *La Guerre d'Alan* en est une transcription.

... et un récit personnel

5] À quelle personne ce récit est-il écrit ? Quel lien pouvez-vous établir avec le titre de l'œuvre ? Comment appelle-t-on en littérature un tel genre ?

6] Relevez les pronoms personnels de la dernière vignette :
a. À quoi ou à qui renvoie le « on » ? Ce « on » est-il présent dans d'autres vignettes ? Qui désigne-t-il alors ?
b. Pourquoi le narrateur l'a-t-il choisi un tel pronom, selon vous ?
c. Les deux pronoms « je » renvoient-ils à la même personne ? À la même époque ? Justifiez votre réponse.

7] Sur quel moment de la guerre insiste cette bande dessinée ? Justifiez votre réponse. Est-ce une période habituellement décrite ? Pourquoi ?

Quelques semaines d'entraînement

8] Comment la préparation militaire nous est-elle présentée ? Les détails ne sont-ils pas nécessaires ?

9] Quelle est la « chance » du narrateur selon les vignettes 2 et 3 ? Expliquez votre réponse.

10] Le texte de la dernière vignette vous paraît-il prétentieux ? Pourquoi ?

11] Montrez que, malgré sa simplicité, cette planche est très critique à l'égard de l'armée.

Activités

▶ **Rédiger un récit à partir du texte d'une planche.** Rédigez un texte narratif cohérent dont la première et la dernière phrase seront celles de la planche (p. 98).

▶ **Piocher une phrase pour inventer une histoire.** Recopiez chaque phrase de la planche sur un papier différent puis piochez une ou deux phrases que vous intégrerez dans un récit cohérent de votre invention.

◀ E. Guibert, *La Guerre d'Alan* (tome 1, 1ʳᵉ planche), Éd. L'Association, 2002.

Dossier

II. Le point de vue en bande dessinée

Deux paysages de guerre

1] Que représente chacune des deux planches ? Justifiez votre réponse par des exemples précis. Selon vous, de quel conflit s'agit-il probablement dans chaque planche ?

2] Que cherche à montrer chacune des deux planches ? Quels points communs et quelles différences pouvez-vous relever ?

3] Repérez, dans les dessins, des éléments liés à l'univers militaire. Les deux planches décrivent-elles un champ de bataille ? Justifiez votre réponse.

4] Que raconte exactement la deuxième planche ? Un texte serait-il nécessaire ? Pourquoi ?

Personnages et décor

5] La première vignette de chacune des deux planches s'adapte au paysage dessiné :
a. Avec quel plan cinématographique pourrait-on les comparer ?
b. Quelle impression donnent-elles ? Cette impression est-elle la même dans les deux planches ? Pourquoi ?

6] Étudiez chacune des planches : la place des personnages par rapport au décor est-elle la même dans toutes les vignettes ? Détaillez votre réponse.

7] De quelle planche diriez-vous qu'elle contient une menace ? Cette menace est-elle confirmée ?

Un jeu sur les points de vue

8] Quel est le point de vue adopté dans la première vignette de chacune des deux planches ? Comment le comprend-on ?

9] Comment ce point de vue évolue-t-il ensuite ? Pourquoi peut-on comparer cette évolution avec un « zoom » cinématographique ? Pour justifier votre réponse, étudiez les « plans » successifs des deux planches.

10] Dans la deuxième planche, comment comprenez-vous les trois dernières cases ? Que montrent les rectangles dessinés ?

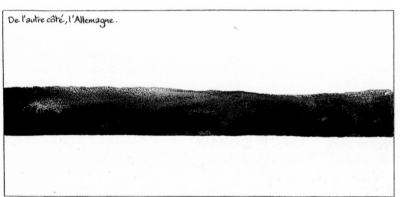

[1] E. Guibert, *La Guerre d'Alan* (tome 2, p. 31).

Activité

Imaginez un commentaire pour la deuxième planche :
▸ à la première personne (comme la planche 1) ;
▸ sous la forme d'un dialogue entre les deux personnages présents.

[2] Comès, *L'Ombre du corbeau*, Éd. du Lombard, 1983 (p. 9).

Leçon ⊜ **Le point de vue en bande dessinée**

▸ Comme pour un récit romanesque, un auteur de bande dessinée peut adopter un **point de vue** qu'il fait évoluer au cours des planches. Ce point de vue peut être **externe** au personnage (comme un témoin qui suivrait son parcours) ou **interne** : dans ce cas, le dessin représente ce que perçoit ou comprend le personnage.

▸ De même, la bande dessinée « emprunte » des procédés au genre cinématographique :
– chaque case est un « plan » qui « cadre » les éléments dessinés ; on peut donc aller du plan d'ensemble au gros plan (voir leçon p. 158) ;

– l'enchaînement entre les cases peut reprendre des mouvements de caméra : travelling avant, arrière ou latéral (la caméra suit le mouvement d'un personnage, par exemple) ou travelling optique, appelé aussi « zoom » (la caméra se rapproche progressivement de l'élément filmé).

▸ L'organisation de la planche, le choix du point de vue et les procédés contribuent à donner un rythme particulier à l'histoire racontée.

III. Dessin et narration

[1] E. Guibert, *La Guerre d'Alan* (tome 2, p. 52).

On a inspecté un vieux hameau, un tas de maisons où il était censé y avoir des Allemands cachés.

C'était assez "spooky", assez fantômatique. On entrait dans ces maisons qu'on ne connaissait pas. Il fallait les visiter sans aucune lumière. Il n'y avait personne. Juste des cigarettes écrasées et des bouteilles vides.

On est redescendu par un petit bois et, à l'orée d'une clairière, on a vu passer une patrouille allemande.

On était un groupe de quatre, dont MARKER. Il m'a dit :

Je ne vois pas pourquoi on ferait la moindre chose.

Moi non plus.

Il faut attendre le jour. On va creuser une tranchée.

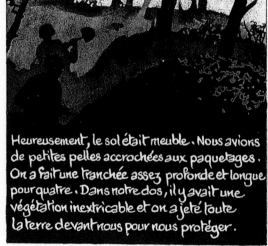

Heureusement, le sol était meuble. Nous avions de petites pelles accrochées aux paquetages. On a fait une tranchée assez profonde et longue pour quatre. Dans notre dos, il y avait une végétation inextricable et on a jeté toute la terre devant nous pour nous protéger.

[2] E. Guibert, *La Guerre d'Alan* (tome 2, p. 53).

Vous pensez bien qu'on s'est interdit de fumer, d'utiliser nos lampes et qu'on parlait en chuchotant. D'ailleurs, on ne s'est pratiquement pas adressé la parole. On était décidé à faire le moins de bruit possible et à attendre.

On a attendu l'aube et ça nous a paru interminable. On faisait ce qu'on pouvait pour percer le noir avec notre vue, pour voir ce qu'il y avait de l'autre côté de la clairière.

Plusieurs fois, MARKER m'a dit :

Tu ne vois pas quelqu'un bouger, là-bas ?

Peut-être bien.

Je pense que c'était notre imagination.

Enfin, le jour s'est levé. Il n'y avait personne.

On est retourné là où on avait laissé les véhicules. Tout le monde a raconté ce qu'il avait fait, ce qu'il avait vu. Et puis on a repris la route, complètement exténués.

Une atmosphère nocturne

1] Donnez un titre à chacune des trois étapes du récit (vignettes 1 à 3, 4 à 8 et 9 à 10). Sont-elles de longueur égale ? Pourquoi ?

2] Comment se termine la 2e planche ? Peut-on vraiment parler de dénouement ? Justifiez votre réponse.

3] LA NUIT

a. Comment est-elle exprimée dans le dessin et dans le texte ?

b. Comment les personnages sont-ils représentés dans la plupart des vignettes ? Pourquoi ? Quelle perception cherche à restituer le dessinateur ?

4] Que donne l'inspection de la maison ? Pourquoi peut-on dire qu'elle annonce la scène nocturne ?

Le dessin au service du récit

5] Que font les soldats américains après la visite de la maison ? Dans quels buts ? Est-ce un succès ? Justifiez votre réponse.

6] Dans quelle vignette les Allemands nous sont-ils montrés ? Les distingue-t-on avec précision ? Pourquoi, selon vous ?

7] Quels sont les deux objets qui symbolisent l'action des soldats ? Dans quelles cases ? Expliquez leur valeur symbolique.

8] Y a-t-il une vignette « nocturne » qui montre un point de vue général sur la scène ? Pourquoi, selon vous ?

9] Les soldats creusent une tranchée dans la vignette 6. Dans quelle vignette cette forme est-elle rappelée ? Comment ?

10] Ces deux planches sont très construites. Montrez que les vignettes 3-4 et 8-9 sont symétriques et que les vignettes 7 et 10 se répondent en s'opposant. Vos réponses devront être justifiées.

Une Histoire sans histoire

11] Quelle est l'attitude de Marker ? Précisez ce qu'elle signifie.

12] Peut-on dire qu'il s'agit, dans ces deux planches, d'un récit de guerre ? Pourquoi ?

13] Quelle est la conséquence de cette nuit de veille ? Montrez que le narrateur dénonce l'inutilité, voire l'absurdité d'une telle attente.

Leçon → Dessin et narration

▶ Le dessinateur de bande dessinée, même s'il est au service d'un récit, ne se contente pas de l'illustrer. Il crée par ses dessins et par l'organisation de ses planches un univers original, souvent très personnel.

▶ Pour cela, il utilise toutes les ressources de l'art graphique : il choisit un type de dessin (réaliste, poétique, suggestif…), un type de trait (comme la ligne claire, c'est-à-dire détourant les objets et les personnages) et un type de coloriage : noir et blanc, à-plat (teinte étalée de façon uniforme), couleurs vives, pastel, sépia…

▶ Le dessin va donc souvent au-delà de ce qui est dit : il montre, bien sûr, mais il suggère plus et autrement que les mots.

Activité

Changer de point de vue. Imaginez le récit que fait Marker pour raconter sa nuit :
▶ à un ami soldat à qui il dit la vérité ;
▶ à un officier à qui il montre, dans un rapport, l'utilité d'une telle nuit.

DEUXIÈME PARTIE

S'exprimer, se justifier, s'impliquer

séquence 4

Autobiographies [8 séances]

DÉCOUVERTE D'UNE ŒUVRE
Un roman autobiographique : *L'Enfant*, J. Vallès

séquence 5

Du livre à l'écran [3 séances]

L'adaptation cinématographique d'un roman
autobiographique : *Vipère au poing*, H. Bazin

séquence 6

La poésie lyrique et engagée [6 séances]

séquence 7

Le langage théâtral [6 séances]

DÉCOUVERTE D'UN MYTHE
Le mythe d'Antigone au théâtre

Enfance perdue, enfance retrouvée

séquence 4

Autobiographies

— P. PICASSO,
*Enfant jouant
avec un camion*, 1953.

Première approche

DÉFINITION DU GENRE

■ Le récit de vie raconte l'histoire de la vie d'une personne et prend des formes variées : biographie, autobiographie (voir p. 107-117), roman autobiographique (voir p. 118-119), mémoires (voir p. 121-122), journal intime (voir p. 124-125)...

■ Alors que, dans une biographie, la vie d'une personne célèbre (artiste, homme politique...) est racontée à la 3e personne par un écrivain, un journaliste ou un historien, dans un texte autobiographique, au contraire, auteur, narrateur et personnage sont une seule et même personne. Rédigé à la 1re personne, le récit autobiographique raconte la vie de son auteur, dont il suit généralement le déroulement chronologique.

■ Les auteurs de récits à tendance autobiographique privilégient souvent l'époque de l'enfance, pour la regretter avec nostalgie (enfance heureuse : M. Proust, Colette, M. Pagnol, R. Gary, A. Cohen...), pour comprendre leur propre évolution (J.-J. Rousseau, S. de Beauvoir, A. Gide...) ou pour la rejeter, la dénoncer avec ironie (enfance difficile : J. Vallès, J. Renard, H. Bazin...), d'où le thème de cette séquence : *Enfance perdue, enfance retrouvée.*

ÉVOLUTION DU GENRE

■ La pratique du récit autobiographique a des origines anciennes : Jules César raconte, au 1er siècle, ses campagnes militaires, mais en parlant de lui-même à la 3e personne ; au IV-Ve siècle, **Saint Augustin** narre à la 1re personne son enfance puis sa conversion au catholicisme, mais s'adresse plus à Dieu qu'aux hommes dans ses *Confessions*.

■ Pendant des siècles, cette forme d'écriture reste peu pratiquée, jusqu'à la Renaissance, où se développe l'idée de personne, l'idée que chaque être humain « porte la forme entière de l'humaine condition », comme l'affirme Montaigne dans ses *Essais* (XVIe siècle), où il dresse son autoportrait et développe surtout l'évolution de sa pensée.

■ Au XVIIIe siècle, **Rousseau,** reprenant le titre de Saint Augustin, rédige le récit de toute sa vie et crée un **pacte autobiographique** avec le lecteur, envers qui il s'engage à une sincérité totale.

■ **L'engouement pour l'écriture autobiographique** se répand alors et il n'a pas encore cessé. De nombreux journaux intimes, d'écrivains (comme les frères Goncourt, J. Renard, A. Gide...), puis d'inconnus (notamment d'adolescentes, comme Stéphanie) sont publiés, et aujourd'hui, certains tiennent leur journal en ligne, grâce à Internet (journal intime collectif : http://www.ejic.com et association pour l'autobiographie : http://perso.wanadoo.fr/apa/). Au faîte de la célébrité, certains écrivains choisissent de raconter leur vie, comme F.-R. de Chateaubriand, G. Sand, J. Green, F. Mauriac, M. Yourcenar, N. Sarraute, M. Leiris...

■ Certains auteurs se dissimulent derrière le personnage d'un **roman autobiographique** qui souvent ne porte pas le même nom qu'eux, mais qui raconte sa vie à la 1re personne. Les faits sont alors parfois déformés, recomposés (Stendhal, M. Proust, J. Vallès, H. Bazin, G. Perec...).

ÉCRITURE ET ENJEUX

■ L'écriture autobiographique se caractérise par une alternance de **récit** (restitution du passé) et d'**analyse** : au présent de l'écriture, l'auteur commente sa vie, juge ses actes ou ceux des autres, souligne ce qui le rapproche ou l'éloigne de l'être qu'il fut dans le passé.

Toute la séquence cherche à répondre à cette question : quelles sont les motivations de ceux qui se décident à raconter leur vie ? Tout autobiographe ne cherche-t-il pas à défier le temps qui passe, à lutter contre l'oubli, à mieux se connaître et se comprendre, à porter témoignage, mais aussi parfois à se justifier, ou même, comme le montre la dernière séance, à survivre ?

Roald
Dahl
[1916-1990]

*D'origine norvégienne,
né au pays de Galles,
il part travailler en
Afrique à 18 ans, avant
de devenir pilote de chasse
dans la Royal Air Force.
Il écrit et connaît
un grand succès avec
ses livres pour la jeunesse.*

1. Fastidieux : ennuyeux
parce que répétitif.

Incidents inoubliables...

1. Une autobiographie, c'est un livre qu'on écrit pour raconter sa propre vie et qui déborde, en général, de toutes sortes de détails fastidieux[1].

Ce livre-ci n'est pas une autobiographie. L'idée ne me viendrait
5 pas d'écrire pareil ouvrage. Par ailleurs, durant toutes mes jeunes années à l'école et juste après, ma vie a été émaillée d'incidents que je n'ai jamais oubliés. Aucun n'est très important, mais chacun d'entre eux m'a laissé une si forte impression que je n'ai jamais réussi à le chasser de mon esprit. Chacun d'entre eux, même après un laps de
10 temps de cinquante et parfois même soixante ans, est resté gravé dans ma mémoire.

Je n'ai pas eu à les rechercher. Il m'a suffi d'effleurer la couche supérieure de ma conscience pour les y retrouver avant de les consigner par écrit. Certains furent drôles. Certains douloureux. Certains
15 déplaisants. C'est pour cette raison, je suppose, que je me les rappelle tous de façon aussi aiguë. Tous sont véridiques.

R. Dahl, *Moi, Boy. Souvenirs d'enfance* (1984),
trad. J. Hérisson, Éd. Gallimard, 1987.

... et moments exaltants de l'existence

2. Une vie est composée d'un grand nombre de petits incidents et d'un petit nombre de grands. Une autobiographie, par conséquent, sous peine de devenir lassante, se doit d'être très sélective, éliminant tous les épisodes négligeables pour se concentrer sur ceux res-
5 tés gravés dans la mémoire.

La première partie de ce livre s'enchaîne avec la conclusion des débuts de mon autobiographie parue sous le titre de *Moi, Boy*. Je suis en route pour l'Afrique orientale où je vais occuper mon premier emploi, mais comme un travail, quel qu'il soit, même en Afrique, n'est
10 pas continuellement passionnant, je me suis efforcé d'opérer un tri et je n'ai évoqué que les moments que j'estimais mémorables.

Dans la seconde partie du livre, qui traite de l'époque où j'étais pilote dans la R.A.F.[1] durant la Seconde Guerre mondiale, il ne m'a pas été nécessaire de choisir ou d'éliminer quoi que ce soit car chaque
15 moment a été, pour moi du moins, totalement exaltant.

1. R.A.F. : Royal Air Force.

R. Dahl, *Escadrille 80* (1986),
trad. J. Hérisson et H. Robillot, Éd. Gallimard jeunesse, 1998.

Helen
Keller
[1880-1968]

*Une maladie la prive
à 19 mois de la vue et de
l'ouïe et elle devient
muette. À 7 ans, elle est
d'une ignorance totale
mais une institutrice
la sauve en lui apprenant
à parler et à lire.
Elle fait ensuite des études
supérieures.
À 22 ans, Helen Keller
écrit ses mémoires pour
témoigner de son
exceptionnel parcours.*

Impressions fugaces

3. C'est avec une sorte de crainte que je commence à écrire l'histoire de ma vie. J'éprouve une hésitation superstitieuse à soulever le voile qui enveloppe mon enfance comme un brouillard doré. Ce n'est pas chose aisée que d'écrire une autobiographie. Quand j'es-
5   saie de classer mes premières impressions, je constate que les faits précis et les rêves de mon imagination, qui se sont enchaînés au cours des années, prennent aujourd'hui, à mes yeux, une égale importance.

Il me reste quelques impressions très vivaces de mes premiers ans, avant que je sois tombée dans les ténèbres d'une perpétuelle nuit ;
10 mais j'ai connu aussi bien des joies et bien des chagrins d'enfant qui ont perdu aujourd'hui toute leur acuité ; bien des incidents du plus haut intérêt, qui ont marqué les débuts de mon éducation, ont disparu de mon souvenir, emportés par les quotidiennes émotions de grandes découvertes. Je voudrais bannir de mon récit toutes choses
15 ennuyeuses. Pour y parvenir, je m'efforcerai de ne retracer ici que les épisodes de ma vie qui me semblent les plus intéressants et les plus importants.

Je naquis, le 27 juin 1880, à Tuscumbia, petite ville du nord de l'Alabama.
20 Par mon père, je descendais de Gaspard Keller, sujet suisse établi au Maryland.

H. Keller, *Sourde, muette, aveugle, Histoire de ma vie* (1904),
trad. française Éd. Payot, 1915.

■ *Voir la biographie
d'Albert Cohen,* p. 116.

Enfance perdue

4. En mon vieil âge, je retourne vers toi, Maman morte, et c'est mon pauvre bonheur de te faire vivre un peu encore, sainte sentinelle et gardienne de ton fils, te faire vivre un peu encore avant de te rejoindre bientôt, c'est ma lamentable magie et mon pauvre truc pour
5   ne t'avoir pas entièrement perdue, Maman à qui absurdement j'aime parler, Maman morte à qui, stupidement souriant, je veux raconter des jours de mon enfance.

A. Cohen, *Carnets 1978*, Éd. Gallimard, 1979.

Philippe
Delerm
[NÉ EN 1950]

Professeur de Lettres, Philippe Delerm connaît le succès avec La Première gorgée de bière et autres plaisirs minuscules. *Il veut raconter son enfance et rendre hommage à sa mère avant qu'il ne soit trop tard : il écrit donc, en collaboration avec elle, son autobiographie, publiée en 1988 et intitulée* Le Miroir de ma mère.

Trop tard

5. Érire un livre sur ma mère. Écrire un peu pour elle, puisque j'écris par elle ; l'idée me poursuivait depuis longtemps. Mais c'est un genre difficile, aux références prestigieuses, d'emblée décourageantes. Pour le quotidien, la tendresse, les instants arrêtés, pour le
5 style surtout, Colette puis Albert Cohen ont mis très haut la barre. *Sido*[1], *Le Livre de ma mère*[2] sont des livres déchirants : l'amour y est enclos dans la nostalgie, le remords ; leur écriture prend la forme d'une rédemption[3]. Comment sans se brûler raviver la flamme de l'enfance ? Quel courage il y faut, lorsque celle qui vous faisait le jour
10 est partie de l'autre côté ! Quelle tristesse longue doit coûter cette lumière retrouvée !

Mais c'est la beauté du remords. Trop tard est bouleversant ; c'est trop tard, cependant, même sur le chemin des mots.

M. et Ph. Delerm, *Le Miroir de ma mère*, Éd. du Rocher, 1988.

1. *Sido* : autobiographie de Colette, qui évoque toute sa famille, mais se centre avec nostalgie sur la figure incomparable de sa mère, appelée Sido.

2. *Le Livre de ma mère* : autobiographie d'Albert Cohen, qui, hanté par la mort de sa mère qui lui était totalement dévouée, ne cesse de lui rendre hommage (comme le titre l'indique) et évoque son enfance avec une douloureuse nostalgie.

3. Rédemption : rachat, salut de l'âme.

COMMENT COMMENCER ?

1 À quelle personne sont rédigés ces cinq textes ? Pourquoi ?

2 Relevez l'indice qui, dans le 3e texte, vous permet d'affirmer que l'auteur est à la fois le narrateur et le personnage principal de son récit. Pourquoi passe-t-on du système du présent au passé (l. 18) ?

3 Quelles informations contenues dans les biographies des auteurs, en marge des textes, confirment l'authenticité des événements que certains vont raconter ? Quel auteur insiste sur la vérité de ses souvenirs ?

4 Que pouvez-vous déduire des titres des œuvres d'où sont extraits ces cinq textes ?

5 Que signifie « raviver la flamme de l'enfance » (5e texte, l. 8-9) ? Cherchez dans chaque texte une ou deux expressions qui désignent le fait de raconter sa vie ou son enfance. Expliquez le terme qui revient le plus souvent en vous appuyant sur son étymologie.

6 GRAMMAIRE Relevez, dans les trois premiers textes, les expressions qui renvoient au champ lexical de la mémoire. Lesquelles sont des expansions du nom ? Classez-les selon leur nature.

7 À qui semblent s'adresser les textes 1, 2, 3 et 5 ? et le 4e ? Pourquoi le présent domine-t-il dans tous ces extraits ?

8 Retrouvez les passages montrant que deux des auteurs craignent d'ennuyer le lecteur. Quelle solution ont-ils trouvée ? Que redoute également Helen Keller (dans le 1er paragraphe) ?

9 Quelle autre difficulté rencontre Ph. Delerm ? Aidez-vous des notes pour expliquer pourquoi cet auteur cite Colette et Albert Cohen.

POURQUOI SE RACONTER ?

10] Montrez que Roald Dahl a d'abord une vision péjorative de l'autobiographie (1ᵉʳ texte), mais qu'il assume ensuite ce genre littéraire dans le 2ᵉ texte. Quelles sortes d'événements veut-il raconter ?

11] En quoi l'autobiographie d'Helen Keller est-elle différente des autres ?

12] Sur quelle période de la vie et sur quelle personne sont centrés les récits d'Albert Cohen et de Philippe Delerm ? Pour quelles raisons à votre avis ?

13] VOCABULAIRE Relevez, dans le 4ᵉ texte, les expressions qui valorisent la mère et celles, péjoratives, qui révèlent les limites de l'autobiographie.

14] Relisez les biographies et les notes concernant les deux derniers auteurs : pourquoi Philippe Delerm affirme-t-il qu'Albert Cohen écrit « trop tard » ? Comment évite-t-il lui-même cet écueil ?

Photo intitulée « Flying Training, Nairobi », tirée de *Escadrille 80* de R. Dahl.

Leçon → **Début d'autobiographie**

▶ L'autobiographie est le récit qu'une personne fait de sa propre vie, en expliquant les événements qui ont marqué sa personnalité.

▶ L'auteur (qui signe le livre) est à la fois le narrateur (qui raconte) et le personnage principal (qui a vécu les événements). Le narrateur adulte qui rapporte ses souvenirs à la 1ʳᵉ personne peut commencer son récit en exprimant, au présent d'énonciation, ses hésitations et les raisons qui l'ont poussé à écrire.

Prolongements

→ DÉBATTRE DU CHOIX DES SOUVENIRS. Roald Dahl affirme qu'il n'a pas eu à choisir quels souvenirs de sa vie de pilote il allait raconter, car ils étaient tous « exaltants ». Pensez-vous qu'il soit possible de tout raconter d'une période précise de son existence ? Justifiez votre réponse.

→ COMMENTER UNE IMAGE. Quel texte de la séance est illustré par cette photo ? Relevez les éléments du texte que vous retrouvez dans la photographie.

Outils de la **langue**

■ Le présent d'énonciation, voir pp. 36-37.
■ Les expansions du nom, voir p. 135.

Michel Eyquem de
Montaigne
[1533-1592]

Conseiller au parlement de Bordeaux, il rédigea pendant plus de vingt ans ses Essais, *œuvre à la fois autobiographique et philosophique.*

Un livre de bonne foi

C'est ici un livre de bonne foi, lecteur. Il t'avertit dès l'entrée, que je ne m'y suis proposé aucune autre fin[1] que domestique[2] et privée. Je n'y ai eu nulle considération de ton service, ni de ma gloire. Mes forces ne sont pas capables d'un tel dessein[3]. Je l'ai voué à la commodité parti-
5 culière de mes parents et amis, afin que, lorsqu'ils m'auront perdu (ce qu'ils vont faire bientôt), ils y puissent retrouver certains traits de mes conditions[4] et humeurs, et que par ce moyen ils nourrissent plus entière et plus vive la connaissance qu'ils ont eue de moi. Si c'eût été pour recher- cher la faveur du monde, je me serais mieux paré[5] et me présenterais avec
10 une démarche étudiée. Je veux qu'on m'y voie dans ma façon simple, naturelle et ordinaire, sans recherche ni artifice : car c'est moi que je peins.

> M. de Montaigne, *Essais*, 1580-1588 (orthographe modernisée).

1. Fin : but, projet.
2. Domestique : qui concerne la maison (*domus*), la famille.
3. Dessein : intention.
4. Conditions : états passagers.
5. Paré : arrangé, mis en valeur.

Jean-Jacques
Rousseau
[1712-1778]

Écrivain et philosophe genevois, il entreprend d'écrire son autobiographie à partir de 1765 pour se justifier des attaques qu'il subit de la part d'autres écrivains comme Voltaire.

Un préambule contre les ennemis

Voici le seul portrait d'homme, peint exactement d'après nature et dans toute sa vérité, qui existe et qui probablement existera jamais. Qui que vous soyez que ma destinée ou ma confiance ont fait l'arbitre du sort de ce cahier[1], je vous conjure par mes malheurs, par
5 vos entrailles[2], et au nom de toute l'espèce humaine, de ne pas anéan- tir un ouvrage unique et utile, lequel peut servir de première pièce de comparaison pour l'étude des hommes, qui certainement est encore à commencer, et de ne pas ôter à l'honneur de ma mémoire le seul monument[3] sûr de mon caractère qui n'ait pas été défiguré par mes
10 ennemis. Enfin, fussiez-vous, vous-même, un de ces ennemis impla- cables, cessez de l'être envers ma cendre[4], et ne portez pas votre cruelle injustice jusqu'au temps où ni vous ni moi ne vivrons plus ; afin que vous puissiez vous rendre au moins une fois le noble témoignage d'avoir été généreux et bon quand vous pouviez être malfaisant et vin-
15 dicatif[5] ; si tant est que le mal qui s'adresse à un homme qui n'en a jamais fait, ou voulu faire, puisse porter le nom de vengeance.

> J.-J. Rousseau, *Les Confessions*, Préambule, 1765-1770.

1. L'arbitre du sort de ce cahier : vous qui décidez de l'avenir de mon livre.
2. Vos entrailles : votre sensibilité.
3. Monument : témoignage.
4. Ma cendre : ce qu'il restera de moi après ma mort.
5. Vindicatif : qui cherche la vengeance.

Des confessions exemplaires

Je forme une entreprise[1] qui n'eut jamais d'exemple, et dont l'exécution[2] n'aura point d'imitateur. Je veux montrer à mes semblables un homme dans toute la vérité de la nature ; et cet homme, ce sera moi.

Moi seul. Je sens mon cœur et je connais les hommes. Je ne suis fait
5 comme aucun de ceux que j'ai vus ; j'ose croire n'être fait comme aucun de ceux qui existent. Si je ne vaux pas mieux, au moins, je suis autre. Si la nature a bien ou mal fait de briser le moule dans lequel elle m'a jeté, c'est ce dont on ne peut juger qu'après m'avoir lu.

Que la trompette du jugement dernier[3] sonne quand elle voudra ; je
10 viendrai ce livre à la main me présenter devant le souverain juge. Je dirai hautement : voilà ce que j'ai fait, ce que j'ai pensé, ce que je fus. J'ai dit le bien et le mal avec la même franchise. Je n'ai rien tu de mauvais, rien ajouté de bon, et s'il m'est arrivé d'employer quelque ornement indifférent[4], ce n'a jamais été que pour remplir un vide occasionné par mon
15 défaut de mémoire ; j'ai pu supposer vrai ce que je savais avoir pu l'être, jamais ce que je savais être faux. Je me suis montré tel que je fus, méprisable et vil quand je l'ai été, bon, généreux, sublime, quand je l'ai été : j'ai dévoilé mon intérieur tel que tu l'as vu toi-même. Être éternel, rassemble autour de moi l'innombrable foule de mes semblables : qu'ils
20 écoutent mes confessions, qu'ils gémissent de mes indignités, qu'ils rougissent de mes misères. Que chacun d'eux découvre à son tour son cœur aux pieds de ton trône avec la même sincérité ; et puis qu'un seul te dise, s'il l'ose : *Je fus meilleur que cet homme-là.*

J.-J. Rousseau, *Les Confessions*, Livre I, 1765-1770.

1. Une entreprise : un projet.

2. L'exécution : la réalisation.

3. Jugement dernier : jugement que Dieu prononcera à la fin du monde sur le sort des vivants et des morts ressuscités.

4. Quelque ornement indifférent : un ajout sans importance.

Illustration
des *Confessions*
de J.-J. Rousseau :
gravure de M. Leloir,
vers 1850.

L'AVERTISSEMENT AU LECTEUR

1 Quel est le pronom personnel dominant dans ces trois textes ? Dans quel texte apparaît-il le plus souvent (sous différentes formes) et pourquoi ?

2 Quels pronoms désignent le lecteur dans ces trois extraits ? Par qui Montaigne souhaite-t-il être lu ? Pourquoi semble-t-il plus proche du lecteur que Rousseau ?

3 VOCABULAIRE Dans les 2e et 3e textes, relevez les expressions qui désignent le(s) lecteur(s) et précisez si elles sont mélioratives ou péjoratives.

4 Montrez que Rousseau ne s'adresse pas directement au lecteur mais à Dieu dans le dernier texte.

L'ENGAGEMENT AUPRÈS DU LECTEUR

5 Relevez, dans les trois textes, la phrase qui présente le projet de chaque auteur. En quoi se rejoignent-ils ?

6 Dans les 2e et 3e textes, relevez les expressions montrant que Rousseau se considère comme un être unique et exceptionnel et qu'il qualifie de la même façon son ouvrage. Qu'en pensez-vous après avoir lu l'extrait de Montaigne ?

7 Dans quel texte Rousseau se sent-il le plus persécuté ? Que reproche-t-il à ses ennemis ? Que leur demande-t-il de ne pas faire ?

8 GRAMMAIRE Qui est cet homme caractérisé par la subordonnée relative en italique dans la phrase : «[…] le mal qui s'adresse à un homme *qui n'en a jamais fait ou voulu faire*… » (2e texte) ? Cette relative est-elle déterminative (nécessaire à la compréhension du GN *un homme*) ou explicative (supprimable sans modifier le sens) ?

9 Expliquez qui doit, selon Rousseau, le juger dans le 3e texte : Dieu ou le lecteur ? Qu'exige Rousseau du lecteur dans les dernières phrases ? Pourquoi ?

10 Dans le 3e texte, quels parallélismes de construction (l. 11 à 17) montrent que Rousseau s'engage à dire toute la vérité sur sa vie et sa personnalité ? Combien d'adjectifs utilise-t-il pour qualifier ses défauts ? ses qualités ? Qu'en déduisez-vous ?

11 Relevez les passages où Montaigne affirme également, à plusieurs reprises, ne pas avoir voulu se mettre en valeur ni plaire au lecteur.

12 D'après les extraits proposés, pour quelles raisons Montaigne et Rousseau écrivent-ils leur autobiographie ? Quelles remarques pouvez-vous faire sur le titre de l'œuvre de Rousseau ?

Leçon → Le pacte autobiographique

▶ L'auteur d'une autobiographie, ou autobiographe, s'adresse souvent au lecteur, au début de son récit de vie, pour nouer un « pacte » avec lui : il s'engage à ne dire que la vérité et toute la vérité, sur ce qu'il est et ce qu'il a vécu. Il attend alors du lecteur qu'il soit son confident, son ami, ou son témoin, parfois son juge.

▶ L'auteur-narrateur-personnage peut chercher à mieux se connaître et à mieux faire connaître la nature humaine, mais aussi à se justifier, à se disculper d'une mauvaise réputation ou de certaines accusations.

Prolongements

→ ÉCRIRE UN AVERTISSEMENT AU LECTEUR. Rédigez, en une dizaine de lignes, l'avertissement au lecteur qui ouvrirait votre autobiographie, en vous inspirant des textes de cette séance.

→ COMMENTER UNE ILLUSTRATION. Quelle image de l'œuvre l'illustration des *Confessions* de Rousseau (voir p. 114) donne-t-elle ? Correspond-elle à la gravité des 2e et 3e textes de cette séance ?

Outils de la langue

■ Les relatives déterminatives, voir p. 135.

Albert
Cohen
[1895-1981]

Écrivain suisse de langue française, originaire de Corfou. Après la mort de sa mère en 1942, il publie son autobiographie Le Livre de ma mère *(1954), puis revient sur son enfance dans le journal intime qu'il écrit à la fin de sa vie :* Carnets 1978 *(1979).*

1. Son éminence : son excellence.

2. Qui réhabilitaient ma mère : qui lui rendaient son estime de soi.

3. Niais : idiot.

4. Sevrée : privée.

De la nostalgie à l'humour

La mère d'Albert Cohen, juive émigrée de Corfou, peu intégrée en France, compensait son exclusion sociale par son dévouement à son fils.

Maman de mon enfance, auprès de qui je me sentais au chaud, ses tisanes, jamais plus. Jamais plus, son odorante armoire aux piles de linge à la verveine et aux familiales dentelles rassurantes, sa belle armoire de cerisier que j'ouvrais les jeudis et qui était mon
5 royaume enfantin, une vallée de calme merveille, sombre et fruitée de confitures, aussi réconfortante que l'ombre de la table du salon sous laquelle je me croyais un chef arabe. Jamais plus, son trousseau de clefs qui sonnaillaient au cordon du tablier et qui étaient sa décoration, son Ordre du mérite domestique. Jamais plus, son coffret plein d'anciennes
10 bricoles d'argent avec lesquelles je jouais quand j'étais convalescent. Ô meubles disparus de ma mère. Maman, qui fus vivante et qui tant m'encourageas, donneuse de force, qui sus m'encourager aveuglément, avec d'absurdes raisons qui me rassuraient, Maman, de là-haut, vois-tu ton petit garçon obéissant de dix ans ?

15 Soudain, je la revois, si animée par la visite du médecin venant soigner son petit garçon. Combien elle était émue par ces visites du médecin, lequel était un pontifiant crétin parfumé que nous admirions éperdument. Ces visites payées, c'était un événement mondain, une forme de vie sociale pour ma mère. Un monsieur bien du dehors par-
20 lait à cette isolée, soudain vivifiée et plus distinguée. Et même, il laissait tomber du haut de son éminence[1] des considérations politiques, non médicales, qui réhabilitaient ma mère[2], la faisaient une égale et ôtaient, pour quelques minutes, la lèpre de son isolement. Sans doute se rappelait-elle alors que son père avait été un notable. Je revois son respect de
25 paysanne pour le médecin, sonore niais[3] qui nous paraissait la merveille du monde et dont j'adorais tout, même une trace de variole sur son pif majestueux. Je revois l'admiration si convaincue avec laquelle elle le considérait m'auscultant d'une tête à l'eau de Cologne, après qu'elle lui eut tendu cette serviette neuve à laquelle il avait droit divin.
30 Comme elle respectait cette nécessité magique d'une serviette pour ausculter. Je la revois, marchant sur la pointe des pieds pour ne pas le déranger tandis qu'il me prenait génialement le pouls tout en tenant génialement sa belle montre dans sa main. Que c'était beau, n'est-ce pas, pauvre Maman si peu blasée, si sevrée[4] des joies de ce monde ?

A. Cohen, *Le Livre de ma mère*, Éd. Gallimard, 1954.

NOSTALGIE DU PARADIS PERDU

[paragraphe 1]

1 Quelle expression répétée en début ou en fin de phrase rythme le paragraphe et évoque le regret ? Combien de fois repérez-vous cette anaphore ?

2 Quels autres indices (adjectif ou participe, indice temporel, temps verbaux...) traduisent une époque révolue ?

3 Montrez que le narrateur évoque sa mère dans la 1re phrase, mais s'adresse à elle directement dans la dernière.

4 Quels sont les meubles et les objets évoqués avec nostalgie par le narrateur ?

5 GRAMMAIRE Relevez les expansions du nom qui qualifient ces meubles ou ces objets. Les subordonnées relatives épithètes sont-elles déterminatives (indispensables pour comprendre le GN) ou explicatives (supprimables) ?

6 VOCABULAIRE Repérez les expressions désignant différentes sensations (visuelles, olfactives, gustatives, auditives et tactiles) qui constituent le paradis de l'enfance.

7 Expliquez les deux métaphores qui révèlent que l'armoire maternelle symbolise la sécurité et le bonheur de l'enfance.

8 Relevez les termes (adjectifs, verbes...) qui traduisent un sentiment de sécurité totale. Quelle impression le narrateur veut-il provoquer en n'utilisant que des phrases sans verbe ?

DISTANCE IRONIQUE [paragraphe 2]

9 Quel temps domine dans le 2e paragraphe ? Quelle expression au présent est cependant répétée ? Qui est alors ce « je » : le narrateur adulte ou l'enfant ?

10 VOCABULAIRE Comment la mère et l'enfant considèrent-ils le médecin ? Relevez le champ lexical de l'admiration et de la divinisation du médecin.

11 Montrez que la visite du médecin sort la mère de son exclusion sociale. Quelle métaphore en témoigne ? En quoi est-elle particulièrement bien choisie ?

12 En relevant les insultes humoristiques et une expression répétée qui exprime le contraire de ce que pense le narrateur (antiphrase), montrez que celui-ci cherche à ridiculiser le médecin. Expliquez en quoi l'expression « son pif majestueux » est une expression contradictoire résumant à la fois le point de vue de l'adulte et de l'enfant sur le médecin.

13 Quel sentiment anime le narrateur adulte dans ce paragraphe ? Pour quelles raisons écrit-il ce texte à la fois nostalgique et ironique ?

Leçon ⟶ **Temps du récit et temps de l'écriture**

▶ L'autobiographie est une forme d'écriture tournée vers le passé : elle est rétrospective. Les souvenirs sont souvent évoqués au système du passé (imparfait, passé simple), c'est le temps du souvenir. Mais le narrateur adulte peut intervenir et faire sentir sa présence en utilisant le présent d'énonciation : c'est le temps de l'écriture.

▶ Dans un récit de vie, le pronom « je » renvoie au personnage évoqué dans le souvenir (ici, l'enfant) ou au narrateur adulte (« je la revois... »).

▶ Le narrateur peut vouloir faire revivre son enfance comme un paradis perdu : il adhère avec nostalgie à ce qu'il a vécu et à ce qu'il a été. Mais il peut aussi, par l'humour, prendre de la distance avec son comportement d'enfant.

Prolongement

⟶ S'IMPLIQUER OU PRENDRE DE LA DISTANCE. Racontez le même épisode de votre enfance de deux façons différentes : d'abord avec nostalgie, puis avec humour et distance.

Outils de la langue

■ Les temps du récit et de l'énonciation, voir pp. 36-37.
■ Les expansions du nom, p. 135.
■ Les relatives déterminatives et explicatives, p. 135.

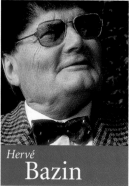

Hervé
Bazin
[1911-1996]

*Écrivain français
dont les romans,
souvent
autobiographiques,
ridiculisent
la vie bourgeoise.*

Les doutes de l'enfant

Dès leur naissance, les enfants Rezeau sont confiés pendant plusieurs années à leur grand-mère et à une gouvernante au grand cœur, Mademoiselle Ernestine Lion, tandis que leurs parents voyagent en Chine. Après la mort de la grand-mère, les parents annoncent leur retour : « Grand-mère mourut. Ma mère parut. Et ce récit devient drame. »

« Pourquoi qu'elle n'écrit jamais ?
  – On dit : Pourquoi n'écrit-elle jamais ? Vous êtes injuste, Frédie. Madame votre mère vous a écrit à Noël. Et puis, la Chine, c'est loin. »
  Elle n'avait pas écrit, madame notre mère. Ils, je veux dire M. et
5 Mme Rezeau, ils avaient envoyé une carte classique, imprimée en anglais, qui disait :
  We wish you a merry Christmas.
  Deux signatures. La première en pattes de mouche : Rezeau. (Un chef de nom et d'armes[1] ne met pas son prénom.) La seconde, en
10 cunéiforme[2] : Rezeau-Pluvignec. Toutes deux magistralement soulignées. L'adresse avait été tapée à la machine, sans doute par Li-pah-hong, le secrétaire, que nous imaginions avec une si belle tresse dans le dos et qui avait sept langues dans la bouche pour se taire.
  La Chine, c'est loin. Je ne crois pas, même à cet âge, avoir admis que
15 le cœur, cela peut être beaucoup plus loin que Changhaï. Maman ! Mme Ladourd, une voisine, qui avait six enfants et ne connaissait rien de la situation, nous débrida l'imagination :
  « Une maman, c'est encore bien mieux qu'une grand-mère ! »
  Je pense bien ! J'allais immédiatement en juger.
20 Rappelés par télégramme, M. et Mme Rezeau mirent huit mois à rentrer.

H. Bazin, *Vipère au poing*, Éd. Grasset, 1948.

1. Chef de nom
et d'armes : ici, le chef de
famille tout puissant.

2. Cunéiforme : écriture
formée de signes en forme
de fer de lance ou de clous
diversement combinés.

L'ironie de l'adulte

À la gare de Segré, les enfants Rezeau, accompagnés de leur tante Bartolomi et de leur gouvernante Ernestine Lion, attendent le retour de leurs parents.

Le tortillard, soufflant bas, avec cet air de phoque qui n'appartient qu'aux locomotives de petite ligne, parut avec dix minutes de retard qui nous semblait insupportable, mais que bientôt nous pourrons souhaiter centenaire. Par un majestueux hasard, le wagon de nos parents
5 stoppa exactement devant nous. Une paire de moustaches au ras de la vitre et un chapeau en forme de cloche à fromage, tel qu'on les portait en ce temps-là, décidèrent Mademoiselle à passer une suprême inspection :

« Frédie, sortez les mains de vos poches. Brasse-Bouillon, tenez-vous droit. »

10 Mais la vitre s'abaissait. De la cloche à fromage jaillit une voix :

« Venez prendre les bagages, Mademoiselle. »

Ernestine Lion rougit, protesta rapidement dans l'oreille de la comtesse Bartolomi :

« Mme Rezeau me prend pour la femme de chambre. »

15 Mais elle s'exécuta. Notre mère, satisfaite, découvrit deux dents d'or, ce que, dans notre candeur, nous prîmes immédiatement pour un sourire à notre adresse. Enthousiasmés, nous nous précipitâmes, dans ses jambes, à la portière.

« Allez-vous me laisser descendre, oui ! »

20 Nous écarter d'elle, à ce moment, nous eût semblé sacrilège[1]. Mme Rezeau dut le comprendre et, pour couper court à toutes effusions, lança rapidement, à droite, puis à gauche, ses mains gantées. Nous nous retrouvâmes par terre, giflés avec une force et une précision qui dénotaient beaucoup d'entraînement.

25 « Oh ! fit tante Thérèse.

– Vous dites, ma chère amie ? » s'enquit madame notre mère.

Nul ne broncha. Bien entendu, nous sanglotions.

1. Sacrilège : non respect, profanation de ce qui est sacré.

« Voilà tout le plaisir que vous cause mon retour ! reprit Mme Rezeau. Eh bien, ça va être charmant. »

H. Bazin, *Op. cit.*

DU POINT DE VUE DE L'ENFANT...

1 Quel titre pourriez-vous donner à chacun de ces textes ? En dehors des dialogues, quels temps dominent ?

2 Quel nom répété dans les deux textes vous révèle que l'auteur, Hervé Bazin, n'est pas exactement le narrateur-personnage et qu'il s'agit donc d'une autobiographie romancée ?

3 Relevez tous les termes qui servent à nommer les parents. Pourquoi l'enfant ne prononce-t-il qu'une seule fois le mot « Maman » (l. 15) ?

4 [1er TEXTE] Quels sont les indices qui laissent deviner que Mme Rezeau est une mère indigne ? Montrez que les enfants ont déjà des doutes.

... AU POINT DE VUE DE L'ADULTE

5 GRAMMAIRE Relevez, dans les deux textes, les remarques du narrateur adulte au présent d'énonciation (ou au futur). En quoi sont-elles ironiques ?

6 Quelles autres expressions montrent la distance ironique de l'adulte et soulignent le plus souvent que les enfants se trompent en interprétant le comportement maternel ?

7 VOCABULAIRE Dans le 2e texte, relevez les termes (noms, adjectifs, verbes) qui traduisent les différentes émotions des enfants.

8 [2e TEXTE] Quelles métonymies (l. 5-6) désignent les parents ? Pourquoi, à votre avis ? Montrez que la mère du narrateur n'est jamais décrite physiquement, mais seulement évoquée à travers certaines parties de sa tenue ou de son corps. Pourquoi, à votre avis ?

9 Le narrateur adulte critique-t-il d'emblée la cruauté de sa mère ou laisse-t-il au lecteur le soin d'en deviner l'étendue au fil du texte ? Justifiez votre réponse.

10 Pourquoi le narrateur n'a-t-il pas besoin de commenter les différentes répliques de sa mère (notamment la dernière) ?

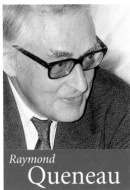

Raymond
Queneau
[1903-1976]

Romancier et poète français, originaire du Havre, passionné par les jeux humoristiques, les techniques et contraintes que l'on peut développer dans le texte littéraire.

Les sarcasmes du poète

Je naquis au Havre un vingt et un février
en mil neuf cent et trois
Ma mère était mercière et mon père mercier[1] :
ils trépignaient de joie.
5 Inexplicablement je connus l'injustice
et fus mis un matin
chez une femme avide et bête, une nourrice,
qui me tendit son sein.
De cette outre de lait j'ai de la peine à croire
10 que j'en tirais festin
en pressant de ma lèvre une sorte de poire,
organe féminin. [...]

R. Queneau, « Je naquis au Havre un vingt et un février » (début),
Chêne et chien (1937), Éd. Gallimard, coll. « Poésie », 1969.

1. Mercier : commerçant qui vend des articles de couture.

LE REFUS DE L'ATTENDRISSEMENT

1 Quels éléments de la biographie de Queneau retrouvez-vous dans ce poème narratif ?

2 Quelle est l'organisation des vers et des rimes de ce poème ?

3 GRAMMAIRE Quels temps dominent ? Justifiez l'emploi du présent au vers 9.

4 Montrez l'ironie du poète en expliquant la répétition du vers 3 et en commentant les expressions moqueuses, les périphrases qui désignent le sein nourricier.

5 Comment le poète fait-il comprendre le traumatisme de la séparation ? Montrez qu'il ne décrit pas sa famille ni ne s'attendrit sur sa petite enfance.

6 Selon vous, Queneau va-t-il plus loin que Bazin dans l'ironie ? Montrez qu'il prend des distances par rapport au genre de l'autobiographie.

Leçon → Roman et poème autobiographiques

▶ Un auteur peut raconter sa vie en donnant à son narrateur-personnage un autre nom que le sien et en romançant, en théâtralisant légèrement les faits : il s'agit alors d'une **autobiographie romancée** ou **roman autobiographique** qui lui permet de prendre davantage de distance avec ce qu'il a vécu.

▶ Le point de vue critique ou ironique du narrateur adulte vient alors sans cesse corriger la naïveté de l'enfant : périphrases, antiphrases, métonymies permettent de dénoncer certains comportements ou certaines blessures.

▶ L'autobiographie est un genre narratif, mais des **poèmes** peuvent aussi contenir des éléments autobiographiques.

Prolongements

→ RACONTER EN PORTANT UN JUGEMENT. À la manière de Bazin, racontez de façon critique un épisode de votre enfance où vous avez été déçu ou blessé par un membre de votre famille. Vous utiliserez des figures de style comme l'antiphrase, la périphrase et la métonymie pour opposer le point de vue naïf de l'enfant que vous étiez, au point de vue lucide et ironique du narrateur que vous êtes devenu.

→ ÉCRIRE UN POÈME AUTOBIOGRAPHIQUE. À la manière de Queneau, rédigez les premiers vers de votre autobiographie sur le mode ludique et ironique.

Outils de la langue

■ Les figures de style, voir pp. 187-189.
■ Le vocabulaire des sentiments, voir p. 134.

Mémoires de guerre : de l'éducation...

1. Toute ma vie, je me suis fait une certaine idée de la France. Le sentiment me l'inspire aussi bien que la raison. Ce qu'il y a, en moi, d'affectif imagine naturellement la France, telle la princesse des contes ou la madone aux fresques des murs, comme vouée à une destinée éminente[1] et exceptionnelle. J'ai, d'instinct, l'impression que la Providence l'a créée pour des succès achevés ou des malheurs exemplaires. S'il advient que la médiocrité marque, pourtant, ses faits et gestes, j'en éprouve la sensation d'une absurde anomalie, imputable aux fautes des Français, non au génie de la patrie. Mais aussi, le côté positif de mon esprit me convainc que la France n'est réellement elle-même qu'au premier rang ; que, seules, de vastes entreprises sont susceptibles de compenser les ferments de dispersion que son peuple porte en lui-même ; que notre pays, tel qu'il est, parmi les autres, tels qu'ils sont, doit, sous peine de danger mortel, viser haut et se tenir droit. Bref, à mon sens, la France ne peut être la France sans la grandeur.

Cette foi a grandi en même temps que moi dans le milieu où je suis né. Mon père, homme de pensée, de culture, de tradition, était imprégné du sentiment de la dignité de la France. Il m'en a découvert l'Histoire. Ma mère portait à la patrie une passion intransigeante à l'égal de sa piété religieuse. Mes trois frères, ma sœur, moi-même, avions pour seconde nature une certaine fierté anxieuse au sujet de notre pays. Petit Lillois de Paris, rien ne me frappait davantage que les symboles de nos gloires : nuit descendant sur Notre-Dame, majesté du soir à Versailles, Arc de Triomphe dans le soleil, drapeaux conquis frissonnant à la voûte des Invalides.

Ch. de Gaulle, *Mémoires de guerre* (1940-1942), Éd. Plon, coll. « Le Livre de poche historique », 1954.

2. Adolescent, ce qu'il advenait de la France, que ce fût le sujet de l'Histoire ou l'enjeu de la vie publique, m'intéressait par-dessus tout. J'éprouvais donc de l'attrait, mais aussi de la sévérité, à l'égard de la pièce qui se jouait, sans relâche, sur le forum[2] ; entraîné que j'étais par l'intelligence, l'ardeur, l'éloquence qu'y prodiguaient maints acteurs et navré de voir tant de dons gaspillés dans la confusion politique et les divisions nationales. D'autant plus qu'au début du siècle apparaissaient les prodromes[3] de la guerre. Je dois dire que ma prime jeunesse imaginait sans horreur et magnifiait à l'avance cette aventure inconnue. En somme, je ne doutais pas que la France dût traverser des épreuves gigantesques, que l'intérêt de la vie consistait à lui rendre, un jour, quelque service signalé et que j'en aurais l'occasion.

Ch. de Gaulle, *Op. cit.*

Charles de Gaulle
[1890-1970]

Général et homme d'État français né à Lille. Il prit à Londres la tête de la Résistance lors de l'armistice de 1940, lança l'appel du 18 juin, puis devint chef du gouvernement provisoire (1944-1946) et président de la République de 1959 à 1969. Ses Mémoires de guerre *comprennent trois tomes qui couvrent les années 1940-1942, 1942-1944 et 1944-1946.*

1. Éminente : élevée, remarquable.

2. Forum : lieu où se discutent les affaires publiques.

3. Prodrome : ce qui annonce un événement.

… au destin

Le 26 août 1944, le général de Gaulle descend les Champs-Élysées ; Paris est libéré, mais la guerre contre l'Allemagne n'est pas encore gagnée.

3. Je vais donc, ému et tranquille, au milieu de l'exultation indicible de la foule, sous la tempête des voix qui font retentir mon nom, tâchant, à mesure, de poser mes regards sur chaque flot de cette marée afin que la vue de tous ait pu entrer dans mes yeux, élevant et abaissant
5 les bras pour répondre aux acclamations. Il se passe, en ce moment, un de ces miracles de la conscience nationale, un de ces gestes de la France, qui parfois, au long des siècles, viennent illuminer notre Histoire. Dans cette communauté, qui n'est qu'une seule pensée, un seul élan, un seul cri, les différences s'effacent, les individus disparaissent. Innombrables
10 Français dont je m'approche tour à tour, à l'Étoile, au Rond-Point, à la Concorde, devant l'Hôtel de Ville, sur le parvis de la Cathédrale, si vous saviez comme vous êtes pareils ! Vous, les enfants, si pâles ! qui trépignez et criez de joie ; vous, les femmes, portant tant de chagrins, qui me jetez vivats et sourires ; vous, les hommes, inondés d'une fierté longtemps
15 oubliée, qui me criez votre merci ; vous, les vieilles gens, qui me faites l'honneur de vos larmes, ah ! comme vous vous ressemblez ! Et moi, au centre de ce déchaînement, je me sens remplir une fonction qui dépasse de très haut ma personne, servir d'instrument au destin.

Mais il n'y a pas de joie sans mélange, même à qui suit la voie
20 triomphale. Aux heureuses pensées qui se pressent dans mon esprit beaucoup de soucis sont mêlés. Je sais bien que la France tout entière ne veut plus que sa libération. La même ardeur à revivre qui
25 éclatait, hier, à Rennes et à Marseille, et, aujourd'hui, transporte Paris se révélera demain à Lyon, Rouen, Lille, Dijon, Strasbourg, Bordeaux. Il n'est que de voir et
30 d'entendre pour être sûr que le pays veut se remettre debout. Mais la guerre continue. Il reste à la gagner. De quel prix, au total, faudra-t-il payer le résultat ? Quelles
35 ruines s'ajouteront à nos ruines ?

Ch. de Gaulle, *Mémoires de guerre* (1942-1944), Éd. Plon, coll. « Le Livre de poche historique », 1956.

Le général de Gaulle dans Paris libéré en août 1944.

NAISSANCE D'UNE IDÉE [textes 1 et 2]

1 Donnez un titre à chacun des deux paragraphes du 1er texte et au 2e texte. Pourquoi le système du présent (présent/passé composé/futur) domine-t-il dans le 1er paragraphe, remplacé ensuite par l'imparfait ?

2 VOCABULAIRE À qui la France est-elle comparée dans le 1er extrait et pourquoi ? Relevez, dans les deux textes, tous les termes mélioratifs qui caractérisent le destin de ce pays, son Histoire. Quel nom, utilisé dans le 1er extrait, pourrait résumer l'idée que l'auteur se fait de la France ?

3 Recherchez trois expressions qui dévalorisent les Français pour mieux mettre en valeur la France. Quels sont les monuments qui symbolisent la gloire de la France et pourquoi ?

4 Montrez que l'auteur ne raconte pas son enfance et qu'il n'évoque sa jeunesse que pour expliquer l'idée de la France qui a peu à peu germé en lui.

5 Dans les deux textes, quels indices laissent deviner son futur engagement dans l'armée ? Quelle phrase constitue un pressentiment du rôle historique qu'il sera amené à jouer ?

ACCOMPLISSEMENT DU DESTIN [texte 3]

6 Quels éléments vous permettent d'affirmer l'identité entre auteur, narrateur et personnage ?

7 Pourquoi la libération de Paris n'est-elle pas évoquée au passé ? Quelle sorte de présent est utilisé dans ce texte ?

8 GRAMMAIRE Relevez dans les huit premières lignes, les groupes nominaux (noms et expansions du nom) qui désignent la foule. Comment son unanimité est-elle exprimée ?

9 À qui l'auteur s'adresse-t-il à la fin du 1er paragraphe ? Quels indices révèlent son émotion grandissante ?

10 VOCABULAIRE Montrez, dans l'ensemble du texte, que la France est personnifiée. Quels monuments et quelles villes la symbolisent ? Pourquoi à votre avis ?

11 Quel rôle historique le général de Gaulle est-il conscient de jouer ? Dans le dernier paragraphe, quelles expressions, quel connecteur logique et quel type de phrase révèlent ses inquiétudes ?

12 Lorsqu'il écrit ses mémoires, la guerre est gagnée depuis longtemps : pourquoi laisse-t-il alors sans réponse les interrogations qui terminent ce texte ?

Leçon → Les mémoires

▶ Les mémoires sont des récits autobiographiques écrits par ceux qui ont été témoins privilégiés ou acteurs de l'Histoire.

▶ Les mémorialistes peuvent évoquer leur vie intime, comme Chateaubriand dans ses *Mémoires d'outre-tombe,* mais racontent le plus souvent leur vie publique, le rôle historique qu'ils ont joué, mêlant au récit de leur destin la chronique d'une époque et la peinture d'une société.

▶ Contrairement à l'autobiographie, qui couvre généralement l'ensemble d'une vie, les mémoires ne se centrent parfois que sur une période particulière de la vie de l'auteur où son histoire rencontre l'Histoire.

Prolongement

→ S'INFORMER SUR LES MÉMORIALISTES. Recherchez, au C.D.I., des informations sur les mémorialistes suivants : Jules César, Saint-Simon, Chateaubriand, Simone de Beauvoir, André Malraux. Présentez chacun d'eux dans une notice qui indiquera les principaux événements de leur vie et ce qu'ils ont évoqué dans leurs mémoires.

Outils de la langue

■ Les figures de style, voir pp. 187-189.

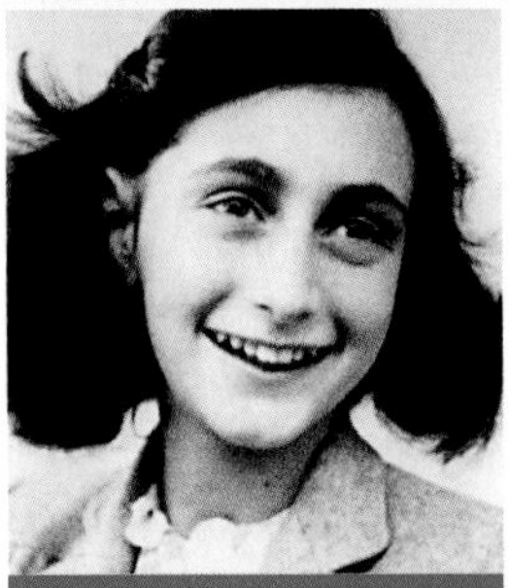

Attentes et révoltes d'adolescente

Anne Frank se cache avec sa famille et une autre famille juive, les Van Daan, dans l'annexe d'un immeuble d'Amsterdam, de l'été 1942 à l'été 1944. Elle se réfugie dans son journal qui doit «personnifier l'Amie».

Anne
Frank
[1929-1945]

Jeune fille juive, d'origine allemande, qui, de sa cachette à Amsterdam, rédigea son journal pendant deux ans. Dénoncée, la famille fut déportée le 4 août 1944 au camp de concentration de Bergen-Belsen. Anne y mourut en mars 1945, deux mois avant la libération de la Hollande. Son père, seul survivant de la famille, fit publier son journal intime.

Mercredi 13 janvier 1943

Chère Kitty,
Ce matin, on n'a pas arrêté de me déranger et je n'ai pu terminer ce que j'avais commencé. […]
Les enfants ici se promènent avec pour tout vêtement une blouse
5 légère et des sabots aux pieds, sans manteau, sans bonnet, sans chaussettes, sans personne pour les aider. Ils n'ont rien dans le ventre, mais mâchonnant une carotte, quittent une maison froide pour traverser les rues froides et arriver à l'école dans une classe encore plus froide. Oui, la Hollande est tombée si bas qu'une foule d'enfants arrêtent les pas-
10 sants dans la rue pour leur demander un morceau de pain.
Je pourrais te parler pendant des heures de la misère causée par la guerre, mais cela ne réussit qu'à me déprimer encore davantage. Il ne nous reste plus qu'à attendre le plus calmement possible la fin de ces malheurs.

Samedi 30 janvier 1943

15 Chère Kitty,
Je bous de fureur et je ne peux le montrer, je voudrais taper du pied, crier, secouer Maman un bon coup, pleurer, que sais-je encore, pour tous les mots méchants, les regards moqueurs, les accusations qui le transpercent chaque jour comme autant de flèches d'un arc tendu à
20 l'extrême et qui sont si difficiles à extirper de mon corps. Je voudrais crier à Maman, à Margot[1], Van Daan, Dussel[2] et aussi à Papa, je voudrais crier : «Laissez-moi tranquille, laissez-moi enfin dormir une nuit sans tremper mon oreiller de larmes, sans que les yeux me brûlent et que la migraine me martèle la tête. Laissez-moi partir, disparaître de
25 tout, loin du monde!» Mais c'est impossible, je ne peux pas leur montrer mon désespoir, les laisser plonger un regard dans les plaies qu'ils m'ont infligées, je ne supporterais pas leur pitié ou leur bonhomie[3] moqueuse, elles aussi me feraient hurler.

1. Margot : sœur d'Anne.
2. Dussel : un juif qui a rejoint l'annexe.
3. Bonhomie : simplicité et bonté de cœur.

Vendredi 5 février 1943

Chère Kitty,

30　Bien que je ne t'aie plus parlé de nos disputes depuis longtemps, la situation n'a pas changé. Au début, M. Dussel prenait au tragique ces différends vite oubliés, mais il commence à s'y habituer et n'essaie plus de jouer les conciliateurs.

A. Frank, *Journal* (1947),
trad. Ph. Noble et I. Rosselin-Bobulesco, Éd. Calmann-Lévy, 1989.

Stéphanie
[probablement
née en 1967]

Jeune fille qui, à l'âge de 16 ans, fit publier le journal intime de ses 13-14 ans, aidée par l'écrivain Philippe Labro.

Jugements sur les adultes

Moi, des cadeaux, ma mère elle doit m'en faire chaque fois qu'elle m'a fait une promesse qu'elle a pas pu tenir, et mon père chaque fois qu'il revient de voyage, c'est-à-dire que j'ai de quoi remplir une chambre entière avec leurs cadeaux et au moins un placard. Fina-
5　lement, c'est ce qu'on a été obligé de faire à la maison : ils ont loué une chambre de bonne à l'étage au-dessus rien que pour y mettre les cadeaux qu'ils m'ont donnés. Je n'y monte jamais. J'ai la clef mais j'ose pas y aller. J'ai l'impression que si j'ouvrais la porte, toutes les promesses de ma mère, je m'en souviendrais et que j'en pleurerais toutes
10　les larmes de mon corps.

Stéphanie, *Des Cornichons au chocolat*,
Éd. J.-C. Lattès, coll. « Le Livre de poche », 1983.

DU TÉMOIGNAGE À L'EXPRESSION DE SOI [Anne Frank]

1 Donnez un titre à chaque extrait du journal d'Anne Frank. À quelle personne est-il rédigé ?

2 GRAMMAIRE Analysez les éléments qui montrent qu'un journal intime s'écrit au jour le jour : indices temporels (à l'extérieur et à l'intérieur des extraits), temps verbaux. À quel rythme l'adolescente écrit-elle ?

3 Pourquoi Anne rédige-t-elle son journal sous forme de lettres ? Montrez qu'elle ne raconte pas tout ce qu'elle vit (ellipse).

4 Quel passage témoigne de l'époque historique où vit Anne ? Quel regard porte-t-elle sur ce monde en guerre ?

5 Relevez les termes qui traduisent la révolte et le champ lexical de la blessure. Quelles images expriment sa souffrance ?

DÉCEPTION ET JUGEMENT [Stéphanie]

6 Quels reproches Stéphanie adresse-t-elle à ses parents ?

7 VOCABULAIRE Relevez les termes qui traduisent ses sentiments et ses émotions.

8 GRAMMAIRE Montrez que le niveau de langue de ce journal n'est pas le même que celui du journal précédent.

9 Expliquez les raisons qui ont pu pousser Anne et Stéphanie à écrire leur journal intime.

Jules
Renard
[1864-1910]

Écrivain français qui mit en scène son enfance malheureuse dans le roman Poil de Carotte *et écrivit aussi des nouvelles, des comédies et un long journal.*

Remarque. Ces différents extraits ne se suivent pas dans le journal de J. Renard.

Réflexions sur la vie

Jules Renard a raconté, dans son roman autobiographique Poil de Carotte, *son enfance difficile dans sa famille, rebaptisée Lepic. Pendant 23 ans, il a également rédigé son journal.*

7 septembre [1895]. – Mon cerveau est gras de littérature et gonflé comme un foie d'oie.

9 septembre. – À chaque instant Poil de Carotte me revient. Nous vivons ensemble, et j'espère bien que je mourrai avant lui.

*

5 28 septembre [1897]. – Retour à Paris. – Mon père et moi, nous ne nous aimions point par le dehors, nous ne tenions pas l'un à l'autre par nos branches : nous nous aimions par nos racines souterraines.

*

[14 mars 1901]. – M. Lepic. C'était mon père. Nous avons eu une longue vie commune. Nous avons vécu côte à côte. Il est mort, et je ne 10 lui ai rien dit.

J'ai hérité de lui le goût de la bonne soupe épaisse et chaude.

Je ne produirai rien cette année : j'ai gelé, cet hiver.

*

6 mars [1910]. – Je ne comprends rien à la vie, mais je ne dis pas qu'il soit impossible que Dieu y comprenne quelque chose.

J. Renard, *Journal* (1887-1910), Éd. Gallimard, 1935.

UN JOURNAL D'ÉCRIVAIN

1 | Quels sont les quatre thèmes abordés ?

2 | Pourquoi certains extraits sont-ils écrits à l'imparfait et d'autres au système du présent ?

Leçon ➔ **Le journal intime**

▶ Celui qui écrit son journal intime (diariste) note au jour le jour les événements qu'il vient de vivre, les réflexions qu'il élabore, les sentiments et les émotions qu'il ressent.

▶ Le journal est souvent rédigé au présent et passé composé, peu de temps après les événements, mais parfois le passé plus lointain est évoqué et réinterprété.

▶ Le diariste pratique volontiers l'analyse de soi et de ses rapports avec les autres. Un écrivain peut aussi confier à son journal ses réflexions sur la création littéraire et sur la vie.

3 | Quel extrait révèle que Jules Renard-Poil de Carotte est obsédé par son enfance ?

4 | VOCABULAIRE Expliquez la métaphore traduisant les relations qu'il entretenait avec son père. Que regrette-t-il de ne pas lui avoir dit ?

5 | Relevez les deux phrases évoquant la littérature. Montrez qu'elles comportent des images opposées, traduisant l'excès ou l'absence d'idées.

6 | Expliquez le dernier extrait et montrez que l'auteur se réfugie souvent dans l'humour.

Prolongement

➔ ÉCRIRE LE DÉBUT DE SON JOURNAL. Rédigez la 1ère page de votre journal, en vous inspirant de cette séance et en datant vos réflexions.

Outils de la langue

■ Le vocabulaire des sentiments, voir p. 134.

Charles
Juliet
[NÉ EN 1934]

Écrivain et poète français. Un mois après sa naissance, sa mère est internée pour dépression. Séparé de ses trois frères et sœurs, il est recueilli puis élevé par une paysanne généreuse. Il devient enfant de troupe, puis abandonne ses études de médecine pour se consacrer à l'écriture.

Dans ce récit à la frontière de l'autobiographie, Charles Juliet a voulu célébrer ses deux mères : celle qui lui a donné le jour (« l'étouffée »), une paysanne, avide de littérature et incomprise de tous, réduite au silence, qui sombre dans la dépression après la naissance de quatre enfants très rapprochés, et la mère de famille nombreuse qui l'a recueilli et élevé comme son propre fils (« la vaillante »). L'auteur retrace sa jeunesse d'orphelin angoissé qui aura besoin d'écrire pour survivre.

Ta nouvelle mère

Tu es le dernier des quatre enfants.

Quand le drame est survenu et que ta mère a été hospitalisée, des voisins t'ont recueilli et gardé quelques semaines. Puis au début de l'année, ton père t'a confié à M. et Mme R., des paysans qui vivaient dans un village de
5 la plaine. En plus de la nombreuse famille qu'elle élevait, Mme R. avait déjà en nourrice deux petites filles dont la mère avait perdu une jambe lors d'un accident. Écrasée de travail, Mme R. avait d'abord refusé de te prendre. Mais lorsque par la suite elle avait appris que tu allais être placé chez une vieille femme qui se saoulait et vivait dans un taudis, elle avait
10 accepté de dépanner ton père, afin de lui laisser le temps de chercher une nourrice acceptable. Lorsque enfin il en eut trouvé une et qu'il vint te chercher, Mme R. et ses cinq filles ne voulurent pas te laisser partir. Elles s'étaient attachées à ce nourrisson et dirent à ton père qu'elles s'occuperaient de toi comme si tu étais un fils de la famille.

15 Pourtant, le bébé que tu étais aurait dû les excéder et les pousser à refuser de te garder. Car jour et nuit, les épuisant l'une après l'autre, tu ne cessais de pleurer. (Tu pleuras tant qu'un muscle de l'aine se déchira et qu'il fallut t'opérer d'une hernie.) Elles étaient aux petits soins pour toi, elles te nourrissaient comme il convient, te parlaient, te berçaient,
20 te dorlotaient, mais rien ne pouvait apaiser tes pleurs.

Une peur dévorante

Quand tu sors de l'école, tu n'es pas de ceux qui restent à jouer sur la place ou à traîner par les rues. Dès que vous êtes libérés, tu rentres en courant à la ferme. Une peur dévorante t'habite. La peur qu'un jour, à ton retour de l'école, tu trouves la maison vide et que ta
5 mère soit partie, t'ait abandonné. Lorsqu'en arrivant hors d'haleine tu la vois, tu es soulagé, apaisé, et tu ne la quittes plus. Où qu'elle aille, tu es fourré dans ses jupes et participes par le regard à tout ce qu'elle fait.

Un jour, en fin d'après-midi, après la classe, alors qu'il commence à
10 faire sombre, tu pénètres dans la cuisine et constates qu'elle n'est pas là,
non plus qu'aucun membre de la famille. À l'angle de la table, pour ton
goûter, une tranche de pain avec son morceau de sucre. S'ils sont
absents, c'est qu'ils ont pris la route, qu'ils ne reviendront plus. En hur-
lant, tu cours dans la maison, te précipites à l'écurie, dans le hangar,
15 ouvres la porte de la cave, appelles, mais personne ne répond. De plus
en plus affolé, tu cours de droite à gauche, vas voir derrière le tas de
bois, et soudain tu l'aperçois au fond du jardin, où elle est en train de
bêcher.

Il lui fallut un long moment pour te calmer et t'amener à dire ce qui
20 t'avait à ce point alarmé.

Se faire exister dans les mots

Ni l'une ni l'autre de tes deux mères n'a eu accès à la parole. Du
moins à cette parole qui permet de se dire, se délivrer, se faire
exister dans les mots. Parce que ces mêmes mots se refusaient à toi et
que tu ne savais pas t'exprimer, tu as dû longuement lutter pour
5 conquérir le langage. Et si tu as mené ce combat avec une telle obstination, il te plaît de penser que ce fut autant pour elles que pour toi.

Tu songes de temps à autre à *Lambeaux*. Tu as la vague idée qu'en
l'écrivant, tu les tireras de la tombe. Leur donneras la parole. Formule-
ras ce qu'elles ont toujours tu.

10 Lorsqu'elles se lèvent en toi, que tu leur parles, tu vois s'avancer à
leur suite la cohorte des bâillonnés, des mutiques[1], des exilés des mots

    ceux et celles qui ne se sont jamais remis de leur enfance

    ceux et celles qui s'acharnent à se punir de n'avoir jamais été aimés

    ceux et celles qui crèvent de se mépriser et se haïr

15   ceux et celles qui n'ont jamais pu parler parce qu'ils n'ont jamais été
écoutés

    ceux et celles qui ont été gravement humiliés et portent au flanc une
plaie ouverte

    ceux et celles qui étouffent de ces mots rentrés pourrissant dans leur
20 gorge

    ceux et celles qui n'ont jamais pu surmonter une fondamentale
détresse

Ch. Juliet, *Lambeaux*, Éd. Gallimard,
coll. « Folio », 1997.

1. Mutique : qui refuse de parler.

COMMENT PARLER DE SOI ?

1 À quelle personne sont rédigés ces extraits ? En vous aidant de la biographie et de l'introduction, repérez dans les textes les indices qui révèlent l'identité entre auteur, narrateur et personnage.

2 Quels extraits racontent des événements et quel autre constitue une réflexion sur l'écriture ?

3 GRAMMAIRE Expliquez pourquoi le 1er texte est écrit essentiellement au passé, le 2e au présent de narration et le 3e au présent d'énonciation (temps de l'écriture).

4 Quels éléments montrent la générosité de la mère d'adoption ? Quels comportements, chez le bébé puis chez l'enfant, traduisent la peur d'être abandonné ?

POURQUOI PARLER DE SOI ? [3e texte]

5 D'après cet extrait, précisez ce qui a manqué à l'enfant, à ses mères et que le narrateur adulte tente de conquérir.

Charles Juliet
Lambeaux

folio

6 VOCABULAIRE Relevez le champ lexical de la parole et montrez que l'impossibilité de s'exprimer mène à l'exclusion, à la destruction. Montrez également que les termes qui expriment la souffrance sont de plus en plus violents.

7 GRAMMAIRE Les subordonnées relatives des dernières lignes sont-elles déterminatives ou explicatives ? Justifiez votre réponse. Pourquoi, à votre avis, la ponctuation a-t-elle disparu ?

8 Montrez que l'auteur n'écrit pas seulement pour lui et pour ceux qui ont vécu une enfance difficile comme la sienne, mais aussi pour ceux qui ont souffert comme sa 1re mère. Pourquoi utilise-t-il la 2e personne ?

9 Comment comprenez-vous le titre *Lambeaux* ? S'agit-il d'un livre d'espoir, à votre avis ?

Leçon ➔ Écrire pour soi et les autres

▶ Un autobiographe n'écrit pas seulement pour lui-même, pour revivre son passé ou pour s'en libérer. Il peut aussi chercher à exprimer les silences et les souffrances des proches, des lecteurs qui, comme lui, ont eu une vie douloureuse. L'autobiographie devient alors une nécessité vitale.

▶ L'usage d'une forme nouvelle de récit de vie, rédigé à la 2e personne, permet de prendre davantage de distance et en même temps d'impliquer le lecteur qui se sent ainsi apostrophé.

Prolongements

➔ SE RACONTER À LA 2e PERSONNE. À la manière de Charles Juliet (2e texte), racontez à la 2e personne un épisode de votre enfance où la panique s'est emparée de vous. Précisez ensuite, comme à la fin du 3e texte, à qui vous dédiez votre récit, en commençant par « à ceux et celles qui... ».

➔ ANALYSER L'ILLUSTRATION D'UNE 1re DE COUVERTURE. Décrivez la photographie de la 1re de couverture de *Lambeaux*. Expliquez pourquoi elle a pu être choisie. Quelle critique peut-on formuler ?

Outils de la langue

■ Les subordonnées relatives déterminatives et explicatives, voir p. 135.

Autoportraits

1. P. Gauguin, *Portrait de Paul Gauguin en forme de tête grotesque,* pot en grès émaillé, 1889.

2. P. Gauguin, *Le Christ jaune,* 1889.

3. P. Gauguin. *Portrait de l'artiste au Christ jaune,* 1889-1890.

Paul
Gauguin
[1848-1903]

Influencé par les impressionnistes, ami de Van Gogh, il fit plusieurs séjours à Pont-Aven (en Bretagne), à Arles, en Martinique avant de partir plusieurs fois à Tahiti où il mourut. Ses œuvres, qui portent l'empreinte de ses voyages, sont à l'origine de la peinture moderne.

L'ŒUVRE DU PEINTRE

1⟩ Que représente l'image 3 ? Comment le savez-vous ? Retrouver le nom général d'une telle œuvre.

2⟩ Montrez que ce portrait est fidèle et que Gauguin refuse l'idéalisation.

Leçon ⟶ **Autoportrait et représentation de soi**

▶ On ne peut parler d'autoportrait que lorsque l'on distingue nettement la **figure individuelle** de l'artiste qui a signé l'œuvre.

▶ Il existe différents types d'autoportraits : l'artiste peut se fondre dans une composition d'ensemble (autoportrait situé), dans un groupe (portrait de groupe), il peut se déguiser ou prendre les traits d'un personnage légendaire (portrait symbolique).

▶ L'autoportrait donne à l'artiste l'occasion de se représenter au naturel, sans pose particulière (portrait détaché ou naturel) ou au travail (par exemple au milieu de ses œuvres).

▶ Dans ce dernier cas, le choix des œuvres reproduites (qui peuvent être parfois celles d'autres peintres) permet à l'artiste d'afficher ses convictions : l'autoportrait dépasse sa fonction première de représentation de soi pour devenir une **réflexion esthétique**.

3⟩ Quels liens pouvez-vous établir entre ce tableau et les documents 1 et 2 ? Justifiez vos réponses à l'aide des images et de leur légende.

4⟩ Que constatez-vous en observant les dates de création des œuvres ? Que pouvez-vous en déduire ?

5⟩ La même différence essentielle distingue les œuvres du peintre représentées dans l'image 3 et les œuvres originales (images 1 et 2) : retrouvez-la et expliquez-la.

UN PORTRAIT SYMBOLIQUE

6⟩ Que représente exactement *Le Christ jaune* ? En vous aidant de la biographie, montrez que le peintre a placé au pied de la croix non pas les personnages bibliques mais des personnages qui font référence à sa vie personnelle.

7⟩ Montrez que le rapprochement entre le Christ et Gauguin signifie la solitude et le sacrifice du peintre.

8⟩ L'image 2 est la reproduction photographique d'un pot à tabac en grès, tabac dont Gauguin ne pouvait se passer. Que distinguez-vous sur ce pot ? Montrez que cette image, par ce qu'elle symbolise, s'oppose au *Christ jaune*.

9⟩ Observez la place de Gauguin dans le tableau (image 3) et montrez :
– qu'il se situe entre la tentation et le sacrifice ;
– qu'il se représente de façon réaliste et symbolique.

10⟩ Dans un court paragraphe, montrez que ce tableau est pour Gauguin un résumé de sa vie d'homme et d'artiste.

Prolongement

⟶ RÉDIGER UN ENTRETIEN. Vous êtes critique d'art et vous devez interroger Gauguin à propos du *Portrait de l'artiste au Christ jaune*. Rédigez l'entretien dans lequel le peintre vous expliquera son œuvre.

Les différents genres autobiographiques

1 Distinguer les genres autobiographiques

a] À quelle personne sont écrits les textes suivants ? Dans quel texte le nom de famille correspond-il au nom de l'auteur ? Dans quel texte n'est-ce pas le cas ?

b] Précisez, pour chaque texte, s'il s'agit d'une autobiographie, d'un roman autobiographique, d'un journal intime ou de mémoires. Pour quel texte peut-on hésiter ? Justifiez votre classement en vous appuyant sur les titres des œuvres, les noms, les indices spatio-temporels, les temps utilisés, les événements évoqués.

c] Quels textes sont des récits, quels autres développent des réflexions sur l'écriture autobiographique ou sur le passé ? Quel texte mêle ces deux éléments ? Relevez pour ce texte-là les réflexions au temps de l'écriture et les passages de récit au passé.

d] Quel texte rappelle le début des *Confessions* de Rousseau (séance 2) ? Pour quelles raisons ?

e] Montrez, en relevant des termes péjoratifs, que l'un de ces textes raconte des événements historiques de façon subjective.

1/ Cela me semble étrange, à présent, que je l'aie si peu connu. Mon attention, ma ferveur, tournées vers « Sido », ne s'en détachaient que par caprices. Ainsi faisait-il, lui, mon père. Il contemplait « Sido ». En y réfléchissant, je crois qu'elle aussi l'a mal connu. Elle se contentait de quelques grandes vérités encombrantes : il l'aimait sans mesure – il la ruina dans le dessein de l'enrichir – elle l'aimait d'un invariable amour, le traitait légèrement dans l'ordinaire de la vie, mais respectait toutes ses décisions. Derrière ces évidences aveuglantes, un caractère d'homme n'apparaissait que par échappées. Enfant, qu'ai-je su de lui ? Qu'il construisait pour moi, à ravir, des « maisons de hannetons », avec fenêtres et portes vitrées et aussi des bateaux. Qu'il chantait. […]
Oui, tous quatre, nous autres enfants, nous avons gêné mon père. En est-il autrement dans les familles où l'homme, passant l'âge de l'amour, demeure épris de sa compagne ? Nous avons, toute sa vie, troublé le tête-à-tête que mon père rêvait… L'esprit pédagogique peut rapprocher un père de ses enfants. À défaut d'une tendresse, beaucoup plus exceptionnelle qu'on ne l'admet généralement, un homme s'attache à ses fils par le goût orgueilleux d'enseigner. Mais Jules-Joseph Colette, homme instruit, ne faisait parade d'aucune science.

Colette, *Sido*, Éd. Hachette, 1901.

2/ Le 14 juillet, prise de la Bastille. J'assistai, comme un spectateur, à cet assaut contre quelques invalides et un timide gouverneur : si l'on eût tenu les portes fermées, jamais le peuple ne fût entré dans la forteresse. Je vis tirer deux ou trois coups de canon, non par les invalides, mais par des gardes-françaises, déjà montés sur les tours. De Launay, arraché de sa cachette, après avoir subi mille outrages, est assommé sur les marches de l'Hôtel-de-Ville ; le prévôt des marchands, Flesselles, a la tête cassée d'un coup de pistolet : c'est ce spectacle que des béats sans cœur trouvaient si beau. Au milieu de ces meurtres, on se livrait à des orgies, comme dans les troubles de Rome, sous Othon et Vitellius. On promenait dans des fiacres les vainqueurs de la Bastille, ivrognes heureux, déclarés conquérants au cabaret ; des prostituées et des sans-culottes commençaient à régner, et leur faisaient escorte. Les passants se découvraient, avec le respect de la peur, devant ces héros, dont quelques-uns moururent de fatigue au milieu de leur triomphe. Les clefs de la Bastille se multiplièrent ; on en envoya à tous les niais d'importance dans les quatre parties du monde.

F.-R. de Chateaubriand, *Mémoires d'outre-tombe,* 1848.

3/ Alors que nous marchions vers Kremenec, ma mère et moi, nous nous retrouvâmes derrière un groupe de prisonniers allemands. Ils étaient entourés de soldats russes qui pointaient leurs fusils sur eux. Dieu soit loué, nous avions vécu assez longtemps pour voir ces assassins nazis prisonniers. Nous expliquâmes aux soldats russes que nous étions juives et que nous venions tout juste de sortir de nos cachettes. L'un d'eux me dit alors (sans doute pour plaisanter) : « Si tu veux tuer un de ces Allemands, je te donne un fusil. » Même s'il m'avait proposé cela sérieusement, je savais que je n'aurais pas pu tuer un autre être humain. Si grande que fût notre douleur d'avoir perdu notre famille, et en dépit de tout ce que les nazis avaient détruit dans nos vies et dans nos âmes, il m'était impossible de prendre la vie de quelqu'un.

T. Knobel Fluek, *Souvenirs de ma vie dans un village de Pologne,* Éd. Gallimard, coll. « Page blanche », 1990.

4/ Papa étendit une main solennelle et commença à débiter sa leçon :
« Mes enfants, nous vous avons réunis pour vous faire connaître nos décisions en ce qui concerne l'organisation et l'horaire de vos études. La période d'installation est terminée. Nous exigeons maintenant de l'ordre. »

Il reprit son souffle, ce dont sa femme profita immédiatement pour lancer à l'adresse de nos silences un retentissant :

« Et tâchez de vous taire ! »

– Vous vous lèverez tous les matins à cinq heures, reprenait mon père. Vous ferez aussitôt votre lit, vous vous laverez, puis vous vous rendrez à la chapelle pour entendre la messe du père Trubel, que vous servirez à tour de rôle. Après votre action de grâces, vous irez apprendre vos leçons dans l'ex-chambre de ma sœur Gabrielle, transformée en salle d'étude, parce qu'elle est contiguë à celle du père, qui aura ainsi toutes les facilités pour vous surveiller. À huit heures, vous déjeunerez… […] Après le petit-déjeuner, une demi-heure de récréation…

– En silence ! coupa Mme Rezeau.

– Votre mère veut dire sans faire trop de bruit, pour ne pas la réveiller, soupira M. Rezeau. Vous reprendrez le travail à neuf heures. Récitations, cours, devoirs, avec un quart d'heure d'entracte aux alentours de dix heures, cela vous amènera jusqu'au déjeuner. Au premier son de la cloche, vous allez vous laver les mains. Au second coup, vous entrez dans la salle à manger.

H. Bazin, *Vipère au poing*, Éd. B. Grasset, 1948.

5/ Seigneur, je me confesse à vous pour que les autres hommes m'entendent. Je ne puis leur démontrer la vérité de mes confessions ; mais ils me croient, ceux dont la charité m'ouvre les oreilles.

Pourtant, vous le médecin de mon âme, faites-moi voir clairement l'utilité de mon propos. L'aveu de mes péchés de jadis, que vous avez remis et couverts, pour me donner le bonheur en vous, changeant mon âme par votre foi et votre sacrement, relève le cœur de ceux qui le lisent et l'entendent ; il les sauve du sommeil du désespoir, du « je ne peux pas » ; il les éveille à l'amour de votre miséricorde, à la douceur de votre grâce, par quoi le faible devient fort et prend conscience de sa faiblesse.

Saint Augustin, *Les Confessions*, Vᵉ siècle.

6/ 8 octobre

Des blancs de plus d'un mois. Parler de moi m'ennuie ; un journal est utile dans les évolutions morales conscientes, voulues ou difficiles. On veut savoir où l'on en est. Mais ce que je dirais maintenant, ce serait des ressassements sur moi-même. Un journal intime est intéressant surtout quand il note l'éveil des idées ; ou des sens, lors de la puberté ; ou bien enfin lorsqu'on se sent mourir.

Il n'y a plus en moi de drame ; il n'y a plus que des idées remuées. Je n'ai plus besoin de m'écrire.

A. Gide, *Journal* (1891), Éd. Gallimard, 1939.

2 **Réfléchir sur l'autoportrait**

W. Hogarth, *Portrait de l'artiste par lui-même*, 1745.

a] Comment nomme-t-on le fait de se peindre soi-même ?

b] Pourquoi peut-on dire qu'il y a un tableau dans le tableau ?

c] Traduisez la phrase anglaise écrite sur la palette : « *The Line of Beauty and Grace. W. H. 1745* » et montrez qu'elle joue le rôle d'un « manifeste » (point de vue présentant un mouvement artistique).

d] Le buste du peintre repose près de son chien Trump sur trois livres d'écrivains anglais, Shakespeare, Swift et Milton. Renseignez-vous sur les œuvres de ces écrivains et montrez que ces éléments donnent l'image d'un « honnête homme ».

vocabulaire

Lexique des sentiments et du souvenir

3 Maîtriser le lexique du souvenir

a] Complétez chaque phrase par un mot de la liste suivante, en conjuguant les verbes si nécessaire : *réminiscences, remonter, son bon souvenir, s'estomper, mémorable, rafraîchir, évanescent, sombrer, évoquer, immortaliser, remémorer.*

1. Elle ne parvient pas à se … ce passé lointain ; il faut qu'on l'aide à … sa mémoire, à … dans le temps. 2. Chaque jour, les souvenirs … davantage, le passé devient plus …, et les … du bonheur ancien finissent par … dans l'oubli. 3. Rappelez-moi à …, en … notre dernière rencontre au théâtre. 4. Il veut … ce jour … en le racontant dans son journal intime.

b] Expliquez les expressions en caractère gras et remplacez-les par des expressions synonymes ou par des périphrases.

1. **En des temps immémoriaux**, ce désert était une prairie luxuriante. 2. Nous allons **commémorer** le centenaire de la fondation de cette œuvre de bienfaisance. 3. Sa mémoire est si **défaillante** qu'il est proche de **l'amnésie**.

4 Exprimer son regret du passé

Classez les expressions suivantes, puis les phrases d'écrivains, selon qu'elles expriment :
– la nostalgie d'un passé que l'on voudrait retrouver ;
– le rejet d'un passé que l'on ne voudrait pas revivre (haine, remords).

1/ Le mal du pays, le bonheur perdu, le paradis de l'enfance, une plaie qui s'ouvre à nouveau, un profond repentir, la nostalgie de la jeunesse, ressasser de douloureux souvenirs, des regrets amers.

2/ 1. Pleurer sa mère, c'est pleurer son enfance. L'homme veut son enfance, veut la revoir, et s'il aime davantage sa mère à mesure qu'il avance en âge, c'est parce que sa mère, c'est son enfance. (A. Cohen)

2. Les loisirs de mes propres promenades journalières ont souvent été remplis de contemplations charmantes dont j'ai le regret d'avoir perdu le souvenir. Je fixerai par l'écriture celles qui pourront me venir encore ; chaque fois que je les relirai m'en rendra la jouissance. (J.-J. Rousseau)

3. Mon premier souvenir date d'une fessée. Mon second est plein d'étonnement et de larmes. (J. Vallès)

4. Maison et jardin existent encore, je le sais, mais qu'importe si la magie les a quittés, si le secret est perdu qui ouvrait – lumière, odeurs, harmonie d'arbres et d'oiseaux, murmure de voix humaines qu'a déjà suspendu la mort – un monde dont j'ai cessé d'être digne ?… (Colette)

5 Exprimer un souvenir obsédant

Raconter en quelques lignes un souvenir obsédant, en employant au moins trois expressions parmi les suivantes : *hanter, graver, ressasser, une plaie ouverte, indélébile, rongé par.*

Leçon → Le champ lexical du souvenir et du regret

▶ Dans la mythologie grecque, *Mnémosyne* personnifiait la mémoire et l'on retrouve la racine *mnémo/mémo* dans de nombreux termes comme *mémoriser, mémorial, mnémotechnique…*

▶ Le champ lexical de la mémoire ou du souvenir s'organise autour de l'idée de :
– garder en mémoire : *se souvenir de* quelque chose, *se rappeler* quelque chose (acte volontaire), *garder/conserver le souvenir*, avoir une *mémoire infaillible, fidèle*, un *souvenir net, précis, clair, distinct, gravé* dans la mémoire…
– entretenir la mémoire : *mémoriser, commémorer, célébrer, honorer/chérir* la mémoire, *entretenir/perpétuer* le souvenir…
– remettre en mémoire : *se remémorer, rafraîchir/raviver* la mémoire, *évoquer/exhumer* des souvenirs, *faire appel à sa mémoire, se rappeler au bon souvenir de…*
– oublier : *s'effacer, s'estomper*, souvenir *vague/évanescent/fugitif*, mémoire *déficiente, infidèle, lacunaire…*

▶ Le regret du passé recouvre un sentiment de perte (nostalgie du bonheur passé, de l'enfance perdue) ou un sentiment de rejet, de faute (regrets amers, remords de ce que l'on n'aurait pas dû faire, rejet d'un passé malheureux).

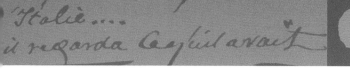

grammaire

Expansions du nom
Relatives déterminatives
et explicatives

 6 Classer les expansions du nom

Dans les GN en caractère gras, relevez les expansions du nom et classez-les : compléments du nom/noms épithètes/adjectifs épithètes/groupe participial épithète/subordonnée relative épithète.

Elle ne manifestait pas de colère, ne récriminait pas contre **la vie que nous menions**, contre **la cruauté des Japonais**. Elle préférait inventer de **merveilleux récits sur les animaux qui vivaient**, il y avait bien longtemps, dans **les forêts de la Corée**. **Tous les animaux sauvages** dans ses fables parlaient comme **des êtres humains**. Elle aimait particulièrement nous parler **des tigres majestueux qui rôdaient dans les montagnes coréennes** avant que les Japonais ne les chassent pour leur peau. **Tante Tigre** nous racontait tant **d'histoires extraordinaires sur ces tigres intelligents et doués de parole** que nous avions commencé à l'appeler Tante Tigre. Je ne pourrai jamais oublier les larmes dans ses yeux quand elle nous parlait de **la maman tigre errant dans les montagnes** à la recherche de ses petits…

S. Nyul Choi, *L'Année de l'impossible adieu*,
Éd. Gallimard, coll. « Page blanche », 1994.

7 Repérer des expansions du nom

a] Dans le texte suivant, relevez les expansions du nom et précisez leur nature : groupes nominaux ou groupes infinitifs, adjectifs qualificatifs ou participes passés, subordonnée relative déterminative.

b] Repérez un GN formé de plusieurs expansions emboîtées.

Sur le chemin du retour, encore tout excitée, Hannah trouva plusieurs coupons de rationnement de café éparpillés par terre. Elle les ramassa aussitôt et se précipita chez elle pour les donner à sa mère. Sa mère avait un tel plaisir à boire ses précieuses tasses de café que cela valait la peine de braver tous les dangers du monde, même celui d'oser utiliser des coupons qui ne leur appartenaient pas.

A. Leslie Gold, *Mon amie, Anne Frank*,
Éd. Bayard Jeunesse, 1998.

8 Distinguer relatives déterminatives et explicatives

Précisez si les subordonnées relatives épithètes sont déterminatives ou explicatives et justifiez votre réponse.

1. Le journal que Jules Renard écrivit pendant vingt-trois ans constitue un témoignage essentiel sur les écrivains qu'il fréquenta et dont il aimait les conseils.

2. L'humour lui permettait de masquer des souvenirs douloureux qu'il aurait préféré oublier.

3. J'avais quelques objets qui m'amusaient : un petit nombre seulement me captivèrent.

4. J'aimais coller mes yeux au stéréoscope qui transformait deux plates photographies en une scène à trois dimensions, ou voir tourner dans le kinétoscope une bande d'images immobiles dont la rotation engendrait le galop d'un cheval.

S. de Beauvoir, *Mémoires d'une jeune fille rangée*,
Éd. Gallimard, 1958.

9 Inventer des expansions

Complétez chacun des GN minimaux en caractère gras par une subordonnée relative épithète (en précisant si elle est déterminative ou explicative) et par une autre expansion de votre choix.

1. Albert Cohen évoque avec nostalgie **son enfance**, alors que **d'autres écrivains** se réfugient dans **l'ironie**.

2. **Les adolescentes** se confient souvent à **un journal**.

3. **Les récits de vie** plaisent **aux lecteurs**.

Leçon → Les expansions du nom

▶ **Le groupe nominal minimal** peut être complété par des **expansions** : adjectif ou nom **épithète**, groupe prépositionnel **complément du nom**, subordonnée **relative épithète**, placée sans pause après son antécédent.

▶ Une subordonnée **relative épithète** peut être **déterminative** (on ne peut pas la supprimer sans modifier le sens du GN) ou **explicative** (on peut la supprimer sans modifier le sens du GN).

s'exercer

10 Trouver le vocabulaire adéquat

a] Dans le texte autobiographique de Colette qui évoque sa mère, complétez les pointillés par les mots proposés dans la liste suivante, afin de retrouver le choix de l'écrivain : *essaya, de chagrin, menacée, verras, les cascades, tragique, assombrissait, épouvantées, la dignité, jaloux, aigu, invincible, de détresse, d'âge, une rechute, essayerai.*

b] Quelle relation semble lier Colette à sa mère ? Quelle est la tonalité dominante de ce texte ? Montrez qu'elle change dans les deux dernières phrases.

Elle riait volontiers, d'un rire jeune et … qui mouillait ses yeux de larmes, et qu'elle se reprochait après comme un manquement à … d'une mère chargée de quatre enfants et de soucis d'argent. Elle maîtrisait … de son rire, se gourmandait sévèrement « Allons ! voyons !... » puis cédait à … de rire qui faisait trembler son pince-nez.

Nous nous montrions … de déchaîner son rire, surtout quand nous prîmes assez … pour voir grandir d'année en année, sur son visage, le souci du lendemain, une sorte … qui l'…, lorsqu'elle songeait à notre destin d'enfants sans fortune, à sa santé … , à la vieillesse qui ralentissait les pas – une seule jambe et deux béquilles –

Sidonie et Jules Colette,
parents de l'écrivain, jouant aux dominos.

de son compagnon chéri. Muette, ma mère ressemblait à toutes les mères … devant la pauvreté et la mort. Mais la parole rallumait sur son visage une jeunesse … Elle put maigrir … et ne parla jamais tristement. Elle échappait, comme d'un bond, à une rêverie …, en s'écriant, l'aiguille à tricot dardée vers son mari :

– Oui ? Eh bien, essaie de mourir avant moi, et tu … !
– Je l'…, ma chère âme, répondait-il. […]
Il …, réussit du premier coup.

Colette, *La Maison de Claudine*,
Éd. Hachette, 1960.

11 S'adapter au style d'un écrivain

Choisissez l'un des extraits suivants et prolongez-le de cinq lignes environ en respectant les conseils d'écriture, après avoir répondu aux questions.

1/ Somptueuse, toi, ma plume d'or, va sur la feuille, va au hasard tandis que j'ai quelque jeunesse encore, va ton lent cheminement irrégulier, hésitant comme en rêve, cheminement gauche mais commandé. Va, je t'aime, ma seule consolation…

A. Cohen, *Le Livre de ma mère*, Éd. Gallimard, 1954.

a] Quelle anaphore et quelle personnification organisent ce passage ?

b] Comment la plume, image de l'inspiration, est-elle perçue ?

CONSEILS D'ÉCRITURE. *Respectez le style et le rythme du texte en continuant la personnification ici amorcée. Vous emploierez de nombreux adjectifs et une comparaison ou une métaphore pour prolonger cette tonalité poétique, lyrique.*

2/ [samedi 30 janvier 1943]

Tout le monde me trouve prétentieuse quand je parle, ridicule quand je me tais, insolente quand je réponds, roublarde quand j'ai une bonne idée, paresseuse quand je suis fatiguée, égoïste quand je mange une bouchée de trop, bête, lâche, calculatrice, etc. Toute la journée, je m'entends dire que je suis une gosse insupportable et même si j'en ris et fais semblant de m'en moquer, ça me fait de la peine, et je voudrais demander à Dieu de me donner une autre nature qui ne provoquerait pas l'hostilité des gens.

A. Frank, *Journal* (1947), trad. Ph. Noble et I. Rosselin-Bobulesco, Éd. Calmann-Lévy, 1989.

Quel sentiment exprime l'adolescente qui écrit son journal ?

CONSEIL D'ÉCRITURE. *Respectez le niveau de langue de celle qui écrit en tenant compte de son état d'esprit.*

12 Transposer dans une autre tonalité

Relisez le texte d'Hervé Bazin, intitulé « l'ironie de l'adulte » (séance 4, 2e texte, pp. 118-119). Prenez la place de l'auteur-narrateur et racontez à votre tour, à la 1re personne, l'arrivée des parents Rezeau à la gare, en transposant le texte dans une tonalité plus tragique et en supprimant tous les détails humoristiques ou les remarques ironiques du narrateur adulte.

rédiger

Écrire un texte autobiographique à la manière de…

Voici deux extraits de récits autobiographiques qui évoquent les petits bonheurs de l'enfance, les souvenirs d'une époque révolue. Choisissez l'un d'eux comme modèle et utilisez les mêmes procédés d'écriture pour évoquer votre propre enfance dans un texte d'une quinzaine de lignes.

1/ Petits bonheurs

Ô mon passé, ma petite enfance, ô chambrette, coussins brodés de petits chats rassurants, vertueuses chromos[1], conforts et confitures, tisanes, pâtes pectorales, arnica, papillon du gaz[2] dans la cuisine, sirop d'orgeat[3], antiques dentelles, odeurs, naphtalines, veilleuses de porcelaine, petits baisers du soir, baisers de Maman qui me disait, après avoir bordé mon lit, que maintenant j'allais faire mon petit voyage dans la lune avec mon ami écureuil. Ô mon enfance, gelées de coings, bougies roses, journaux illustrés du jeudi, ours en peluche, convalescences chéries, anniversaires, lettres du Nouvel An sur du papier à dentelures, dindes de Noël, fables de La Fontaine idiotement récitées debout sur la table, bonbons à fleurettes, attentes des vacances, cerceaux, diabolos, petites mains sales, genoux écorchés et j'arrachais la croûte toujours trop tôt, balançoires des foires, cirque Alexandre où elle me conduisait une fois par an et auquel je pensais des mois à l'avance, cahiers neufs de la rentrée, […] goûters de pain et de chocolat, noyaux d'abricots thésaurisés[4], boîte à herboriser, billes d'agate, chansons de Maman, leçons qu'elle me faisait repasser le matin, heures passées à la regarder cuisiner avec importance, enfance, petites paix, petits bonheurs, gâteaux de Maman, sourires de Maman, ô tout ce que je n'aurai plus, ô charmes, ô sons morts du passé, fumées enfuies et dissoutes saisons.

A. Cohen, *Le Livre de ma mère*,
Éd. Gallimard, 1954.

1. Chromos : images en couleur.
2. Papillon du gaz : réglage du débit de gaz.
3. Sirop d'orgeat : boisson fabriquée avec de l'orge et des amandes.
4. Thésaurisés : amassés comme des trésors.

2/ Bribes de souvenirs

Ces « je me souviens » ne sont pas exactement des souvenirs, et surtout pas des souvenirs personnels, mais des petits morceaux de quotidien, des choses que, telle ou telle année, tous les gens d'un même âge ont vues, ont vécues, ont partagées, et qui ensuite ont disparu, ont été oubliées […].
(Extrait de la présentation par G. Pérec de ses 480 « *Je me souviens* »)

46. Je me souviens de l'époque où la mode était aux chemises noires.

105. Je me souviens de « Bébé Cadum ».

191. Je me souviens de la surprise que j'ai éprouvée en apprenant que *cow-boy* voulait dire « garçon vacher ».

194. Je me souviens de :
« C'est assez, dit la baleine, j'ai le dos fin, je me cache à l'eau. »
et de
« Racine boit l'eau de la fontaine Molière[1]. »

362. Je me souviens des combles.
– Quel est le comble de la peur ?
– C'est reculer devant une pendule qui avance.
– Quel est le comble pour un coiffeur ?
– C'est friser le ridicule et raser les murs.

G. Perec, *Je me souviens* (1973-1977),
Éd. Hachette, 1978.

1. Moyens mnémotechniques utilisés à l'école pour faire retenir aux élèves des noms de cétacés (baleine, dauphin, cachalot) et les noms de grands écrivains du XVIIe siècle (Racine, Boileau, La Fontaine, Molière).

▮ REPÉRER LA CONSTRUCTION ET LES PROCÉDÉS DU TEXTE ▮

• **[texte 1]** Utilisez le même nombre de *phrases nominales* que Cohen et complétez vos groupes nominaux par des *adjectifs* et/ou des *compléments du nom*.
Même si certains souvenirs sont plus « datés » que d'autres, employez des champs lexicaux semblables pour évoquer des souvenirs de la vie quotidienne, répétitifs et heureux.

• **[texte 2]** Utilisez la même anaphore que Perec. En vous appuyant sur l'introduction, sélectionnez vos souvenirs pour qu'ils correspondent en grande partie à ceux de toute votre génération, tout en exprimant parfois les surprises de l'enfance.

▮ RESPECTER LA TONALITÉ UTILISÉE ▮

Respectez la tonalité du texte choisi : poétique (lyrique), pour exprimer la nostalgie de l'enfance, ou plus neutre, voire plus humoristique, pour dresser le constat de souvenirs propres à toute une génération.

L'école du siècle passé à Vienne

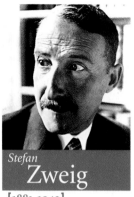

Stefan
Zweig
[1881-1942]

Écrivain d'origine viennoise, qui s'est essayé dans tous les genres littéraires. Il décrit, dans son autobiographie intitulée Le Monde d'hier, la Vienne et l'Europe d'avant 1914, cet «âge d'or de la sécurité» où il a grandi, passionnément lu, écrit et voyagé.

1. Pendant cinq années d'école primaire et huit ans de lycée, il fallait passer cinq à six heures par jour sur les bancs de la classe, puis, une fois les cours terminés, faire ses devoirs, et aussi – ce qu'exigeait la « culture générale » – apprendre le français, l'anglais et l'italien, à côté du
5 latin et du grec qui s'enseignaient en classe; en tout cinq langues, à quoi s'ajoutaient la géométrie et la physique, et toutes les autres disciplines scolaires. C'était plus que trop, et cela ne laissait presque aucune place pour les exercices corporels, les sports et les promenades, ni surtout pour les plaisirs et les divertissements. […] Je ne puis me souvenir d'avoir
10 jamais été «joyeux» ou «bienheureux» au cours de cette activité scolaire monotone, sans cœur et sans esprit, qui nous empoisonnait complète-ment la plus belle, la plus libre époque de notre existence; et j'avoue même que je ne puis me défendre aujourd'hui encore d'une certaine envie, quand je vois combien l'enfance peut se développer plus heureu-
15 sement, plus librement dans ce siècle-ci. Et j'éprouve toujours une impression d'invraisemblance quand j'observe avec quel abandon les enfants d'aujourd'hui bavardent avec leurs maîtres, presque d'égal à égal, quand je les vois courir à leur école sans manifester la moindre crainte, au lieu que nous vivions dans les sentiments de notre insuffisance,
20 quand je vois qu'ils peuvent exprimer ouvertement, tant à l'école qu'à la maison, les vœux, les inclinations de leur jeune âme curieuse – en créa-tures libres, indépendantes, naturelles –, au lieu qu'à peine franchi le seuil du bâtiment détesté il nous fallait en quelque sorte nous courber en nous-mêmes pour ne pas donner du front contre le joug invisible.

2. Notre éducation devait tendre avant tout à nous faire respecter l'ordre existant comme le plus parfait, l'opinion du maître comme infaillible, la parole des pères comme irréfutable, et les institu-tions de l'État comme ayant une valeur absolue et éternelle.

3. Notre amour refoulé du savoir, nos curiosités spirituelles et artistiques, notre avidité de jouissance, qui ne trouvaient nul aliment à l'école, se jetèrent donc avec passion au-devant de tout ce qui se produisait hors de l'école. Nous fûmes tout d'abord deux ou trois
5 seulement à découvrir en nous cet intérêt pour les arts, la musique, la littérature, puis une douzaine, et pour finir presque tous subirent la contagion. […] Le désir de connaître tout ce qui se produisait dans tous les domaines de l'art et de la science nous avait gagnés comme une fièvre; l'après-midi, nous nous pressions parmi les étudiants de l'uni-
10 versité pour assister aux cours, nous pénétrions dans les amphithéâtres d'anatomie pour assister à des vivisections. Nous fourrions notre nez partout avec une avide curiosité. Nous nous glissions aux répétitions

de la Philharmonique[1], nous furetions chez les bouquinistes, nous inspections tous les jours les vitrines des libraires afin de savoir aussitôt ce qui avait paru la veille. Et avant tout, nous lisions, nous lisions tout ce qui nous tombait entre les mains.

15

1. La Philharmonique : grand orchestre de Vienne.

S. Zweig, *Le Monde d'hier. Souvenirs d'un Européen* (1944), trad. S. Niémetz, Éd. Belfond, 1993.

QUESTIONS
(15 points)

A. Le genre autobiographique (5,5 points)

1 a. À quelles personnes est rédigé le 1er texte ? (0,5 point)

b. Pourquoi le « nous » l'emporte-t-il dans le 2e et le 3e textes ? (0,5 point)

2 Quels temps dominent dans les 3 textes et pourquoi ? (1 point)

3 a. Relevez, dans le 1er texte, des passages où le narrateur adulte intervient pour commenter ou juger les événements passés. (2 points)

b. Quel temps utilise-t-il alors ? (0,5 point)

4 Après avoir lu la biographie, précisez quels sont les deux indices, dans le 3e texte, qui montrent l'identité entre auteur, narrateur et personnage. (1 point)

B. Une époque révolue (5,5 points)

5 a. Qu'est-ce qui oppose l'école du XIXe siècle à l'école actuelle ? (1,5 point)

b. Quelle image résume la soumission des élèves d'autrefois ? (0,5 point)

6 D'après les deux premiers textes, montrez que « l'âge d'or de la sécurité » reposait sur le respect absolu de l'autorité. (1 point)

7 Relevez, dans le 1er texte, une subordonnée relative épithète. Est-elle explicative ou déterminative ? Justifiez votre réponse. (1,5 point)

8 Que signifient les adjectifs « infaillible » et « irréfutable » (2e texte) ? (1 point)

C. [3e texte] **La soif de culture** (4 points)

9 Comment l'ennui et la frustration ressentis à l'école sont-ils compensés ? (1 point)

10 Relevez les expressions appartenant au champ lexical de la soif de culture. Quel terme assimile cette passion à une maladie ? (3 points)

RÉÉCRITURE
(5 points)

Réécrivez le dernier texte, à partir de « le désir de connaître » (l. 7), en remplaçant « nous » par « je ».

RÉDACTION
(20 points)

Rédigez un texte autobiographique, à la 1re personne, où vous opposerez l'école maternelle ou primaire telle que vous l'avez vécue, à l'école qu'ont connue vos parents ou grands-parents.

Consignes d'écriture.

⊚ *Comme tout récit autobiographique, votre texte, rédigé au passé, devra comporter des passages où vous intervenez (temps de l'écriture) pour commenter ou juger ce que vous avez vécu.*

⊚ *Votre texte doit aussi comporter des passages explicatifs qui montreront sur quels principes différents reposent les deux types d'école que vous opposez.*

découverte d'une œuvre

2 ▸ **LA DÉDICACE**

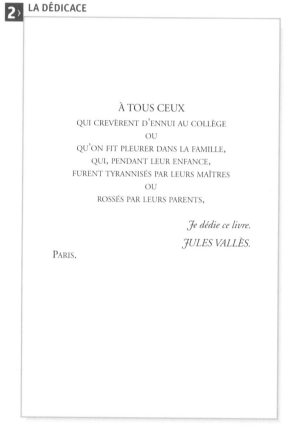

À TOUS CEUX

QUI CREVÈRENT D'ENNUI AU COLLÈGE
OU
QU'ON FIT PLEURER DANS LA FAMILLE,
QUI, PENDANT LEUR ENFANCE,
FURENT TYRANNISÉS PAR LEURS MAÎTRES
OU
ROSSÉS PAR LEURS PARENTS,

Je dédie ce livre.
JULES VALLÈS.

PARIS.

1] Avant d'avoir lu l'œuvre, que pouvez-vous dire sur son titre ? Laisse-t-il deviner qu'il s'agit d'une œuvre autobiographique ? En quoi introduit-il une distance avec l'enfance de Jules Vallès ?

2] Quels titres de chapitres évoquent la vie familiale ? Quels autres évoquent la scolarité et montrent que l'enfant grandit ? Cherchez dans le dictionnaire le sens de l'expression « faire ses humanités » (chap. XX).

3] Quels titres de chapitres renvoient à des changements de lieux ?

4] Quels titres de chapitres suggèrent que l'enfance de Jules Vallès est vécue comme une prison ?

5] Trouvez quel autre patronyme commençant par la même initiale que *Vallès* remplace le nom de famille de l'auteur dans ce roman autobiographique.

6] Quel est le seul personnage de la famille explicitement évoqué dans la table des matières ? Pourquoi à votre avis ?

7] Quel effet produit sur vous la dédicace ci-dessus ? Relevez les expressions appartenant au champ lexical de la souffrance. Quel terme vous paraît le plus familier et le plus violent ?

8] Montrez que les deux mondes, cause de la souffrance de l'auteur, sont évoqués deux fois.

9] À la lumière de cette dédicace, quel titre de chapitre vous semble particulièrement ironique (évoquant le contraire de ce que pense l'auteur) ? Comment comprenez-vous le titre du dernier chapitre (XXV) dans la table des matières ?

Un roman autobiographique

L'Enfant, **J. Vallès (1879)**

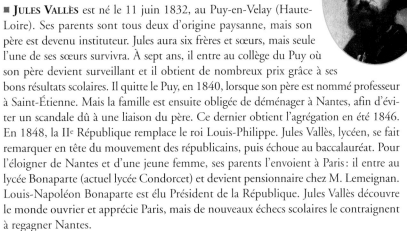

3 › LA BIOGRAPHIE ET LE CONTEXTE HISTORIQUE

■ **JULES VALLÈS** est né le 11 juin 1832, au Puy-en-Velay (Haute-Loire). Ses parents sont tous deux d'origine paysanne, mais son père est devenu instituteur. Jules aura six frères et sœurs, mais seule l'une de ses sœurs survivra. À sept ans, il entre au collège du Puy où son père devient surveillant et il obtient de nombreux prix grâce à ses bons résultats scolaires. Il quitte le Puy, en 1840, lorsque son père est nommé professeur à Saint-Étienne. Mais la famille est ensuite obligée de déménager à Nantes, afin d'éviter un scandale dû à une liaison du père. Ce dernier obtient l'agrégation en été 1846. En 1848, la IIᵉ République remplace le roi Louis-Philippe. Jules Vallès, lycéen, se fait remarquer en tête du mouvement des républicains, puis échoue au baccalauréat. Pour l'éloigner de Nantes et d'une jeune femme, ses parents l'envoient à Paris : il entre au lycée Bonaparte (actuel lycée Condorcet) et devient pensionnaire chez M. Lemeignan. Louis-Napoléon Bonaparte est élu Président de la République. Jules Vallès découvre le monde ouvrier et apprécie Paris, mais de nouveaux échecs scolaires le contraignent à regagner Nantes.

Commence alors une période de relations très tendues entre Jules Vallès et son père, dues à ses échecs, à son goût pour les idées républicaines et pour le travail manuel. Jules a 19 ans lorsqu'il regagne Paris et que Louis-Napoléon Bonaparte s'empare du pouvoir par le coup d'État du 2 décembre 1851. Il ne parvient pas à organiser la résistance. Il retourne à Nantes où son père, puisque la loi de l'époque lui en donne le droit, le fait interner à l'asile d'aliénés, par crainte que sa carrière ne soit compromise par les engagements politiques de son fils. Après deux douloureux mois d'enfermement, il est libéré, réussit son baccalauréat et regagne Paris.

Le roman autobiographique *L'Enfant,* se termine à ce moment-là.

■ La suite de sa vie sera évoquée dans *Le Bachelier,* puis *L'Insurgé.*
Jules Vallès vit de petits emplois précaires, puis fait ses débuts de journaliste et d'écrivain. Il fonde des journaux et écrit des articles qui lui valent plusieurs incarcérations. Il participe ensuite au soulèvement de la Commune de Paris et doit s'exiler en Angleterre. Après avoir perdu un enfant, il décide d'écrire un roman autobiographique qui prendra la forme d'une trilogie (3 volumes). De retour à Paris, après 9 ans d'exil, il meurt le 14 février 1885, à l'âge de 52 ans. Des milliers de Parisiens suivent les obsèques de celui qu'ils considèrent comme le porte-parole du peuple.

10] Quel âge a environ Jules Vallès quand se termine *L'Enfant*? Pourquoi le 3ᵉ volume de sa trilogie autobiographique s'appelle-t-il *L'Insurgé*? La lecture de la biographie laisse-t-elle présager un récit autobiographique nostalgique de l'enfance?

11] Après avoir lu la biographie de l'auteur, revenez à la table des matières pour répondre aux questions suivantes : quelle est la petite ville évoquée au chapitre IV? Quel est le drame du chapitre XVI qui provoque le départ du chapitre XVIII? et vers quelle ville?

12] Dans quelle ville retourne-t-il vivre lorsqu'il est «délivré» (chap. XXV)?

13] Comment le nom de la pension où Vallès a vécu à Paris a-t-il été transformé et pourquoi?

14] Pourquoi, à votre avis, Jules Vallès a-t-il choisi de ne pas évoquer ses frères et sœurs dans son récit?

>>> **Donner le ton**

L'incipit du roman autobiographique

Ai-je été nourri[1] par ma mère ? Est-ce une paysanne qui m'a donné son lait ? Je n'en sais rien. Quel que soit le sein que j'ai mordu, je ne me rappelle pas une caresse du temps où j'étais petit ; je n'ai pas été dorloté, tapoté, baisotté ; j'ai été beaucoup fouetté.

5 Ma mère dit qu'il ne faut pas gâter les enfants, et elle me fouette tous les matins ; quand elle n'a pas le temps le matin, c'est pour midi, rarement plus tard que quatre heures.

Mlle Balandreau m'y met du suif[2].

C'est une bonne vieille fille de cinquante ans. Elle demeure au-des-
10 sous de nous. D'abord elle était contente : comme elle n'a pas d'horloge, ça lui donnait l'heure. « Vlin ! Vlan ! Zon ! Zon ! – voilà le petit Chose qu'on fouette ; il est temps de faire mon café au lait. »

Mais un jour que j'avais levé mon pan[3], parce que ça me cuisait trop, et que je prenais l'air entre deux portes, elle m'a vu ; mon derrière lui a
15 fait pitié.

Elle voulait d'abord le montrer à tout le monde, ameuter les voisins autour ; mais elle a pensé que ce n'était pas le moyen de le sauver, et elle a inventé autre chose.

Lorsqu'elle entend ma mère me dire : « Jacques, je vais te fouetter !
20 – Madame Vingtras, ne vous donnez pas la peine, je vais faire ça pour vous.

– Oh ! chère demoiselle, vous êtes trop bonne ! » Mlle Balandreau m'emmène ; mais, au lieu de me fouetter, elle frappe dans ses
25 mains ; moi, je crie.

Ma mère remercie, le soir, sa remplaçante.

« À votre service », répond la brave fille, en me glissant
30 un bonbon en cachette.

Mon premier souvenir date donc d'une fessée. Mon second est plein d'étonnement et de
35 larmes.

Début du chapitre I :
Ma mère.

1. Nourri : allaité.
2. Suif : graisse de bœuf.
3. Pan : partie tombante d'une chemise.

Le roman autobiographique

1⟩ À quelle personne ce récit est-il écrit ? Quel est le prénom et le patronyme du personnage-narrateur ? En quoi ces nom et prénom rappellent-ils ceux de l'auteur ?

2⟩ Après avoir répondu à la 1re question, expliquez les expressions de « roman autobiographique » ou d'« autobiographie romancée » qui s'appliquent à *L'Enfant* de Jules Vallès.

3⟩ L'auteur ne commence pas son récit en nous présentant les différents personnages de la famille et en précisant les circonstances de sa naissance : que pouvez-vous dire sur l'entrée en matière qu'il a choisie ?

4⟩ Relevez toutes les tournures négatives du 1er paragraphe et les quatre termes qui désignent une marque d'affection. À quel unique terme s'opposent-ils ? Quel effet produisent ces négations et cette opposition ?

5⟩ Quel lien logique introduit le connecteur « et » ligne 5 ? Que pensez-vous de la logique de la mère ? L'enfant est-il fouetté parce qu'il a fait des bêtises ou simplement par principe ?

La mise en scène

6⟩ Dans le 1er paragraphe, quelles expressions renvoient à la mémoire du narrateur adulte et donc au temps de l'écriture ?

7⟩ Montrez que le texte repose cependant surtout sur le point de vue de l'enfant (temps utilisés, vocabulaire, présentation des personnages...).

8⟩ Quel moyen l'auteur utilise-t-il pour susciter la pitié du lecteur sans décrire les blessures du corps de l'enfant ?

9⟩ Montrez que Jules Vallès n'explique pas tout de suite le rôle que va jouer Mlle Balandreau, mais ménage un certain suspense jusque dans les dernières lignes du texte.

10⟩ Citez les deux passages les plus humoristiques. En quoi dénoncent-ils indirectement la cruauté maternelle ?

11⟩ Quel effet produit la phrase de conclusion : « Mon premier souvenir date donc d'une fessée » ?

Leçon ⊙ Un début de roman autobiographique

▶ Dans *L'Enfant*, l'auteur raconte ses souvenirs d'enfance sous un autre nom, celui du personnage-narrateur Jacques Vingtras, qui conserve néanmoins les initiales et les finales de Jules Vallès (J/s ; V/s). Le titre même de l'œuvre annonce une distance avec le passé et renvoie plus à un **roman autobiographique** qu'à une autobiographie.

▶ Le récit ne commence pas par la présentation du cercle familial ni par la naissance du personnage-narrateur contrairement à de nombreuses œuvres autobiographiques, comme les *Confessions* de Rousseau ou les *Mémoires d'Outre-tombe* de Chateaubriand. La toute petite enfance n'est évoquée que sur le mode négatif du manque (« Je n'ai pas été dorloté... »).

▶ La relation à la mère est d'emblée mise en scène dans le rituel de la fessée donnée sans raison, mais un personnage **adjuvant** (qui aide l'enfant) vient compenser la cruauté maternelle. D'autres aides parsèmeront le roman.

▶ L'humour de l'anecdote donne le ton : le lecteur comprend que l'auteur refuse de s'apitoyer sur son sort et préfère susciter le sourire du lecteur tout en dénonçant les principes d'une éducation fondée sur la frustration.

›››› Qui raconte ?

Mêler voix de l'enfant
et voix du narrateur adulte

*Ce texte suit immédiatement le précédent : il raconte donc le « souvenir plein
d'étonnement et de larmes » évoqué page 140.*

C'est au coin d'un feu de fagots, sous le manteau d'une vieille cheminée ; ma mère tricote dans un coin ; une cousine à moi, qui sert
de bonne dans la maison pauvre, range, sur des planches rongées, quelques
assiettes de grosse faïence avec des coqs à crête rouge, et à queue bleue.

5 Mon père a un couteau à la main et taille un morceau de sapin ; les
copeaux tombent jaunes et soyeux comme des brins de rubans. Il me
fait un chariot avec des languettes de bois frais. Les roues sont déjà
taillées ; ce sont des ronds de pommes de terre avec leur cercle de peau
brune qui imite le fer… Le chariot va être fini ; j'attends tout ému et les
10 yeux grands ouverts, quand mon père pousse un cri et lève sa main
pleine de sang. Il s'est enfoncé le couteau dans le doigt. Je deviens tout
pâle et je m'avance vers lui ; un coup violent m'arrête ; c'est ma mère qui
me l'a donné, l'écume aux lèvres, les poings crispés.

« C'est ta faute si ton père s'est fait mal ! »

15 Et elle me chasse sur l'escalier noir, en me cognant encore le front
contre la porte.

Je crie, je demande grâce, et j'appelle mon père : je vois, avec ma terreur d'enfant, sa main qui pend toute hachée ; c'est moi qui en suis
cause ! Pourquoi ne me laisse-t-on pas entrer pour savoir ? On me battra
20 après si l'on veut. Je crie, on ne me répond pas. J'entends qu'on remue
des carafes, qu'on ouvre un tiroir ; on met des compresses.

« Ce n'est rien », vient me dire ma cousine, en pliant une bande de
linge tachée de rouge.

Je sanglote, j'étouffe : ma mère reparaît et me pousse dans le cabinet[1]
25 où je couche, où j'ai peur tous les soirs.

Je puis avoir cinq ans et me crois un parricide.

Ce n'est pas ma faute, pourtant !

Est-ce que j'ai forcé mon père à faire ce chariot ? Est-ce que je n'aurais pas mieux aimé saigner, moi, et qu'il n'eût point mal ?

30 Oui – et je m'égratigne les mains pour avoir mal aussi.

C'est que maman aime tant mon père ! Voilà pourquoi elle s'est
emportée.

On me fait apprendre à lire dans un livre où il y a écrit en grosses
lettres, qu'il faut obéir à ses père et mère : ma mère a bien fait de me battre.

1. Cabinet : petite pièce
située à l'écart.

Suite du chapitre I : Ma mère.

Du tableau de famille au drame

1 Ce texte évoque-t-il un rituel, comme le texte précédent, ou une scène particulière ? Justifiez votre réponse.

2 Comment pouvez-vous qualifier le ton du texte ? En quoi diffère-t-il de celui du texte précédent ?

3 Au début du récit, relevez les différents éléments (circonstances, activités des personnages, sentiments de l'enfant…) qui semblent traduire le bonheur du foyer.

4 À quel moment le charme est-il rompu ? Par quelle conjonction de subordination le drame est-il introduit ?

5 Montrez que l'effet (ou l'explication) est présenté avant la cause lorsque le père se blesse ou que la mère frappe l'enfant. Quelle impression produit cette inversion ?

6 Quelle violence morale subit aussi l'enfant ? Le père prend-il sa défense ?

Voix de l'enfant et du narrateur adulte

7 Montrez que la peur de l'enfant s'accroît au cours de la scène et que son imagination accentue sa terreur.

8 Le lecteur en sait-il plus que l'enfant ou découvre-t-il avec lui les événements ? Justifiez votre réponse et citez la phrase qui traduit les sensations de l'enfant, ses efforts pour interpréter les bruits de la maison.

9 Vers la fin du texte, quelles phrases vous semblent formulées par l'enfant ? Justifiez votre réponse.

10 Cependant, quelles expressions ne peuvent avoir été employées par l'enfant et laissent entendre la voix du narrateur adulte ?

11 Faut-il alors prendre au pied de la lettre la dernière phrase du texte (comme étant proclamée par l'enfant) ou penser qu'elle constitue une antiphrase (phrase qui dit le contraire de ce que pense son auteur) exprimant le point de vue de l'adulte, sa volonté de dénoncer une éducation fondée sur la violence physique et morale ?

Leçon ⊜ Regard de l'enfant et regard du narrateur

▶ Pour rendre son roman autobiographique plus vivant et plus véridique, l'auteur choisit souvent d'adopter le point de vue de l'enfant : le lecteur découvre les faits en même temps que l'enfant et perçoit les événements à travers son regard ou ses différentes sensations. Des phrases simples et quelques expressions enfantines renforcent l'impression que c'est l'enfant qui s'exprime dans le texte.

▶ Pourtant, le narrateur adulte laisse entendre sa voix derrière celle de l'enfant : certaines phrases prennent un sens ironique (antiphrases qui disent le contraire de ce qu'il faut comprendre) pour dénoncer la cruauté de l'éducation reçue.

➔ Lisons la suite… _____ JUSQU'AU CHAPITRE IX

◆ LE RÉCIT

a Quels sont les différents lieux évoqués dans les dix premiers chapitres ? Lesquels sont source de joie et lesquels sont source de malheur ?

b Expliquez pourquoi il faut comprendre de façon ironique (antiphrase) le titre du chapitre VII.

◆ LES PERSONNAGES

Résumez les différentes privations et frustrations dont l'enfant est victime.

»» Comparer des éducations

Le choix du peuple

Ma mère dut repartir pour recueillir ou soigner une succession – celle de la tante Agnès peut-être, et je restai seul avec mon père. C'est une vie nouvelle, – il n'est jamais là, je suis libre, et je vis au rez-de-chaussée avec les petits du cordonnier et ceux de l'épicière.

5 J'adore la poix, la colle, le tire-fil : j'aime à entendre le tranchet passer dans le gras du cuir et le marteau tinter sur le veau neuf et la pierre bleue.

On s'amuse dans ce tas de savates, et le grand frère ressemble à mon oncle Joseph. Il est compagnon du Devoir[1] aussi, il a un grade, et quelquefois c'est moi qui attache les rubans à sa canne et brosse sa redingote

10 de cérémonie. Les jours ordinaires, il me laisse planter des clous et prendre des coins de maroquin rouge.

Je suis presque de la famille. Mon père m'a mis en pension chez eux ; il dîne je ne sais où, au collège sans doute, avec les professeurs d'élémentaire. Moi, j'avale des soupes énormes,

15 dans des écuelles ébréchées, et j'ai ma goutte de vin dans un gros verre, quand on mange le *chevreton*.

Ils sont heureux dans cette famille ! – c'est cordial, bavard, bon enfant : tout ça travaille, mais en jacassant ; tout ça se dispute, mais en s'aimant.

20 On les appelle les Fabre.

L'autre famille du rez-de-chaussée, les Vincent, sont épiciers.

Mme Vincent est une rieuse. Je les trouve tous gais, les gens que je vois et que ma

25 mère méprise parce qu'ils sont paysans, savetiers ou peseurs de sucre. [...]

Je trouve des pères qui pleurent, des mères qui rient ; chez moi, je n'ai jamais vu pleurer, jamais rire ; on geint, on crie. C'est qu'aussi mon père

30 est un professeur, un homme du monde, c'est que ma mère est une mère courageuse et ferme qui veut m'élever comme il faut.

Les Vincent, les Fabre, et le petit Vingtras forment une colonie criarde, joyeuse, insupportable.

« Vous êtes insupportables, Jacques, Ernest… »

35 C'est la mère Vincent qui veut faire la méchante et qui ne peut pas ; c'est le père Fabre qui le dit faiblement, avec un doux sourire de vieux.

« Insupportables ! Ah ! si je vous y reprends ! »

On nous y reprend sans cesse, et on nous supporte toujours.

1. Compagnon du Devoir : une certaine catégorie de compagnons, ouvriers-artisans qui ne sont plus apprentis mais qui ne sont pas encore passés maîtres.

Braves gens. Ils juraient, sacraient, en lâchaient de salées ; mais on
40   disait d'eux : « Bons comme le bon pain, honnêtes comme l'or. » Je res-
pirais dans cette atmosphère de poivre et de poix, une odeur de joie et
de santé ; ils avaient la main noire, mais le cœur dessus ; ils balançaient
les hanches et tenaient les doigts écarquillés, parlaient avec des velours et
des cuirs : – c'est le métier qui veut ça, disait le grand Fabre. Ils me don-
45   naient l'envie d'être ouvrier[2] aussi et de vivre cette bonne vie où l'on
n'avait peur ni de sa mère, ni des riches, où l'on n'avait qu'à se lever de
grand matin, pour chanter et taper tout le jour.

Puis, on avait de belles alènes[3] pointues. On voyait luire sous la main
le museau allongé d'une bottine, le talon cambré d'une botte, et l'on tri-
50   potait un cirage qui sentait un peu le vinaigre et piquait le nez.

Braves gens !

Ils ne battaient pas leurs enfants – et ils faisaient l'aumône. Ce n'était
pas comme chez nous.

Pendant toute mon enfance, j'ai entendu ma mère dire qu'il ne fallait
55   pas donner aux pauvres : que l'argent qu'ils recevaient, ils l'allaient
boire, que mieux valait jeter un sou dans la rivière ; qu'au moins il ne
roulait pas au cabaret. Je n'ai jamais pu cependant voir un homme
demander un sou pour acheter du pain, sans qu'il me tombât du chagrin sur le cœur, comme un poids.

60   Mais comment cela se fait-il cependant ?

Mme Vincent était contente quand son fils tirait un des sous de sa
petite bourse pour le mettre dans la main d'un malheureux. Elle
embrassait Ernest et disait : « Il a bon cœur ! »

Mme Vincent voulait donc le malheur de son fils ? Elle l'aimait pour-
65   tant, sans cela elle l'aurait donné à l'homme au burnous blanc[4].

Ah ! elles me troublaient un peu les braves femmes, la mère Vincent
et la mère Fabre ! Heureusement cela ne durait pas et ne tenait pas une
minute quand j'y réfléchissais.

Elles n'osaient pas battre leur enfant, parce qu'elles auraient souffert
de le voir pleurer ! Elles lui laissaient faire l'aumône, parce que cela fai-
70   sait plaisir à leur petit cœur.

Ma mère avait plus de courage. Elle se sacrifiait, elle étouffait ses faiblesses, elle tordait le cou au premier mouvement pour se livrer au
second[5]. Au lieu de m'embrasser, elle me pinçait ; – vous croyez que cela
ne lui coûtait pas ! – Il lui arriva même de se casser les ongles. Elle me
battait pour mon bien, voyez-vous. Sa main hésita plus d'une fois ; elle
dut prendre son pied.

Plus d'une fois aussi elle recula à l'idée de meurtrir sa chair avec la
mienne ; elle prit un bâton, un balai, quelque chose qui l'empêchait
80   d'être en contact avec la peau de son enfant, son enfant adoré.

Extrait du chapitre X : *Braves gens*.

2. Ouvrier : à l'époque
« l'ouvrier » est plutôt
ce que nous appellerions
un « artisan » : l'histoire
se situe avant la révolution
industrielle.

3. Alène : poinçon effilé
servant à percer les cuirs.

4. L'homme au burnous
blanc : le père de son
enfant, dont elle est séparée
et qui a cherché à enlever
Ernest.

5. Premier mouvement
(du cœur) : amour
maternel, second
mouvement : la répression.

Le bonheur familial des autres

1] Relevez les expressions et adjectifs qui valorisent les familles Fabre et Vincent. Pourquoi le narrateur désigne-t-il les Fabre par le groupe nominal « tout ça » (l. 17) ?

2] Quels verbes traduisent le bonheur de Jacques ? Quelles sont les nouvelles libertés et les plaisirs qu'il peut enfin connaître ?

3] Quelles sont les deux phrases qui révèlent que cette « envie d'être ouvrier » ressentie par Jacques ne sera pas approuvée par sa mère ? Pourquoi ?

4] Relevez les phrases qui opposent explicitement le comportement des parents Fabre et Vincent et celui des parents Vingtras : par quoi l'émotion est-elle remplacée dans la famille du narrateur ?

Leçon → Dénoncer par la comparaison

▶ Dans *l'Enfant*, Jules Vallès dénonce l'éducation qu'il reçoit à travers des scènes familiales douloureuses, mais aussi en comparant d'une part les principes éducatifs de ses parents à ceux des ouvriers qu'il côtoie, et d'autre part, l'ambiance heureuse des foyers populaires à la triste ambiance de son propre foyer.

▶ Ainsi, la terrible éducation qu'il subit et qu'il dénonce n'apparaît pas comme la conséquence d'une époque sévère et rigoureuse, puisque d'autres éducations sont possibles : elle semble plutôt être liée à la nature acariâtre de sa mère et surtout au désir de celle-ci de s'élever socialement, de tenir son rang de femme de professeur.

▶ L'œuvre de Vallès n'est donc pas seulement autobiographique, mais aussi engagée : elle dénonce, comme la dédicace le laissait entendre, l'oppression familiale que connaissent certains enfants, et elle prend le parti du peuple. Selon Vallès, c'est parce que le peuple laisse libre cours à ses émotions et se moque des convenances sociales, qu'il peut aimer simplement et généreusement ses enfants.

La logique éducative de Mme Vingtras

5] Sous quels arguments Mme Vingtras dissimule-t-elle son absence de générosité ? Montrez que la nature de Jacques est différente de celle de sa mère.

6] Relevez les différentes phrases interrogatives et exclamatives qui traduisent les doutes de l'enfant quand il essaie de comprendre la logique maternelle.

7] Comment l'enfant explique-t-il que Mme Vincent approuve que son fils fasse l'aumône tandis que sa mère le lui interdit (l. 66-67) ?

8] Dans les deux derniers paragraphes, retrouvez les trois exemples donnés par l'enfant pour prouver que sa mère le frappait par « courage » et par « sacrifice ». Montrez que ses preuves démontrent exactement l'inverse de ce qu'il est censé prouver. Quelles expressions du narrateur adulte vous semblent particulièrement ironiques ?

9] Comment le lecteur est-il impliqué dans ces deux derniers paragraphes ?

→ Lisons la suite... JUSQU'AU CHAPITRE XXIV

◆ LE RÉCIT

a] Quels sont les différents moments de bonheur que connaît l'enfant, malgré l'éducation qu'il reçoit ?
b] À partir de quelle scène et de quel chapitre sa situation se dégrade-t-elle du fait de la mésentente de ses parents ?
c] Dans quel chapitre, particulièrement tragique, le narrateur laisse-t-il libre cours à son émotion ?
d] Pour quelles différentes raisons affirme-t-il à la fin du récit : « Je défendrai les DROITS DE L'ENFANT, comme d'autres les DROITS DE L'HOMME » ?

◆ LES PERSONNAGES

a] Montrez que les lectures et les conversations font de Jacques un personnage épris de liberté.
b] Comment se manifeste l'autonomie qu'il acquiert peu à peu ?

››› Clore le récit

Entre l'émotion et l'humour

Les relations entre le père et le fils se dégradent devant l'obstination de Jacques à vouloir devenir ouvrier et retourner à Paris. Mais le fils se bat en duel pour sauver l'honneur de son père et il est blessé. M. Vingtras en est ému et explique à sa femme ce qu'il ressent, alors que Jacques, qui va enfin pouvoir vivre à Paris, est dans la pièce à côté.

Sa voix tremble.

« Oui, oui… il vaut mieux que nous nous séparions. De loin, nous ne nous querellerons pas. De près, il me haïrait !… Il me hait peut-être déjà ! Mais c'est plus fort que moi ! Ce professorat a fait de moi une
5 vieille bête qui a besoin d'avoir l'air méchant, et qui le devient, à force de faire le croque-mitaine[1] et les yeux creux… Ça vous tanne le cœur… On est cruel… J'ai été cruel.

– Comme moi, dit ma mère… Mais je le lui ai dit un jour à Paris, je lui ai presque demandé pardon, et si tu avais vu comme il a pleuré !

10 – Toi, tu as su lui dire, moi je ne saurais pas. J'aurais peur de *blesser la discipline*[2]. Je craindrais que les élèves, je veux dire que mon fils ne rie de moi. J'ai été pion, et il m'en reste dans le sang. Je lui parlerai toujours comme à un écolier, et je le confondrai avec les gamins qu'il faut que je punisse pour qu'ils me craignent et qu'ils n'attachent pas des rats au col-
15 let de mon habit… Il vaut mieux qu'il parte.

– Tu l'embrasseras avant de partir.

– Non. Tu l'embrasseras pour moi. Je suis sûr que j'aurais encore l'air *chien*[3] sans le vouloir. C'est le professorat, je te dis !… Tu l'embrasseras… et tu lui diras, en cachette, que je l'aime bien… Moi, je n'ose pas. »

20 « Madame ! madame !

– Quoi donc !

– Il y a les agents[4] en bas !

– Les agents ! »

Il y a, en effet, des étrangers dans l'escalier, et j'entends parler.

« Nous venons pour emmener votre fils.

– Parce qu'il s'est battu ? »

Elle remonte vers mon père.

« Plus bas, plus bas, mon amie, c'est moi qui avais écrit pour qu'on se tînt prêt à l'arrêter, depuis huit jours déjà !… J'avais signé après cette scène…
30 Oh ! j'ai honte… Il n'entend pas, dis, au moins, à travers la cloison ? »

………………………………………………………………………………

J'entends.

Quel bonheur que j'aie été blessé et que je sois couché dans ce lit ! Je n'aurais jamais su qu'il m'aimait.

1. Croque-mitaine :
personnage imaginaire
qu'on évoque pour
effrayer les enfants
et s'en faire obéir ;
personne très sévère qui
fait peur à tout le monde.

2. Blesser la discipline :
porter atteinte
à la discipline qui doit
régner dans une classe
comme à la maison.

3. L'air chien : l'air méchant.

4. Les agents : les pères
ont le droit, à l'époque,
de faire arrêter et enfermer
leurs enfants, l'indiscipline
passant pour de la folie.

Ah! je crois qu'on eût mieux fait de m'aimer tout haut! Il me semble
35 qu'il me restera toujours, de ma vie d'enfant, des trous de mélancolie et
des plaies sensibles dans le cœur!

Mais aussi j'entre dans la vie d'homme, prêt à la lutte, plein de force,
bien honnête. J'ai le sang pur et les yeux clairs, pour voir le fond des
âmes; ils sont comme cela, ai-je lu quelque part, ceux qui ont un peu
40 pleuré.

Il ne s'agit plus de pleurer! Il faut *vivre*.

Sans métier, sans argent, c'est dur; mais on verra. Je suis mon maître
à partir d'aujourd'hui. Mon père avait le droit de me frapper… Mais
malheur maintenant, malheur à qui me touche! – Ah! oui! malheur à
45 celui-là!

Je me parle ainsi, la cuisse tendue dans mon lit de blessé.

Huit jours après, le chirurgien vient, défait le bandage et dit:

«Grâce à mon pansement – un nouveau système –, vous êtes guéri;
vous pouvez vous lever aujourd'hui et vous pourrez sortir demain.»
50 Ma mère remercie Dieu.

«Oh! j'ai eu si peur!… S'il avait fallu te couper la jambe! – Je vais
t'apprendre une nouvelle maintenant…»

Elle me conte tout ce que je sais, ce que j'ai
entendu à travers la cloison.

55 «Tu vas me quitter!» dit-elle en sanglotant.

Je veux me lever tout de suite pour ramasser
un peu mes livres, faire ma petite malle, et je
lui demande mes habits.

Ce sont ceux du duel.
60 Ma mère les apporte. Elle aperçoit mon pantalon avec un trou et taché de sang.

«Je ne sais pas si le sang s'en ira… la couleur partira avec, bien sûr…»

Elle donne encore un coup de brosse, passe un
65 petit linge mouillé, fait ce qu'il faut – elle a toujours eu si soin de ma toilette! – mais finit par dire
en hochant la tête:

«Tu vois, ça ne s'en va pas… Une autre fois, Jacques,
mets au moins ton vieux pantalon!»

Fin du chapitre XXV:
La Délivrance et fin du roman.

La remise en cause paternelle (l. 1-30)

1 Relevez toutes les expressions péjoratives que le père utilise pour se qualifier lui-même. Quel type de phrase et quel signe de ponctuation traduisent son émotion ?

2 Comment le père explique-t-il qu'il ait toujours été incapable d'exprimer son amour pour son fils et de communiquer avec lui ? Quel lapsus (mot dit à la place d'un autre) en témoigne ?

3 Quelles sont les deux aveux essentiels du père ? Où sont-ils placés dans le texte et pourquoi ? En vous reportant à la biographie (voir p. 141), montrez que l'auteur atténue la vérité des faits.

Rompre avec le passé : une fin à la fois ironique et ouverte

4 Pourquoi Jacques est-il heureux d'avoir été blessé ? Cherchez une autre scène du roman où la blessure de l'enfant permet une réconciliation.

5 Ici Jacques s'est fait blesser à cause de son père et pour lui : en quoi cette situation constitue-t-elle l'inverse de la scène évoquée au début du roman (voir p. 144) ? Pourquoi peut-on dire que l'enfant a payé sa « dette de sang » ? Combien de fois le mot « sang » apparaît-il dans le texte ?

6 **LE BILAN.** Quelle expression indique que Jacques quitte l'enfance ? Quelles métaphores révèlent qu'il en restera marqué à vie ? Que regrette-t-il ?

7 Que pouvez-vous dire de l'expression « ceux qui ont un peu pleuré » (l. 39-40) ? Combien de fois les pleurs sont-ils évoqués dans l'ensemble du texte ? Jacques prétend, de façon imagée, avoir « le sang pur et les yeux clairs » (l. 38) : par quoi ont-ils été lavés, purifiés ?

8 **LA DÉLIVRANCE.** Quel connecteur logique et quel indice temporel introduisent son rejet du passé ? Montrez que Jacques connaît ses qualités et les difficultés qu'il peut rencontrer, mais qu'il est prêt à tout affronter.

9 Quelles phrases expriment les défis qu'il lance aux autres et à lui-même ? Quel effet produit la répétition ?

10 **LA PIROUETTE FINALE.** Dans l'ensemble du texte, quels éléments montrent que la mère a évolué par rapport au début du roman ? Pourtant, comment peut-on interpréter la fin du texte ? Dans la dernière phrase, quelles expressions sont à la fois cruelles et comiques ?

11 Qui a le dernier mot ? Quelle figure était évoquée dès la 1re ligne du roman (p. 142) ? Qu'en déduisez-vous ?

Leçon → **Clore un roman de formation**

▶ La clôture est essentielle dans un roman de formation où l'on suit l'évolution et les différents apprentissages d'un personnage. Souvent ce genre de roman se termine par l'accès à « la vie d'homme ».

▶ Un bilan, comme Jacques et son père en dressent un ici, est généralement suivi d'une fin ouverte : le personnage tente de surmonter son passé et se prépare à affronter une autonomie et une vie nouvelles.

▶ La clôture de *l'Enfant* est particulièrement surprenante. Les thèmes essentiels du roman y sont repris (les larmes, les blessures) ; Jacques se tourne solennellement vers l'avenir et se réjouit de sa « délivrance », comme l'indique le titre du chapitre. Les relations entre les parents et « l'enfant » semblent apaisées. Cependant, l'humour l'emporte sur l'émotion et la mère reste une figure négative.

séquence 5

Du livre à l'écran

L'adaptation cinématographique d'un roman autobiographique

Cette séquence s'appuie sur *Vipère au poing,* roman autobio-graphique d'Hervé Bazin publié au Livre de Poche (1948) et sur son adaptation cinématographique par Jean-Louis Bory (1971) avec Alice Sapritch dans le rôle de la mère. Ce film, diffusé par l'INA, peut être commandé par le CDI des collèges.

Alice Sapritch (Mme Rezeau),
Vipère au poing, J.-L. Bory, 1971.

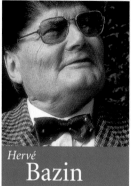

Hervé
Bazin
[1911-1996]

*Écrivain français
dont les romans,
souvent
autobiographiques,
ridiculisent
la vie bourgeoise.*

D'une « Vipère » à l'autre

L es deux premières séries de questions de cette séance sont conçues comme une initiation à l'analyse des adaptations cinématographiques d'œuvres littéraires.

LIRE ET VOIR

1 Dans quelles conditions regarde-t-on un film ? Dans quelles conditions commence-t-on une lecture ? La démarche est-elle identique ? Justifiez votre réponse.

2 Peut-on arrêter la lecture d'un roman ? Revenir en arrière ? Est-ce la même chose au cinéma ? Pourquoi ?

3 Quels sont les sens sollicités par la lecture ? par le visionnage d'un film ?

4 Relevez les informations que peuvent nous livrer l'image (personnages, décors, costumes...) et le son (musique, bruitages, dialogues...) d'un film. Est-ce la même chose pour une page de roman ? Précisez toutes les différences.

5 Quel effort doit faire le lecteur de roman devant une description ? Comment la description est-elle « transposée » dans un film ? Est-ce pour vous une richesse ou un appauvrissement ?

ADAPTER UNE ŒUVRE

6 Le roman doit être adapté pour devenir un film. Énumérez les étapes qui vous semblent nécessaires pour réaliser cette adaptation.

7 Avec l'adaptation, on passe d'une œuvre individuelle à une œuvre collective. Comment est composée une équipe cinématographique ?

8 Quels sont les choix que doit faire un cinéaste concernant les personnages ? l'histoire ? les décors ? Justifiez votre réponse en prenant chaque fois un exemple dans le film *Vipère au poing*.

D'UNE « VIPÈRE » À L'AUTRE

9 Combien le roman comporte-t-il de pages dans votre édition ? Quelle est la durée du film ? La proportion vous paraît-elle respectée :
– entre la longueur totale du livre et du film ?
– entre une scène du roman et une séquence du film (vous pourrez choisir une des scènes adaptées dans la liste proposée à la question suivante) ?

10 Voici une liste de scènes du roman :
- la fête à la Belle Angerie ;
- la vipère attrapée et tuée ;
- par Brasse-Bouillon ;
- le portefeuille caché par Folcoche ;
- la fugue à Paris chez les grands-parents ;
- l'arrivée des parents à la gare ;
- le voyage chez les grands-parents ;
- l'enfermement de Brasse-Bouillon ;
- dans sa chambre ;
- la mort de grand-mère ;
- la tentative d'empoisonnement
- puis la tentative de noyade de Folcoche.

a. Retrouvez leur situation dans le roman et remettez-les dans l'ordre chronologique.

b. Quels sont les extraits que le cinéaste a conservés et ceux qu'il a supprimés ? Pourquoi, selon vous ?

c. L'ordre chronologique est-il toujours respecté dans le film ? Justifiez votre réponse en donnant un ou deux exemples.

d. Choisissez deux ou trois extraits conservés par le cinéaste. Précisez en quoi ils sont fidèles à l'extrait : relevez en particulier les modifications, les « condensations » (c'est-à-dire les fusions de deux extraits en un).

Leçon → Narrations romanesque et filmique

▶ Le roman et le film racontent tous deux une histoire au lecteur ou au spectateur.

▶ Cette narration est, dans le roman, assumée par un narrateur plus ou moins impliqué dans le récit (voir séquence 4) ; dans le film, le narrateur s'efface presque toujours derrière les images qui montrent directement les personnages, leurs discours et leurs actions.

▶ Le spectateur et le lecteur sont impliqués différemment : actif dans la lecture, le lecteur imagine les scènes décrites et peut, à tout moment, relire une page ou fermer le livre. Réceptif dans une salle de cinéma, le spectateur est porté par le flot des images et des sons et ne peut marquer d'arrêt ou revenir en arrière.

▶ Première étape du film, le scénario raconte par écrit le déroulement de l'histoire et la découpe en séquences. Dans le cas de l'adaptation d'un roman, le cinéaste doit faire des choix qui correspondent à sa « lecture » personnelle de l'œuvre : il enlève certaines scènes narratives, les remplace, les modifie, « condense » plusieurs épisodes en un seul ou au contraire, procède par ellipse.

▶ Ultime étape, le montage intervient après le tournage du film : le cinéaste choisit parmi les images tournées celles qui donneront à son film le rythme et les effets recherchés. Il organise ses plans pour construire un ensemble cohérent, fidèle au scénario.

Portraits de famille

Jacques Rezeau

Grandes lectures et courtes réflexions. Beaucoup de connaissances, peu d'idées. Le sectarisme des jugements pauvres lui tenait quelquefois lieu de volonté. Bref, le type des hommes qui ne sont jamais eux-mêmes mais ce qu'on leur suggère d'être, qui changent à vue de personnage dès que le décor tourne et qui, le sachant, s'accrochent désespérément à ce décor. Au physique, papa était petit, étroit de poitrine, un peu voûté, accablé par le poids de ses moustaches. Quand je l'ai connu, le cheveu, encore noir, commençait à lui manquer. Toujours plaintif, il vivait entre deux migraines et se nourrissait d'aspirine.

« Folcoche »

Âgée, à la même époque, de trente-cinq ans, madame mère avait dix ans de moins que son mari et deux centimètres de plus. Née Pluvignec, je vous le rappelle, de cette riche, mais récente maison Pluvignec, elle était devenue totalement Rezeau et ne manquait pas d'allure. On m'a dit cent fois qu'elle avait été belle. Je vous autorise à le croire, malgré ses grandes oreilles, ses cheveux secs, sa bouche serrée et ce bas de visage agressif qui faisait dire à Frédie, toujours fertile en mots :

« Dès qu'elle ouvre la bouche, j'ai l'impression de recevoir un coup de pied au cul. Ce n'est pas étonnant, avec ce menton en galoche. »

« Chiffe » et « Cropette »

[Frédie], l'héritier présomptif tenait de mon père tous ses traits essentiels. Chiffe ! Inutile d'aller plus loin. Ce surnom lui conviendra toujours. Sa force d'inertie était proportionnelle aux coups de poing et aux coups de gueule. N'oublions pas son nez, tordu dès le plus jeune âge par la déplorable habitude de se moucher invariablement du côté gauche.

Quant à Marcel, dont je n'ai jamais su pourquoi lui avait été attribué le sobriquet de Cropette (étymologie obscure), point n'ai l'intention de l'abîmer. On pourrait croire que je le jalouse encore. Pluvignec cent pour cent, par conséquent doué pour la finance, amateur de grandes pointures, péniblement studieux, froid, tenace, personnel, corollairement hypocrite… Je m'arrête, car je suis en train de ne pas me tenir parole. Signes distinctifs, côté face : un épi au milieu du front et, à fleur de tête, les gros yeux du myope qui ne peut pas ramasser ses lunettes. Signes distinctifs, côté pile : un certain déhanchement et la fesse un peu croulante. Quand il était petit, il avait toujours l'air d'avoir fait dans son pantalon.

Le narrateur « Brasse-Bouillon »

Qu'il vous suffise de savoir que l'on ne m'a pas vainement rebaptisé Brasse-Bouillon, selon un tic familial agaçant, qui nous apparente aux vieilles familles romaines, où le surnom était de rigueur. Le cadet de casse-cogne, le révolté, l'évadé, la mauvaise tête, le voleur d'œufs qui volera un bœuf, « le petit salaud qui a bon cœur ». Brun, joufflu jusqu'à l'âge de douze ans et désespéré de l'être, à cause des claques. Resté petit tant que j'ai conservé mes amygdales. Affligé des oreilles maternelles, du menton maternel, des cheveux maternels. Mais très fier de mes dents, du

10 type Rezeau, le seul organe sain de la famille, rendant les casse-noix inutiles. Gourmand de tout et, en premier lieu, de vivre. Très occupé de moi-même. Également très occupé des autres, mais dans la limite où ceux-ci ont le bon esprit de me tenir pour un des éléments importants de leur propre vie. Plein de considération envers les mentalités fortes, amies ou ennemies, avec un léger avantage pour ces dernières : j'ai un sourcil 15 plus haut que l'autre et ne le fronce qu'en leur faveur.

H. Bazin, *Vipère au poing,* chap. 5,
Éd. Bernard Grasset, 1948.

DES PERSONNAGES AUX ACTEURS

1 Dans ces extraits, relevez les éléments physiques qui permettent d'identifier chacun des personnages.

2 De la même façon, relevez les traits psychologiques des personnages.

3 Le choix des acteurs est-il fidèle aux portraits physiques du roman ? Justifiez votre réponse.

4 Cherchez, dans le roman, puis dans le film, des scènes qui illustrent le caractère des personnages. Retrouvez ensuite, dans le jeu des acteurs, des éléments qui traduisent la psychologie des parents Rezeau.

DÉCORS, SONS ET ACCESSOIRES

5 La maison familiale. L'image que vous aviez de *La Belle Angerie* après avoir lu le roman correspond-elle à celle du film ? Justifiez votre réponse dans un paragraphe rédigé.

6 Quels sont les lieux stratégiques de la maison dans le film ? Ces lieux sont-ils les mêmes que dans le roman ? Justifiez votre réponse.

7 Cherchez, dans les chapitres 1, 4 et 21, les références aux sons suivants : cloche, souffle de locomotive, chant de jeune fille… et cherchez leur transposition dans le film. À l'aide de la leçon, déterminez si le son est plutôt « in » ou « off » (ce critère peut évoluer avec un même son).

8 Dans le chapitre 15, Brasse-Bouillon tente de noyer Folcoche. Le narrateur raconte-t-il qu'elle pousse un cri dans le roman ? Qu'en est-il dans le film ? Cette « infidélité » vous semble-t-elle gênante ? Justifiez votre réponse.

Leçon → Du texte à l'image et au son

▶ Partant d'un texte à adapter, le cinéaste doit faire des choix précis : il engage des acteurs qui correspondent à sa lecture personnelle de l'œuvre, trouve un lieu qui lui semble convenir ou construit des décors qui lui paraissent appropriés.

▶ Il doit aussi choisir, dans le roman, les extraits qu'il juge essentiels et les adapter au langage cinématographique : à l'organisation du roman en scènes narratives et en chapitres répond le montage cinématographique en séquences (exemple de scène romanesque à laquelle on peut faire aisément correspondre une séquence filmique : la scène de la vipère au début du roman et du film, voir séance 2).

▶ Une séquence de film est formée de plans (façon de cadrer la scène) qui traduisent le point de vue du cinéaste – ou, plus rarement, d'un personnage – sur une scène. L'action se déroule ainsi dans le « champ » de la caméra (c'est-à-dire à l'intérieur de l'image vue par le spectateur) ou « hors champ », mettant à contribution l'imagination du spectateur et pouvant ménager un suspense (un cri hors champ, par exemple).

▶ À l'image se superpose un son : musique, voix des personnages, bruitages… Le son peut être identifié dans l'image (un personnage qui parle, un verre qui se casse, la musique d'un piano) ou peut être hors de l'image ou même coupé de la séquence. On parle de son « in » (dans l'image) et de son « off » (hors de l'image, par exemple la voix « off » du narrateur).

L'enfant et la vipère

>>> **Roman** H. Bazin, *incipit* (extraits du chapitre 1).

>>> **Film** J.-L. Bory, 1ʳᵉ séquence : début à 0 h 02' 40".

Les premières lignes ci-dessous sont celles qui ouvrent le roman d'Hervé Bazin. Le premier chapitre n'a pas été reproduit en entier dans cette séance : les deux extraits retenus sont les deux passages principaux du chapitre à partir desquels Jean-Louis Bory a monté la première séquence de son film.

1. L'été craonnais, doux mais ferme, réchauffait ce bronze impeccablement lové sur lui-même : trois spires[1] de vipères à tenter l'orfèvre, moins les saphirs classiques des yeux, car, heureusement pour moi, cette vipère, elle dormait.

5 Elle dormait trop, sans doute affaiblie par l'âge ou fatiguée par une indigestion de crapauds. Hercule au berceau étouffant les reptiles : voilà un mythe expliqué ! Je fis comme il a dû faire : je saisis la bête par le cou, vivement. Oui, par le cou et, ceci, par le plus grand des hasards. Un petit miracle en somme et qui devait faire long feu dans les saints 10 propos de la famille.

Je saisis la vipère par le cou, exactement au-dessus de la tête, et je serrai, voilà tout. Cette détente brusque, en ressort de montre qui saute hors du boîtier – et le boîtier, pour ma vipère, s'appelait la vie – ce réflexe désespéré pour la première et pour la dernière fois en retard 15 d'une seconde, ces enroulements, ces déroulements, ces enroulements froids autour de mon poignet, rien ne me fit lâcher prise.

1. Spire : tour complet d'une spirale.

2. Mais, soudain, un hurlement déchira mes premières réflexions scientifiques et, de la fenêtre de la peu courageuse Mlle Ernestine Lion[1], tomba cet ordre épouvanté :

« Voulez-vous lâcher cela tout de suite ! » Puis, en crescendo tragique :
5 « Ah ! le malheureux enfant ! » Je restai perplexe. Quel drame ! Appels, exclamations entrecroisés, affolement de talons par les escaliers. « Madame ! Monsieur l'abbé[2] ! Par ici ! » Où sont les autres ? Aboiement de Capi, le chien (nous avons déjà lu *Sans Famille*)[3]. Cloches. Enfin grand-mère, aussi blanche que sa guimpe, poussant 10 du bout de sa bottine son éternelle longue robe grise, jaillit de la porte d'honneur. En même temps surgissaient de la bibliothèque, aile droite, la tante Thérèse Bartolomi, comtesse de l'Empire, puis mon oncle le protonotaire apostolique[4] et, de la lingerie, aile gauche, la gouvernante, la cuisinière, la femme de chambre… Toute la 15 famille et ses satellites débouchaient des innombrables issues de *La Belle Angerie*, cette grande garenne[5].

Prudente, à la vérité, la famille ! et formant cercle aussitôt, à bonne distance de la vipère, qui tournoyait toujours au bout de mes doigts et à qui le mouvement prêtait une suprême apparence de vie.

20 TANTE THÉRÈSE – Est-elle morte ?

LA BONNE – J'espère que c'est une couleuvre.

LA GOUVERNANTE – N'approchez pas, Frédie !

LA CUISINIÈRE, SOURDE ET MUETTE – Krrrrrhh !

L'ABBÉ – Je te promets une de ces fessées…

25 GRAND-MÈRE – Voyons, mon chéri, lâche cette horreur !

Impavide, glorieux, je tendis mon trophée à l'oncle protonotaire, qui, professionnellement ennemi des reptiles, recula d'un bon mètre. Chacun l'imita. Mais grand-mère, plus brave, parce que, n'est-ce pas, c'était grand-mère, s'approcha et, d'un brusque coup de face-à-main, me fit 30 lâcher le serpent, qui tomba, inerte, sur le perron et que mon oncle, rassuré, se mit à retuer, martialement, à grands coups de talon, comme saint Michel, son patron.

1. Mlle Ernestine Lion : la gouvernante.
2. L'abbé : le précepteur, le père Vadeboncoeur.
3. *Sans famille* : roman d'Hector Malot dans lequel le jeune héros a un chien nommé Capi.
4. Protonotaire apostolique : dignitaire religieux.
5. Cette grande garenne : *La Belle Angerie* est comparée à un bois où prolifèrent les lapins.

UNE IMAGE SAISISSANTE [Extrait 1]

1 Sur quelle image s'ouvre le livre ? le film ? Comment nomme-t-on un tel plan au cinéma ?

2 Délimitez, à l'aide de la leçon, la 1re « séquence » du film : correspond-elle exactement au 1er chapitre du roman ? Justifiez votre réponse.

3 Dans la 1re séquence du film, le narrateur nous présente les différents personnages de la *Belle Angerie*.
Quel est le procédé sonore et cinématographique employé ? Dans quel chapitre du roman se retrouve cette présentation ?

4 Relevez et expliquez les images liées à la vipère dans le texte.

5 Que révèle cette anecdote sur le tempérament de l'enfant ? Comment les images du film restituent-elles cette idée ?

6 Quel lien pouvez-vous faire entre ce début de roman et le roman dans son entier ? De quoi la vipère est-elle la métaphore ? Retrouve-t-on cette idée dans le film ? Justifiez votre réponse.

UN ÉVÉNEMENT FAMILIAL [Extrait 2]

7 Dans le roman et dans le film, comment la famille se rassemble-t-elle ? Qui en est la cause ?

8 Relevez, dans le texte et le film, les deux effets sonores principaux : quelle différence notez-vous entre le récit et le montage cinématographique ?

9 L'enfant est-il réellement en danger ? Pourquoi ? D'où viennent la colère et l'inquiétude familiales ?

10 Quel type de phrase traduit cette inquiétude dans le texte ? Comment la peur familiale est-elle montrée dans le film ?

11 Que fait Brasse-Bouillon de la vipère, dans le roman ? dans le film ? Quel choix vous paraît le plus judicieux ? Justifiez votre réponse.

UN JEU
SUR LES DIALOGUES ET LES IMAGES

12 Dans le 2ᵉ extrait, comment le dialogue des personnages est-il restitué à partir de la ligne 20 ? De quel genre littéraire peut-on rapprocher une telle présentation ? En quoi cette présentation peut-elle être utile pour le cinéma ? Les dialogues sont-ils les mêmes dans le film ?

13 Quel personnage, présent dans le roman, perd de son importance dans le film ? Par qui est-il remplacé ?

Leçon → Les plans et leurs fonctions

▶ Le cinéma dispose de différents plans, c'est-à-dire de différentes façons de cadrer, en posant l'objectif à plus ou moins grande distance du sujet. Plus la caméra est proche, plus le plan est resserré.

▶ Les plans d'ensemble et de demi-ensemble cadrent un paysage sans que les personnages soient distincts : ils permettent de situer une scène, de présenter des lieux.

▶ Le plan moyen cadre les personnages : c'est un plan narratif, utilisé pour les scènes ou les dialogues de groupe.

▶ Les plans «rapprochés» («plan américain», à mi-cuisse, plan rapproché taille, épaules) permettent de saisir les réactions des personnages : ce sont davantage des plans psychologiques.

▶ Les gros et très gros plans, enfin, ont plusieurs fonctions : ils peuvent indiquer un détail utile (un indice dans un film policier), symbolique (la vipère dans *Vipère au poing*), permettre la compréhension de l'intrigue (un objet oublié) ou transmettre une émotion (un plan sur des larmes ou sur un rire).

14 Quel type de plan cinématographique montre la fin «définitive» de la vipère ? À quel verbe ironique – forgé par l'auteur – correspond cette image dans le texte ?

Hercule au berceau étouffant les serpents, gravure, XIXᵉ siècle.

Prolongement

→ COMPRENDRE UNE RÉFÉRENCE MYTHOLOGIQUE. À quel épisode précis de la mythologie renvoie l'expression : «Hercule au berceau étouffant les reptiles» (1ᵉʳ extrait, l. 6, et gravure ci-dessus). À la lecture du roman d'Hervé Bazin, pourquoi peut-on affirmer que cette expression est ironique ?

Des retrouvailles cinglantes

⟩⟩⟩ **Roman** H. Bazin, chapitre 4.

⟩⟩⟩ **Film** J.-L. Bory, séquence de 0 h 07' 0" à 0 h 09' 9".

Il s'agit des retrouvailles du narrateur, Brasse-Bouillon, avec Mme Rezeau, sa mère. L'extrait du roman d'Hervé Bazin présenté dans cette séance est délimité ainsi car il correspond à la séquence du film de Jean-Louis Bory dont nous vous proposons une étude comparée. Une partie de ce passage (l. 5-37) a été étudiée, sous un autre angle, dans la séquence 4 consacrée aux récits de vie et à l'autobiographie en particulier (voir pp. 118-119).

Un beau soir, nous nous trouvâmes alignés sur le quai de la gare de Segré, très excités et difficilement contenus par la pontifiante tante Bartolomi et par notre gouvernante. Je me souviens parfaitement de leurs messes basses et de leurs soupirs inquiets.

5 Le tortillard, soufflant bas, avec cet air de phoque qui n'appartient qu'aux locomotives de petite ligne, parut avec dix minutes d'un retard qui nous semblait insupportable, mais que bientôt nous pourrons souhaiter centenaire. Par un majestueux hasard, le wagon de nos parents stoppa exactement devant nous. Une paire de moustaches au
10 ras de la vitre et un chapeau en forme de cloche à fromage, tel qu'on les portait en ce temps-là, décidèrent Mademoiselle à passer une suprême inspection :

« Frédie, sortez les mains de vos poches. Brasse-Bouillon, tenez-vous droit. »
15 Mais la vitre[1] s'abaissait. De la cloche à fromage jaillit une voix :

« Venez prendre les bagages, Mademoi-selle. » Ernestine Lion rougit, protesta rapi-dement dans l'oreille de la comtesse Bar-
20 tolomi :

« Mme Rezeau me prend pour la femme de chambre. »

Mais elle s'exécuta. Notre mère, satis-faite, découvrit deux dents d'or, ce que, dans
25 notre candeur, nous prîmes immédiatement pour un sourire à notre adresse. Enthousiasmés, nous nous précipitâmes, dans ses jambes, à la portière.

« Allez-vous me laisser descendre, oui ! »

Nous écarter d'elle, à ce moment, nous eût semblé sacrilège. Mme
30 Rezeau dut le comprendre et, pour couper court à toutes effusions, lança rapidement, à droite, puis à gauche, ses mains gantées. Nous nous retrouvâmes par terre, giflés avec une force et une précision qui dénotaient beaucoup d'entraînement.

1. La vitre : la fenêtre du train.

« Oh ! fit tante Thérèse.

35 – Vous dites, ma chère amie ? » s'enquit madame notre mère.

Nul ne broncha. Bien entendu, nous sanglotions.

« Voilà tout le plaisir que vous cause mon retour ! reprit Mme Rezeau. Eh bien, ça va être charmant. Je me demande quelle idée de nous a bien pu leur donner votre pauvre mère. »

40 La fin de cette tirade s'adressait à un monsieur ennuyé que nous sûmes ainsi être notre père. Il portait un grand nez et des bottines à boutons. Engoncé dans une lourde pelisse à col de loutre, il traînait deux longues valises jaunes, criblées de flatteuses étiquettes internationales.

45 « Voyons, relevez-vous, fit-il d'une voix sourde et comme filtrée à travers ses moustaches. Vous n'avez pas seulement dit bonjour à Marcel. »

Où était-il le petit frère ? Tandis que les grandes personnes, sans plus s'occuper de nous, se congratulaient poliment – oh ! rien de trop –, nous partîmes à sa recherche et le découvrîmes derrière la malle d'un 50 voyageur anonyme.

« C'est vous, mes frères ? » s'enquit prudemment ce jeune homme, déjà peu loquace.

Frédie lui tendit une main qu'il ne prit pas. Louchant dans la direction de Mme Rezeau, Marcel venait de s'apercevoir qu'elle l'observait. 55 Au même instant, elle annonça :

« Les enfants ! prenez chacun une valise. » Celle qui m'échut était beaucoup trop lourde pour mes huit ans. Un coup de talon dans le tibia me donna des forces.

« Tu vois bien que tu pouvais la porter, Brasse-Bouillon. »

D'UNE SCÈNE À UNE SÉQUENCE

1 Où ont lieu les retrouvailles ? Relevez dans le texte le champ lexical lié à cet endroit. Comment les images du film transcrivent-elles cette arrivée ?

2 Comment le sentiment de l'attente est-il exprimé dans le texte ? et dans le film ? Le vocabulaire choisi par l'auteur peut-il être restitué dans le film ? Pourquoi ?

3 Quelle est, dans le film, la séquence qui précède ? Pourquoi le contraste est-il saisissant ?

UNE SORTIE REMARQUÉE

4 « De la cloche à fromage jaillit une voix » (l. 15-16).
a. Expliquez l'expression « cloche à fromage ». Qui désigne-t-elle ? Cette figure de style est-elle transposable à l'écran ? Pourquoi ?
b. Retrouvez, dans le film, l'accessoire qui permet néanmoins de garder une trace visuelle de cette figure.

5 Qui sort en premier du train ? Quel renseignement cette attitude nous livre-t-elle sur le tempérament de la mère ? sur celui du père ?

6 Cette sortie est-elle exactement la même dans le film et dans le roman ? Justifiez votre réponse.

7 Comment le père est-il présenté dans le roman ? Qualifiez son caractère en quelques mots et comparez ce portrait avec l'acteur du film. Diriez-vous que son jeu est fidèle à l'esprit du livre ? Justifiez votre réponse.

DES RÉACTIONS SURPRENANTES

8 Relevez une expression du texte qui montre l'empressement des enfants à la descente du train de Mme Rezeau. Comment le narrateur l'explique-t-il ? Cet empressement est-il le même dans le film ?

9 Les enfants changent d'attitude après la paire de gifles : le changement est-il le même dans le roman et dans le film ? Justifiez votre réponse.

10 Sur quel procédé s'appuie le cinéaste pour montrer la réaction des adultes et des enfants ? Pourquoi un tel procédé, selon vous ?

DES CHOIX ROMANESQUES ET CINÉMATOGRAPHIQUES

11 Comment le « petit frère » est-il découvert dans le roman ? dans le film ? Quel est le choix le plus amusant ? Pourquoi ?

12 Quelle est la figure géométrique qui, dans le film, traduit la fausse unité de la famille ? Trouvez, dans le texte, un passage montrant la fausse politesse des retrouvailles.

13 Expliquez la phrase : « Un coup de talon dans le tibia me donna des forces. » (l. 57-58) et montrez que, malgré la situation, le narrateur dédramatise la situation en ayant recours à une ironie mordante. Cette ironie est-elle transposable à l'écran ? Pourquoi ?

14 Montrez que le dernier plan de la séquence filmique, en jouant sur la profondeur de champ, parvient à traduire la fin du texte (à partir de « Les enfants ! prenez chacun une valise. », l. 56).

Leçon ⊕ La composition d'un plan

▶ L'organisation d'une « scène » romanesque ou d'une séquence filmique (scène organisée autour d'une unité narrative) répond à des exigences de rythme et d'équilibre. Aux recherches stylistiques du romancier (figure de style, rythme des phrases, ironie…) correspond, chez le cinéaste, un travail sur la construction du plan.

▶ Les lignes horizontales donnent une impression de stabilité : elles peuvent traduire le calme, l'immensité, mais aussi l'ennui ou l'attente.

▶ Les lignes verticales arrêtent le regard ou ferment l'image : à l'arrière-plan, elles donnent un sentiment d'enfermement, mais elles peuvent aussi étirer l'image en jouant sur la hauteur.

▶ Les lignes diagonales dynamisent une image : elles traduisent un mouvement (du fond vers l'avant, par exemple), mais peuvent aussi montrer le déséquilibre, voire la folie.

▶ Mais ces principes ne sont pas systématiques : le cinéaste peut jouer avec les lignes et construire des figures géométriques (carré, cercle…). L'interprétation des lignes et des figures ne peut être donnée hors du contexte et de l'histoire racontée.

Prolongement

⊕ COMPARER DEUX SÉQUENCES. Dans la séquence filmique étudiée, la famille se tient en cercle sur le quai : à quel extrait de l'incipit du roman et à quelle image correspondante du film peut faire penser cette image ? Quelle comparaison vient alors naturellement à l'esprit ?

Une scène d'espionnage

Croyant son fils sorti, Folcoche, la mère du narrateur, fouille les « planques » de sa chambre. Par bravade, il a déposé dans l'une d'elles un papier portant l'inscription « désaffecté », puis s'est installé derrière le mur de la sacristie contiguë, dans lequel il a percé un trou.

⟩⟩⟩ **Roman** H. Bazin, chapitre 13.

⟩⟩⟩ **Film** J.-L. Bory, séquence : 1 h 06' 23" à 1 h 08' 26".

La voici dans mon champ. Elle vient – détail comique – de se laver ses rares cheveux et porte une serviette autour de la tête, roulée comme un turban. Elle n'hésite pas une seconde, va droit à la première cachette, déplace la plinthe qui en masque l'orifice, braque sa lampe
5 électrique, lit… Rugissement ! Je la vois bondir, trépigner, déchirer le bout de papier. Mais le sang-froid lui revient vite. Elle ramasse les débris, les met dans la poche de sa robe de chambre. Pourquoi s'inquiéter d'une autre planque ? Je dois avoir pris mes précautions. Assise sur le bord de mon lit, elle médite, elle s'absorbe. Un mauvais sourire
10 point sur son visage, se développe comme une glaciale aurore de décembre, l'éclaire tout à fait… Attention ! Mme Rezeau vient de trouver la réponse du berger à la bergère. Que va-t-il se passer ?

Folcoche sort de chez moi, court vers sa chambre. Et voilà sa très grande faute. Il ne fallait pas courir. Elle a couru, donc il y a presse, donc
15 elle va revenir. Si elle revient, c'est qu'il lui manque quelque chose, sinon elle serait restée sur place. Mais cet objet qu'elle va rapporter, de quelle nature est-il, quel danger représente-t-il pour moi ? Il n'y a pas besoin d'être grand clerc pour le deviner. La vacherie est si simple que je m'étonne maintenant de ne pas en avoir été plus tôt la victime. Se voler à elle-même
20 cet objet, qu'elle choisira précieux, le fourrer dans ma cachette et, aussitôt, porter plainte, réclamer à mon père une fouille générale en sa présence, découvrir devant lui le faux pot aux roses… tel est son plan, j'en jurerais.

Parons au plus pressé. Je ne peux pas la laisser faire. Je veux savoir ce qu'elle me destine. Comme les couloirs sont longs, je suis dans ma
25 chambre avant même que Folcoche ne soit ressortie de la sienne. Je m'installe devant ma table, tournant le dos à la porte, mais ma glace de poche disposée en rétroviseur contre l'encrier. Talons : elle revient. Ma porte s'ouvre. J'entends une exclamation étouffée, puis cette phrase anodine :

« Tiens ! Tu es déjà rentré ?
30   – Je ne suis pas allé à *La Bertonnière*. Frédie s'en est chargé. »
Ne nous retournons pas. Folcoche ne doit se douter de rien.
« Tu as bien tort de t'enfermer par un temps pareil. »
Sur ces mots, cette charogne referme doucement la porte. Pour elle, ce n'est que partie remise. Pour moi, il s'agit de jouer serré. Car, avant
35 qu'elle ne l'escamote derrière son dos, j'ai vu le portefeuille. Oui, le portefeuille, pas moins que ça, son portefeuille, dont elle a résolu de m'imputer le vol. Une affaire de cette importance peut très bien légitimer mon envoi en maison de correction.

QUESTIONS
(15 points)

A. Un roman « d'espionnage » (5,5 points)

1 Que cherche probablement Folcoche dans la chambre du narrateur ? Que révèle son attitude : « Elle n'hésite pas une seconde, va droit à la première cachette... » (l. 3-4) ? (2 points)

2 Avec quels sens le narrateur « perçoit-il » la scène dans les trois premiers paragraphes. Justifiez à chaque fois votre réponse par une citation du texte. (2 points)

3 Quelle est, dans le premier paragraphe, la première, puis la deuxième réaction de Folcoche à la lecture du « message » du narrateur ? Citez le texte pour justifier votre réponse. Qu'annonce cette attitude ? (1,5 point)

B. Une lutte serrée (5,5 points)

4 « Tel est son plan, j'en jurerais » (l. 22).

a. Résumez en quelques phrases la nature de ce plan, en étant le plus précis et le plus complet possible. (1 point)

b. Comment le narrateur a-t-il compris qu'il y avait un « danger » pour lui ? (1 point)

c. Comment s'y prend-il pour retarder la venue de ce qui le menace ? (0,5 point)

5 Expliquez la phrase : « Tu as bien tort de t'enfermer par un temps pareil. » (l. 32). Que cherche à obtenir Folcoche ? (1 point)

6 Relevez, dans le texte, deux expressions qui désignent Folcoche. Montrez, en les expliquant, que l'une est péjorative et l'autre faussement respectueuse. (2 points)

C. Un extrait « cinématographique » ? (4 points)

7 Relevez dans le texte, une phrase reprenant le lexique cinématographique, puis expliquez-la. (1 point)

8 Une transposition filmique.

a. Comment le montage de la séquence traduit-il la scène d'espionnage ? (1 point)

b. Quel est le gros plan employé ? pourquoi ? (1 point)

c. À quel point de vue cette façon de filmer correspond-elle dans le roman ? (1 point)

RÉÉCRITURE
(5 points)

Réécrivez le premier paragraphe du texte à la première personne et au passé.

• Vous débuterez par « Je venais de me laver les cheveux... » et vous terminerez par « J'avais un plan » (à la place de « Que va-t-il se passer ? »).

• Vous veillerez à la concordance des temps et des personnes.

• Vous supprimerez les remarques et expressions suivantes : « détail comique », « je la vois » (commencer directement avec le verbe « bondir ») et « Attention ! ».

RÉDACTION
(20 points)

Après avoir été froidement accusé par sa mère, Brasse-Bouillon décide d'aller parler à son père, convaincu de la culpabilité de son fils dans le vol du portefeuille. Imaginez le dialogue romanesque entre les deux personnages.

Consignes d'écriture.

◎ *Vous insisterez sur l'expression du sentiment d'injustice ressenti par le narrateur.*

◎ *Vous insérerez le dialogue dans un récit au passé.*

La poésie lyrique et engagée

R. MAGRITTE,
La Grande Famille,
1963.

LA POÉSIE LYRIQUE

■ Le « lyrisme » unit la **poésie** et le **chant** : le mot vient du nom « **lyre** », instrument de musique qui accompagnait la poésie chantée. C'était l'instrument d'**Apollon**, dieu grec de la poésie, et d'**Orphée**, poète dont la voix était si enchanteresse qu'elle pouvait suspendre le temps, calmer les souffrances ou apprivoiser la mort.

■ Au XIXe **siècle**, le mot se charge d'un sens plus précis. La poésie lyrique est toujours liée à la voix du poète, plus qu'à l'écriture. Chargée d'émotion, elle s'élève naturellement pour exprimer les **sentiments** les plus intimes, pour communiquer avec intensité les variations de l'intériorité. La poésie lyrique est l'**expression d'un moi**, qui livre directement sa vie affective, son rapport au monde réel ou idéal. Elle est marquée par la présence de la première personne (« je »).

LA POÉSIE ENGAGÉE

■ Le poète, touché par le malheur d'autrui, peut décider de mettre sa **plume au service d'une cause**. S'engage l'artiste qui défend des valeurs, dénonce des injustices, affirme des convictions. Il est l'observateur sensible de la réalité de son époque dans ce qu'elle peut avoir de révoltant (guerre, oppression, misère, inégalités, etc.).

■ Au XIXe siècle, avec **Victor Hugo**, la poésie engagée connaît une autre dimension : l'auteur des *Châtiments* fait de l'**écriture** une **arme efficace**, qui influe sur le cours de l'histoire. Des lois sont votées en son nom, des réformes sont appliquées.

■ Plus près de nous, la **poésie de la Résistance** à l'occupation allemande a rendu populaires Louis Aragon, Robert Desnos, Paul Éluard... Tous ont en commun d'avoir lutté et souffert, la plume et les armes à la main. Écrire est moins un acte de solitude que l'expression d'une **solidarité** et d'une fraternité actives avec autrui.

■ Aujourd'hui, l'indignation et la révolte exprimées trop directement peuvent sembler ridicules. L'**humour** de Prévert nous a appris que la grandiloquence n'est pas toujours un bon choix. Pour inciter au sursaut, les poètes se font alors volontiers cyniques et ironiques.

J. Prévert, *La Colombe*, collage, XXe siècle.

■ Poésie lyrique et poésie engagée ne s'opposent pas forcément. Si l'une est centrée sur les sentiments intimes et l'autre, davantage tournée vers le monde extérieur, toutes deux sont fondées sur la **sensibilité**.

On ne sait rien de certain sur le poète lyrique qui dit « je », sinon qu'il peut s'ouvrir aux autres et entrer en communion avec eux. Il exprime alors des sentiments universels que tout le monde partage.

De même, c'est parce qu'il est ému, touché par autrui, que le poète engagé s'exprime.

■ Rappels de versification, voir fiche pp. 312-313.

Étienne Roda-Gil

[NÉ EN 1941]

Fils d'émigrés espagnols ayant fui la dictature de Franco, Étienne Roda-Gil est surtout connu pour sa collaboration avec Julien Clerc. Il a aussi écrit des chansons pour Catherine Lara, Mort Shuman et Barbara.

Utile

La chanson, récompensée en 1993 par le prix Vincent Scotto, s'ouvre sur la question de l'engagement, présenté comme la volonté d'être utile à ceux qu'on aime.

À quoi sert une chanson
　　Si elle est désarmée ?
Me disaient des Chiliens,
Bras ouverts, poings fermés.

5　Comme une langue ancienne
　　Qu'on voudrait massacrer
　　Je veux être utile
　　À vivre et à rêver

　　Comme la lune fidèle
10　À n'importe quel quartier
　　Je veux être utile
　　À ceux qui m'ont aimé
　　À ceux qui m'aimeront
　　Et à ceux qui m'aimaient
15　Je veux être utile
　　À vivre et à chanter

　　Dans n'importe quel quartier
　　D'une lune perdue
　　Même si les maîtres parlent
20　Et qu'on ne m'entend plus
　　Même si c'est moi qui chante
　　À n'importe quel coin de rue
　　Je veux être utile
　　À vivre et à rêver

25　À quoi sert une chanson
　　Si elle est désarmée ?

É. Roda-Gil (paroles) et J. Clerc (musique),
Éd. Crécelles, Sidonie et Warner Chappel, Veranda, 1992.

À QUOI SERT UNE CHANSON ?

1 La chanson commence et s'achève par la même question. Quel est l'effet produit par cette répétition ? À qui et par qui la question est-elle posée la première fois ? et la seconde fois ?

2 La question finale, isolée dans une strophe de deux vers (distique), reste sans réponse. Pourquoi à votre avis ?

3 Cherchez, dans un dictionnaire, ce qui s'est passé au Chili en 1973. À quelle situation historique le premier couplet fait-il allusion ?

4 Quel effet produit l'opposition entre les deux expressions comportant le même nombre de syllabes « poings fermés » et « bras ouverts » (v. 4) ?

UNE VOIX MENACÉE

5 VOCABULAIRE Cherchez, dans un dictionnaire, les sens propre et figuré de l'adjectif « désarmé ». Montrez que l'auteur joue sur les deux sens de ce mot. Quelles sont, d'après vous, les armes des poètes et des chanteurs ? Sont-elles redoutables ?

6 On couvre la voix du chanteur dans le 4e couplet. De qui peut-il s'agir ?

7 Pourquoi le chanteur se compare-t-il à « la lune fidèle » dans le 3e couplet ? Qui veut-il éclairer par son chant ?

8 Le chanteur veut être utile « comme une langue ancienne/Qu'on voudrait massacrer » (v. 5 et 6). Nommez la figure de style employée et expliquez pourquoi, comme les langues anciennes, la voix du poète est menacée.

UNE VOIX UTILE ET POÉTIQUE

9 Relevez les verbes à l'infinitif qui précisent à quoi le chanteur veut être utile et dites quelles sont les fonctions de la poésie et de la chanson.

10 Et à qui le chanteur veut-il être utile ? Qu'éprouve-t-il à l'égard de ceux pour qui il chante ?

11 GRAMMAIRE Identifiez le temps des verbes dans le 3e couplet. Pourquoi trouve-t-on ici ces différents temps ?

12 Combien de syllabes comptez-vous pour chaque vers des 1er et 2e couplets ? Montrez qu'il s'agit d'une chanson poétique et non d'un poème classique.

13 Trouvez d'autres procédés d'écriture qui rendent ce texte poétique.

Leçon → Les pouvoirs de la poésie

▶ Poètes et chanteurs peuvent, selon l'expression de Sartre, « prendre leur plume pour une épée », refusant qu'une chanson soit « désarmée ».

▶ Parlant en leur nom propre et au nom de tous les hommes, ils invoquent les valeurs fondatrices de la société comme la liberté, l'accès à l'éducation, l'égalité, la paix, la justice. Ils veulent :
– Révéler la réalité. Ancrée dans une situation historique déterminée, la poésie évoque, de manière explicite ou implicite, des lieux, des époques, des personnes.
– Convaincre les hommes d'adhérer à une cause. La poésie mobilise et incite à agir.
– Mettre en garde contre l'oubli. La poésie se fait alors devoir de mémoire : elle témoigne pour que nul n'oublie ce que les hommes ont pu faire à leurs semblables. Dans *Utile*, É. Roda-Gil est le porte-parole des Chiliens victimes de la dictature.

▶ Pourtant, on ne peut pas réduire la poésie à un art utilitaire. La part laissée à l'imagination, au rêve, voire à la fantaisie, ainsi que l'expression de l'amour et de la solidarité différencient la poésie et la chanson engagées du discours politique ou militant.

Prolongements

→ PROUVER L'UTILITÉ D'UN TEXTE POÉTIQUE. À quoi peut, selon vous, servir un poème ou une chanson ? Après avoir dégagé trois pistes possibles, exposez votre opinion dans un paragraphe argumenté.

→ TRANSFORMER LE MONDE PAR LA POÉSIE. Dans ses textes, Arthur Rimbaud a souvent exprimé son désir de « changer la vie ». Si vous en aviez la possibilité, quelles seraient les transformations que vous apporteriez à votre existence et au monde ?

Outils de la langue

■ Le sens propre et le sens figuré, voir p. 186.

Guillaume
Apollinaire
[1880-1918]

Ami des peintres cubistes, il ouvre la voie de la poésie moderne : vers libres, absence de ponctuation caractérisent Alcools, *recueil de 1913.*
Son expérience de la guerre et des amours malheureuses lui inspire un lyrisme nouveau.

Marie

1913. Apollinaire vient de rompre avec Marie Laurencin, peintre connu. Dans Marie, *il exprime les souffrances de son cœur blessé : le poète délaissé reste figé dans une douleur immobile tandis qu'autour de lui la vie et le mouvement continuent.*

Vous y dansiez petite fille
Y danserez-vous, mère-grand
C'est la maclotte¹ qui sautille
Toutes les cloches sonneront
5 Quand donc reviendrez-vous Marie

Les masques sont silencieux
Et la musique est si lointaine
Qu'elle semble venir des cieux
Oui je veux vous aimer mais vous aimer à peine
10 Et mon mal est délicieux

Les brebis s'en vont dans la neige
Flocons de laine et ceux d'argent
Des soldats passent et que n'ai-je
Un cœur à moi ce cœur changeant
15 Changeant et puis encore que sais-je

Sais-je où s'en iront tes cheveux
Crépus comme mer qui moutonne
Sais-je où s'en iront tes cheveux
Et tes mains feuilles de l'automne
20 Que jonchent aussi nos aveux

Je passais au bord de la Seine
Un livre ancien sous le bras
Le fleuve est pareil à ma peine
Il s'écoule et ne tarit pas
25 Quand donc finira la semaine

1. Maclotte : danse traditionnelle des Ardennes.

G. Apollinaire, *Alcools*, Éd. Gallimard, 1913.

Il y a

Apollinaire évoque la vie quotidienne pendant la Grande Guerre, tandis que persiste l'image de la femme aimée, Lou, à qui est adressée cette lettre-poème.

Il y a un vaisseau qui a emporté ma bien-aimée
Il y a dans le ciel six saucisses[1] et la nuit venant on dirait des asticots
                                        [dont naîtraient les étoiles
Il y a un sous-marin ennemi qui en voulait à mon amour
Il y a mille petits sapins brisés par les éclats d'obus autour de moi
5   Il y a un fantassin qui passe aveuglé par les gaz asphyxiants
Il y a que nous avons tout haché dans les boyaux[2] de Nietzsche de
                                        [Goethe[3] et de Cologne[4]
Il y a que je languis après une lettre qui tarde
Il y a dans mon porte-cartes plusieurs photos de mon amour
Il y a les prisonniers qui passent la mine inquiète
10 Il y a une batterie dont les servants s'agitent autour des pièces
Il y a le vaguemestre[5] qui arrive au trot par le chemin de l'Arbre isolé
Il y a dit-on un espion qui rôde par ici invisible comme l'horizon
        [dont il s'est indignement revêtu et avec quoi il se confond
Il y a dressé comme un lys le buste de mon amour
[…]

G. Apollinaire, « Obus couleur de lune »,
Calligrammes, Éd. Gallimard, coll. « Poésie », 1918.

1. Saucisses : ballons captifs de forme allongée servant à l'observation et à la protection.

2. Boyaux : fossés en zigzag reliant les tranchées entre elles.

3. Nietzsche et Goethe : écrivains allemands.

4. Cologne : ville d'Allemagne.

5. Vaguemestre : pendant la guerre, officier qui était chargé du service postal.

DE L'AMOUR À LA GUERRE

1 Dans quel poème est-ce l'évocation de la femme aimée qui domine ? Dans quel poème est-ce le thème de la guerre ? Comment la date de publication explique-t-elle ce changement ?

2 Dans le 2ᵉ poème, quels vers suggèrent que, à la guerre, la vie quotidienne est une entrave à l'amour ?

3 *Marie* est composé presque exclusivement en vers de 8 syllabes (octosyllabes). Comment doit-on lire les mots « silencieux » (v. 6), « cieux » (v. 8) et « délicieux » (v. 10) pour entendre des octosyllabes ? Pourquoi ces mots sont-ils ainsi mis en valeur ?

4 *Il y a* est rédigé avec plus de liberté. Que pouvez-vous dire du genre de vers utilisé et du niveau de langue ?

5 Dans ce poème, quelle expression revient sans cesse en tête de vers, comme un refrain (anaphore) ? Comment caractériseriez-vous la vie quotidienne ainsi présentée ?

6 VOCABULAIRE Quels mots expriment concrètement la violence dans le 2ᵉ poème ? Montrez que la « Grande Guerre » est dénoncée à la fois comme une guerre nouvelle (par les armes employées) et une guerre totale.

L'EXPRESSION DES SENTIMENTS

7 Identifiez la figure de style du vers 10 de *Marie*. À quoi l'amour est-il assimilé ? Relevez l'unique alexandrin du poème et précisez quelle vision du sentiment amoureux il met en relief.

8 Dans *Marie,* pourquoi le mot « cœur » (v. 14) est-il répété ? Pourquoi le poète regrette-t-il de ne pas avoir un « cœur changeant » ?

9 Apollinaire avait d'abord ponctué ses poèmes. Pourquoi, d'après vous, a-t-il finalement choisi de supprimer tous les signes de ponctuation ?

L'ÉVOCATION DE LA FEMME AIMÉE

10 Dans la 3e strophe de *Marie*, le poète décrit les brebis. Dans la strophe suivante, quel verbe évoque encore cet animal ? Expliquez cette comparaison filée.

11 Dans les deux dernières strophes de *Marie*, quels éléments représentent l'instabilité et la permanence ? Montrez que les images évoquant Marie insistent sur son aspect changeant.

12 Dans *Il y a*, relevez la comparaison évoquant Lou. Après avoir précisé quel est le comparant, l'outil de comparaison et le comparé, expliquez cette image.

Leçon ➔ Le langage de la poésie engagée

▶ Dans la poésie lyrique, les sentiments sont souvent exprimés avec un **niveau de langue soutenu**.

▶ Il n'en va pas toujours de même avec la poésie engagée.

▶ L'urgence de la situation, sa violence, influent sur le choix des mots. Dans *Il y a*, Apollinaire mêle les niveaux de langue : quand il célèbre sa bien-aimée, il se souvient du vocabulaire soutenu de l'attente, cher à la poésie amoureuse (« je languis après une lettre qui tarde »). Quand il évoque la guerre, il ne craint pas d'utiliser alors un **niveau de langue courant**, voire familier.

▶ Les **champs lexicaux** sont eux aussi mêlés. Ainsi, le vocabulaire imagé de la guerre (« saucisses », « boyaux ») rejoint celui de la triperie avec le verbe « hacher » (v.5). De même, les « étoiles » sont engendrées par les « asticots ». Les images, empruntées à une réalité très concrète, ajoutent à l'effet de vérité du texte.

Outils de la langue

▪ Les figures de style, voir pp. 187-189.

Prolongement

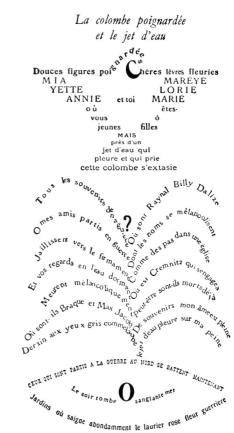

La colombe poignardée et le jet d'eau

➔ IMAGINER UN CALLIGRAMME. À votre tour, inventez un calligramme mêlant les noms des personnes que vous aimez et le nom de personnes publiques connues pour s'être impliquées dans des conflits.

Souvenir de la nuit du 4

Victor
Hugo
[1802-1885]

Considéré comme le plus grand des poètes français, il a produit une œuvre d'une richesse et d'une diversité prodigieuses : recueils poétiques, amples romans, pièces de théâtre…

Le 2 décembre 1851, Louis Napoléon Bonaparte dirige le coup d'État préparant le retour de l'Empire. Pour mater la résistance populaire, il fait tirer sur la foule, réunie sur les grands boulevards. Le 4 décembre, trois cents personnes sont tuées. Hugo se rend chez la grand-mère d'un enfant tué par les soldats.

L'enfant avait reçu deux balles dans la tête.
Le logis était propre, humble, paisible, honnête ;
On voyait un rameau bénit sur un portrait.
Une vieille grand-mère était là qui pleurait.
5 Nous le déshabillions en silence. Sa bouche,
Pâle, s'ouvrait ; la mort noyait son œil farouche ;
Ses bras pendants semblaient demander des appuis.
Il avait dans sa poche une toupie en buis.
On pouvait mettre un doigt dans les trous de ses plaies.
10 Avez-vous vu saigner la mûre dans les haies ?
Son crâne était ouvert comme un bois qui se fend.
L'aïeule regardait déshabiller l'enfant,
Disant : – Comme il est blanc ! approchez donc la lampe.
Dieu ! ses pauvres cheveux sont collés sur sa tempe ! –
15 Et quand ce fut fini, le prit sur ses genoux.
La nuit était lugubre ; on entendait des coups
De fusil dans la rue où l'on en tuait d'autres.
– Il faut ensevelir l'enfant, dirent les nôtres.
Et l'on prit un drap blanc dans l'armoire en noyer.
20 L'aïeule cependant l'approchait du foyer
Comme pour réchauffer ses membres déjà roides.
Hélas ! ce que la mort touche de ses mains froides
Ne se réchauffe plus aux foyers d'ici-bas !
Elle pencha la tête et lui tira ses bas,
25 Et dans ses vieilles mains prit les pieds du cadavre.
– Est-ce que ce n'est pas une chose qui navre !
Cria-t-elle ; monsieur, il n'avait que huit ans !
Ses maîtres, il allait en classe, étaient contents.
Monsieur, quand il fallait que je fisse une lettre,
30 C'est lui qui l'écrivait. Est-ce qu'on va se mettre
À tuer les enfants maintenant ? Ah ! mon Dieu !
On est donc des brigands ! Je vous demande un peu,
Il jouait, ce matin, là, devant la fenêtre !
Dire qu'ils m'ont tué ce pauvre petit être !
35 Il passait dans la rue, ils ont tiré dessus.
Monsieur, il était bon et doux comme un Jésus.
Moi je suis vieille, il est tout simple que je parte ;

Cela n'aurait rien fait à monsieur Bonaparte
De me tuer au lieu de tuer mon enfant ! –
40 Elle s'interrompit, les sanglots l'étouffant,
Puis elle dit, et tous pleuraient près de l'aïeule :
– Que vais-je devenir à présent toute seule ?
Expliquez-moi cela, vous autres, aujourd'hui.
Hélas, je n'avais plus de sa mère que lui.
45 Pourquoi l'a-t-on tué ? je veux qu'on me l'explique. –
L'enfant n'a pas crié vive la République.

Nous nous taisions, debout et graves, chapeau bas,
Tremblant devant ce deuil qu'on ne console pas.

Vous ne compreniez point, mère, la politique.
50 Monsieur Napoléon, c'est son nom authentique,
Est pauvre, et même prince ; il aime les palais ;
Il lui convient d'avoir des chevaux, des valets,
De l'argent pour son jeu, sa table, son alcôve[1],
Ses chasses ; par la même occasion il sauve
55 La famille, l'église et la société ;
Il veut avoir Saint-Cloud[2] plein de roses l'été,
Où viendront l'adorer les préfets et les maires ;
C'est pour cela qu'il faut que les vieilles grands-mères,
De leurs pauvres doigts gris que fait trembler le temps,
60 Cousent dans le linceul[3] des enfants de sept ans.

Jersey[4], 2 décembre 1852.

V. Hugo, Châtiments, 1853.

1. Alcôve : lit.

2. Saint-Cloud : château où Louis Napoléon Bonaparte aimait résider l'été.

3. Linceul : drap mortuaire.

4. Jersey : île anglo-normande où Victor Hugo fut contraint de s'exiler (avant de s'installer à Guernesey) quand Louis Napoléon Bonaparte prit le pouvoir par le coup d'État du 2 décembre 1851. Il ne revint en France qu'à la fin du règne de Napoléon III, en 1870.

Souvenir de la nuit du 4,
H. Gervex (1880).
Tableau inspiré par les
Châtiments de Victor Hugo
(figuré à l'arrière-plan).

LA COMPOSITION DU POÈME

1 Le poème est composé de deux parties, séparées par une strophe de deux vers isolés (appelée distique). Donnez un titre à chacune d'elles.

2 GRAMMAIRE Énumérez les personnages présents dans la 1re partie du poème et précisez quels sont ceux qui s'expriment. Qui sont « les nôtres » (v. 18) et « on » (v. 45) ?

3 Pourquoi V. Hugo a-t-il accordé une place privilégiée à la parole de l'aïeule ? Quels types de phrases emploie-t-elle surtout ? Pourquoi ?

4 Quel est l'effet produit par l'emploi d'alexandrins pour rapporter ses propos ?

5 Dans la 2e partie du poème, qui s'exprime ? À qui ce locuteur s'adresse-t-il ?

6 À quelle question posée par la grand-mère la 2e partie du poème répond-elle ? Justifiez votre réponse.

L'EXPRESSION DES SENTIMENTS

7 VOCABULAIRE Relevez, dans la description de l'enfant, les expressions appartenant au champ lexical de la blessure (v. 1 à 25), puis celles qui évoquent la vie et le bonheur (v. 26 à 36). Quel sentiment éprouve-t-on en lisant ces vers qui s'opposent ?

8 Quel est l'effet produit par l'enjambement des vers 5 et 6 ?

9 Relevez au moins deux figures de style (personnification, métaphore, etc.) renforçant la tristesse poignante de cette veillée mortuaire.

10 Quel sentiment domine dans la seconde partie du poème ?

UN POÈME ENGAGÉ

11 De quand est daté le poème ? Pourquoi cette date est-elle significative ?

12 Comment comprenez-vous l'expression Monsieur Napoléon « est pauvre, et même prince » (v. 50-51) ?

13 Le titre du recueil dont ce poème est extrait est *Châtiments*. D'après vous, qui le poète entend-il attaquer et punir ? Comment y parvient-il ?

Leçon ➔ **L'énonciation lyrique**

▶ Tout poème lyrique est l'expression des sentiments personnels (amour, regret, chagrin, désespoir, colère) d'un « moi ». La force des sentiments s'exprime dans les types de phrases : le poète s'exclame, s'interroge ; il utilise des interjections.

▶ Un poème lyrique est caractérisé par la présence de la 1re personne : pronoms personnels (*je, moi, me*), pronoms possessifs (*le mien, les miennes*, etc.), adjectifs possessifs (*mon, ma, mes*).

▶ Le poète cherche à faire partager ses sentiments à un destinataire privilégié (la femme, l'ami, le lecteur), auquel il s'adresse directement à l'aide de « tu » ou « vous ».

▶ V. Hugo ne se contente pas de confier à autrui ses propres émotions, il fait aussi entendre la voix des autres, de ceux qui ne savent ou ne peuvent parler. La parole de l'aïeule, rapportée au style direct, n'est cependant pas transcrite telle quelle : son chant de deuil est magnifié par l'écriture poétique (alexandrins, images). La voix du poète se mêle à celle de la grand-mère.

Prolongements

➔ RÉFLÉCHIR SUR UNE CITATION DE V. HUGO. Dans un autre poème des *Châtiments*, Hugo écrit : « ceux qui vivent, ce sont ceux qui luttent ». Comment comprenez-vous cette phrase ? Partagez-vous cette opinion ? Exprimez votre point de vue à l'aide d'un ou plusieurs arguments.

➔ COMPRENDRE LES FONCTIONS DE LA POÉSIE ENGAGÉE. Après avoir relu ce poème, expliquez quelles sont pour vous les fonctions de la poésie engagée.

Outils de la langue

■ Les figures de style, voir p. 187.
■ L'expression des sentiments, voir p. 134.

**Jean-Baptiste
Clément**

[1837-1903]

*Apprenti dès l'âge
de 14 ans, cet autodidacte
connaît les duretés
de la vie et les
dénonce en chansons,
avant de devenir
journaliste et pamphlétaire.
L'exil sanctionne
sa participation à la
Commune.*

Le temps des cerises

Ce n'est pas, à l'origine, une chanson révolutionnaire. Elle le devient après le massacre des Communards[1], en mai 1871.

Quand nous chanterons le temps des cerises,
  Et gai rossignol et merle moqueur
Seront tous en fête.
Les belles auront la folie en tête
5 Et les amoureux du soleil au cœur.
Quand nous chanterons le temps des cerises,
Sifflera bien mieux le merle moqueur.

Mais il est bien court le temps des cerises,
Où l'on s'en va deux cueillir en rêvant
10 Des pendants d'oreille.
Cerises d'amour aux robes pareilles,
Tombant sous la feuille en gouttes de sang.
Mais il est bien court le temps des cerises
Pendants de corail qu'on cueille en rêvant.

15 Quand vous en serez au temps des cerises,
Si vous avez peur des chagrins d'amour,
Évitez les belles.
Moi qui ne crains pas les peines cruelles,
Je ne vivrai point sans souffrir un jour.
20 Quand vous en serez au temps de cerises
Vous aurez aussi des peines d'amour !

J'aimerai toujours le temps des cerises,
C'est de ce temps-là que je garde au cœur
Une plaie ouverte !
25 Et Dame Fortune en m'étant offerte
Ne pourra jamais fermer ma douleur.
J'aimerai toujours le temps des cerises
Et le souvenir que je garde au cœur.

Paroles et musique : J.-B. Clément et A. Renard, 1866-1868.

1. La Commune :
gouvernement révolution-
naire (18 mars-27 mai 1871)
installé à Paris après la levée
du siège de la ville par
les Prussiens. Il fut renversé
par l'Armée régulière.

Jean Cassou
[1897-1986]

Écrivain et critique, il est de tous les combats du siècle, ce qu'évoque Une vie pour la Liberté *(1980), son autobiographie. Résistant de la première heure, il connaît la prison. À la Libération, il devient conservateur du musée national d'Art moderne.*

La plaie que, depuis le temps des cerises...

Emprisonné, Jean Cassou se souvient de la chanson de Jean-Baptiste Clément devenue le chant de ralliement de toutes les révoltes.

La plaie que, depuis le temps des cerises,
je garde en mon cœur s'ouvre chaque jour.
En vain les lilas, les soleils, les brises
viennent caresser les murs des faubourgs.

5 Pays des toits bleus et des chansons grises,
qui saignes sans cesse en robe d'amour,
explique pourquoi ma vie est éprise
du sanglot rouillé de tes vieilles cours.

Aux fées rencontrées le long du chemin
10 je vais racontant Fantine et Cosette.
L'arbre de l'école, à son tour, répète

Une belle histoire où l'on dit : demain...
Ah! jaillisse enfin le matin de fête
où sur les fusils s'abattront les poings!

J. Cassou, *Trente-trois sonnets composés au secret*
(publiés sous le pseudonyme de Jean Noir), Éd. de Minuit, 1944.

AMOUR ET RÉVOLTE

1 De quel mal les amoureux de la chanson et le poète emprisonné souffrent-ils?

2 Dans «Le temps des cerises», expliquez l'image «en gouttes de sang» (v. 12). Quel sens avait-elle en 1865? De quelle connotation se charge-t-elle après 1871?

3 Dans quels vers du poème de J. Cassou retrouve-t-on la même image? À quelle situation historique s'applique-t-elle?

4 VOCABULAIRE Dans la chanson, expliquez les deux sens possibles des trois expressions: «merle moqueur» (v. 2), «peines cruelles» (v. 18) et «plaie ouverte» (v. 24).

HIER, AUJOURD'HUI, DEMAIN

5 Jean Cassou a inventé son poème en prison, sans papier, ni crayon. Pour composer son œuvre et s'en souvenir, il s'est inspiré de textes qu'il connaissait par cœur. De quel roman se souvient-il? Quelles expressions emprunte-t-il au «Temps des cerises»?

6 Relevez les vers du poème de Jean Cassou qui développent l'image de la plaie saignante. Quel est l'effet créé par l'allitération du vers 6?

7 Présentez les caractéristiques de ce poème (nombre de strophes, de vers par strophe, de syllabes par vers, rimes). Retrouvez le nom de ce type de poème. Est-ce une forme nouvelle ou rattachée au passé?

8 Dans « Le temps des cerises », à quel temps sont majoritairement conjugués les verbes ? Dans quelle partie du poème ce temps exprime-t-il la vision d'un futur radieux, dans quelle autre évoque-t-il un avenir sombre ? Donnez un titre à chaque partie.

9 GRAMMAIRE Quel mode verbal Jean Cassou utilise-t-il pour formuler son souhait d'un avenir radieux (v.13) ? À quoi servira l'ultime geste de violence du texte ?

LA SITUATION D'ÉNONCIATION

10 GRAMMAIRE Dans « Le temps des Cerises », quel pronom montre que l'auteur partage les sentiments de la collectivité ? Dans quel couplet prend-il ses distances ? Justifiez votre réponse.

11 En dehors du poète, qui parle dans le texte de Jean Cassou ? Quels sont les destinataires du locuteur ?

M. Luce, *Une rue de Paris en mai 1871*, ou *La Commune*, 1903-1905.

Leçon ➔ Poésie engagée et mémoire

▶ La **poésie en vers**, qui se retient mieux que la prose, permet de ne pas oublier les faits marquants de l'humanité en temps de guerre et de révolte, en particulier.

▶ Pour faciliter la mémorisation, le poète recourt à des **citations** (paroles très connues du « Temps des cerises » dans le poème de Jean Cassou) et des **procédés de reprise** : retours de sonorités (rimes, allitérations, assonances), refrains, échos ou parallélismes qui rythment le poème.

▶ Mis au secret dans une prison, Jean Cassou a composé de tête, sans papier ni crayon. Il voulait se souvenir de ses poèmes pour se les réciter et les transmettre aux autres. Pour cela, il a préféré les **poèmes à formes fixes**, classiques : leur schéma, toujours le même, offre un canevas déjà connu, sur lequel il peut broder de façon claire et efficace. La « poésie militante » veut avant tout être comprise, ressentie et retenue.

Prolongements

➔ RÉFLÉCHIR SUR L'HISTOIRE. Selon vous, les hommes savent-ils tirer les leçons de l'Histoire ? Faites appel à ce que vous avez appris en histoire et à travers la lecture de ces deux textes pour répondre en un paragraphe argumenté.

➔ ÉCRIRE EN VERS. Faites une liste de mots appartenant au champ lexical de l'avenir. Séparez ceux qui ont des connotations positives (parce qu'ils sont liés à l'espoir, au progrès, etc.) et ceux qui sont connotés négativement (parce qu'ils expriment le pessimisme, le renoncement, la peur, etc.). Utilisez ces mots dans une ou deux strophes en vers que vous composerez pour évoquer l'avenir tel que vous le voyez.

➔ RÉFLÉCHIR SUR UN TABLEAU. Quelles paroles du *Temps des cerises* le tableau de M. Luce illustre-t-il ?

Outils de la langue

- La connotation, voir p. 186.
- Les figures de style, voir pp. 187-189.

Une affiche pour l'espoir

Dessin de P. Picasso pour Amnesty International, 1959.

Pablo
Picasso
[1881-1973]

Pablo Picasso est un des plus grands artistes du XXᵉ siècle : doué pour la peinture, la sculpture ou les collages, il s'illustre aussi par ses dessins souvent simples et lumineux.

UNE AFFICHE ENGAGÉE

1 Quels éléments typiques d'une affiche retrouvez-vous dans ce document ? Qui diffuse une telle affiche ? Recherchez la mission de cette organisation internationale.

2 Identifiez la technique utilisée (dessin, aquarelle, collage...). Pourquoi peut-on dire qu'elle est sobre ? Quelle est la raison de ce choix ?

Leçon → L'image engagée

▶ Comme la littérature engagée, l'image engagée défend une cause : elle cherche à persuader le spectateur de l'importance et de la valeur de cette cause. En effet, l'image fait plus souvent appel aux sens et au cœur qu'à la raison : l'artiste cherche d'abord à toucher, à sensibiliser, à émouvoir, même si dans le cas d'une affiche, le texte permet le développement d'un message.

▶ La valeur artistique d'une image engagée n'est pas inutile : grâce à sa beauté, une œuvre touchera plus facilement, ses qualités esthétiques seront mises au service de la cause défendue. Ainsi les affiches d'*Amnesty international* sont souvent d'abord des œuvres d'art qui permettent la dénonciation de la violence, de la torture ou de toute forme d'atteinte aux libertés dans le monde.

▶ L'affiche diffusée devient alors l'expression de la liberté artistique qui s'oppose à toute forme d'oppression.

3 Décrivez l'image et montrez le lien existant avec la légende, en particulier avec les mots « espoir » et « prisonniers ».

4 Précisez les idées que cherche à défendre cette affiche.

UNE IMAGE ARGUMENTATIVE

5 Quelle partie du visage frappe immédiatement le spectateur ? Pour quelle raison ?

6 De quel côté se trouve le spectateur ? Quelle impression gênante peut-il avoir ?

7 Comment l'image fait-elle le lien entre le nom de l'organisation et le « slogan » ? Montrez que cette construction, simple, résume l'action d'*Amnesty international*.

UNE ŒUVRE ARTISTIQUE ET SYMBOLIQUE

8 Qui a fait le dessin de cette affiche ? Comment le savez-vous ? Pourquoi peut-on dire que le nom d'un tel artiste est une caution pour la campagne ?

9 Quelles sont les seules parties du corps du prisonnier dessinées ? Pourquoi à votre avis ? Montrez que ses mains sont le symbole de l'engagement des « prisonniers d'opinion ».

10 Que symbolise traditionnellement la colombe ? Quelles valeurs viennent s'ajouter à ce symbole ? À quoi s'oppose sa blancheur dans l'image ? Pourquoi ?

11 Résumez « l'opinion » exprimée par l'affiche. En quoi la liberté de sa diffusion s'oppose-t-elle aux « prisonniers d'opinion » ?

Prolongement

➔ COMPARER DES CAMPAGNES PUBLICITAIRES. Allez sur le site *http://www.amnesty.asso.fr* (« visuels des anciennes campagnes ») et comparez les différentes affiches des campagnes précédentes : quel est leur point commun ? Choisissez une affiche et présentez-la à la classe sous la forme d'une étude d'image.

René
Char

[1907-1988]

*Dénoncé comme
communiste, il doit
se réfugier dans les Alpes
et devient résistant.
Il écrit alors des poèmes
en prose très personnels,
en rupture avec ses œuvres
précédentes, surréalistes.
En 1946, il publie* Feuillets
d'Hypnos, *carnet
de guerre et de Résistance.*

Fragment 128

Le boulanger n'avait pas encore dégrafé les rideaux de fer de sa boutique que déjà le village était assiégé, bâillonné, hypnotisé, mis dans l'impossibilité de bouger. Deux compagnies de SS et un détachement de miliciens le tenaient sous la gueule de leurs mitrailleuses
5 et de leurs mortiers. Alors commença l'épreuve.

Les habitants furent jetés hors des maisons et sommés de se rassembler sur la place centrale. Les clés sur les portes. Un vieux, dur d'oreille, qui ne tenait pas compte assez vite de l'ordre, vit les quatre murs et le toit de sa grange voler en morceaux sous l'effet d'une
10 bombe. Depuis quatre heures j'étais éveillé. Marcelle était venue à mon volet me chuchoter l'alerte. J'avais reconnu immédiatement l'inutilité d'essayer de franchir le cordon de surveillance et de gagner la campagne. La maison inhabitée où je me réfugiai autorisait, à toute extrémité, une résistance armée efficace. Je pouvais suivre de la
15 fenêtre, derrière les rideaux jaunis, les allées et venues nerveuses des occupants. Pas un des miens n'était présent au village. Cette pensée me rassura. À quelques kilomètres de là, ils suivraient mes consignes et resteraient tapis. Des coups me parvenaient, ponctués d'injures. Les SS avaient surpris un jeune maçon qui revenait de relever des col-
20 lets. Sa frayeur le désigna à leurs tortures. Une voix se penchait hurlante sur le corps tuméfié : « Où est-il ? Conduis-nous. », suivie de silence. Et coups de pied et coups de crosse de pleuvoir. Une rage insensée s'empara de moi, chassa mon angoisse. Mes mains communiquaient à mon arme leur sueur crispée, exaltaient sa puissance
25 contenue. Je calculais que le malheureux se tairait encore cinq minutes, puis, fatalement, il *parlerait*. J'eus honte de souhaiter sa mort avant cette échéance. Alors apparut jaillissant de chaque rue la marée des femmes, des enfants, des vieillards, se rendant au lieu de rassemblement, suivant un *plan concerté*. Ils se hâtaient sans hâte,
30 ruisselant littéralement sur les SS, les paralysant « en toute bonne foi ». Le maçon fut laissé pour mort. Furieuse, la patrouille se fraya un chemin à travers la foule et porta ses pas plus loin. Avec une prudence infinie, maintenant les yeux anxieux et bons regardaient dans ma direction, passaient comme un jet de lampe sur ma fenêtre. Je me
35 découvris à moitié et un sourire se détacha de ma pâleur. Je tenais à ces êtres par mille fils confiants dont pas un ne devait se rompre.

J'ai aimé farouchement mes semblables cette journée-là, bien au-delà du sacrifice.

R. Char, « Feuillets d'Hypnos » (1946), *Fureur et Mystère*,
Éd. Gallimard, coll. « Poésie », 1962.

C

J'ai traversé les Ponts de Cé
C'est là que tout a commencé

Une chanson des temps passés
Parle d'un chevalier blessé

5 D'une rose sur la chaussée
Et d'un corsage délacé

Du château d'un duc insensé
Et des cygnes dans les fossés

De la prairie où vient danser
10 Une éternelle fiancée

Et j'ai bu comme un lait glacé
Le long lai des gloires faussées

La Loire emporte mes pensées
Avec les voitures versées

15 Et les armes désamorcées
Et les larmes mal effacées

Ô ma France, ô ma délaissée
J'ai traversé les ponts de Cé

L. Aragon, *Les Yeux d'Elsa*, Éd. Seghers, 1942.

Louis
Aragon
[1897-1982]

*Écrivain et poète,
il est l'un des chefs de file
du surréalisme
avec André Breton.
Adhérent du parti
communiste, il s'engage
dans la Résistance.
Il publie dans la
clandestinité des poèmes
où l'amour de la femme
(Elsa Triolet, Les Yeux
d'Elsa, 1942) rejoint
l'amour de la patrie.*

Paul
Éluard
[1895-1952]

*Poète surréaliste,
il décide, pendant la
Seconde Guerre mondiale,
de consacrer sa poésie
à la célébration
de la Résistance.
Il défend les forces
de l'amour et de la liberté.*

Couvre-feu

Que voulez-vous la porte était gardée
Que voulez-vous nous étions enfermés
Que voulez-vous la rue était barrée
Que voulez-vous la ville était matée
5 Que voulez-vous elle était affamée
Que voulez-vous nous étions désarmés
Que voulez-vous la nuit était tombée
Que voulez-vous nous nous sommes aimés.

P. Éluard, « *Poésie et Vérité* », (1942),
Au rendez-vous allemand, Éd. de Minuit, 1945.

CHANSONS ANCIENNES, POÈMES NOUVEAUX

1 À quelle époque semblent se situer les 16 premiers vers de *C* ? Relevez le vocabulaire justifiant votre réponse.

2 Dans quels poèmes trouve-t-on une rime ou une assonance unique ? Expliquez le titre du 1er d'entre eux. Relevez, dans ce poème, les deux homophones, les assonances et les allitérations et dites quel est l'effet produit par ces procédés musicaux.

3 VOCABULAIRE En dépit des références médiévales, Aragon évoque 1940 et la défaite de la France. Quel 2e sens peuvent prendre les expressions le « duc insensé », le « chevalier blessé » et « l'éternelle fiancée » ? À quoi peuvent faire penser les « voitures versées » ?

4 Le texte de René Char n'est pas écrit en vers. Relevez les images fortes de ce fragment qui vous semblent poétiques.

5 Quel poème est bâti sur une anaphore ? Quel est l'effet produit ?

VICTIMES ET BOURREAUX

6 Dans les trois poèmes, contre qui la violence des attaquants s'exerce-t-elle ? Comment la faiblesse des victimes est-elle exprimée ?

7 Dans quels poèmes les ennemis sont-ils animalisés et la ville attaquée personnifiée ? Pourquoi ?

8 Dans le 1er poème, quelles expressions montrent que toute fuite est impossible ?

9 Dans les vers 1 à 4 de *Couvre-feu*, où sont placés les mots évoquant l'encerclement ? Pourquoi ?

10 Dans le fragment de René Char, montrez que la 1re phrase se termine par une succession de termes de plus en plus forts (gradation). À quel moment la violence devient-elle contagieuse et touche-t-elle le poète ? Quel souhait formule-t-il alors et pourquoi ?

AMOUR ET SOLIDARITÉ

11 Relevez l'apostrophe qui clôt le poème d'Aragon. Comment exprime-t-elle la détresse du poète et son amour pour la France ?

12 Dans *Couvre-Feu*, en quoi le dernier vers s'oppose-t-il au reste du poème ? Quelle est la seule réponse trouvée à la guerre ?

13 Dans le texte de René Char, quel stratagème les villageois inventent-ils pour faire fuir l'ennemi ? Pourquoi est-il impossible de lutter contre leur révolte pacifique ?

14 Quel sentiment René Char éprouve-t-il pour la foule des villageois ? Comment comprenez-vous l'image des fils reliant les hommes entre eux, aux lignes 34 et 35 ?

Leçon → **France libre**
vers libres

▶ En 1942, le gouvernement de Vichy multiplie les mesures contre les résistants. Les poètes de la Résistance s'organisent pour prendre part au combat des mots, souvent au péril de leur vie.
Le 14 juillet 1943, les Éditions de Minuit clandestines publient *L'Honneur des poètes*, recueil collectif regroupant les œuvres de vingt-deux auteurs appelant ouvertement à la révolte.

▶ Si les poètes de la Résistance aiment les poèmes à forme fixe, certains, comme Paul Éluard, préfèrent le poème en vers libre, qui abandonne strophe, rime et ponctuation, et présente des vers de longueur différente.
René Char privilégie, lui, le poème en prose dans ses recueils ou le fragment dans ses carnets de guerre.

Prolongements

→ LIRE ET RÉCITER. Relisez lentement les poèmes et choisissez celui que vous préférez. Apprenez-le par cœur pour le réciter devant vos camarades.

→ ÉCRIRE À LA MANIÈRE DE... À votre tour, composez une strophe d'une dizaine de vers libres commençant par l'anaphore « Que voulez-vous ? » ou « Il y a » pour dénoncer une situation bloquée.

Outils de la langue

■ Les figures de style, voir pp. 187-189.
■ La versification, voir pp. 312-313.

Du lyrisme à l'engagement

1 **Identifier les différentes formes du lyrisme et de l'engagement**

a] Après avoir lu ces poèmes, précisez s'ils sont composés en vers libres ou en vers réguliers. Dans ce cas, précisez le type de strophes, le nombre de syllabes par vers, les combinaisons de rimes.

b] Pour chaque poème, précisez qui parle, à qui, dans quelles circonstances. Quels extraits vous semblent être de la poésie lyrique ? Justifiez votre réponse.

c] En vous aidant des dates de publication, devinez quelle réalité constitue le thème de chaque poème. Est-ce explicite ? Que dénoncent ainsi les poètes ?

1/ Cellule 487

Toujours les quatre murs
Le bruit légendaire des bottes
L'amour la joie la liberté
À coups de pieds rejetés

Entrechoquement de gamelles affamées
Les soupes creuses
Et le pain malheureux d'être là

Le rayon de soleil joyeux trésor
Que l'on voudrait cacher pour les jours plus noirs
Le ressac des doux souvenirs et des regrets
    Une perle brille sur la plage
    Dans la coquille vide
    Puis une vague l'emporte

Ah ! mon amour combien de fois ai-je écouté l'oiseau
                              [chanter

Sans l'entendre

Ah ! mes amis combien de fois ai-je appris
La chute de Varsovie
Combien de fois ai-je aimé
Le beau mensonge des exaltés [...]
Fresnes, 22 février-23 mars 1944.

> A. Verdet, « Les jours, les nuits, et puis l'aurore » (1944),
> *La Résistance et ses poètes*, Éd. Seghers, 1949.

2/ De ma prison j'entends

Le chant venu des routes
Je me tends et j'écoute
Les pas se rapprochant

À force de me tendre
Mes liens se sont usés
Ils seront tôt brisés
Le jour (il faut l'attendre)

Où les chants et les pas
Résonneront aux portes :
Alors (faussement forte)
La prison s'ouvrira

> P. Emmanuel, *Chanson du dé à coudre*, Éd. du Seuil, 1971.

3/ D'une prison

Touche l'air et l'eau et le feu
Touche sa peau si tu la veux
Touche l'herbe la feuille l'aulne
Toute la terre fait l'aumône
Touche ses yeux, ses yeux ont fui
Toutes les Sorgues de la nuit
Les perdirent dans leurs méandres
Touche son cœur, son cœur est tendre
Et touche l'aile de l'oiseau
Il vole à grands coups de ciseaux
Si loin que tes mains ne l'atteignent
Et puis avant qu'elle s'éteigne
Touche la flamme, elle est fumée
Touche la neige, elle est buée
Touche le ciel, il est en toi
– Ô mon amour – crie une voix
Une autre voix un nom murmure
Et la prison ferme ses murs.

> P. Seghers, *Le Temps des merveilles*, Éd. Seghers, 1977.

4/ Ils

Avec ou sans machines
par force ou par douceur
ils imposent les codes
les us, les mots, les normes

les cadences, les chiffres.

On dirait que très loin dans un château secret
un groupe a décidé, prévu depuis toujours
et compté, pesé, divisé.
La règle s'ajoute à la règle
les libertés sont mesurées
rognées, coupées.

Les vrais maîtres, qui sont-ils donc ?
Ces *ils* ne sont jamais des *nous*
et chacun de nous, seuls contre eux
ne sait affronter ces fantômes.
Si pourtant je trouvais
d'autres *je* pour lutter ?

> G. Sédir, « Ils », *La Révolte des poètes,
> 150 poèmes inédits*, Éd. Hachette,
> coll. « Le livre de poche jeunesse », 1998.

Pratique de la langue

grammaire

Connotations
Sens propre et sens figuré

 Découvrir des connotations

a] Quel est le sens premier du mot « douceur » ?

b] À quelles situations de la vie quotidienne ce nom est-il associé dans le poème ? Précisez les différents sens qui sont ainsi ajoutés au sens premier du mot (les connotations).

c] La même formule introduit chaque nouvelle idée liée au mot « douceur ». Combien de fois est-elle répétée ? À quelle place ? Quel est l'effet produit par cette reprise (appelée anaphore) ?

d] Quelle sonorité revient sans cesse dans le poème ? Expliquez en quoi cette allitération peut évoquer la douceur.

e] Comptez le nombre de syllabes de chacun des vers. C'est toujours un nombre pair. Peut-on établir un rapport entre ce choix du poète et l'idée de douceur ? Justifiez votre réponse.

Je dis : douceur.
Je dis : douceur des mots
Quand tu rentres le soir du travail harassant
Et que les mots t'accueillent
Qui te donnent du temps.

Car on tue dans le monde
Et tout massacre nous vieillit.

Je dis : douceur,
Pensant aussi aux feuilles en voie de sortir du bourgeon,
À des cieux, à de l'eau dans les journées d'été,
À des poignées de main.

Je dis : douceur, pensant aux heures d'amitié,
À ces mots qui disent
Le temps de la douceur venant pour tout de bon.

Cet air tout neuf
Qui pour durer s'installera.

> Guillevic, *Exécutoire*, Éd. Gallimard, coll. « Poésie », 1947.

Inventer des connotations

a] Commentez la mise en page et le rythme du poème, fondé sur le retour d'un seul et même mot.

b] À quoi vous fait penser le mot « persienne » ? Associez-lui le maximum d'idées et notez les connotations ainsi découvertes.

Persiennes

Persienne Persienne Persienne

      Persienne persienne persienne persienne
persienne persienne persienne persienne
persienne persienne persienne persienne persienne

     Persienne Persienne Persienne

     Persienne ?

> L. Aragon, *Le Mouvement perpétuel*, Éd. Gallimard, 1926.

Jouer avec le sens propre et le sens figuré

Employez chacun des mots en caractères gras dans une phrase de votre invention, où ils auront un sens différent. Précisez si vous les employez alors au sens propre ou au sens figuré.

1. Ce qui donne un **sens** à la vie donne un sens à la mort. (Saint-Exupéry)

2. Leur cœur s'**enflamma** dès le premier regard.

3. À quatorze ans, on commence à se sentir concerné par les films porteurs d'un **message**.

4. Son sourire est vraiment **désarmant**.

5. « Ne devinez-vous pas que je **bous** d'ivresse ? » (Rimbaud)

6. Par son **engagement** de tous les instants, ce comédien a su lutter contre la misère.

Leçon ⟶ Dénotation et connotation

▶ La dénotation est le sens explicite et constant d'un mot. Il est donné par le dictionnaire et est compris par tous les locuteurs.

▶ Un mot peut aussi évoquer d'autres réalités, qui surgissent par associations d'idée ou analogies. Elles dépendent donc du contexte, de l'auteur et du destinataire. Ces significations implicites et subjectives sont les connotations. Les connotations sont secondes, ajoutées à la dénotation. Il est important de saisir les connotations des mots pour bien comprendre le sens du texte dans lequel ils sont employés.

▶ On appelle sens propre le premier sens du mot et sens figuré un sens fondé sur une figure de style. Quand un mot a plusieurs sens, on parle de polysémie.

Figures vives et figures figées

5 Rendre vie à une métaphore figée

a] Que signifient les expressions suivantes, passées dans la langue courante : « une langue de feu », « courir à perdre haleine », « une bouche d'incendie » ?

b] Quelles images nouvelles ces expressions ont-elles inspirées à l'auteur du poème ci-dessous ? Relevez-les et expliquez ce qu'elles suggèrent pour vous.

c] D'après vous, que peut bien proférer la bouche de feu du poète ? Quelle est la fonction de la poésie ici évoquée ?

Ma langue

Ma langue prend feu. Il fallait bien que je l'attise. Le vent frappe mon front, mais se refuse à ma bouche. Je n'écris pas à perdre haleine, j'écris pour que ma bouche prenne feu.

C. Norac, *La Révolte des poètes,
150 poèmes inédits*, Éd. Hachette,
coll. « Le livre de poche jeunesse », 1998.

6 Vivifier des expressions toutes faites

a] Les expressions suivantes appartiennent à la langue courante. Employez chacune d'elles dans une phrase et précisez quelle figure de style figée est utilisée.

b] Choisissez une de ces quatre expressions et inventez un court poème où elle prendra un sens plus poétique, comme dans le poème de Carl Norac ci-dessus.

Un froid de canard, muette comme une carpe, triste comme la pluie, dans la fleur de l'âge.

7 Comprendre une comparaison filée

a] Dans le poème ci-dessous, relevez la comparaison de la 1re phrase et la métaphore de la 2e en précisant chaque fois quel est le comparant et le comparé.

b] D'après la comparaison filée dans tout le poème, que représente l'ensemble des cierges ? Cette image vous semble-t-elle appropriée ? Justifiez votre réponse.

c] Entre les cierges allumés et les cierges éteints, à quel moment de sa vie semble se trouver le poète ?

Cierges

Les jours futurs se dressent devant nous comme une file de petits cierges allumés, petits cierges dorés, chauds et vifs.

Les jours passés demeurent derrière nous, triste rangée de cierges éteints. Les plus récents fument encore, cierges froids, fondus et penchés.

Je ne veux pas les voir ; leur aspect m'afflige. Le souvenir de leur ancienne lumière me fait mal. Je regarde devant moi mes cierges allumés.

Je ne veux ni tourner la tête ni constater en tremblant combien vite la sombre rangée s'allonge, combien vite les cierges éteints se multiplient.

C. Cavafy, « Cierges »,
Poèmes (avant 1911), trad. du grec M. Yourcenar
et C. Dimaras, Éd. Gallimard, 1958.

8 Analyser des métaphores filées

a] Relevez la métaphore filée contenue dans chaque extrait et expliquez-la.

b] Quel est le message exprimé par le paysage ? Répondez en vous appuyant sur le comparé et le comparant.

1/ J'écris dans ce pays qui souffre mille morts
Qui montre à tous les yeux ses blessures pourpres
Et la meute sur lui grouillante qui le mord
Et les valets sonnant dans le cor la curée.

Aragon, *Le Musée Grévin*, 1943.

2/ Les arbres tournaient lentement en moi
Leurs pages tantôt bruyantes, tantôt muettes,
Tantôt épaisses et jaunies, les saisons
        Me donnaient des leçons.

A. Robin, « L'illettré »,
Ma vie sans moi, Éd. Gallimard, 1940.

9 Expliquer les personnifications

Relevez les personnifications dans les extraits suivants. Analysez l'effet produit par chacune d'elles.

1. La chambre vacille / Ivre de soleil. (V. Maïakovski)

2. Le temps, vieillard souffrant de multiples entorses / Peut gémir : le matin est neuf, neuf est le soir. (R. Desnos)

3. La route expirait dans les pierres / Entre les murs écroulés (J. Rousselot)

4. Rappelle-toi Barbara / N'oublie pas / Cette pluie sage et heureuse / Sur ton visage heureux / Sur cette ville heureuse. (J. Prévert)

Pratique de la langue

vocabulaire

6. La guerre m'a pris dans ses bras rouges / Elle m'a bercé / La guerre m'a vu de ses yeux rouges / Et m'a parlé / Elle m'a dit veux-tu t'étendre / Auprès de moi / Sur mon grand lit, mon lit de cendre / Mon lit bien froid. (B. Vian)

10 Comprendre les procédés d'insistance

a] Dans les extraits suivants, relevez toutes les répétitions ; précisez lesquelles sont des anaphores. Comment insistent-elles sur le travail du poète ?

b] Dans quel extrait trouve-t-on des termes évoquant, de manière exagérée, la force des mots ? Que nous fait comprendre cette figure de style appelée hyperbole ?

Trouver des mots forts comme la folie
Trouver des mots couleur de tous les jours
Trouver des mots que personne n'oublie (L. Aragon)

De ses mots savants les forces inconnues
Transportent les rochers, font descendre les nues,
Et briller dans la nuit l'éclat de deux soleils. (P. Corneille)

Qui prêtera la parole
À la douleur qui m'affole ?
Qui donnera les accents
À la plainte qui me guide ?
Et qui lâchera la bride
À la fureur que je sens ? (J. Du Bellay)

11 Étudier les répétitions

a] Quels mots prouvent que le poète interpelle son destinataire ? À qui, d'après vous, le poète s'adresse-t-il ?

b] Quelles reprises de mots et quelles répétitions de sonorités repérez-vous à la lecture de ce petit poème ? Comment rendent-ils sensibles la longue douleur de l'exil ?

Ô comme les pays se ressemblent
Et se ressemblent les exils
Tes pas ne sont pas de ces pas
Qui laissent des traces sur le sable
Tu passes sans passer

A. Laâbi, *Le Spleen de Casablanca*,
Éd. La Différence, 1996.

12 Reconnaître les figures exprimant le contraste

Dans les extraits suivants, distinguez antithèses et oxymores. Justifiez ensuite leur emploi.

1. Le soleil / Pailletant chaque fleur d'une humide étincelle. (P. Verlaine)

2. Cette obscure clarté qui tombe des étoiles. (P. Corneille).

3. Je suis plein du silence assourdissant d'aimer (L. Aragon)

4. Ce cœur qui haïssait la guerre voilà qu'il bat pour le combat et la bataille. (R. Desnos)

13 Analyser le développement d'une image

a] Dans le poème suivant, l'évocation de la femme se condense en une seule image : le soleil noir. Comment se nomme cette figure de style ?

b] Montrez comment cette image est développée dans tout l'extrait.

Elle est belle, et plus que belle ; elle est surprenante. En elle, le noir abonde : et tout ce qu'elle inspire est nocturne et profond. Ses yeux sont deux antres où scintille vaguement le mystère, et son regard illumine comme l'éclair : c'est une explosion dans les ténèbres.

Ch. Baudelaire, *La Fanfarlo*, 1847.

14 Évoquer les contrastes du sentiment amoureux

Dans ce sonnet, relevez toutes les figures de style exprimant le contraste et la contradiction. Quelle vision du sentiment amoureux contribuent-elles à créer ?

Je vis, je meurs ; je me brûle et me noie ;
J'ai chaud extrême en endurant froidure ;
La vie m'est et trop molle et trop dure ;
J'ai grands ennuis entremêlés de joie.

Tout à coup je ris et je larmoie,
Et en plaisir maint grief[1] tourment j'endure ;
Mon bien s'en va, et à jamais il dure ;
Tout en un coup je sèche et je verdoie.

Ainsi Amour inconstamment me mène ;
Et quand je pense avoir plus de douleur
Sans y penser je me trouve hors de peine.

Puis quand je crois ma joie être certaine
Et être en haut de mon désiré heur[2]
Il me remet en mon premier malheur.

L. Labbé, *Sonnets*, 1526-1566.

1. Grief : ce monosyllabe signifie « lourd ».
2. Heur : bonheur.

vocabulaire

15 Inventer des périphrases

a] Relevez les périphrases désignant des animaux. Quelles caractéristiques permettent-elles d'exprimer ?

b] Imaginez une autre périphrase sur le même modèle.

Le papillon
Ce billet doux plié en deux cherche une adresse de fleurs.

La puce
Un grain de tabac à ressort.

Le ver luisant
Cette goutte de lune dans l'herbe

Le lézard
Fils spontané d'une pierre fendue

L'araignée
Une petite main poilue crispée sur des cheveux.

> J. Renard, *Histoires naturelles*, 1896.

16 Jouer avec toutes les figures

a] Retrouvez, dans les deux extraits, une antithèse, une périphrase, une métaphore filée, une personnification, une anaphore, une répétition, une métonymie.

b] En vous appuyant sur ces deux poèmes, montrez que la poésie, loin de s'éloigner du réel, en dénonce le caractère révoltant.

1/ Melancholia

Où vont tous ces enfants dont pas un seul ne rit ?
Ces doux êtres pensifs, que la fièvre maigrit ?
Ces filles de huit ans qu'on voit cheminer seules ?
Ils s'en vont travailler quinze heures sous des meules ;
Ils vont, de l'aube au soir, faire éternellement
Dans la même prison le même mouvement.
Accroupis sous les dents d'une machine sombre,
Monstre hideux qui mâche on ne sait quoi dans l'ombre,
Innocents dans un bagne, anges dans un enfer,
Ils travaillent. Tout est d'airain, tout est de fer.
Jamais on ne s'arrête et jamais on ne joue.
Aussi quelle pâleur ! la cendre est sur leur joue.
Il fait à peine jour, ils sont déjà bien las.

Ils ne comprennent rien à leur destin, hélas !
Ils semblent dire à Dieu : « Petits comme nous sommes,
Notre Père, voyez ce que nous font les hommes ! »
Juillet 1838.

> V. Hugo, *Les Contemplations*, 1856.

2/ À tous les enfants
À tous les enfants qui sont partis le sac au dos
Par un brumeux matin d'avril
Je voudrais faire un monument
À tous les enfants qui ont pleuré le sac au dos
Les yeux baissés sur leurs chagrins
Je voudrais faire un monument

> B. Vian, *Textes et chansons*, Éd. Julliard, 1966.

Leçon → Poésie et figures de style

▶ Pour exprimer ce qu'il ressent, le poète utilise toutes les ressources du langage, en particulier les figures de style.

▶ La comparaison et la métaphore rapprochent deux réalités différentes mais présentant des analogies. La personnification consiste à donner à un objet inanimé ou à une réalité abstraite des traits humains. Ces figures peuvent être filées. (Voir ex. 6 à 9.)

▶ Pour créer un effet d'insistance, le poète a recours à toutes les formes de répétitions : anaphore, hyperbole et gradation. (Voir ex. 10 et 11.)

▶ Pour frapper l'imagination, on peut rapprocher des réalités opposées.
– L'antithèse consiste à rapprocher deux mots, deux expressions ou deux notions de sens contraire. (Ex. « et mon mal est délicieux », G. Apollinaire.)
– L'alliance de mots (ou oxymore) est un cas particulier d'antithèse : les deux termes évoquant des réalités contradictoires sont accolés. (Ex : « le soleil noir », C. Baudelaire.) (Voir ex. 12 à 14.)

▶ Certaines figures sont devenues tellement banales qu'elles semblent figées. Une des fonctions du poète est de transformer ces expressions usées, devenues des clichés, en images vives et neuves. (Voir ex. 6 et 7.)

Écrire...

s'exercer

17 Inventer un acrostiche

a] Après avoir observé ce poème, expliquez ce qu'est un acrostiche.

b] Utilisez les lettres du prénom d'une personne, d'un lieu, d'un mois de l'année que vous aimez, pour composer un acrostiche où vous exprimerez vos sentiments.

La nuit descend
On y pressent
Un long un long destin de sang

> G. Apollinaire, *Poèmes à Lou* (30 janvier 1915),
> Éd. Gallimard, 1947.

18 Écrire au nom de la liberté

À l'imitation d'Éluard, écrivez à votre tour deux quatrains dont les trois premiers vers commenceront par l'anaphore « Sur... ».

[...]
Sur mes refuges détruits
Sur mes phares écroulés
Sur les murs de mon ennui
J'écris ton nom

Sur l'absence sans désir
Sur la solitude nue
Sur les marches de la mort
J'écris ton nom

Sur la santé revenue
Sur le risque disparu
Sur l'espoir sans souvenir
J'écris ton nom

Et par le pouvoir d'un mot
Je recommence ma vie
Je suis né pour te connaître
Pour te nommer

Liberté

> P. Éluard, « Liberté », *Poésie et Vérité*,
> Éd. de Minuit, 1942.

19 Utiliser les images

a] Quelles antithèses relevez-vous dans les strophes 11 et 12 de l'extrait ci-dessous ? Quel reproche, adressé par le poète aux hommes, servent-elles à exprimer ?

b] Quel sentiment ressentez-vous à la lecture de ces strophes ? Exprimez-le en un poème en prose de 7 à 8 lignes dans lequel vous emploierez plusieurs figures d'opposition.

La victoire de Guernica

9
Les femmes les enfants ont le même trésor
Dans les yeux
Les hommes le défendent comme ils peuvent

10
Les femmes les enfants ont les mêmes roses rouges
Dans les yeux
Chacun montre son sang

11
La peur et le courage de vivre et de mourir
La mort si difficile et si facile

12
Hommes pour qui ce trésor fut chanté
Hommes pour qui ce trésor fut gâché

> P. Éluard, *Cours naturel*, Éd. Gallimard, 1938.

20 Écrire un poème en s'inspirant d'un tableau

L'arbre de vie, de joie et d'amour.

L. Noël, 2001.

En vous inspirant de l'image ci-dessus, composez quatre strophes de 2 ou 3 vers chacune, à la manière de Paul Éluard (ex. 19). La première évoquera une situation heureuse, qui évoluera tragiquement dans les trois suivantes. Vous utiliserez des métaphores et des antithèses.

rédiger

Écrire un poème lyrique et engagé

▰ TROUVER UN SUJET D'INSPIRATION ▰

Après avoir relu les poèmes de cette séquence, réfléchissez à une situation actuelle qui suscite votre indignation ou votre tristesse. Renseignez-vous avec précision sur le fait d'actualité qui aura retenu votre attention et interrogez-vous sur les sentiments qu'il éveille en vous.

▰ PARTIR D'UNE SITUATION D'ÉNONCIATION ▰

Vous vous exprimerez en disant «je». À qui vous adresserez-vous ? Choisissez la personne ou le groupe de personnes que vous souhaitez prendre à témoin. Comment solliciterez-vous leur attention ? En les tutoyant ou en les vouvoyant ? Le «vous» confère un caractère solennel au poème, le «tu» renforce l'intimité, le «nous» rapproche et implique l'autre.

▰ CHOISIR DES CHAMPS LEXICAUX ▰

Déterminer les trois ou quatre champs lexicaux dominants de votre poème sera une priorité. En recherchant des ensembles de mots, vous créerez une unité de sens. (Ex. : dans le «Temps des cerises», l'association des trois champs lexicaux de l'amour, du temps et de la souffrance, concourt à créer une vision unique et cohérente de la passion.)

Soyez attentifs aux connotations des mots que vous aurez choisis : connotations et champs lexicaux vous permettront de vous exprimer avec justesse.

▰ EXPRIMER SES SENTIMENTS ▰

Vous exprimerez directement et avec intensité le ou les sentiments que vous éprouvez.

N'oubliez pas que la force du sentiment s'exprime aussi à travers la ponctuation. Utilisez-la en employant des exclamations, des interjections, des adverbes d'intensité, des apostrophes. Souvenez-vous que les phrases interrogatives peuvent montrer un bouleversement intérieur.

▰ UTILISER DES FIGURES DE STYLE ▰

Toutes les figures de style permettent d'exprimer avec force les variations de l'intériorité mais les procédés d'insistance servent plus particulièrement à l'expression des sentiments :

• **l'anaphore** permet de partir d'un rythme et de donner une grande musicalité aux idées ;

• **l'hyperbole** amplifie le sentiment ;

• **la gradation** exprime la naissance et le développement progressif des impressions et des sentiments.

▰ CHOISIR UNE MISE EN PAGE ▰

Calligramme, acrostiche, poème en vers ou en prose, vers libres ou fragments : tout est possible. À vous de choisir !

Conseils d'écriture

⟩⟩⟩ *Songez au point d'aboutissement plus qu'au point de départ. La longueur a peu d'importance. Vous veillerez cependant à donner un mouvement à votre poème en montrant les variations du sentiment que vous voulez faire partager. Les changements de rythmes et de sonorités, l'ajout d'images originales vous permettront de faire progresser votre poème.*

⟩⟩⟩ *La poésie lyrique et engagée tisse une relation entre le moi intime et celui qu'elle sollicite. Vous devez tenir compte de la personnalité du destinataire (réel ou imaginaire) auquel vous vous adressez, aux liens que vous voulez créer avec lui.*

⟩⟩⟩ *Le poème lyrique et engagé fait entendre la voix du poète. Après avoir écrit votre poème, vous le lirez ou le réciterez devant vos camarades. Pour vous préparer, indiquez les endroits où vous marquerez des pauses (par une barre) et où vous ferez des liaisons (en soulignant les éléments liés).*

Afrique

Afrique mon Afrique
Afrique des fiers guerriers dans les savanes ancestrales
Afrique que chante ma grand-Mère
Au bord de son fleuve lointain
5 Je ne t'ai jamais connue
Mais mon regard est plein de ton sang
Ton beau sang noir à travers les champs répandu
Le sang de ta sueur
La sueur de ton travail
10 Le travail de l'esclavage
L'esclavage de tes enfants
Afrique dis-moi Afrique
Est-ce donc toi ce dos qui se courbe
Et se couche sous le poids de l'humilité
15 Ce dos tremblant à zébrures rouges
Qui dit oui au fouet sur les routes de midi
Alors gravement une voix me répondit
Fils impétueux cet arbre robuste et jeune
Cet arbre là-bas
20 Splendidement seul au milieu des fleurs blanches et fanées
C'est l'Afrique ton Afrique qui repousse
Qui repousse patiemment obstinément
Et dont les fruits ont peu à peu
L'amère saveur de la liberté.

D. Diop, *Coups de pilon*, Éd. Présence africaine, 1956.

David Diop
[1927-1961]

Né à Bordeaux, ce poète sénégalais est mort en pleine jeunesse. Coups de Pilon, paru en 1956, est son unique recueil, animé de la volonté de défendre l'identité du peuple noir.

L. Noël, *Le miracle de l'amour*, 2001.

vers le brevet

C. La vision de l'Afrique (5 points)

8 Montrez que l'Afrique est personnifiée et expliquez l'effet produit. (1 point)

9 Quel sentiment le poète éprouve-t-il pour son continent natal ? Justifiez votre réponse. (2 points)

10 Relevez le champ lexical de la souffrance et de la violence ; expliquez ensuite ce que dénonce ce poème engagé. (2 points)

11 En quoi le dessin illustre-t-il le poème ? Que suggère le point d'interrogation dessiné par le cou de la girafe ? (1 point)

QUESTIONS
(15 points)

A. La voix d'un poète engagé (6 points)

1 Les vers comportent-ils des rimes ? Comptent-ils tous le même nombre de syllabes ? Qu'est-ce qui rend alors ce texte poétique ? (1,5 point)

2 Sait-on toujours qui parle ou qui chante dans le poème ? À quel personnage le poète cède-t-il la parole ? Justifiez votre réponse. (2 points)

3 À qui le poète s'adresse-t-il ? Relevez l'apostrophe. Qui est le destinataire final du poème ? (1,5 point)

4 Le poème n'est pas ponctué. À vous de proposer une ponctuation expressive pour les onze premiers vers. (1 point)

B. La force des mots (4 points)

5 Relisez les trois premiers vers. Quel est l'effet produit par l'anaphore ? (1 point)

6 Combien de fois le mot « sang » est-il répété dans le poème ? Précisez, pour chaque occurrence, s'il est employé avec son sens propre ou son sens figuré. (1 point)

7 Relevez l'effet de reprise dans les vers 8 à 11. Comment progresse l'écriture du poème dans ces quatre vers ? (2 points)

RÉÉCRITURE
(5 points)

Réécrivez la fin du poème, à partir de « cet arbre robuste et jeune » (v. 18), au style indirect. Vous introduirez votre discours rapporté par « Alors gravement une voix me répondit que » ; vous veillerez au choix des temps et des indices de personne.

RÉDACTION
(20 points)

L'Afrique développe plus amplement sa réponse et continue à se présenter comme la terre de la patience. Imaginez, en vers ou en prose, la fin de son discours.

Consigne d'écriture.

◎ *Votre développement comportera une comparaison ou une métaphore filée évoquant cette forme de sagesse qu'est la patience. Il devra être à la fois lyrique et engagé.*

Pouvoir et abus de pouvoir

Le langage théâtral

E. IONESCO,
Le Roi se meurt, mise
en scène G. Werler,
Théâtre de l'Atelier,
1994.

LA RUPTURE ROMANTIQUE

■ Le xviiie siècle vit encore **dans l'ombre du théâtre classique** et de ses modèles, Corneille, Molière, Racine. Malgré des écritures plus originales, comme celles de Marivaux ou de Beaumarchais, des tragédies en vers, de Voltaire notamment, continuent à être écrites et jouées.

■ Dans la **première moitié du** xixe siècle, ce théâtre « classique » est remis en cause par de jeunes auteurs qui se disent « romantiques ». Leur chef de file, Victor Hugo, veut faire triompher sur scène un théâtre au langage vivant, débarrassé des conventions inutiles : il veut « un vers franc, libre, loyal, osant tout dire... » (préface de *Cromwell*). Il veut aussi s'affranchir de la contrainte des genres théâtraux classiques : tragédies, comédies, tragi-comédies... Avec un **nouveau genre**, le « drame », les auteurs revendiquent le droit de faire rire et pleurer, de montrer selon le mot de Hugo du « sublime et du grotesque » dans une même œuvre.

■ Cette révolution touche donc le fond et la forme du théâtre. On peut désormais, dit encore Hugo, « tout transmettre au spectateur : français, latin, textes de lois, jurons royaux, locutions populaires, comédie, tragédie, rire, larmes, prose et poésie. »

■ La « **bataille** » est rude **avec les « classiques »**, mais grâce à des œuvres de Hugo comme *Hernani* (1830) ou *Ruy Blas* (1838, voir p. 204) et à l'enthousiasme de ses amis (Alexandre Dumas ou Alfred de Musset qui écrit *Lorenzaccio* en 1834), le théâtre français se met en marche vers la modernité.

LE TOURNANT DU XXe SIÈCLE

■ Autre rupture importante : celle que préparent les poètes et certains artistes à la **fin du** xixe **siècle**. Libéré des contraintes, le théâtre avait évolué sans vrai changement formel, développant des genres populaires, le « **mélodrame** », pièce à visée morale, et surtout la « **comédie de boulevard** » avec Feydeau ou Courteline qui, par des procédés attendus (quiproquo, coup de théâtre), présente des situations cocasses au cœur de la bourgeoisie française.

G. Feydeau, *Un Fil à la patte*, mise en scène A. Sachs, Théâtre de la Porte St-Martin, 1999.

■ Mais au **début du** xxe **siècle**, des auteurs français et européens cherchent à explorer de **nouvelles formes théâtrales**.
En Russie, Anton Tchekhov écrit un théâtre (*Les Trois sœurs*, 1901 ; *La Cerisaie*, 1904) dans lequel des dialogues et une intrigue très simples expriment la condition humaine.

■ En France, Paul Claudel découvre une nouvelle parole théâtrale, poétique et lyrique (*Tête d'Or*, 1890 ; *Le Soulier de satin*, 1943). Aux antipodes de ce lyrisme, Alfred Jarry s'amuse, lui aussi, avec les mots et un personnage, Ubu, qui devient symbolique d'un théâtre totalement libre mais ne tournant pas le dos aux grands modèles du théâtre européen comme William Shakespeare.

LE « THÉÂTRE LITTÉRAIRE »

■ L'**Entre-deux-guerres** se caractérise par un mouvement de **retour à une culture classique**, qui, puisant dans les mythes antiques, cherche à en renouveler la lecture. Mais cette « relecture » n'est pas un retour en arrière ; c'est plutôt le moyen d'un langage dramatique nouveau et d'une réflexion sur les problèmes contemporains.

■ Jean Cocteau, artiste complet, commence le premier à explorer le **mythe d'Œdipe** avec *La Machine infernale*, bientôt suivi par Jean Giraudoux qui crée un ton unique et plein d'ironie, à la fois tragique et burlesque, quotidien et littéraire. *La Guerre de Troie n'aura pas lieu* (1935) et *Électre* (1938) sont deux de ses plus belles réussites. Après avoir écrit plusieurs pièces dont *Le Voyageur sans bagage* en 1938, Jean Anouilh se tourne vers le **mythe antique** avec *Antigone* (1944), pièce dont le succès dans le monde entier ne se démentira plus.

LE « THÉÂTRE DE L'ABSURDE »

■ Après la guerre, certains auteurs s'écartent résolument de la tradition théâtrale en écrivant des **dialogues insignifiants**, sans aucun but, dans des **pièces souvent sans intrigue**, montrant ainsi l'insignifiance de la vie et la difficulté des êtres à se comprendre.

■ C'est ainsi qu'Eugène Ionesco s'inspire des phrases d'un manuel d'anglais pour écrire en 1950 une **pièce « absurde »**, *La Cantatrice chauve* (1950). Par la suite, il dépassera les simples jeux de langage pour réfléchir à la condition humaine, notamment par la parodie et en développant un personnage récurrent, Bérenger, dans *Rhinocéros* (1960) et *Le Roi se meurt* (1962).

■ Auteur irlandais écrivant en français, Samuel Beckett pousse à l'extrême l'**inaction sur scène**, fondée sur l'attente (*En attendant Godot*, 1952), l'impuissance (*Fin de Partie*, 1957) ou même l'immobilité physique, puisque dans *Oh, les beaux jours !* (1963), le personnage principal est enlisé dans du sable et s'enfonce peu à peu. Paralysie, invalidité, difficulté à parler ou au contraire paroles inutiles contribuent à faire de l'œuvre de Beckett un théâtre pessimiste mais tendre, poétique, et finalement émouvant.

■ La **rupture** opérée par le théâtre en deux siècles est donc considérable. Remise en cause des thèmes, de la forme même du théâtre, découverte de nouveaux langages ont ouvert la voie à une exploration qui débouche aujourd'hui sur de nouveaux espaces et de nouvelles disciplines, comme la danse, le cinéma ou le cirque.

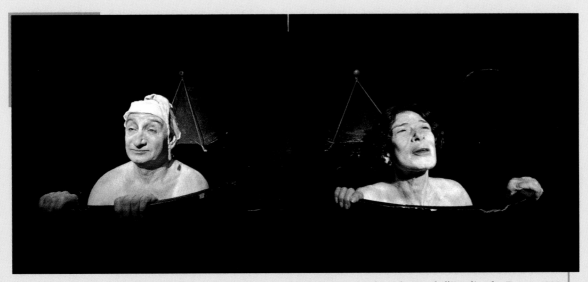

S. Beckett, *Fin de partie*, mise en scène P. Chabert et S. Solov, Théâtre de l'Escalier des Doms, 1998.

Complot et coup d'État

Père Ubu, Mère Ubu, Capitaine Bordure

PÈRE UBU – Capitaine Bordure, je suis décidé à vous faire duc de Lithuanie.

CAPITAINE BORDURE – Comment, je vous croyais fort gueux, Père Ubu.

PÈRE UBU – Dans quelques jours, si vous voulez, je règne en Pologne.

CAPITAINE BORDURE – Vous allez tuer Venceslas ?

5 PÈRE UBU – Il n'est pas bête, ce bougre, il a deviné.

CAPITAINE BORDURE – S'il s'agit de tuer Venceslas, j'en suis. Je suis son mortel ennemi et je réponds de mes hommes.

PÈRE UBU, *se jetant sur lui pour l'embrasser.* – Oh ! Oh ! je vous aime beaucoup, Bordure.

A. Jarry, *Ubu Roi*, Acte I, sc. 4, 1896.

LE PALAIS DU ROI.
Le Roi Venceslas, entouré de ses Officiers ; Bordure ;
Les Fils du Roi, Boleslas, Ladislas et Bougrelas. Puis Ubu

PÈRE UBU, *entrant.* – Oh ! Vous savez, ce n'est pas moi, c'est la Mère Ubu et Bordure.

LE ROI – Qu'as-tu, Père Ubu ?

BORDURE – Il a trop bu.

5 LE ROI – Comme moi ce matin.

PÈRE UBU – Oui, je suis saoul, c'est parce que j'ai bu trop de vin de France.

LE ROI – Père Ubu, je tiens à récompenser tes nombreux services comme capitaine de dragons, et je te fais aujourd'hui comte de Sandomir.

10 PÈRE UBU – O monsieur Venceslas, je ne sais comment vous remercier.

Le Roi – Ne me remercie pas, Père Ubu, et trouve-toi demain matin à la grande revue.

A. Jarry, *Op. cit.*, Acte I, sc. 6.

Alfred
Jarry
[1873-1907]

Il annonce le théâtre du XXᵉ siècle par une grande liberté de ton et un sens aigu de la dérision. Il imagine le personnage d'Ubu dès l'âge de quinze ans. Ubu roi, pièce provocatrice, fit scandale en 1896.

LE CHAMP DES REVUES.
L'Armée polonaise, le Roi, Boleslas, Ladislas, Père Ubu,
Capitaine Bordure et ses hommes, Giron, Pile, Cotice

LE ROI – Noble Père Ubu, venez près de moi avec votre suite pour inspecter les troupes.

PÈRE UBU, *aux siens.* – Attention, vous autres. (*Au roi.*) On y va, monsieur, on y va.

5 *Les hommes d'Ubu entourent le roi.*

LE ROI – Ah! voici le régiment des gardes à cheval de Dantzick. Ils sont fort beaux, ma foi.

PÈRE UBU – Vous trouvez? Ils me paraissent misérables. Regardez celui-ci. (*Au soldat.*) Depuis combien de temps ne t'es-tu débarbouillé, ignoble

10 drôle?

LE ROI – Mais ce soldat est fort propre. Qu'avez-vous donc, Père Ubu?

Père Ubu – Voilà!

Il lui écrase le pied.

LE ROI – Misérable!

15 PÈRE UBU – MERDRE. À moi, mes hommes!

BORDURE – Hurrah! en avant!

A. Jarry, Op. cit., Acte II, sc. 2.

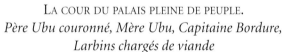

LA COUR DU PALAIS PLEINE DE PEUPLE.
Père Ubu couronné, Mère Ubu, Capitaine Bordure,
Larbins chargés de viande

PEUPLE – Voilà le roi! Vive le roi! hurrah!

PÈRE UBU, *jetant de l'or.* – Tenez, voilà pour vous. Ça ne m'amusait guère de vous donner de l'argent, mais vous savez, c'est la Mère Ubu qui a voulu. Au moins, promettez-moi de bien payer les impôts.

5 TOUS – Oui, oui!

CAPITAINE BORDURE – Voyez, Mère Ubu, s'ils se disputent cet or. Quelle bataille.

A. Jarry, Op. cit., Acte II, sc. 7.

« *Véritable portrait de Monsieur Ubu* »,
dessin d'Alfred Jarry.

L'ASCENSION DU PÈRE UBU

1] Lisez ces quatre scènes et montrez qu'elles représentent l'ascension au pouvoir du père Ubu.

2] Avec qui se prépare le complot ? A-t-il réussi ? Justifiez votre réponse.

3] GRAMMAIRE Que pourrait craindre Ubu au début du 2e texte ? Quelle phrase le laisse sous-entendre ?

POUVOIR ET CONTRE-POUVOIR

4] Qui détient le pouvoir dans les 2e, 3e et 4e textes ? Justifiez votre réponse.

5] Qu'arrive-t-il à Ubu dans le 2e texte ? Pourquoi peut-on dire que l'une des paroles du roi est une action ?

6] GRAMMAIRE Relevez, dans ces quatre scènes, toutes les phrases qui entraînent une action de l'interlocuteur et montrez que le roi et Ubu n'ont pas la même façon d'exercer le pouvoir.

7] Dans quelle(s) scène(s) diriez-vous que le dialogue livre des informations ? fait avancer l'action ?

UN ROI RIDICULE ?

8] VOCABULAIRE Le langage d'Ubu est-il conforme à celui que l'on attend d'un roi ? Justifiez votre réponse en étudiant le niveau de langue adopté par Ubu. En quoi un tel langage est-il comique ?

9] Montrez que, dans les 2e et 3e textes, le comportement d'Ubu repose à la fois sur sa lâcheté et son ambition.

10] Dans le 3e texte, comment se déroule le coup d'État ? Est-il élaboré ? Justifiez votre réponse.

11] Dans le 4e texte, que pensez-vous de la façon de gouverner d'Ubu ? Que cherche-t-il d'abord à obtenir ?

12] Le dessin du père Ubu par Alfred Jarry correspond-il finalement à l'image que vous avez du personnage ? Justifiez votre réponse. Sur quel aspect le dessin insiste-t-il ? Pourquoi, selon vous ?

Leçon → Les fonctions du langage théâtral

▶ C'est sur le dialogue entre les personnages ou sur les monologues que repose l'évolution de l'action. Le langage théâtral a deux fonctions :
– agir sur l'interlocuteur ou le faire réagir par des actes de parole directs ou indirects. Suivies d'effet, les paroles montrent ainsi le pouvoir d'un personnage ou au contraire, si elles n'ont pas de conséquence, son impuissance ou les difficultés qu'il peut avoir à communiquer.
– faire évoluer indirectement la situation des personnages par des remarques, des sentiments, des idées. Le type de paroles échangées, le vouvoiement ou le tutoiement, le ton employé donnent des informations précieuses aux spectateurs sur le statut des personnages, leurs liens, leurs difficultés...

▶ Au théâtre, le récit, qui présente des faits survenus avant la pièce ou pendant celle-ci, mais souvent dans un lieu différent, raconte en général des événements difficiles à montrer pour des raisons de bienséance (un meurtre, une pendaison) ou pour des raisons techniques (une bataille de dix mille soldats, par exemple, ne peut être représentée sur scène).

Prolongements

→ ÉCRIRE LA SUITE D'UNE SCÈNE. Imaginez, à la suite du 4e texte, le discours « flatteur » que pourrait tenir Ubu à son peuple. Vous limiterez les termes familiers à ceux qui sont contenus dans les extraits.

→ IMAGINER UNE SCÈNE D'AFFRONTEMENT.
Le roi Venceslas revient au pouvoir et fait venir devant lui Ubu prisonnier. Inventez leur dialogue en respectant le caractère des personnages.

Outils de la langue

■ Les actes de parole directs et indirects, voir p. 214.

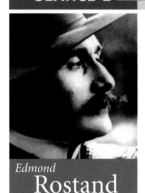

Edmond
Rostand
[1868-1918]

Il est surtout l'homme d'une grande pièce, Cyrano de Bergerac, *créée le 28 septembre 1897 et jouée plus de mille fois du seul vivant de son auteur. Rostand est également l'auteur de* L'Aiglon *et de* Chantecler.

Un héroïsme douteux

Au XVIIIe siècle, pendant le siège d'Arras, le comte de Guiche rejoint la compagnie des fameux « Cadets de Gascogne », dont fait partie Cyrano de Bergerac. Or, ceux-ci ne semblent pas vraiment le reconnaître…

DE GUICHE — Ah ?… Ma foi !
Cela suffit. *S'adressant aux cadets.*
Je peux mépriser vos bravades.
On connaît ma façon d'aller aux mousquetades :
Hier, à Bapaume, on vit la furie avec quoi
5 J'ai fait lâcher le pied au comte de Bucquoi ;
Ramenant sur ses gens les miens en avalanche,
J'ai chargé par trois fois !
CYRANO, *sans lever le nez de son livre.*
— Et votre écharpe blanche ?
DE GUICHE, *surpris et satisfait.* — Vous savez ce détail ?… En effet, il advint,
Durant que je faisais ma caracole, afin
10 De rassembler mes gens pour la troisième charge,
Qu'un remous de fuyards m'entraîna sur la marge
Des ennemis ; j'étais en danger qu'on me prît
Et qu'on m'arquebusât, quand j'eus le bon esprit
De dénouer et de laisser couler à terre
15 L'écharpe qui disait mon grade militaire ;
En sorte que je pus, sans attirer les yeux,
Quitter les Espagnols, et revenant sur eux,
Suivi de tous les miens réconfortés, les battre !
Eh bien ! que dites-vous de ce trait ?
Les cadets n'ont pas l'air d'écouter ; mais ici les cartes et les cornets à dés restent en l'air, la fumée des pipes demeure dans les joues: attente.
CYRANO — Qu'Henri quatre
20 N'eût jamais consenti, le nombre l'accablant,
À se diminuer de son panache blanc.
Joie silencieuse. Les cartes s'abattent. Les dés tombent. La fumée s'échappe.
DE GUICHE — L'adresse a réussi, cependant !
Même attente suspendant les jeux et les pipes.
CYRANO — C'est possible.
Mais on n'abdique pas l'honneur d'être une cible.
Cartes, dés, fumées, s'abattent, tombent, s'envolent avec une satisfaction croissante.
Si j'eusse été présent quand l'écharpe coula
25 — Nos courages, monsieur, diffèrent en cela —
Je l'aurais ramassée et me la serais mise.

DE GUICHE – Oui, vantardise, encor, de Gascon !

CYRANO   – Vantardise ?…

Prêtez-la moi. Je m'offre à monter, dès ce soir,

À l'assaut, le premier, avec elle en sautoir.

30 DE GUICHE – Offre encor de Gascon ! Vous savez que l'écharpe

Resta chez l'ennemi, sur les bords de la Scarpe,

En un lieu que depuis la mitraille cribla,

Où nul ne peut aller la chercher !

CYRANO, *tirant de sa poche l'écharpe blanche et la lui tendant.*

                  – La voilà.

Silence. Les cadets étouffent leurs rires dans les cartes et dans les cornets à dés. De Guiche se retourne, les regarde ; immédiatement ils reprennent leur gravité, leurs jeux ; l'un d'eux sifflote avec indifférence l'air montagnard joué par le fifre.

E. Rostand, *Cyrano de Bergerac*, Acte IV, sc. 4, 1897.

E. Rostand, *Cyrano de Bergerac*, mise en scène J. Savary, Théâtre de Chaillot, 1997.

UNE SITUATION DÉLICATE

1] Comment de Guiche s'adresse-t-il aux cadets au début du texte ? Que peut-on supposer sur la façon dont il a été accueilli ?

2] Est-il apprécié des Cadets ? Relevez des didascalies qui justifient votre réponse.

LE RÉCIT D'UN BRAVE ?

3] Repérez le récit du comte et résumez-le en quelques lignes. De quel «exploit» se vante-t-il ? Comment rend-il son récit vivant ?

4] GRAMMAIRE Quels temps verbaux propres au récit reconnaissez-vous ? Expliquez leurs valeurs.

5] VOCABULAIRE Relevez les termes employés par de Guiche pour se mettre en avant.

6] En vous aidant de la leçon, retrouvez l'effet recherché par de Guiche. Quelle est selon vous la fonction du récit ?

LA STRATÉGIE DE CYRANO

7] Comparez les répliques du comte et de Cyrano. Pourquoi ce dernier est-il si peu bavard ?

8] Que sous-entend Cyrano des vers 24 à 26 ? À quel exemple historique pense-t-il ? Expliquez cette référence.

9] Retrouvez les différents éléments qui, dans la fin du texte, montrent la victoire de Cyrano.

Leçon ➔ Les fonctions du récit au théâtre

▶ Le récit théâtral a d'abord une fonction narrative. Comme le récit romanesque, il est le plus souvent au passé : les temps verbaux (passé simple, imparfait, plus-que-parfait) et les repères spatio-temporels renvoient au système du récit. Mais à la différence du roman, le narrateur est présent devant le spectateur : il raconte et commente les événements dont il a été témoin ou acteur, il peut porter un jugement sur ceux-ci.

▶ Le récit théâtral a aussi des fonctions qui dépassent la simple narration : il informe le spectateur, il peut aussi chercher à produire un effet sur les autres personnages, les pousser à l'action par exemple.

▶ On peut chercher dans un récit :
– à convaincre ou persuader les auditeurs (en faisant appel à la raison ou aux sentiments) : on parle alors de fonction argumentative du récit ;
– à impressionner, susciter l'admiration, émouvoir par un récit touchant.

▶ Enfin, le récit peut avoir une fonction rhétorique ou poétique : c'est «le récit pour le plaisir», inutile à l'action, mais qui montre la verve du personnage, ses qualités de conteur, son talent d'orateur.

Prolongements

➔ ÉCRIRE UN RÉCIT ARGUMENTATIF. En vous aidant de la leçon, inventez un récit dont le but n'est pas seulement narratif, mais qui cherche à produire un effet sur l'auditeur (émouvoir, impressionner, etc.).

➔ CHANGER LES DIDASCALIES. Imaginez que le dialogue se déroule sur le champ de bataille, devant l'ennemi, et réécrivez les didascalies en conséquence. Attention aux anachronismes.

➔ COMPRENDRE UNE MISE EN SCÈNE. Observez l'illustration p. 202. Pourquoi peut-on dire que ce duel est un spectacle ? Comment l'éloquence de Cyrano nous est-elle montrée ? Retrouvez à quelle scène célèbre correspond cette photographie. Comment se termine le duel ?

Outils de la langue

■ L'énoncé coupé de la situation d'énonciation, voir pp. 36-37.

La remise en cause des abus

Ruy Blas, favori de la reine d'Espagne, est devenu premier ministre. Il critique ouvertement la corruption de ses ministres, avides de pouvoir. Voici la fin du discours qu'il leur tient et les réactions qu'il suscite.

RUY BLAS – Voilà ! – L'Europe, hélas ! écrase du talon
Ce pays[1] qui fut pourpre et n'est plus que haillon.
L'État s'est ruiné dans ce siècle funeste,
Et vous vous disputez à qui prendra le reste !
5 Ce grand peuple espagnol aux membres énervés[2],
Qui s'est couché dans l'ombre et sur qui vous vivez,
Expire dans cet antre où son sort se termine,
Triste comme un lion mangé par la vermine !
Charles Quint, dans ces temps d'opprobre[3] et de terreur,
10 Que fais-tu dans ta tombe, ô puissant empereur ?
Oh ! lève-toi ! viens voir ! – Les bons font place aux pires.
Ce royaume effrayant, fait d'un amas d'empires,
Penche… Il nous faut ton bras ! Au secours, Charles Quint !
Car l'Espagne se meurt, car l'Espagne s'éteint !
15 Ton globe[4] qui brillait dans ta droite[5] profonde,
Soleil éblouissant qui faisait croire au monde
Que le jour désormais se levait à Madrid,
Maintenant, astre mort, dans l'ombre s'amoindrit,
Lune aux trois quarts rongée et qui décroît encore,
20 Et que d'un autre peuple effacera l'aurore !
Hélas ! ton héritage est en proie aux vendeurs.
Tes rayons, ils en font des piastres[6] ! Tes splendeurs,
On les souille ! – O géant ! se peut-il que tu dormes ?
On vend ton sceptre au poids ! Un tas de nains difformes
25 Se taillent des pourpoints dans ton manteau de roi ;
Et l'aigle impérial, qui, jadis, sous ta loi,
Couvrait le monde entier de tonnerre et de flamme,
Cuit, pauvre oiseau plumé, dans leur marmite infâme !
Les conseillers se taisent, consternés. Seuls, le marquis de Priego et le comte de Camporeal redressent la tête et regardent Ruy Blas avec colère. Puis Camporeal, après avoir parlé à Priego, va à la table, écrit quelques mots sur un papier, les signe et les fait signer au marquis.
LE COMTE DE CAMPORÉAL, *désignant le marquis de Priego et remettant le papier à Ruy Blas.* – Monsieur le duc, au nom de tous les deux, voici
30 Notre démission de notre emploi.

V. Hugo, *Ruy Blas*, Acte III, sc. 2, 1838.

Victor Hugo
[1802-1885]

Il a excellé dans tous les genres littéraires. Au théâtre, il a promu et défendu contre les « classiques » le drame romantique avec ses amis Dumas et Gautier. Ruy Blas (1838) est un de ses grands succès théâtraux.

---

1. Ce pays : l'Espagne.
2. Énervés : privés de nerfs, donc affaiblis.
3. Opprobre : honte, déshonneur.
4. Ton globe : attribut impérial, symbole du pouvoir.
5. Ta droite : ta main droite.
6. Piastres : monnaie espagnole.

UNE CRITIQUE VIOLENTE DES MINISTRES

1 Dans l'ensemble de sa tirade, quelle critique générale Ruy Blas adresse-t-il aux ministres ?

2 Vers 1 à 8. Quelle est la situation de l'Espagne selon Ruy Blas ?

3 Qui sont les « nains difformes » (v. 24) ? À quel reproche adressé aux ministres correspond cette image ?

4 Relevez l'image que choisit Ruy Blas pour décrire le peuple et montrez que celui-ci est victime du comportement des ministres.

5 Comment la plupart des conseillers réagissent-ils face aux critiques de Ruy Blas ? Pourquoi, selon vous ?

6 Quelle est la réaction particulière de Priego et Camporeal ? Est-ce courageux, selon vous ?

Leçon ➜ Les procédés argumentatifs sur scène

▶ Le discours argumentatif sert à convaincre d'autres personnages, et à travers eux, les spectateurs. Mais au théâtre, l'argumentation doit impérativement être vivante, sous peine de lasser.

▶ La tirade argumentative utilise les procédés suivants :
– des apostrophes, des exclamations, des questions rhétoriques (dont la réponse est sous-entendue dans la question) qui la rendent plus animée : des personnages sont pris à témoin, interpellés, ce qui permet de conserver l'apparence d'un dialogue ;
– des arguments précis, concrets ou imagés, aisément compréhensibles par les spectateurs, et souvent fondés sur un exemple connu ou expliqué, sur des oppositions claires (antithèse, jeux de symétrie, etc.) ;
– des figures de style « vivantes » comme la personnification (rendre vivant des éléments inanimés), l'allégorie (personnifier des idées abstraites comme la justice) ou la métaphore.

L'ÉLOGE DE CHARLES QUINT

7 Cherchez qui était Charles Quint et montrez que l'image qu'il donne de l'Espagne est un modèle pour Ruy Blas.

8 VOCABULAIRE Relevez les images utilisées pour décrire Charles Quint. Quelle image représentant ce personnage s'oppose à une image représentant les ministres ?

9 Retrouvez, dans la tirade de Ruy Blas, les valeurs qu'il défend. Quelle doit être selon lui la place de l'Espagne en Europe ?

UNE ARGUMENTATION IMAGÉE ET VIVANTE

10 GRAMMAIRE Retrouvez les types de phrases qui dominent dans l'argumentation de Ruy Blas et montrez qu'ils expriment ses sentiments.

11 En vous aidant de la leçon, retrouvez les procédés qui rendent sa tirade « vivante ».

12 Relevez, dans le texte, les métaphores astronomiques et animales. Montrez qu'elles reposent sur un jeu d'opposition constant et qu'elles sont au service de l'argumentation et des critiques formulées.

Prolongements

➡ INVENTER UNE MISE EN SCÈNE. Imaginez le jeu de scène qui accompagne la tirade de Ruy Blas (déplacements, gestes, intonations, etc.) et proposez une mise en scène qui souligne l'énergie du personnage.

➡ MODERNISER UN DISCOURS. Si Ruy Blas avait vécu de nos jours, quelle(s) critique(s) aurait-il pu formuler ? Rédiger une tirade argumentative pour dénoncer un abus actuel qui vous révolte.

Outils de la langue

■ Les figures de style, voir pp. 187-189.

Un personnage entêté

Smirnov est venu réclamer à une jeune veuve «douze cents roubles» que lui devait son mari. Incommodée, elle sort une première fois et laisse Smirnov seul dans le salon avec Louka, le vieux valet de chambre.

LOUKA *entre, apportant de l'eau.* – Madame est malade, monsieur, elle ne reçoit pas.

SMIRNOV – Fous-moi le camp! (*Louka sort.*) Elle est malade, elle ne reçoit pas. Bon, ne me reçois pas… Moi je reste, et je resterai ici tant
5 que tu ne m'auras pas rendu mon argent. Tu seras malade huit jours? Je resterai huit jours. Un an? Je resterai un an… Ah! J'aurai le dernier mot, ma petite mère. Ton deuil et tes fossettes aux joues, ça ne prend pas… On les connaît vos fossettes. (*Il appelle par la fenêtre:*) Simon! Tu peux dételer. Nous ne sommes pas près de partir. Je reste ici! Dis à
10 l'écurie qu'on donne de l'avoine à mes chevaux. Sacré animal, tu ne vois donc pas que le cheval de trait s'est encore empêtré dans les rênes. (*Il imite le cocher:*) « C'est rien. » Tu vas voir si « c'est rien ». (*Il s'éloigne de la fenêtre.*) Mauvais, tout cela, il fait une chaleur à en crever, personne ne veut me payer, j'ai à peine dormi cette nuit… et par-dessus le
15 marché, ces voiles de crêpe, et l'humeur de madame. J'ai attrapé un mal de crâne… Si je buvais un peu de vodka? C'est une idée… (*Il appelle:*) Eh! quelqu'un!

LOUKA *entre.* – Que désirez-vous, monsieur?

SMIRNOV – Apporte-moi un verre de vodka. (*Louka sort.*) Ouf! (*Il
20 s'assoit et s'examine.*) Je suis beau à voir, rien à dire. Couvert de poussière, les bottes sales, pas lavé, pas peigné, des brins de paille plein mon gilet… Qui sait si la petite dame ne m'a pas pris pour un bandit… (*Il bâille.*) Après tout… Je ne suis pas un visiteur, je suis un créancier, c'est une race qui peut se passer de cérémonie.

25 LOUKA *entre, apportant un verre de vodka.* – Vous prenez trop de libertés, monsieur.

A. Tchekhov, *L'Ours* (1898), *Théâtre complet*, II,
trad. G. Cannac et G. Perros, Éd. Gallimard, coll. «Folio», 1973.

UNE SITUATION PARTICULIÈRE

1 Où Smirnov se trouve-t-il ? Que semble-t-il décidé à faire ? Pourquoi ?

2 Délimitez avec précision dialogue et monologue dans le texte. Sur quel critère vous fondez-vous pour faire cette distinction ?

3 Quelles sont les relations entre Louka et Smirnov ? Peut-on parler de hiérarchie ? Pourquoi ?

UN DIALOGUE DE SOURDS ?

4 Smirnov est-il finalement reçu par la veuve ? Qu'imagine-t-il dans son monologue ?

5 GRAMMAIRE Dans la tirade de Smirnov, à qui s'adressent les phrases qui expriment clairement un ordre (actes de parole directs) ? Que traduisent-elles du caractère du personnage ? Qu'indiquent les passages entre guillemets ? Pourquoi peut-on parler de théâtre dans le théâtre ?

A. Tchekhov, *L'Ours*, mise en scène P. Paroux, Théâtre de la Gaîté Montparnasse, 1997.

UN COMPORTEMENT DE « BANDIT » ?

6 VOCABULAIRE Quel portrait Smirnov fait-il de la veuve ? et de lui-même ? Diriez-vous, en étudiant le lexique, que ces portraits sont flatteurs ? Justifiez votre réponse.

7 Quel lien pouvez-vous établir entre le titre de la pièce et cette scène ? Le titre est dans ce cas une figure de style : laquelle ?

8 L'image ci-dessus vous paraît-elle représentative de l'opposition de caractère des deux personnages (attitudes, costumes) ? Justifiez votre réponse.

Leçon ➡ Les fonctions du monologue

▶ Dans un monologue, le personnage parle seul en scène. Il exprime ainsi des idées qu'il ne dirait pas toujours ouvertement devant d'autres personnages. On distingue :
– le monologue informatif, qui livre au spectateur des informations sur la situation du personnage ;
– le monologue explicatif, qui éclaire une situation (on apprend par exemple les intentions secrètes du personnage) ;
– le monologue délibératif, dans lequel le personnage hésite à prendre une décision, souvent difficile : c'est le cas du dilemme, dans lequel les deux termes de l'alternative présentent des inconvénients.

▶ Il peut arriver que le monologue soit un véritable « dialogue » dans lequel le personnage fait les questions et les réponses, imaginant éventuellement un interlocuteur invisible, ce qui crée une situation de communication inédite, souvent comique.

▶ Quand le monologue forme la trame d'une scène ou de la pièce tout entière, on parle d'un soliloque.

Prolongements

➡ PASSER DU MONOLOGUE AU DIALOGUE. Transformez le monologue de Smirnov en dialogue, en faisant entrer sur scène les personnages auxquels il s'adresse. Vous pourrez ajouter des répliques pour faciliter la compréhension des courtes scènes créées.

➡ RÉDIGER LA FIN D'UNE SCÈNE. Imaginez la fin de la scène en partant d'une des deux possibilités suivantes : Louka, revenu avec le verre de vodka, poursuit sa critique ; la veuve revient et trouve encore Smirnov dans son salon.

Outils de la langue

■ Les termes mélioratifs et dépréciatifs, voir p. 298.
■ Les actes de parole directs et indirects, voir pp. 214-215.

L'impuissance du pouvoir

Eugène
Ionesco
[1912-1994]

Dramaturge d'origine roumaine, il est le chef de file du théâtre de l'absurde. Il montre dans ses pièces, comme La Cantatrice chauve, Les Chaises *ou* Rhinocéros, *l'impossibilité de communiquer.* Le Roi se meurt *(1962) reprend cette idée et y ajoute l'obsession de la mort à venir.*

Le roi Bérenger Iᵉʳ, malade, est entouré de ses deux femmes, les reines Marie et Marguerite, de son médecin, et de Juliette, «femme de ménage et infirmière».

MARIE, *qui s'est dirigée à reculons vers la droite et se trouve maintenant près de la fenêtre.* – Ordonne, mon Roi. Ordonne, mon amour. Regarde comme je suis belle. Je sens bon. Ordonnez que je vienne vers vous, que je vous embrasse.

5   LE ROI, *à Marie.* – Viens vers moi, embrasse-moi. *(Marie reste immobile.)* Entends-tu?

MARIE – Mais oui, je vous entends. Je le ferai.

LE ROI – Viens vers moi.

MARIE – Je voudrais bien. Je vais le faire. Je vais le faire. Mes bras retombent.

10   LE ROI – Alors, danse. *(Marie ne bouge pas.)* Danse. Alors, au moins, tourne-toi, va vers la fenêtre, ouvre-la et referme.

MARIE – Je ne peux pas.

LE ROI – Tu as sans doute un torticolis, tu as certainement un torticolis. Avance vers moi.

15   MARIE – Oui, Sire.

LE ROI – Avance vers moi en souriant.

MARIE – Oui, Sire.

LE ROI – Fais-le donc!

MARIE – Je ne sais plus comment faire pour marcher. J'ai oublié subitement.

20   MARGUERITE, *à Marie.* – Fais quelques pas vers lui.

Marie avance un peu en direction du Roi.

LE ROI – Vous voyez, elle avance.

MARGUERITE – C'est moi qu'elle a écoutée. *(À Marie.)* Arrête. Arrête-toi.

MARIE – Pardonne-moi, Majesté, ce n'est pas ma faute.

25   MARGUERITE, *au Roi.* – Te faut-il d'autres preuves?

LE ROI – J'ordonne que des arbres poussent du plancher. *(Pause.)* J'ordonne que le toit disparaisse. *(Pause.)* Quoi? Rien? J'ordonne qu'il y ait la pluie. *(Pause. Toujours rien ne se passe.)* J'ordonne qu'il y ait la foudre et que je la tienne dans ma main. *(Pause.)* J'ordonne que les feuilles

30   repoussent. *(Il va à la fenêtre.)* Quoi! Rien? J'ordonne que Juliette entre par la grande porte. *(Juliette entre par la petite porte au fond à droite.)* Pas par celle-là, par celle-ci. Sors par cette porte. *(Il montre la grande porte. Elle sort par la petite porte, à droite, en face. À Juliette.)* J'ordonne que tu restes. *(Juliette sort.)* J'ordonne qu'on entende les clairons. J'or-

35   donne que les cloches sonnent. J'ordonne que cent vingt et un coups de canon se fassent entendre en mon honneur. *(Il prête l'oreille.)* Rien!… Ah si! J'entends quelque chose.

LE MÉDECIN – Ce n'est que le bourdonnement de vos oreilles, Majesté.

MARGUERITE, *au Roi.* – N'essaye plus. Tu te rends ridicule.

E. Ionesco, *Le Roi se meurt* (1962), Éd. Gallimard, coll. «Folio», 1963.

UN ROI IMPUISSANT

1 | Quelle est la situation du roi ? À qui donne-t-il des ordres au début du texte ? Que cherche-t-il à prouver ?

2 | GRAMMAIRE Distinguez, dans la première réplique de Marie, les phrases qui incitent directement mais aussi indirectement à l'action (actes de parole directs et indirects). Que veut-elle montrer au roi ?

3 | Quand il donne des ordres, le roi est-il obéi ? Citez deux éléments du texte qui illustrent votre réponse.

MARIE ET MARGUERITE

4 | Quelles ressemblances et quelles différences percevez-vous entre Marie et Marguerite ?

5 | Qui de ces deux personnages est le plus amoureux ? le plus cruel ? Justifiez chaque fois votre réponse en citant le texte.

6 | Que traduit, à votre avis, l'incapacité de Marie à obéir ?

DES ACTES DE PAROLE SANS SUITE...

7 | GRAMMAIRE Le roi formule successivement ses ordres de deux façons différentes. Lesquelles ? Pourquoi, selon vous ?

8 | VOCABULAIRE Dans sa tirade finale (l. 26-37), à quoi ou à qui le roi donne-t-il successivement des ordres ? Classez les termes relevés selon les champs lexicaux auxquels ils appartiennent : quelle évolution constatez-vous ?

9 | Dans cette tirade, observez les liens qui existent entre les actes de parole et les didascalies. Que remarquez-vous ?

10 | À quel moment le roi change-t-il d'interlocuteur dans sa tirade ? Pour quelle raison ? À qui s'adresse-t-il alors ?

11 | Diriez-vous finalement de la scène qu'elle est comique ? tragique ? Justifiez votre réponse.

Leçon ⊕ Le personnage et son langage

▶ Le personnage possède d'abord une **identité** (un nom, un prénom, un surnom, voire un numéro comme « Homme 2 ») et le plus souvent un **statut** : il est défini par un titre (monsieur, comte, etc.), par un métier, une condition (voisin, mendiant), un lien familial ou intime (ami, cousin, mère...). Il s'inscrit donc d'emblée dans un système de relations.

▶ Mais le personnage se caractérise aussi par son **langage** : son niveau de langue et sa plus ou moins grande aisance à parler indiquent son rang social, les actes de parole révèlent son pouvoir et son influence. Des difficultés de communication peuvent ainsi traduire l'impuissance d'un personnage.

▶ Le théâtre du XXe siècle, et en particulier le théâtre de l'absurde dont Ionesco est un représentant, a insisté sur la **difficulté des êtres à communiquer**.

Prolongements

⊕ RÉDIGER LE PORTRAIT D'UN PERSONNAGE. Comment imaginez-vous les reines Marie et Marguerite ? Rédigez un portrait rapide de chacune d'elles (portrait physique, tenue, attitude, voix, etc.) qui sera fondé sur leur opposition.

⊕ INCLURE LE PORTRAIT DANS UNE SCÈNE DE THÉÂTRE. Imaginez une scène dans laquelle un personnage raconte ce qu'il a vu à la cour du roi Bérenger Ier et incluez, dans une tirade, le portrait des deux reines que vous aurez rédigé précédemment.

⊕ JOUER AVEC LA SITUATION DE COMMUNICATION. Notez une série d'ordres ou d'interdictions, facile à exécuter (*lève-toi, ne ris pas*, etc.), puis, devant la classe, lisez ces ordres à un camarade, qui doit exécuter une action différente.

Outils de la langue

■ Les actes de parole directs et indirects, voir pp. 214-215.

Deux couples, deux histoires

Victor Hugo, *Ruy Blas*, mise en scène J. Destoop, Comédie Française (Ruy Blas et la reine), 1979.

Samuel Beckett, *Oh les beaux jours*, mise en scène P. Brook , Théâtre des Bouffes (Willie et Winnie), 1996.

DEUX SITUATIONS SINGULIÈRES

1 De quelles pièces ces photographies montrent-elles la mise en scène ? L'époque et le type de théâtre sont-ils les mêmes ? Justifiez votre réponse à l'aide de la « Première approche » (voir pp. 196-197).

2 En observant la situation des personnages sur scène et leurs costumes, que pouvez-vous déduire de la condition des personnages ? de leurs relations ? Justifiez votre réponse.

3 Relevez les points communs entre les deux images puis les éléments de symétrie et de dissymétrie dans chacune d'elles. Montrez, à l'aide de la question précédente, que ces éléments confirment votre opinion sur les relations des personnages.

Leçon → Mise en scène et conventions

▶ La mise en scène traduit le **regard du metteur en scène** sur une pièce, et sa capacité à diriger les comédiens et à organiser le jeu pour en proposer une interprétation. Deux mises en scène d'une même pièce peuvent donc traduire deux visions différentes d'un même texte.

▶ Le metteur en scène peut ainsi, pour des pièces célèbres et qui appartiennent au « répertoire » (comme les pièces de Hugo), accepter ou refuser certaines conventions : costumes ou décor « d'époque » (qu'il peut moderniser), attitude attendue d'une reine, d'un empereur, etc. Ces choix signifient en général la volonté de porter un regard neuf sur la pièce, et de trouver une approche qui touche les spectateurs ou les fait réagir.

▶ Mais le metteur en scène n'a pas une totale liberté : il doit rester fidèle au texte et à sa cohérence, et doit respecter les didascalies qui peuvent être – comme dans les pièces de Beckett – précises et contraignantes.
Dans *Oh les beaux jours*, Winnie est ainsi « ensablée » progressivement, ce qui limite évidemment ses mouvements : c'est au metteur en scène et à la comédienne de jouer avec ces contraintes et de trouver un espace de liberté et d'expressivité.

4 De quelle situation diriez-vous qu'elle est classique ? originale ? Justifiez votre réponse.

MISES EN SCÈNE CLASSIQUES ?

5 La mise en scène de Beckett est imposée par les didascalies : dans quelle situation insolite met-elle Winnie ? Que peut symboliser une telle situation ?

6 Diriez-vous, dans la mise en scène de Hugo, que l'attitude de Ruy Blas est conforme au respect dû à une reine ? Justifiez votre réponse. Quel type de rapport entre les deux personnages cette attitude peut-elle signifier ?

7 De quels accessoires dispose Winnie ? et Willie ? Comment les univers féminin et masculin sont-ils exprimés ?

8 Montrez que ces deux images montrent des mises en scène qui jouent sur la verticalité, et non, comme le plus souvent, sur les déplacements sur scène.

UNE RÉFLEXION SUR LE THÉÂTRE

9 Cherchez un résumé de la pièce de Victor Hugo : quelle est le véritable métier de Ruy Blas ? Pourquoi la scène fixée par l'image est-elle émouvante ? En quoi fait-elle réfléchir sur la condition sociale ?

10 Le couple mis en scène dans la pièce de Beckett est-il un couple qui communique ? Justifiez votre réponse, et montrez que l'attitude et la disposition sur scène des personnages sont une réflexion sur l'amour et sur la vie à deux.

11 À quel élément du décor de l'image 2 la robe de la reine (image 1) peut-elle être comparée ? Montrez que le rang social et l'habitude sont présentés comme des carcans.

L'argumentation au théâtre

1 Identifier la fonction d'un dialogue

a] Distinguez, parmi ces quatre textes, ceux qui ont une fonction argumentative. Pourquoi la distinction n'est-elle pas toujours facile ?

b] Dans les textes argumentatifs, retrouvez la ou les thèses soutenues.

c] Que cherchent à obtenir, dans les différentes scènes, le ou les personnages qui argumentent ? Diriez-vous qu'ils veulent raisonner ou émouvoir leur interlocuteur ?

1/ ISABELLE – Vous avez à dire quelque chose, monsieur le Droguiste ?

LE DROGUISTE – Non. Je n'ai absolument rien à dire.

ISABELLE – À faire, alors ?

LE DROGUISTE – Non, je n'ai absolument rien à faire. Je reste une minute, pour la transition.

J. Giraudoux, Intermezzo, 1933.

2/ MACHA – Savoir trois langues dans une ville pareille, c'est du luxe. Une espèce d'excroissance absurde, un sixième doigt. Nous savons beaucoup de choses inutiles.

VERCHININE – Quelle drôle d'idée ! (*Il rit.*) Vous savez trop de choses inutiles ! Mais un être intelligent et instruit n'est jamais de trop, où qu'il soit, même dans une ville ennuyeuse et morne. Admettons qu'il n'y ait que trois êtres comme vous, parmi les cent mille habitants de cette ville arriérée et grossière, je vous l'accorde. Vous ne pourrez certes pas vaincre les masses obscures qui vous entourent ; vous allez céder peu à peu, vous perdre dans cette immense foule, la vie va vous étouffer, mais vous ne disparaîtrez pas sans laisser de traces ; après vous, six êtres de votre espèce surgiront peut-être, puis douze, et ainsi de suite, jusqu'à ce que vos pareils constituent la majorité. Dans deux ou trois cents ans, la vie sur terre sera indiciblement belle, étonnante.

A. Tchekhov, Les Trois Sœurs (1901),
Théâtre complet I, Éd. Gallimard, coll. «Folio», 1973.

3/ JAUDOUARD – Ce n'est pas un rhume des foins

ANNE – Ce grog va quand même vous faire le plus grand bien

YVETTE – Ça peut provenir de plusieurs causes il faut démonter pour voir

ANNE – Sous la chemise l'hiver vous devriez porter un de ces dessous en flanelle pour les bronches au Bazar de l'Hôtel de Ville

M. Vinaver, Les Travaux et les jours, 1979.

4/ LECHY ELBERNON – Je suis actrice, vous savez. Je joue sur le théâtre.
Le théâtre. Vous ne savez pas ce que c'est ?

MARTHE – Je ne sais pas.

LECHY ELBERNON (*elle prend position et en avant la musique !*) – Il y a la scène et la salle.

Tout étant clos, les gens viennent là le soir et ils sont assis par rangées les uns derrière les autres, regardant. Regardant.

MARTHE – Quoi ? Qu'est-ce qu'ils regardent puisque tout est fermé ?

P. Claudel, L'Échange, 1893.

2 Repérer les procédés argumentatifs dans une scène théâtrale

a] Quelle est la situation des deux personnages ? Que cherche à justifier Don Ruy Gomez ? Dans quel but ?

b] Relevez les procédés qui rendent son récit vivant.

Doña Sol, amoureuse d'Hernani, doit épouser son vieil oncle Don Ruy Gomez.

DON RUY GOMEZ, *se levant et allant à elle.*
– Écoute, on n'est pas maître
De soi-même, amoureux comme je suis de toi,
Et vieux. On est jaloux, on est méchant, pourquoi ?
Parce que l'on est vieux. Parce que beauté, grâce,
Jeunesse, dans autrui, tout fait peur, tout menace.
Parce qu'on est jaloux des autres, et honteux
De soi. Dérision ! que cet amour boiteux,
Qui vous remet au cœur tant d'ivresse et de flamme,
Ait oublié le corps en rajeunissant l'âme !
Quand passe un jeune pâtre – oui, c'en est là ! – souvent,
Tandis que nous allons, lui chantant, moi rêvant,
Lui dans son pré vert, moi dans mes noires allées,
Souvent je dis tout bas : O mes tours crénelées,
Mon vieux donjon ducal, que je vous donnerais,
Oh ! que je donnerais mes blés et mes forêts,
Et les vastes troupeaux qui tondent mes collines,
Mon vieux nom, mon vieux titre, et toutes mes ruines,
Et tous mes vieux aïeux qui bientôt m'attendront,
Pour sa chaumière neuve, et pour son jeune front !

V. Hugo, Hernani, 1830.

vocabulaire

Le lexique du pouvoir

3 Reconnaître le lexique du respect et du pouvoir

a] Lisez ces deux extraits et précisez la situation : qui commande et qui devrait obéir ? Cette situation « normale » est-elle respectée dans les deux textes ?

b] Relevez dans les textes, selon les cas :
– le champ lexical du respect ou de l'irrespect ;
– un lexique mélioratif ou dépréciatif pour qualifier le roi ;
– une phrase qui traduit l'humilité ou l'orgueil.

c] Comment se termine le 2ᵉ texte ? Était-ce prévisible ? Justifiez votre réponse.

1/ DON RODRIGUE – Que Votre Majesté, Sire, épargne
[ma honte,
D'un si faible service elle fait trop de conte,
Et me force à rougir devant un si grand roi
De mériter si peu l'honneur que j'en reçois.
Je sais trop que je dois au bien de votre empire,
Et le sang qui m'anime, et l'air que je respire ;
Et quand je les perdrai pour un si digne objet,
Je ferai seulement le devoir d'un sujet.

DON FERNAND – Tous ceux que ce devoir à mon service
[engage
Ne s'en acquittent pas avec même courage ;
Et lorsque la valeur ne va point dans l'excès
Elle ne produit point de si rares succès.

P. Corneille, *Le Cid*, acte IV, sc. 3, 1637.

2/ TÊTE D'OR – J'entre ici et je réclame le Livre et la Couronne !
Retire-toi de devant moi, Vieillard !

LE ROI – Je ne te laisserai point passer.

TÊTE D'OR – Retire-toi de devant moi, Vieillard ! Car ton temps est fini et la nuit est passée, après laquelle un autre jour commence.
Retire-toi, car il n'y a pas deux rois dans la ruche, mais il faut que l'un d'eux disparaisse.

LE ROI – Je ne te laisserai point passer.

TÊTE D'OR – Ne veux-tu point te retirer ?
Le Roi secoue la tête.
Meurs donc !
Il tire son épée et le tue.

Frémissement et confusion dans la foule se propageant et s'accroissant jusque dans le fond et à l'étage inférieur. Puis une espèce de silence.

P. Claudel, *Tête d'or* (deuxième version),
Éd. Mercure de France, 1959.

4 Comprendre une situation ambiguë

a] À quelle hiérarchie habituelle fait référence cette situation théâtrale ? Justifiez votre réponse.

b] Quel terme répété plusieurs fois montre le respect de l'élève ? Cette forme de politesse vous semble-t-elle exagérée ? Justifiez votre réponse.

c] Montrez, en relevant des expressions du dialogue et des didascalies, que le professeur est aussi gêné que son élève. Le professeur est-il vraiment sûr de lui ?

LE PROFESSEUR – Bonjour, Mademoiselle… C'est vous, c'est bien vous, n'est-ce pas, la nouvelle élève ?

L'ÉLÈVE *se retourne vivement, l'air très dégagé, jeune fille du monde ; elle se lève, s'avance vers le Professeur, lui tend la main.* – Oui, Monsieur. Bonjour, Monsieur. Vous voyez, je suis venue à l'heure. Je n'ai pas voulu être en retard.

LE PROFESSEUR – C'est bien, mademoiselle. Mais il ne fallait pas vous presser. Je ne sais comment m'excuser de vous avoir fait attendre… Je finissais justement… n'est-ce pas, de… Je m'excuse… Vous m'excuserez…

L'ÉLÈVE – Il ne faut pas, Monsieur. Il n'y a aucun mal, Monsieur.

E. Ionesco, *La Leçon* (1951),
Éd. Gallimard, coll. « Folio », 1954.

Leçon → **Le lexique du pouvoir et de la domination**

▶ Une situation théâtrale peut montrer une hiérarchie entre les personnages : certains détiennent un pouvoir (social, physique, politique…) auquel on peut ou non se soumettre.

▶ L'étude du lexique permet de comprendre cette relation, et de savoir si le pouvoir d'un personnage est respecté. On sera attentif aux champs lexicaux du pouvoir ou de l'impuissance, de la domination ou de la soumission, du respect ou de l'irrespect ; aux formules de politesse et aux titres (sire, monsieur, sa seigneurie…) ; aux termes mélioratifs ou dépréciatifs employés.

Pratique de la langue

grammaire

Les actes de parole directs et indirects

 Identifier les actes de parole

a) Repérez, dans ce texte, les phrases qui ont pour but de pousser à agir (actes de parole) et précisez ce que cherche à obtenir le personnage.

b) Tous les actes de parole ne sont pas des demandes « directes » : identifiez une phrase qui incite indirectement à agir (acte de parole indirect).

MME MARTIN – Excusez-moi, Monsieur le Capitaine, mais je n'ai pas très bien compris votre histoire. À la fin, quand on arrive à la grand-mère du prêtre, on s'empêtre.

M. SMITH – Toujours, on s'empêtre entre les pattes du prêtre.

MME SMITH – Oh oui, Capitaine, recommencez ! tout le monde vous le demande.

LE POMPIER – Ah ! je ne sais pas si je vais pouvoir. Je suis en mission de service. Ça dépend de l'heure qu'il est.

MME SMITH – Nous n'avons pas l'heure, chez nous.

LE POMPIER – Mais la pendule ?

M. SMITH – Elle marche mal. Elle a l'esprit de contradiction. Elle indique toujours le contraire de l'heure qu'il est.

> E. Ionesco, *La Cantatrice chauve* (1950),
> Éd. Gallimard, coll. « Folio », 1954.

6 **Différencier actes de parole directs et indirects**

a) Dans ces deux extraits, quel est le statut des personnages ? Quel rapport hiérarchique y a-t-il entre eux ?

b) Repérez les actes de parole et précisez s'ils sont directs ou indirects. Vous pouvez vous aider de la leçon.

c) Que cherchent à obtenir Rosaura ? Solange ? Madame ?

d) Choisissez, dans chaque texte, un acte de parole indirect et expliquez l'effet produit sur l'interlocuteur. Cette façon de demander vous semble-t-elle la plus efficace ?

1/ COLOMBINA – Me voici, madame.

ROSAURA – Regarde, Colombina, cette coiffe me va mal, n'est-ce pas ?

COLOMBINA – Je trouve qu'elle vous va bien.

ROSAURA – Allons donc ! Je ne peux pas me voir avec ça.

COLOMBINA – Et pourtant c'est celle qui vous plaisait tant. Hier, vous avez dit que vous n'aviez jamais eu de coiffe aussi bien faite.

ROSAURA – Hier je trouvais qu'elle m'allait bien et aujourd'hui pas.

COLOMBINA – Excusez-moi, madame, vous êtes un peu fantasque.

ROSAURA – Insolente, c'est ainsi que tu parles de moi ?

COLOMBINA – Allons, excusez-moi, je l'ai dit sans vouloir vous blesser.

ROSAURA – Va-t'en d'ici !

COLOMBINA – Je ne pensais pas que vous le prendriez mal. Je sais que vous m'aimez bien et que vous acceptez parfois mes taquineries.

ROSAURA – Je n'admets pas les taquineries. *Elle appelle.* Corallina, où es-tu ?

COLOMBINA – Comment, madame, vous allez appeler la deuxième femme de chambre ? Vous allez me faire à moi cet affront ?

ROSAURA – Je veux être servie par qui je veux, et toi va-t'en d'ici.

> C. Goldoni, *La Femme fantasque* (1751),
> trad. F. Michelin-Granier, Éd. de l'Arche, 1992.

2/ SOLANGE – Madame devrait se reposer.

MADAME – Je ne suis pas lasse. Cessez de me traiter comme une impotente. À partir d'aujourd'hui, je ne suis plus la maîtresse qui vous permettait de conseiller et d'entretenir sa paresse. Ce n'est pas moi qu'il faut plaindre. Vos gémissements me seraient insupportables. Votre gentillesse m'agace. Elle m'accable. Elle m'étouffe. Votre gentillesse qui depuis des années n'a jamais vraiment pu devenir affectueuse. Et ces fleurs qui sont là pour fêter juste le contraire d'une noce ! Il vous manquait de faire du feu pour me chauffer ! Est-ce qu'il y a du feu dans sa cellule ?

> J. Genet, *Les Bonnes*, 1947.

7 **Transformer des actes de parole directs en actes de parole indirects**

a) Identifiez, dans ce texte, les actes de parole directs prononcés par le professeur. Quel est le but recherché ?

b) Transformez-les en actes de parole indirects (la construction de la phrase peut être modifiée). L'image du professeur est-elle la même ?

LE PROFESSEUR – Toute langue, Mademoiselle, sachez-le, souvenez-vous-en *jusqu'à l'heure de votre mort…*

grammaire

L'ÉLÈVE – Oh ! oui, Monsieur, jusqu'à l'heure de ma mort… Oui, Monsieur…

LE PROFESSEUR – … et ceci est encore un principe fondamental, toute langue n'est en somme qu'un langage, ce qui implique nécessairement qu'elle se compose de sons, ou…

L'ÉLÈVE – Phonèmes.

LE PROFESSEUR – J'allais vous le dire. N'étalez donc pas votre savoir. Écoutez, plutôt.

L'ÉLÈVE – Bien, Monsieur. Oui, Monsieur.

LE PROFESSEUR – Les sons, Mademoiselle, doivent être saisis au vol par les ailes pour qu'ils ne tombent pas dans les oreilles des sourds. Par conséquent, lorsque vous vous décidez d'articuler, il est recommandé, dans la mesure du possible, de lever très haut le cou et le menton, de vous élever sur la pointe des pieds, tenez, ainsi, vous voyez…

L'ÉLÈVE – Oui, Monsieur.

LE PROFESSEUR – Taisez-vous. Restez assise, n'interrompez pas…

E. Ionesco, *La Leçon* (1951),
Éd. Gallimard, coll. « Folio », 1954.

8 Inventer des actes de parole

Madame regarde par la fenêtre et surprend ses deux domestiques dans sa chambre, vêtues de ses propres habits. Imaginez sa réaction en quelques phrases : vous traduirez sa volonté de punir ses bonnes en utilisant un acte de parole direct et un acte de parole indirect.

Leçon ➡ Les actes de parole directs et indirects

▶ Parler à quelqu'un dans le but d'avoir une influence sur lui, de le pousser à agir, c'est produire un acte de parole ; celui-ci peut réussir ou échouer, et avoir ou non une conséquence sur l'interlocuteur. On distingue :
– les actes de parole directs qui formulent sans détour ce que l'on veut obtenir : par exemple, un ordre donné à l'aide d'une phrase injonctive (« Ferme la porte. ») ;
– les actes de parole indirects qui suggèrent simplement à l'interlocuteur ce que l'on veut obtenir de lui : on peut ainsi lui ordonner ou lui conseiller de fermer la porte de façon détournée, à l'aide d'une phrase assertive (« Le courant d'air va faire claquer la porte. ») ou d'une phrase interrogative (« Ne serions-nous pas plus tranquilles si la porte était fermée ? »).

▶ Dans tous les cas, c'est la situation de communication qui permet d'interpréter un acte de parole.

J. Genet,
Les Bonnes, mise en scène P. Adrien, Théâtre du Vieux Colombier, 2000.

s'exercer

9 Poursuivre une tirade argumentative

a] Dans ce passage, à qui s'adresse Arnal ? De quoi s'excuse-t-il ? Quelle est la tonalité du texte ?

b] Poursuivez la tirade d'Arnal en imaginant la raison de son retard et en le justifiant. Veillez au ton du personnage et à la situation de communication.

Nous sommes au début de la pièce…

ARNAL, *seul. On frappe trois coups. L'orchestre commence l'ouverture; après quelques mesures, le rideau se lève, Arnal, en costume de président du conseil des Dix, s'avance, fait signe à l'orchestre de s'arrêter, et après trois saluts, fait l'annonce suivante: au public.* – Messieurs… au moment de lever le rideau… on vient de s'apercevoir que la pièce intitulée *La Dame aux jambes d'azur* n'était pas complètement mûre… il nous sera impossible de la présenter ce soir au public… nous allons passer une partie de la nuit à la répéter, afin de pouvoir vous l'offrir demain sans faute… *Il fait plusieurs saluts, puis revient vers le public.* Ah! j'oubliais de vous dire que l'auteur est extrêmement contrarié de cette… conjoncture !… c'est son premier pas sur la scène… comme poète… car vous avez déjà daigné l'encourager comme acteur… c'est un de nos camarades… un homme d'ordre !… beau cavalier… plein de zèle, de conscience, d'amour pour son art, enfin, c'est… c'est moi !

E. Labiche, *La Dame aux jambes d'azur* (1857), Éd. Gallimard, coll. « Folio/théâtre », 1995.

10 Répondre à un personnage en argumentant

a] Que fait Valentin en rencontrant Karlstadt ?

b] Montrez qu'une telle scène repose sur un quiproquo. En quoi est-il comique ?

c] Poursuivez l'explication de Karlstadt, qui cherche à persuader ou à convaincre Valentin de sa véritable identité. Vous pouvez, à votre choix, développer une argumentation comique ou sérieuse.

VALENTIN – Ah vous voilà, sale type ! Voilà des mois que je cherche l'enfant de salaud qui se permet d'envoyer en secret des lettres d'amour à ma femme ! Enfin je vous tiens ! – Voilà ce que vous méritez – et encore une – fripouille ! – Et encore une, et une de plus encore – Flibustier ! – Voilà, maintenant vous avez la rançon de votre grossièreté – monsieur Otto Keilhauer !

KARLSTADT – Mais qu'est-ce qui vous prend de me souffleter comme ça ici ? Primo, je ne connais pas du tout votre femme, et deuxio, je ne m'appelle pas Otto Keilhauer, mais Alois Freiberger.

K. Valentin, *Gifles* (1907), *La Sortie au théâtre et autres textes*, trad. J. -L. Besson et J. Jourdheuil, Éd. théâtrales, 1992.

11 Imaginer une tirade argumentative

Imaginez la tirade argumentative du personnage de droite (Fabrice Luchini) qui cherche à défendre (ou à critiquer) la beauté de ce tableau « moderne » d'un blanc uniforme.

Y. Reza, *Art*, mise en scène P. Kerbrat, Comédie des Champs-Élysées, 1994.

12 Soutenir une idée

a] Recopiez sur des morceaux de papier la liste suivante que vous pouvez compléter : pompier, médecin, ouvrier, dame âgée, étudiant, soldat, plombier, personne qui attend, sportif(ve), etc.

b] Notez, de la même façon, des idées à défendre : la vie est un ennui, la vie est un émerveillement, il est important de travailler, il faut voyager, la musique adoucit le caractère, etc.

c] Piochez ensuite un papier dans chaque liste et développez une argumentation comique ou sérieuse, mais construite. Vous pouvez décider au choix :
– que le personnage pioché est celui qui soutient l'argumentation (par exemple, un pompier doit soutenir que la vie est belle) ; vous choisissez alors l'interlocuteur ;
– que le personnage pioché est celui qui écoute l'argumentation (on explique à un boxeur que la musique adoucit les mœurs) ; vous inventez alors un personnage qui argumente.

rédiger

Écrire un dialogue argumentatif

▰▰ PENSER AUX CONTRAINTES THÉÂTRALES ▰▰

Avant d'être argumentatif, le dialogue théâtral est d'abord un **échange entre deux ou plusieurs personnages**. Un certain nombre de règles sont à respecter.

• **Fixer, avant d'écrire, le statut de chaque personnage.** Ceux-ci sont nommés lorsqu'ils prennent la parole ; une liste des personnages présents (nom et statut) peut figurer au début de la scène ;

• **Rédiger au discours direct**, puisqu'il n'y a pas de narrateur mais que ce sont les personnages qui font évoluer l'histoire ;

• **Utiliser les didascalies** pour indiquer la situation théâtrale, les éventuels décors, mais aussi les gestes, les intonations des personnages... Pour éviter des confusions, la didascalie propre à un personnage peut figurer entre son nom et la réplique qu'il prononce.

▰▰ TROUVER UNE SITUATION PROPICE À L'ARGUMENTATION ▰▰

Deux personnages se rencontrant ne vont pas spontanément échanger des arguments : il faut créer une **situation qui engage un des deux personnages à défendre son point de vue.**

Trois éléments sont donc essentiels :

• la **situation théâtrale** : un des personnages doit prendre la parole et être écouté. Son argumentation naît d'un besoin, d'un manque à combler : il veut obtenir l'adhésion ;

• la **relation entre les personnages** : c'est d'elle que dépend la volonté d'argumenter, la force de conviction. Demandez-vous toujours si l'argument est nécessaire : un roi a-t-il besoin de convaincre un sujet qui lui obéit déjà ?

• le **statut du personnage** : il définit la qualité de l'argumentation, le niveau de langue utilisé, les exemples et les images : un ministre ne choisit pas les mêmes arguments qu'un soldat, parce que ses références sont différentes.

▰▰ CONSTRUIRE L'ARGUMENTATION ▰▰

Avant la rédaction de la scène, il est bon de réfléchir déjà aux personnages, à leur situation, à leurs arguments. Si deux personnages débattent ensemble, vous pouvez, **dans un tableau, noter les arguments et les contre-arguments** qu'ils échangent.

▰▰ ÉCRIRE UNE SCÈNE VIVANTE ▰▰

La scène que vous rédigez est **faite pour être jouée** : les arguments que vous avez choisis doivent donc venir naturellement dans le dialogue.

Il est nécessaire dans cette optique d'utiliser des **procédés qui rendent le dialogue vivant** tout en conservant la qualité de l'argumentation :

• **faites progresser l'argumentation** : ne laissez pas un personnage s'entêter. La scène doit évoluer et l'argumentation produire (ou non) son effet ;

• **appuyez-vous sur des exemples clairs**, qui frappent l'imagination ; un personnage peut raconter une anecdote ou un fait historique qui illustrera ses arguments ;

• **donnez aux tirades l'apparence de dialogues** en employant des adresses, des apostrophes, des exclamations, des questions rhétoriques...

• **utilisez des figures de style pour éviter des arguments trop abstraits** : métaphores, personnifications, allégories, comparaisons, antithèses, etc.

Sujets au choix

⟩⟩⟩ **1. Imaginez un débat entre deux membres d'une même famille (parents/enfants ; frères/sœurs) au sujet du choix d'un lieu de vacances** : chacun emploiera une argumentation vivante pour défendre son lieu préféré (mer, montagne, pays étranger, etc.).

⟩⟩⟩ **2. Un dirigeant tyrannique veut faire interdire un journal. Rédigez la tirade argumentative du rédacteur en chef qui montre les avantages de son journal pour le dirigeant et pour la population. Vous veillerez au respect qu'impose le rang officiel de l'interlocuteur.**

⟩⟩⟩ **3. Choisissez une situation qui vous révolte (SDF, faim dans le monde, etc.) et mettez-vous en scène dans un dialogue avec des amis. Vous dénoncerez la situation révoltante en veillant aux arguments employés, et aux contre-arguments éventuels de vos amis.**

Une autorité inflexible

Le mari de Bernarda est mort, la laissant seule avec ses cinq filles et une ser-
vante, la Poncia. Les visites de condoléances viennent de se terminer.

LA PONCIA – Tu n'as pas à te plaindre. Tout le village est venu.

BERNARDA – Oui, pour emplir ma maison de la sueur de ses jupes et du
venin de ses langues.

AMELIA – Mère, ne parlez pas ainsi !

5 BERNARDA – C'est ainsi que l'on doit parler dans ce maudit village sans
rivière, village de puits où l'on tremble toujours de boire une eau
empoisonnée.

LA PONCIA – Dans quel état elles m'ont mis le carrelage !

BERNARDA – Pire qu'un troupeau de chèvres ! *La Poncia essuie le sol.*
10 Donne-moi un éventail.

ADELA – Tenez.

Elle lui tend un éventail rond à fleurs rouges et vertes.

BERNARDA, *le jetant à terre.* – Est-ce là l'éventail qu'on donne à une veuve ?
Donne-m'en un noir et apprends à respecter le deuil de ton père.

15 MARTIRIO – Prenez le mien.

BERNARDA – Et toi ?

MARTIRIO – Je n'ai pas chaud.

BERNARDA – Va en chercher un autre, car tu en auras besoin. Pendant les
huit ans que durera le deuil, l'air de la rue ne doit pas pénétrer dans
20 cette maison. Dites-vous que j'ai muré les portes et les fenêtres.
Comme on faisait chez mon père et chez mon grand-père. En attendant, vous pouvez vous mettre à broder vos trousseaux. Dans le coffre,
j'ai vingt pièces de fil, où vous taillerez des draps avec leurs rabats.
Magdalena les brodera.

25 MAGDALENA – Cela m'est égal.

ADELA, *aigre.* – Si tu ne veux pas les broder, on s'en passera. Les tiens
feront plus d'effet.

MAGDALENA – Ni les miens ni les vôtres. Je sais que je ne me marierai pas.
J'aimerais mieux porter des sacs de blé au moulin. Tout plutôt que de
30 moisir jour après jour dans ce caveau.

BERNARDA – C'est la condition de la femme.

MAGDALENA – Maudites soient les femmes !

BERNARDA – Ici, on fait ce que j'ordonne. Maintenant, tu ne peux plus
aller rapporter à ton père. Le fil et l'aiguille pour la femme. Le fouet et
35 la mule pour l'homme. C'est la règle dans les bonnes familles.

F. Garcia Lorca, *La Maison de Bernarda Alba* (1936),
trad. A. Belamich, Éd. Gallimard, coll. « folio », 1957.

Federico
Garcia Lorca
[1899-1936]

Poète et auteur de théâtre
espagnol, il fut assassiné
par les franquistes
pendant la guerre civile
espagnole. Il mêle dans
son œuvre aussi bien
des éléments venus
du folklore national
que des recherches de type
surréaliste.

QUESTIONS
(15 points)

A. Le genre théâtral (3 points)

1 Relevez une didascalie qui indique le statut social de la Poncia. (1 point)

2 Relevez deux autres indices qui font de ce texte une scène de théâtre. (1 point)

3 Quel est le personnage qui mène le dialogue ? Pourquoi les autres l'écoutent-ils et semblent lui obéir ? (1 point)

B. « On fait ce que j'ordonne » (5,5 points)

4 Relevez, dans les répliques de Bernarda, trois expressions de l'ordre : (1,5 point)
– une phrase à l'impératif ;
– une interdiction ;
– une phrase nominale.

5 Que sous-entend Bernarda dans la phrase interrogative de la ligne 13 ? Comment appelle-t-on une telle question ? (1 point)

6 a. Que veut imposer Bernarda pendant la période du deuil ? (1 point)

b. Relevez une métaphore qui critique l'attitude de Bernarda et expliquez-la. (1 point)

c. Qui parmi les filles résiste à Bernarda ? De quelle façon ? (1 point)

C. Un monde de femmes (6,5 points)

7 Quelle image avez-vous du village ? Justifiez votre réponse en relevant deux adjectifs dépréciatifs. (0,5 point)

8 a. Quelle est la nature de « en attendant » (l. 21-22) ? (2 points)

b. Expliquer l'expression « broder vos trousseaux » (l.22) : à quoi sont donc destinées les femmes ? et les hommes ? Justifiez votre réponse en citant le texte. (2 points)

9 Imaginez une mise en scène (costume, accessoires, position des personnages) qui souligne l'autorité de Bernarda et la soumission de ses filles. Quelles indications de jeu donneriez-vous à Magdalena ? (2 points)

RÉÉCRITURE
(5 points)

Réécrivez le passage : « Pendant les huit ans [...] Magdalena les brodera » (l. 18-24) en débutant chacune des phrases par « Je veux que », « Je souhaite que » ou « J'aimerais que », en faisant les modifications nécessaires. À la ligne 20, vous supprimerez « Dites-vous que ».
Vous veillerez à accorder les personnes et les temps et à conserver la cohérence des phrases.

RÉDACTION
(20 points)

Magdalena répond à sa mère et défend une autre vision de la « condition de la femme ». Imaginez, dans une tirade, les arguments qu'elle pourrait employer en faveur de la liberté de choix, du mariage d'amour, etc.

Consigne d'écriture.

◎ *Vous veillerez, dans cette tirade, à respecter les contraintes du genre théâtral.*

découverte d'un mythe

Le mythe d'Antigone

1› ISMÈNE – Mais aujourd'hui, du fait d'un dieu et d'une pensée criminelle, c'est une dispute coupable dont l'idée entre soudain dans le cœur de tes trois fois malheureux fils : ils veulent tous deux se saisir du sceptre et du pouvoir royal ! Et voici que le cadet [Étéocle], celui à qui l'âge donne le moins de
5 droits, enlève le trône à Polynice son aîné et le chasse de sa patrie. Sur quoi l'autre, s'il faut en croire la rumeur la plus répandue chez nous, gagne en banni la plaine encaissée d'Argos, où, trouvant le concours d'une alliance nouvelle et de compagnons d'armes pris parmi ses proches, il s'imagine qu'Argos va sans retard s'emparer de haute lutte de la terre cadméenne…

Sophocle, *Œdipe à Colone* (401 av. J.-C.), *Tragédies complètes*,
trad. P. Mazon, Éd. Gallimard, coll. « Folio », 1973.

Sophocle, *Antigone*, Mandéka Théâtre Mali, mise en scène S. Kouyaté, Théâtre de la Commune, 1999.

2› **A** LE HÉRAUT – Pour celui-ci, Étéocle, à raison de son dévouement au pays, il a été décrété qu'il serait enseveli en de pieuses funérailles : plein de haine pour nos ennemis, il a voulu mourir dans sa patrie, et, pur à l'égard des temples de nos pères, sans reproche, il est mort où il est beau
5 de mourir pour les jeunes hommes. Voilà ce que, sur lui, j'ai mission de dire. Mais, pour son frère, pour Polynice, dont voici le corps, il sera jeté hors de nos murailles, sans sépulture, en proie aux chiens, puisqu'il eût été le dévastateur du pays cadméen, si un dieu ne s'était pas dressé devant sa lance, à celui-là !

B ANTIGONE – Et je déclare, moi, aux chefs des Cadméens : si personne ne veut aider à l'ensevelir, c'est moi qui l'ensevelirai. Je saurai affronter un péril pour enterrer un frère, sans rougir d'être ainsi indocile et rebelle à ma ville. C'est un lien étrangement fort que d'être sortis des mêmes entrailles, enfants d'une mère misérable et d'un père infortuné.

Eschyle, *Les Sept contre Thèbes* (469 av. J.-C.),
Tragédies complètes, trad. P. Mazon, Éd. Gallimard, coll. « Folio », 1982.

3› CRÉON, *la regarde et murmure soudain* – L'orgueil d'Œdipe. Tu es l'orgueil d'Œdipe.

J. Anouilh, *Antigone*, Éd. La Table ronde, 1946.

4› **A** Elle s'appelle Antigone et il va falloir qu'elle joue son rôle. Jusqu'au bout… Et, depuis que ce rideau s'est levé, elle sent qu'elle s'éloigne à une vitesse vertigineuse de sa sœur Ismène qui bavarde et rit avec un jeune homme, de nous tous, qui sommes là bien tranquilles à la regarder, de nous qui n'avons pas à mourir ce soir.

Le jeune homme avec qui parle la blonde, la belle, l'heureuse Ismène, le fils de Créon. Il est le fiancé d'Antigone.

B Cet homme robuste, aux cheveux blancs, qui médite là, près de son page, c'est Créon. C'est le roi. Il a des rides, il est fatigué. Il joue au jeu difficile de conduire les hommes. Avant, du temps d'Œdipe, quand il n'était que le premier personnage de la cour, il aimait la musique, les belles reliures, les longues flâneries chez les petits antiquaires de Thèbes. Mais Œdipe et ses fils sont morts. Il a laissé ses livres, ses objets, il a retroussé ses manches et il a pris leur place.

J. Anouilh, *Antigone*, Éd. La Table ronde, 1946.

5› CRÉON – Avez-vous choisi ?

ANTIGONE – J'ai choisi.

CRÉON – Hémon ?

ANTIGONE – La mort.

V. Alfieri, *Antigone* (1776), *Œuvres dramatiques du comte Alfieri*, t.1, trad. C. B. Petitot, Paris, 1802.

6› ISMÈNE – Je ferai comme vous, mais je suis trop peureuse.

ANTIGONE – Cette peur vous provient de faute de bon cœur.

ISMÈNE – Ce n'est pas de cela que procède ma peur.

ANTIGONE – De quoi donc, je vous prie ?

ISMÈNE – D'une faible nature, qui révère les lois.

ANTIGONE – La belle couverture !

R. Garnier, *Antigone ou la Piété*, 1580,
(orthographe modernisée).

7› **A** LE MESSAGER – Une terrible nouvelle. On venait de jeter Antigone dans son trou. On n'avait pas encore fini de rouler les derniers blocs de pierre lorsque Créon et tous ceux qui l'entourent entendent des plaintes qui sortent soudain du tombeau. Chacun se tait et écoute, car
5 ce n'est pas la voix d'Antigone. C'est une plainte nouvelle qui sort des profondeurs du trou… Tous regardent Créon, et lui qui a deviné le premier, lui qui sait déjà avant tous les autres, hurle soudain comme un fou : « Enlevez les pierres ! Enlevez les pierres ! » Les esclaves se jettent sur les blocs entassés et, parmi eux, le roi suant, dont les mains sai-
10 gnent. Les pierres bougent enfin et le plus mince se glisse dans l'ouverture. Antigone est au fond de la tombe pendue aux fils de sa ceinture, des fils bleus, des fils verts, des fils rouges qui lui font comme un collier d'enfant, et Hémon à genoux qui la tient dans ses bras et gémit, le visage enfoui dans sa robe.

J. Anouilh, *Antigone*, Éd. La Table ronde, 1946.

B Dès qu'il le voit, Créon pousse une plainte horrible. Il entre, il gémit, il appelle : « Malheureux, qu'as-tu fait ? quelle idée t'a donc pris ? dans quel désastre a sombré ta raison ? Sors, mon enfant, je t'en prie à genoux ! » Mais l'autre, l'œil farouche, roule autour de lui des
5 regards éperdus. Il lui crache au visage et, sans répondre un mot, il tire son épée à double quillon[1]. Le père, d'un bond, fuit et lui échappe. L'infortuné tourne alors sa fureur contre lui-même. Vivement, il tend le flanc et y enfonce la moitié de son épée. Après quoi, avant de perdre connaissance, de ses bras défaillants, il étreint la
10 vierge, cependant qu'en un râle il lâche sur sa joue blême le brusque flux d'une bave sanglante… Il est là, sur le sol, cadavre embrassant un cadavre ! Le malheureux aura eu pour son lot des noces célébrées dans le monde des morts…

Sophocle, *Antigone* (442 av. J.-C.), trad. P. Mazon,
Éd. Librairie Générale Française, Le Livre de Poche classique, 1991.

1. Quillon : branche de la croix dans la garde d'une épée.

Le mythe et son contexte

1] D'après les extraits proposés, reconstituez les liens familiaux qui existent entre les personnages suivants : Œdipe, Polynice, Étéocle, Antigone, Ismène, Hémon, Créon.

2] LES ROIS
a. Quels sont les deux personnages qui ont effectivement régné ? sur quelle ville ?
b. Quels sont les deux personnages qui s'affrontent pour régner après eux ? Quelle est la conséquence de cet affrontement ?

3] L'adjectif « cadméen » est formé sur le nom Cadmos. Cherchez qui était ce personnage et quelle a été son action. De quelle famille est-il l'ancêtre ?

4] Retrouvez l'histoire d'Œdipe. Pourquoi Antigone en parle-t-elle comme d'« un père infortuné » (2 b) ?

Du refus à la mort

5] Entre les extraits 1 et 2, que s'est-il passé ? Comment pouvez-vous le deviner ? Pourquoi cet événement est-il décisif pour l'avenir d'Antigone ?

6〕 **Extrait 1.** Relevez, dans les paroles d'Ismène, les expressions appartenant au champ lexical de la condamnation. Quelle est la conséquence de la « dispute » entre les deux frères ?

7〕 **Extrait 2.** Quel est le sort réservé à Polynice ? Ce sort est-il justifié d'après l'extrait 1 ?

8〕 Que refuse Antigone ? À quel personnage s'oppose-t-elle ? Justifiez votre réponse en citant certains passages.

9〕 À quoi est-elle finalement condamnée ? Comment meurt-elle ?

10〕 Qui choisit de suivre Antigone dans la mort ? Comment et pourquoi ?

Sophocle, *Antigone*, mise en scène M. Bozonnet et J. Bollack, Théâtre de la Bastille, 1999.

Leçon ⊖ **Les invariants d'un mythe**

▶ Un mythe est une **histoire**, mêlant souvent hommes et dieux, destinée à faire réfléchir l'homme sur sa condition et, particulièrement dans l'antiquité grecque, sur son **destin**.

▶ L'histoire possède des éléments que l'on retrouve dans toutes les reprises du mythe – les mêmes personnages, quelques éléments stables (par exemple, la mort d'Antigone) – et qui permettent de l'identifier. On appelle ces éléments des **invariants** car ils ne changent pas ; s'ils étaient modifiés, le mythe serait difficile à reconnaître.

▶ Cette contrainte n'empêche pas certaines **variations** du mythe, dans d'autres lieux ou à d'autres époques, par exemple : Bertolt Brecht a ainsi, dans son prologue, transposé le mythe d'Antigone devant un abri antiaérien, à Berlin, en 1945.

11〕 **Extrait 7.** Quel est le temps principal utilisé pour raconter la mort d'Antigone ? Pourquoi, à votre avis ?

La signification du mythe

12〕 Résumez les principales étapes du mythe d'Antigone et retrouvez, pour chaque texte, l'étape correspondante.

13〕 À quelles valeurs Antigone est-elle fidèle ? Quel est, selon vous, son principal défaut ? Justifiez votre réponse en citant les passages appropriés.

14〕 En vous appuyant sur tous les extraits et sur la leçon, relevez les « invariants » de l'histoire d'Antigone, depuis la dispute entre Étéocle et Polynice jusqu'à sa mort.

J. Anouilh, *Antigone*, Théâtre de l'Atelier, 1944.

Prolongements

⊖ ÉTABLIR UNE CHRONOLOGIE. Classez les textes par ordre chronologique, et complétez votre liste (en cherchant les dates) avec les *Antigone* de Rotrou, de Cocteau et de Brecht. Quand débute le mythe ? Peut-on parler de mythe intemporel ? Pourquoi ?

⊖ COMPARER DES MISES EN SCÈNE. Comment Antigone est-elle représentée dans les trois photographies de mises en scène (voir ci-dessus et page 220) ? Dites quelle est, selon vous, la représentation la plus intéressante en précisant pourquoi. À quel épisode précis correspond probablement l'image de la mise en scène du Théâtre de la Bastille ?

Une réflexion douce-amère sur le pouvoir

*Créon, roi de Thèbes, a interdit que l'on enterre le corps de Polynice, considéré
comme un ennemi public. Mais les gardes ont trouvé de la terre sur ce corps. Les
soupçons se portent sur Antigone, la sœur de Polynice et la nièce du roi.
Voici le début du rapport du garde, l'arrestation d'Antigone puis l'entrevue entre
Créon et Antigone, en présence du garde.*

J. Anouilh, *Antigone*, Théâtre de l'Atelier, 1944.

1› *Le garde entre. C'est une brute. Pour le moment il est vert de peur.*

LE GARDE, *se présente au garde-à-vous*. – Garde Jonas, de la Deuxième
Compagnie.

CRÉON – Qu'est-ce que tu veux ?

5 LE GARDE – Voilà, chef. On a tiré au sort pour savoir celui qui viendrait.
Et le sort est tombé sur moi. Alors, voilà, chef. Je suis venu parce qu'on a
pensé qu'il valait mieux qu'il n'y en ait qu'un qui explique, et puis parce
qu'on ne pouvait pas abandonner le poste tous les trois. On est les trois
du piquet de garde, chef, autour du cadavre.

10 CRÉON – Qu'as-tu à me dire ?

LE GARDE – On est trois, chef. Je ne suis pas tout seul. Les autres c'est
Durand et le garde de première classe Boudousse.

CRÉON – Pourquoi n'est-ce pas le première classe qui est venu ?

15 LE GARDE – N'est-ce pas, chef ? Je l'ai dit tout de suite, moi. C'est le première classe qui doit y aller. Quand il n'y a pas de gradé, c'est le première classe qui est responsable. Mais les autres ils ont dit non et ils ont voulu tirer au sort. Faut-il que j'aille chercher le première classe, chef ?

CRÉON – Non. Parle, toi, puisque tu es là.

[Le garde raconte qu'il a trouvé « une petite pelle d'enfant ». Créon soupçonne Antigone. Le garde part la chercher avec « les autres ».]

2 › LE GARDE, *qui a repris tout son aplomb.* – Allez, allez, pas d'histoires ! Vous vous expliquerez devant le chef. Moi, je ne connais que la consigne. Ce que vous aviez à faire là, je ne veux pas le savoir. Tout le monde a des excuses, tout le monde a quelque chose à objecter. S'il fallait écouter les

5 gens, s'il fallait essayer de comprendre, on serait propres. Allez, allez ! Tenez-la, vous autres, et pas d'histoires ! Moi, ce qu'elle a à dire, je ne veux pas le savoir !

ANTIGONE – Dis-leur de me lâcher, avec leurs sales mains. Ils me font mal.

LE GARDE – Leurs sales mains ? Vous pourriez être polie, Mademoiselle…

10 Moi, je suis poli.

ANTIGONE – Dis-leur de me lâcher. Je suis la fille d'Œdipe, je suis Antigone. Je ne me sauverai pas.

LE GARDE – La fille d'Œdipe, oui ! Les putains qu'on ramasse à la garde de nuit, elles disent aussi de se méfier, qu'elles sont la bonne amie du préfet

15 de police !

Ils rigolent.

3 › *Créon entre, le garde gueule aussitôt.*

LE GARDE – Garde à vous !

CRÉON, *s'est arrêté surpris.* – Lâchez cette jeune fille. Qu'est-ce que c'est ?

LE GARDE – C'est le piquet de garde, chef. On est venu avec les camarades.

5 CRÉON – Qui garde le corps ?

LE GARDE – On a appelé la relève, chef.

CRÉON – Je t'avais dit de la renvoyer ! Je t'avais dit de ne rien dire.

LE GARDE – On n'a rien dit, chef. Mais comme on a arrêté celle-là, on a pensé qu'il fallait qu'on vienne. Et cette fois on n'a pas tiré au sort. On a

10 préféré venir tous les trois.

CRÉON – Imbéciles ! *À Antigone.* Où t'ont-ils arrêtée ?

LE GARDE – Près du cadavre, chef.

CRÉON – Qu'allais-tu faire près du cadavre de ton frère ? Tu savais que j'avais interdit de l'approcher.

15 LE GARDE – Ce qu'elle faisait, chef ? C'est pour ça qu'on vous l'amène. Elle grattait la terre avec ses mains. Elle était en train de le recouvrir encore une fois.

J. Anouilh, *Antigone*, Éd. La Table ronde, 1946.

Une arrestation délicate...

1 Quel est le point de départ de ces trois scènes ? Qui est arrêté ? Pour quelle raison ?

2 Pourquoi les gardes n'osaient-ils pas venir voir le roi ? Comment ont-ils tranché ? Justifiez votre réponse en citant le 1er extrait.

3 Analysez l'attitude du garde dans les trois extraits. Pourquoi change-t-elle ?

Une autorité relative

4 Dans les trois extraits, relevez des marques d'autorité ou de pouvoir : actes de paroles, didascalies, lexique employé... L'autorité est-elle détenue par la même personne ? Justifiez votre réponse.

5 Relevez des impératifs dans les répliques de Créon, d'Antigone et du garde. Précisez, pour chacun d'eux, s'ils expriment un ordre, une demande ou un conseil.

6 Établissez, pour chaque extrait, le rapport hiérarchique entre les personnages. La hiérarchie attendue est-elle toujours respectée ? Pourquoi ?

7 Créon
a. Quelle consigne avait-il donné aux gardes ? Comment savez-vous qu'elle n'a pas été respectée ?
b. extrait 3. En quoi la situation de Créon est-elle délicate ?

Entre tragique et comique

8 Antigone [Extrait 2]
a. Montrez qu'Antigone est victime d'un malentendu.
b. Relevez l'expression familière et dévalorisante employée par Antigone pour se défendre. Pourquoi cette expression est-elle maladroite ?
c. Montrez que la situation d'Antigone est à la fois tragique et comique. Quelle est la remarque du garde qui accentue cette impression ambiguë ?

9 Le garde
a. Quelle image de la « justice » donne le garde dans le 2e extrait ? Justifiez votre réponse.
b. Dans ces trois extraits, le garde est-il amusant ou inquiétant ? Justifiez votre réponse dans un court paragraphe argumenté.

Leçon ⮕ Les tonalités au théâtre

▶ Les tonalités peuvent varier selon les genres théâtraux mais aussi, à partir du XIXe siècle, à l'intérieur même des pièces alors qu'elles étaient jusqu'alors très codifiées (voir « Première approche », p. 196-197) : le dramaturge peut désormais mêler comique et tragique dans une même pièce.

▶ Les effets produits sont très variés : une pièce comique tournant à la tragédie surprend et touche davantage le spectateur ; le tragique d'une situation peut être souligné par l'intrusion d'un détail comique qui peut paraître sans importance. Une scène comique peut avoir aussi des vertus divertissantes et permettre au spectateur de sourire au cœur d'une histoire tragique.

▶ Ce mélange des genres (tragédie, comédie, drame...) se traduit par un mélange de tons qui donne aux auteurs une grande liberté et permet de montrer sur scène des personnages nuancés.

Prolongements

⮕ COMPRENDRE LE CONTEXTE D'UNE MISE EN SCÈNE. À quelle époque a été transposée l'histoire d'Antigone dans la mise en scène du théâtre de l'Atelier (voir p. 224) ? Quel écho une telle mise en scène peut-elle susciter en 1944 ?

⮕ DÉBATTRE D'UNE IDÉE. Selon vous, qui d'Antigone ou de Créon a « raison » ? Expliquez ce que représentent ou symbolisent ces deux personnages.

⮕ COMPARER DES EXTRAITS. Comparez l'image du garde dans ces extraits avec la description faite dans le prologue et à la fin de la pièce d'Anouilh. Quel type de mentalité représentent les gardes ?

⮕ IDENTIFIER UN GENRE. Anouilh a classé Antigone dans ce qu'il a appelé ses « nouvelles pièces noires ». Expliquez en quoi cette dénomination est justifiée pour qualifier le ton général de la pièce.

La demande désespérée d'un fils

1> HÉMON – Père, la foule n'est rien. Tu es le maître.

CRÉON – Je suis le maître avant la loi. Plus après.

HÉMON – Père, je suis ton fils, tu ne peux pas me la laisser prendre.

CRÉON – Si, Hémon. Si, mon petit. Du courage. Antigone ne peut plus
5 vivre. Antigone nous a déjà quittés tous.

HÉMON – Crois-tu que je pourrai vivre, moi, sans elle ? Crois-tu que je
l'accepterai, votre vie ? Et tous les jours, depuis le matin jusqu'au soir,
sans elle. Et votre agitation, votre bavardage, votre vide, sans elle.

CRÉON – Il faudra bien que tu acceptes, Hémon. Chacun de nous a un
10 jour, plus ou moins triste, plus ou moins lointain, où il doit enfin accepter d'être un homme. Pour toi, c'est aujourd'hui… Et te voilà devant
moi avec ces larmes au bord de tes yeux et ton cœur qui te fait mal –
mon petit garçon, pour la dernière fois… Quand tu te seras retourné,
quand tu auras franchi ce seuil tout à l'heure, ce sera fini.

15 HÉMON, *recule un peu et dit doucement.* – C'est déjà fini.

CRÉON – Ne me juge pas, Hémon. Ne me juge pas, toi aussi.

HÉMON, *le regarde et dit soudain.* – Cette grande force et ce courage, ce dieu
géant qui m'enlevait dans ses bras et me sauvait des monstres et des ombres,
c'était toi ? Cette odeur défendue et ce bon pain du soir sous la lampe,
20 quand tu me montrais des livres dans ton bureau, c'était toi, tu crois ?

CRÉON, *humblement.* – Oui, Hémon.

HÉMON – Tous ces soins, tout cet orgueil, tous ces livres pleins de héros,
c'était donc pour en arriver là ? Être un homme, comme tu dis, et trop
heureux de vivre ?

25 CRÉON – Oui, Hémon.

HÉMON, *crie soudain comme un enfant se jetant dans ses bras.* – Père, ce
n'est pas vrai ! Ce n'est pas toi, ce n'est pas aujourd'hui ! Nous ne
sommes pas tous les deux au pied de ce mur où il faut seulement dire
oui. Tu es encore puissant, toi, comme lorsque j'étais petit. Ah ! je t'en
30 supplie, père, que je t'admire, que je t'admire encore ! Je suis trop seul et
le monde est trop nu si je ne peux plus t'admirer.

J. Anouilh, *Antigone*, Éd. La Table ronde, 1946.

2> HÉMON – Eh bien ! elle mourra ; mais, en mourant, elle en tuera un autre.

CRÉON – Quoi ! tu vas jusqu'à la menace et t'en prends à moi sans trembler !

HÉMON – Ce n'est point menacer que répliquer à de vaines raisons.

CRÉON – Il t'en coûtera cher d'oser me raisonner alors que tu es, toi, si
5 vide de raison.

HÉMON – Si tu n'étais mon père, je dirais que c'est toi qui n'as plus ta raison.

Sophocle, *Antigone*, mise en scène M. Bozonnet et J. Bollack, Théâtre de la Bastille, 1999.

CRÉON – Tu es l'esclave d'une femme : cesse donc de me fatiguer.

HÉMON – Veux-tu donc parler seul, et sans qu'on te réponde ?

CRÉON – Vraiment ? Eh bien, sache-le, par l'Olympe, tu te repentiras de m'in-
10 sulter ainsi avec de telles semonces. Amène ici l'odieuse fille, pour qu'à l'instant, en sa présence, sous ses yeux, ici même, elle périsse devant son fiancé.

HÉMON – Ah ! cela, non ! Non, non, ne le crois pas. Non, jamais elle ne
mourra ici même, devant moi. Et jamais, toi non plus, tu ne verras de tes
yeux mon visage. Qui des tiens le voudra vive avec ta démence !

Sophocle, Antigone (442 av. J.-C.), trad. P. Mazon,
Éd. Librairie Générale Française, Le Livre de Poche classique, 1991.

Une situation délicate

1⟩ Dans le 1er texte, que demande Hémon à son père ? Montrez que ce dernier aurait le pouvoir d'agir.

2⟩ Quelle est la réponse de Créon ? Quel argument emploie-t-il ? Pourquoi la décision prise est-elle délicate vis-à-vis d'Hémon ?

3⟩ Comment réagit Créon dans le texte d'Anouilh ? dans celui de Sophocle ? Justifiez votre réponse en citant le texte.

Une situation émouvante

4⟩ Par quels moyens Hémon cherche-t-il à fléchir Créon dans le texte d'Anouilh ? dans celui de Sophocle ? Appuyez-vous sur le texte pour justifier votre réponse.

5⟩ Dans le 1er texte, relevez les termes mélioratifs employés par Hémon pour qualifier son père : diriez-vous qu'il cherche à le convaincre ou qu'il fait appel à ses sentiments ? Justifiez votre réponse.

6⟩ Dans quel extrait Hémon est-il le plus dur ? le plus tendre ? Vous pouvez citer les didascalies pour justifier votre réponse.

Une situation tragique

7⟩ Quelles sont les menaces proférées par Hémon dans l'extrait de Sophocle ? Ces menaces se vérifieront-elles dans la suite du mythe ?

8⟩ Dans ces deux extraits, Hémon croit-il pouvoir encore sauver Antigone ? Expliquez en quoi son attitude est révélatrice.

9⟩ Deux phrases différentes, prononcées par Créon puis par Hémon dans les deux extraits, expriment symboliquement le tragique de la scène : retrouvez-les et expliquez-les.

Prolongements

⊙ DÉBATTRE D'UNE IDÉE. Créon est-il plutôt un bon roi ou un bon père ? Les deux fonctions sont-elles compatibles, selon vous ?

⊙ COMPRENDRE UNE ALLUSION MYTHOLOGIQUE. Quel est le lieu mythologique cité dans le 2e texte ? Quel dieu préside dans ce lieu ? Montrez qu'il existe des liens entre Créon et ce dieu.

Le métier de journaliste

séquence 8

Le rôle
de la presse

Reporters
photographes, 2002.

De la liste des devoirs...

La charte des devoirs professionnels des journalistes français

Un journaliste, digne de ce nom,

prend la responsabilité de tous ses écrits, même anonymes ;

tient la calomnie, les accusations sans preuves, l'altération des documents, la déformation des faits, le mensonge pour les plus graves fautes professionnelles ;

ne reconnaît que la juridiction de ses pairs, souveraine en matière d'honneur professionnel ;

n'accepte que des missions compatibles avec la dignité professionnelle ;

s'interdit d'invoquer un titre ou une qualité imaginaires, d'user de moyens déloyaux
pour obtenir une information ou surprendre la bonne foi de quiconque ;

ne touche pas d'argent dans un service public ou une entreprise privée où sa qualité
de journaliste, ses influences, ses relations seraient susceptibles d'être exploitées ;

ne signe pas de son nom des articles de réclame commerciale ou financière ;

ne commet aucun plagiat, cite les confrères dont il reproduit un texte quelconque ;

ne sollicite pas la place d'un confrère, ni ne provoque son renvoi en offrant de travailler à des conditions inférieures ;

garde le secret professionnel ;

n'use pas de la liberté de la presse dans une intention intéressée ;

revendique la liberté de publier honnêtement ses informations ;

tient le scrupule et le souci de la justice pour des règles premières ;

ne confond pas son rôle avec celui du policier.

Syndicat National des Journalistes (1918),
La charte des devoirs professionnels des journalistes français, Paris, 1939.

UNE LISTE DE PRESCRIPTIONS [texte 1]

1 | Par qui est écrit ce texte ? À qui s'adresse-t-il ?

2 | Quelle est la forme de discours dominante ?

3 | Quelles sont les qualités indispensables à un journaliste ?

4 | Pourquoi les journalistes doivent-ils respecter les devoirs cités dans cette charte ?

5 | VOCABULAIRE Cherchez des termes de la même famille que le mot « charte ».

6 | Quelles sont les graves fautes professionnelles qu'un journaliste ne doit pas commettre ?

UNE CRITIQUE CONTRE LES JOURNALISTES [texte 2]

7 | Quels sont les reproches adressés aux jour-
nalistes ? Les trouvez-vous justifiés ? Donnez un
ou plusieurs exemples pour illustrer votre argumentation.

8 | GRAMMAIRE Relevez les verbes au passif qui n'ont
pas de complément. À votre avis, pourquoi ces
verbes sont-ils construits ainsi ?

9 | Les devoirs attribués aux journalistes dans le
2e texte étaient-ils énoncés dans la charte (1er texte) ?
À votre avis pourquoi ?

... aux écarts reprochés

Un collectif d'intellectuels s'adresse aux journalistes dans une «libre opinion»[1].

Le Monde, 6 janvier 1996

À ceux qui font l'opinion

LA PRESSE qui donne le ton, celle qui oriente en fait l'ensemble des médias, a pour axe de travail l'analyse des jeux et des comportements du pouvoir, tâche nécessaire mais non primordiale. En choisissant cette priorité, elle épouse les humeurs et les griefs de l'opinion plutôt qu'elle ne répond à ses besoins.

Parfois fascinée par le pouvoir, parfois en rivalité avec lui, impatiente de lui faire la leçon, la presse regarde trop dans sa direction pour produire les idées et les informations qui permettraient à ceux qui habitent ailleurs de reconnaître et de comprendre leur situation, de dépasser leur retrait, leurs blocages corporatistes[2], leur déresponsabilisation morose.

Il est normal que les mécanismes, les intentions, les responsabilités du pouvoir soient exposés, expliqués, dénoncés. Mais l'obsession pour les mœurs du pouvoir ne favorise pas cet éclaircissement. Elle conduit [...] à rabattre les débats sur les rivalités et les humeurs, à s'intéresser aux propos de table, aux petites phrases, bien plus qu'aux situations, aux projets et aux problèmes. Ce ne sont pas les enjeux du pouvoir que l'on montre, mais le monde du pouvoir que l'on offre à la curiosité et à l'envie. La place disproportionnée donnée à certaines affaires, le fait qu'il n'y ait plus de hiérarchie de l'information, que souvent le plus anecdotique soit le plus développé et le plus affiché, cela relève d'un dévoiement[3] de la vigilance civique. De cette polarisation malsaine témoigne aussi le goût de l'éclaboussure des titres construits autour de formules comme «M. X... est mis en cause dans l'affaire de...», «son nom a été évoqué dans l'affaire de...», «il apparaît dans le dossier de...».

C'est souvent une facilité de surveiller les politiques au lieu de discuter leur action – tout en jouant le censeur ou le protestataire. On s'exempte du principe premier de la moralité sociale : considérer une situation dans son ensemble, assumer son rôle, prendre la responsabilité du monde où l'on vit, fût-ce pour le changer.

R. Brauman, J.-C. Casanova,
A. Finkielkraut, J.-C. Guillebaud, P. Hassner,
B. Kriegel, H. Madelin, O. Mongin,
Ph. Raynaud, D. Schnapper, P. Thibaud,
P. Vidal-Naquet.

1. Libre opinion : texte signé, extérieur à la rédaction, exprimant des opinions à propos d'événements ou de situations.
2. Corporatiste : lié aux intérêts d'un groupe professionnel. 3. Dévoiement : déviation.

[textes 1 et 2]

10 GRAMMAIRE Relevez les procédés utilisés pour exprimer l'idée de négation (phrases de forme négative, prépositions, préfixes) et classez-les.

11 Pour conclure, faites la liste des responsabilités d'un journaliste présentées dans ces deux textes.

Leçon ➔ Les devoirs du journaliste

▶ Un journaliste a pour rôle de transmettre des informations à un large public.

▶ C'est une responsabilité intellectuelle et morale importante. Il doit en effet sélectionner dans la masse des faits de la réalité ceux qui vont devenir, grâce à son choix, des événements : c'est le devoir de hiérarchisation des informations.

▶ Il doit respecter des devoirs moraux, c'est pourquoi son métier est soumis à une déontologie (ensemble des règles et des devoirs d'une profession).

Prolongements

➔ ILLUSTRER PAR DES EXEMPLES. Choisissez cinq devoirs énoncés dans la charte des journalistes (1er texte) et donnez un exemple pour chacun.

➔ LIRE LA PRESSE. Cherchez, dans des journaux ayant des rubriques sur la vie politique, des articles faisant preuve des défauts reprochés par le 2e texte.

➔ UTILISER LE SUBJONCTIF POUR PRÉSENTER DES OBLIGATIONS. Réécrivez le 1er texte en commençant par : «Il faut qu'un journaliste...».

Outils de la langue

■ La construction passive, voir pp. 246-247.

De la déclaration des droits...

Déclaration des devoirs et des droits des journalistes

1. Les journalistes revendiquent le libre accès à toutes les sources d'information et le droit d'enquêter librement sur tous les faits qui conditionnent la vie publique. Le secret des affaires publiques ou privées ne peut en ce cas être opposé au journaliste que par exception en vertu de motifs clairement exprimés.

2. Le journaliste a le droit de refuser toute subordination qui serait contraire à la ligne générale de son entreprise, telle qu'elle est déterminée par écrit dans son contrat d'engagement, de même que toute subordination qui ne serait pas clairement impliquée par cette ligne générale.

3. Le journaliste ne peut être contraint à accomplir un acte professionnel ou à exprimer une opinion qui serait contraire à sa conviction ou sa conscience.

4. L'équipe rédactionnelle doit être obligatoirement informée de toute décision importante de nature à affecter l'entreprise.

Elle doit être au moins consultée, avant décision définitive, sur toute mesure intéressant la composition de la rédaction : embauche, licenciement, mutation, et promotion de journalistes.

5. En considération de sa fonction et de ses responsabilités, le journaliste a droit non seulement au bénéfice des conventions collectives, mais aussi à un contrat personnel assurant sa sécurité matérielle et morale ainsi qu'une rémunération correspondant au rôle social qui est le sien et suffisante pour garantir son indépendance économique.

Syndicat National des Journalistes, *Déclaration des devoirs et des droits des journalistes*, Munich, 1971.

LA LIBERTÉ REVENDIQUÉE

1 Classez les droits des journalistes (1er texte) en deux catégories : liberté de travail, droit de salarié.

2 Par qui est signé chacun de ces textes ?

3 GRAMMAIRE Quelles sont les formes de discours utilisées par les deux textes (narratif, descriptif, explicatif, argumentatif) ? Pourquoi chacun d'eux a-t-il été écrit ?

4 VOCABULAIRE Qu'est-ce qu'un « journaliste d'investigation » ? Cherchez, dans les textes, un synonyme du mot « investigation ».

5 En quoi consiste la liberté du journaliste ?

6 Pourquoi un journaliste doit-il bénéficier du libre accès à toutes les sources d'information ?

7 Retrouvez le nom de l'association qui défend les droits des journalistes. Comment expliquez-vous ce nom ?

... aux droits bafoués

La mise sur écoute de plusieurs journalistes d'investigation bafoue la **liberté de la presse.**

Police, j'écoute

« *En janvier 2000, en reportage à Ajaccio, j'ai senti que j'étais suivi*, raconte Laïd Sammari, spécialiste des affaires corses à L'Est républicain. *Après une rapide enquête sur les immatriculations des véhicules qui me filaient, j'ai appris qu'il s'agissait de la police. Quand je me suis plaint à Jean-Pierre Chevènement, alors ministre de l'Intérieur, il m'a fait répondre que c'était pour ma sécurité. Merci, mais tout seul, je ne me sens pas en danger ; avec les flics aux basques, en revanche, j'éveille beaucoup plus la méfiance de mes éventuels interlocuteurs !* » s'énerve le journaliste.

Mais l'affaire ne s'arrête pas là. En janvier 2001, Laïd Sammari apprend par une confidence d'un inspecteur de la Division nationale de lutte antiterroriste que sa ligne professionnelle et son portable sont sur écoute, dans le cadre de l'enquête sur l'assassinat du préfet Érignac menée par le juge antiterroriste Laurence Le Vert. Ces écoutes ont duré plus d'un an puisque le journal *Le Monde* a publié cet été le procès-verbal d'une conversation que Sammari a eue en avril dernier avec... Patrick Devedjian, alors porte-parole du RPR. « *Ces pratiques sont inadmissibles : dans une démocratie, la police et la justice ont d'autres moyens d'investigation que d'espionner les journalistes. Chacun son métier.* »

Laïd Sammari, qui s'est retrouvé de fait dans l'impossibilité de travailler car il avait perdu la confiance de ses informateurs, a porté plainte pour atteinte à sa vie privée. *Reporters sans frontières*, qui le soutient dans cette démarche, dénonce la remise en cause par la justice française du secret des sources, nécessité absolue pour l'exercice d'un journalisme d'investigation libre et indépendant. Car le cas n'est pas isolé. Six autres journalistes ont été placés sur écoute pour des raisons similaires au cours des deux dernières années. En septembre 2001, Jean-Pierre Rey, photoreporter à l'agence Gamma, spécialiste de la Corse, a subi quatre-vingt-douze heures de garde à vue « énergique » pour le pousser à dévoiler ses contacts. Ces pratiques indignes – mais pas illégales – font de la France l'un des pays européens les plus rétrogrades en matière de liberté de la presse.

Luc Le Chatelier

Télérama n° 2750 – 25 septembre 2002

LA LIBERTÉ BAFOUÉE

8 | Quels torts ont été causés aux journalistes cités dans le 2e article ?

9 | Comment le travail de Laïd Sammari est-il gêné par le non respect de ses droits ?

10 | GRAMMAIRE Relevez deux verbes pronominaux dans le 1er paragraphe rapportant les propos du journaliste. À quoi reconnaît-on un verbe pronominal ?

11 | Retrouvez, dans le 1er texte, les droits des journalistes qui ont été bafoués d'après l'article ci-contre ?

Leçon ⊖ **La liberté de la presse**

▶ Pour révéler les faits de l'actualité et en informer le public le plus large, le journaliste mène des enquêtes. Il est aidé dans ses recherches par son statut qui lui donne accès aux sources les plus secrètes. Il bénéficie d'une carte de presse qui lui permet de se faire identifier et de bénéficier de ses droits.

▶ Mais ceux-ci peuvent être bafoués par ceux qui ont le pouvoir et qui veulent se protéger des investigations des journalistes. C'est pourquoi l'association « Reporters sans frontières » a été créée pour défendre les droits des journalistes.

Prolongements

⊖ SE DOCUMENTER. Cherchez, dans l'actualité, un exemple où la liberté de la presse n'est ou n'était pas respectée.

⊖ DÉFENDRE UNE CAUSE EN ARGUMENTANT. Rédigez un texte pour convaincre la justice de ne pas intervenir dans l'exercice des fonctions des journalistes.

Outils de la langue

■ Les constructions pronominales, voir pp. 246-247.

La fin d'un régime

Le Monde, 24 décembre 1989

1989. L'effondrement du régime Ceausescu

NOVEMBRE

Lundi 20. Ouverture du quatorzième congrès du Parti communiste roumain. Nicolae Ceausescu attaque «tous ceux qui dévient du socialisme et se rapprochent du capitalisme». La Roumanie, ajoute-t-il, «s'opposera par tous les moyens à la remise en cause du socialisme scientifique».

Vendredi 24. Nicolae Ceausescu est réélu à l'unanimité au poste de secrétaire général du PC.

DÉCEMBRE

Samedi 16. Quelque cinq mille personnes manifestent à Timisoara (ville de trois cent mille habitants au nord du pays, à 80 kilomètres de la frontière hongroise) pour empêcher la déportation du pasteur protestant Laszlo Toekes, défenseur de la minorité hongroise. Selon la radio hongroise, les soldats ont chargé la foule, baïonnette au fusil. Des chars de combat et des hélicoptères ont été utilisés par l'armée. D'autres manifestations ont lieu à Arad, près de la frontière hongroise.

Dimanche 17. Dix mille personnes, rassemblées au centre de Timisoara, prennent d'assaut les bâtiments officiels, brisent les vitrines de librairies pour brûler les livres et portraits de Ceausescu. Les étudiants de Bucarest se solidarisent avec les manifestants de Timisoara.

Lundi 18. Nicolae Ceausescu arrive à Téhéran pour une visite d'État de trois jours. Les témoins des manifestations de dimanche parlent de «massacres» et de plusieurs centaines de morts. La radio hongroise rapporte que les villes de Timisoara, Oradea et Cluj (capitale de la Transylvanie) sont contrôlées par les chars et évoque des incidents dans la ville frontalière de Kurtos.

Mardi 19. À Timisoara, plusieurs rassemblements de protestation se déroulent dans les usines. De nouveaux coups de feu éclatent à Timisoara et Arad. Les rues de Bucarest, où la veille des mouvements de grève ont été observés, sont quadrillées par des patrouilles.

MERCREDI 20. Les témoignages confirment la violence de la répression à Timisoara : enfants écrasés par les blindés, manifestants achevés à coups de baïonnettes, tirs de mitraillette contre les passants, incursion de l'armée dans les hôpitaux. L'agence est-allemande ADN parle de trois mille à quatre mille morts à Timisoara et de soulèvements dans une dizaine de villes. Plus de dix mille personnes manifestent à Timisoara contre l'interdiction d'enterrer les corps des victimes. Les ouvriers continuent leur mouvement.

Nicolae Ceausescu affirme, dans une allocution radiodiffusée, que l'armée est intervenue dimanche et lundi à Timisoara, pour «riposter contre des groupes fascistes et antinationaux». À 20 heures, la télévision roumaine annonce que l'état d'urgence est proclamé dans la région de Timisoara.

JEUDI 21. La foule, appelée à acclamer publiquement le numéro un roumain à Bucarest, se retourne contre lui. Les forces armées interviennent en tirant sur les manifestants, dont certains sont écrasés sous les roues des blindés. Les morts se chiffrent par dizaines. Timisoara est paralysée par une grève générale. L'opinion internationale se mobilise.

VENDREDI 22. Après de nouveaux affrontements entre manifestants et forces de l'ordre à Bucarest, l'état d'urgence est proclamé sur l'ensemble du territoire roumain. Peu après est annoncé le suicide du ministre de la Défense, le général Vasile Milea. Les événements se précipitent, et l'on assiste à des scènes de fraternisation entre militaires et manifestants qui se dirigent vers le palais présidentiel. Peu avant midi, Radio Bucarest annonce que M. Ceausescu a abandonné le pouvoir et est remplacé par un front du salut de la patrie dirigé par l'ancien ministre des Affaires étrangères, M. Corneliu Manescu.

L'armée, ralliée au nouveau pouvoir, repousse une attaque de la police restée fidèle à Ceausescu contre le bâtiment de la télévision roumaine, mais les affrontements continuent. De violents combats ont lieu en plusieurs endroits de Bucarest pendant la nuit de vendredi à samedi, selon les correspondants des agences de presse des pays de l'Est. Dans la nuit, des «centaines de morts» et de blessés graves gisaient dans les rues de Bucarest, rapporte la télévision hongroise. Nicolae Ceausescu et sa femme sont toujours en fuite. Leur fils Nicu, qui avait disparu jeudi soir, a été retrouvé.

SAMEDI 23. Des tirs sont encore entendus dans divers endroits de Bucarest où la situation reste extrêmement confuse, de même que dans l'ensemble du pays.

LA RÉVÉLATION DES FAITS

1 Consultez un atlas pour situer Timisoara. Quelle est la capitale de la Roumanie ?

2 Qu'apprend-on dans ce texte sur le gouvernement roumain ? sur Timisoara et les événements qui s'y sont déroulés ?

3 Quelles sont les différentes sources citées par les journalistes ? Pourquoi font-ils référence à des sources précises ?

4 À qui sont attribuées les paroles citées entre guillemets ? Pourquoi sont-elles insérées dans ce texte informatif ?

5 Quel est le temps verbal le plus utilisé dans ce texte ? Quelle est sa valeur ?

6 GRAMMAIRE Relevez les verbes de construction passive (fréquemment utilisés dans les articles de journaux). Indiquez s'ils ont ou non un complément (introduit par la préposition « par » ou « de »). En quoi l'absence de complément fait-elle paraître le texte plus objectif ?

LA POSITION DU JOURNALISTE

7 Relevez les diverses sources auxquelles l'article fait référence. À quoi servent les agences de presse et leurs correspondants ? Pourquoi sont-elles citées ?

8 GRAMMAIRE Quelle reprise nominale est utilisée pour désigner Ceausescu dans la 2e colonne ? Contient-elle un jugement ? Remplacez-la par une expression péjorative.

9 VOCABULAIRE Relevez les termes (adjectifs, noms ou adverbes) évaluatifs. Le journaliste est-il donc complètement objectif ? Peut-on percevoir son jugement sur les événements ? Justifiez votre réponse.

10 Dans ces deux textes, quel est le but recherché par le journaliste ? informer ? décrire ? raconter ? convaincre ? émouvoir ?

Prolongements

⊙ CONFRONTER DES ARTICLES SUR UN MÊME SUJET. Recherchez, dans des journaux différents, des articles traitant d'un même sujet et comparez les effets recherchés par les journalistes (informer, décrire, raconter, expliquer, émouvoir, convaincre, etc.).

⊙ SE DOCUMENTER. Cherchez, dans des dictionnaires, des documents sur les révolutions qui ont eu lieu dans les pays de l'Est depuis 1989.

⊙ RÉDIGER UN ARTICLE D'INFORMATION. À partir des informations rassemblées sur les révolutions qui ont renversé les gouvernements communistes des pays de l'Est, choisissez un sujet puis rédigez un article d'information restituant la chronologie des faits. Vous utiliserez le présent et des verbes de construction passive.

Leçon ⊙ L'article d'information

▶ Un article d'information présente des événements en récapitulant la chronologie des faits.

▶ Les journaux reçoivent les dépêches des agences de presse qui délivrent les informations. Les agences de presse sont des entreprises dont le rôle est de collecter les informations à travers le monde et de les diffuser à leurs abonnés sous formes de dépêches ou de photos.

▶ Les agences les plus connues sont l'Agence France Presse (AFP), *Associated Press* (AP) ou l'Agence Reuter.

Outils de la langue

■ Le vocabulaire évaluatif, voir p. 298.
■ La construction passive, voir pp. 246-247.

Révélations

Libération, mercredi 4 avril 1990.

1.

Timisoara libérée découvre un charnier.

Des milliers de corps nus tout juste exhumés, terreux et mutilés : la cité industrielle où tout a commencé il y a quatre jours a découvert hier le massacre. Le prix insupportable de son insurrection. *M. Semo*

Libération, samedi 23 décembre et dimanche 24 décembre 1989.

2.

E D I T O R I A L

DOMINIQUE POUCHIN

VERITE ET SIMULACRE

D'un flot cathodique[1] presque ininterrompu, il ne sera resté que deux images du Noël roumain : celle d'un «charnier», celle d'un «procès». Deux images-symboles, deux images de simulacres. Deux images bien réelles, et pour les dire, deux mots entre guillemets. Comme si le «direct» de ces soirées folles, offrant l'insurrection au salon, n'avait produit que légende. [...]

Nous nous sommes trompés en effet. «Timisoara libérée découvre un charnier. Des milliers de corps nus tout juste exhumés, terreux et mutilés, prix insupportable de son insurrection», écrivions-nous le samedi 23 décembre. *Libération* – comme d'autres, mais ce n'est là ni excuse ni consolation – a donc publié, en ces jours de tornade, une information dénuée de tout autre fondement que la rumeur roumaine, prolifique en martyres et tragédies. Pourquoi ce dérapage? Nous avons bien sûr cherché à comprendre. Faut-il invoquer la fébrilité des heures de bouclage, un œil sur le télex qui égrène, dépêche après dépêche, bilans de combats et découvertes macabres, l'autre sur l'écran qui montre fusillades et cadavres comme autant de «preuves» de ce que l'on vient de *lire*? L'intendance a bon dos et le lecteur n'en a cure. Notre envoyé spécial à Timisoara avait, ce vendredi-là, écrit et envoyé son «papier» à peine arrivé dans la ville, avant que ne fût connue la découverte du «charnier». Nous lui avons aussitôt demandé d'aller vérifier sur place et de nous rappeler. Il n'eut jamais de ligne téléphonique et nous avons complété son article avec les *news* données par les agences, sans mentionner la source. C'était une faute. La déontologie est certes en cause mais les libertés prises à son égard ne suffisent pas à rendre compte de l'inflation dans le tragique dont fit preuve la quasi-totalité des médias au cours de ces «Trois Glorieuses» roumaines. Est-ce trop de dire que nous avons vécu ces événements comme s'ils avaient été pré-programmés, avec un scénario tout prêt auquel nul n'a voulu renoncer? Base du synopsis, donnée pour évidence : la Roumanie n'échappera pas à la tempête qui balaye l'Est. La Roumanie le fera dans le sang, victime expiatoire de sa dictature néronienne. Au royaume d'Ubu[2], il ne pouvait être qu'une fin effroyable après l'effroi sans fin. Le suicide par implosion des régimes communistes voisins avait déjà laissé les meilleurs analystes pantois. Comment auraient-ils pu imaginer que l'enfer policier du «Danube de la pensée» se disloquerait à son tour en quelques heures, quasiment sans réagir? L'affaire était donc entendue : ce serait sanglant! Quand, le 20 décembre, les premières informations parvinrent, fragiles et contradictoires, de «massacres» à Timisoara, notre méfiance était encore totale. Deux jours plus tard, alors que Bucarest à son tour s'était enflammé, le mot «charnier» eut bientôt raison de cette vigilance. Il est facile de crier au mensonge, à la manipulation. Et certains en font d'autant plus profession qu'ils ne se risquent guère, quotidiennement, sur le moindre «terrain» chaud. Mais il ne suffit pas, devant eux, d'invoquer un droit à l'erreur, aussi légitime qu'opportun. Il fallait réagir, donc corriger. Nous l'avons fait, en retournant à Timisoara pour tenter de reconstituer, au travers de dizaines de témoignages recueillis et recoupés, ce que furent vraiment les prodromes[3] du bouleversement roumain. Nous l'avons fait encore en recherchant, de Belgrade à Budapest, ceux qui avaient largement contribué à nous «informer», ces agences de presse et ces télévisions de l'Est qui vivaient l'euphorie d'une liberté de dire, d'écrire et de montrer, fraîchement conquise. Nous l'avons fait parce que vérifier, même tardivement, est le principe essentiel du journalisme.

1. Cathodique : relatif aux images obtenues sur un écran de télévision.

2. Ubu : personnage principal d'une série de pièces de théâtre d'Alfred Jarry (1873-1907).

3. Prodromes : signes avant-coureurs qui annoncent un événement.

L'INFORMATION EN QUESTION

1 De quelle manipulation est-il question dans l'éditorial ?

2 VOCABULAIRE Dans le 2ᵉ texte, relevez les termes appartenant au champ lexical de la tromperie.

3 Quels sont tous les médias évoqués dans ce texte ? Les sources des journalistes sont-elles toujours fiables ? Justifiez votre réponse en vous appuyant sur les deux textes.

LA JUSTIFICATION DE L'ERREUR [texte 2]

4 L'article a-t-il essentiellement pour but de donner des informations, de faire une analyse ou un commentaire, de convaincre ? Justifiez votre réponse.

5 Qui désigne le pronom personnel « nous » ? Expliquez avec précision son emploi.

Leçon → La responsabilité du journaliste

▶ Le journaliste a le devoir de dire la vérité mais certaines informations se révèlent fausses. La désinformation peut résulter d'un manque de vérification des sources ou même parfois d'une malhonnêteté intellectuelle, le journaliste voulant induire en erreur, cacher des faits ou les déformer pour faire de la propagande ou créer sa propre vérité.

▶ L'éditorial propose un commentaire, une réaction ou une justification au nom du journal. Il est écrit à la 1ʳᵉ personne ; il peut être écrit par un des journalistes de l'équipe rédactionnelle mais il est généralement rédigé par le rédacteur en chef du journal.

6 GRAMMAIRE Relevez les constructions pronominales en repérant celle qui a un sens passif.

7 Quelles erreurs le journaliste reconnaît-il ? À qui les attribue-t-il ?

8 Comment les justifie-t-il ?

9 Relevez les devoirs du journaliste rappelés par Dominique Pouchin.

LA VOLONTÉ DE CONVAINCRE [texte 2]

10 Quel est le rôle des phrases interrogatives employées dans le texte ?

11 Relevez les termes en italiques ou entre guillemets et justifiez le choix du journaliste.

12 VOCABULAIRE Le journaliste utilise des répétitions en début de phrase. Relevez ces anaphores. À quoi servent-elles ?

13 Le journaliste vous paraît-il convaincant ? Justifiez votre réponse.

Prolongement

→ ÉCRIRE UN ÉDITORIAL. Vous êtes journaliste dans un journal destiné aux collégiens. Vous écrivez un éditorial sur une catastrophe naturelle qui touche votre région ou sur un incident survenu dans votre collège.

Outils de la langue

■ Les constructions pronominales, voir pp. 246-247.
■ L'anaphore, voir pp. 187-189.

Une photographie pour l'Histoire

1. Le 26 mars 1945, à l'issue d'une lutte acharnée contre les soldats japonais, les troupes américaines hissent la bannière de leur pays au sommet du mont Suribachi, sur l'île d'Iwo Jima.

UN ÉVÉNEMENT HISTORIQUE

1 Quel épisode retracent les deux photographies ? Pourquoi cet épisode est-il important ? Pour qui ?

2 Quelle est la date de cet épisode ? Quelle victoire historique annonce-t-il ?

3 Les images 1 et 2 sont-elles du même « type » ? Quelle différence importante existe-t-il néanmoins entre ces deux documents ? Justifiez votre réponse.

4 Quel élément révèle que ces deux photographies sont prises à des moments différents ? Montrez que la lumière a été judicieusement utilisée dans la 2e image.

D'UNE PHOTOGRAPHIE À L'AUTRE

5 Que font les soldats dans l'image 1 ? dans l'image 2 ? Notez avec précision ce qui différencie ces deux images.

6 Les visages sont-ils visibles sur les deux documents ? De quelle image diriez-vous qu'elle a une portée plus générale ? Pourquoi ?

7 Vers quel but unique tous les soldats sont-ils tournés dans la 2e photographie ? Comment cette unité se traduit-elle ? Qu'en est-il dans l'image 1 ?

8 Relevez, dans l'attitude des soldats de la 2e photographie, tout ce qui connote le mouvement et l'effort. Quel geste rappelle la victoire américaine ?

2. Le photographe de guerre Rosenthal, n'ayant pas pu saisir l'instant de la photo 1, a demandé aux soldats de recommencer leur geste historique, mars 1945.

UNE RECOMPOSITION HABILE [Doc. 2]

9 L'effort et l'organisation des soldats semblent-ils « naturels » ? Relevez deux exemples d'attitudes mises en scène.

10 Quelle est la diagonale qui structure l'image ? Cette diagonale est-elle aussi précise dans l'image 1 ? Pourquoi ?

11 Pourquoi le drapeau est-il replié ? Montrez que cet aspect contribue au dynamisme de la photographie. Trouve-t-on ce dynamisme dans la 1re photographie ? Pourquoi ?

12 À l'aide d'un calque, tracez la figure géométrique qui encadre les soldats et montrez que cette figure se retrouve dans toute la photographie. En quoi est-ce une figure à la fois dynamique et stable ?

Leçon → La mise en scène de l'image photographique

▶ Tout travail artistique est fondé sur une composition qui s'appuie sur des règles d'équilibre, de symétrie, de perspective, de lumière. La photographie, même si la démarche paraît plus spontanée, obéit aux mêmes principes.

▶ Le photographe attend le moment opportun, la belle lumière ou la scène adéquate. Lorsqu'un événement lui échappe, il peut le recomposer.

▶ Il faut être alors attentif à l'honnêteté de la démarche et au but recherché : y a-t-il volonté de mentir et de tromper ? volonté de propagande ? Dans ce cas, l'image devient un outil de désinformation.

Éloge et critique

L'édition du 14 avril 2002

NOTRE ÉPOQUE

Humeur

Et « le Monde » devint « the World »

● Par Angelo Rinaldi
de l'Académie française

Le quotidien du soir et d'expression française publie chaque semaine un supplément en anglais. Est-ce bien convenable ?

Les a-t-on consultés ? En tout cas, les écrivains d'expression française que compte l'équipe du « Monde » auront remarqué que leur journal publie désormais un supplément hebdomadaire en anglais. Il est composé d'articles puisés dans la presse américaine. Si l'on a quelque intérêt à la défense de la francophonie, on s'y arrête parce que l'événement a la valeur d'un symbole, et comme la sonorité de la première note d'un glas.

Le quotidien du soir, imprimé et rédigé à Paris, n'est pas n'importe quel organe de presse. C'est même un journal dont on renonce à faire l'éloge, de crainte que, non sans raison, il ne le trouve insuffisant. On se souvient sans doute que le général de Gaulle, à la Libération, l'avait confié à Hubert Beuve-Méry, à charge pour celui-ci d'édifier sur les ruines de l'ancien « Temps » un journal qui, chez lui, pût servir de référence, et le devenir au fil des années et sous la houlette de différents patrons. (On a plaisir à se rappeler Jacques Fauvet et André Fontaine.) Mission qui se poursuit et en vertu de laquelle, justement, à cause de ce qui semble un écart de conduite, on en est tout désarçonné. Si l'on est une institution – puisque noblesse oblige –, il n'est pas insignifiant de consentir une telle concession à la langue des maîtres de l'heure. Par là – qu'on le veuille ou non – on en reconnaît la suprématie ; on accomplit encore un pas dans la direction du bilinguisme sans que la réciprocité soit assurée. Jamais. Sur les Canadiens, les Roumains, les Libanais, les Egyptiens à la Boutros Boutros-Ghali, qui s'obstinent à imposer le français dans les organismes internationaux, la nouvelle produit autant d'effet que si l'on annonçait, à Versailles, le remplissage du bassin de Neptune par du Coca-Cola – pour servir au spectacle des grandes eaux.

Quelle sera la suite, se demandent-ils ? Peut-être la traduction en anglais du traditionnel communiqué qui suit, le mercredi, le conseil des ministres à Matignon ? Pourquoi pas, dès lors que bien des administrations déjà – et jusqu'à la chère EDF –, lorsque vous vous téléphonez, vous régalent in fine d'un message dans cet idiome dont la moitié du vocabulaire, il est vrai, provient de notre terroir ? Une dérobade ici, une reculade plus loin, la suppression de quantité d'instituts culturels et de postes de lecteurs – l'indifférence du Quai-d'Orsay à l'égard de l'Afrique et de ses étudiants brochant le tout – contribuent à la trouée du front linguistique.

Le Nouvel Observateur • 18-24 AVRIL 2002

UNE RÉACTION INDIGNÉE

1 Repérez dans l'article du *Nouvel Observateur* le titre de la rubrique, le titre de l'article, le chapeau et l'indication donnée sur le genre de l'article.

2 Cherchez dans un dictionnaire des informations sur Angelo Rinaldi.

3 À propos de quel événement Angelo Rinaldi réagit-il ?

4 VOCABULAIRE Relevez une périphrase utilisée pour désigner la langue anglaise dans la 2e colonne. En quoi est-elle péjorative ?

5 De qui l'auteur se fait-il le porte-parole ? Que regrette-t-il ?

6 GRAMMAIRE Relevez les verbes à la forme pronominale en précisant s'ils expriment une relation réfléchie, réciproque ou de sens passif. Lesquels sont essentiellement pronominaux ?

7 VOCABULAIRE Relevez, dans le dernier paragraphe, les termes appartenant au champ lexical militaire. Montrez que la défense de la langue française est ainsi assimilée à un devoir national.

UNE OPINION ARGUMENTÉE

8 GRAMMAIRE Quel est le pronom sujet le plus fréquemment utilisé ? a. Relevez les phrases dans lesquelles ce pronom désigne les journalistes du monde. b. À qui d'autre par ailleurs renvoie ce même pronom ?

9 De façon générale, Rinaldi semble-t-il apprécier le journal *Le Monde* ? Justifiez votre réponse.

10 Quels sont cependant les arguments invoqués pour critiquer l'innovation de ce journal ?

11 Relevez toutes les expressions (modalisateurs, termes évaluatifs) qui manifestent la prise de position de l'écrivain.

Leçon ➜ L'article d'opinion

▶ Des écrivains ou des personnalités peuvent intervenir dans des journaux, qu'ils appartiennent ou non à l'équipe de rédaction, pour exprimer leur **point de vue** sur un fait marquant de l'actualité.

▶ Ces articles défendant une opinion s'appellent des **chroniques** (régulièrement attribuées à une même signature), des **libres opinions** ou des **billets d'humeur**.

Outils de la langue

■ La périphrase, voir pp. 187-189.
■ Les constructions pronominales, voir pp. 246-247.

Prolongements

➜ ARGUMENTER EN FAVEUR D'UNE CAUSE. Rédigez un article pour défendre la francophonie : vous décrirez et expliquerez ce qu'est la francophonie puis développerez trois arguments pour convaincre vos lecteurs de l'utilité de maintenir l'usage du français dans le monde.

➜ RÉDIGER UN ARTICLE CRITIQUE. Écrivez un article dénonçant une innovation qui vous choque. Vous utiliserez des phrases interrogatives pour commencer et terminer votre article comme l'a fait Angelo Rinaldi.

La visée des articles

1 Distinguer articles d'information
et articles d'opinion

Lisez les textes suivants et classez-les selon qu'ils visent surtout à donner des informations ou à faire des commentaires. Justifiez chaque fois votre réponse.

1/

PATRICK BOURRAT MORT POUR L'INFORMATION

À 50 ans, cet homme est mort pour votre droit à l'information. Entré en 1980 à T.f.1, Patrick Bourrat avait «couvert» la chute du mur de Berlin comme l'exécution de Ceausescu, le conflit israélo-palestinien comme la «révolution de velours» tchécoslovaque. Il était partout où l'on se battait, du Timor Oriental au Kosovo, de la Tchétchénie au Liban. Prisonnier des Irakiens en 1991, lors de la guerre du Golfe, il avait assisté deux ans plus tard à la mort de son cameraman, Yvan Skopan, fauché par une balle à Moscou. Hanté par ce souvenir, c'est en sauvant la vie d'un autre cameraman qu'il a été heurté par un char Abrams, samedi, en suivant les manœuvres de l'armée américaine dans le désert du Koweït. Beaucoup plus gravement blessé qu'on ne l'avait d'abord cru, il est mort dimanche, à l'aube, première victime d'une guerre qui n'a pas encore commencé mais dont il annonçait l'inéluctabilité dans son dernier «plateau» sur T.f.1.

P. Forestier, *Paris-Match*, 2 janvier 2003.

5/
Les chiens ne font plus le poids

Les Françaises mesurent en moyenne 1,62 mètre, leurs compagnons 1,75 mètre. En trente ans, les femmes ont gagné deux centimètres, les hommes, 5. Mais la taille des chiens diminue : près de la moitié pèsent moins de dix kilos. 53 % des foyers possèdent un animal familier, ce qui nous met à la première place en Europe avec 17,1 millions de chiens et de chats en 2001, devant le Royaume-Uni et l'Italie. Les amis des bêtes ne s'en tiennent plus uniquement à l'ordre canin ou félin : le furet, le suricate (petite mangouste) et la gerbille (souris à pelage strié) sont, paraît-il, très à la mode.

C. Sorg, *Télérama*, 1er janvier 2003.

2/
Guerre, censure et télévision

La censure existait avant la naissance de la télé. Pour preuve : de mémorables rétentions d'information pendant les guerres de 1914 ou de 1940. Mais il est vrai que la censure a donné sa pleine mesure du temps de l'URSS et de ses pays satellites ou à l'occasion des conflits coréen, vietnamien ou algérien, avant de frôler le chef-d'œuvre ces dernières années : on a assisté avec la guerre du Golfe à une programmation ouvertement calibrée de la censure au service de la vérité *made by CNN*, et le comble est atteint actuellement avec la guerre en Tchétchénie, dont on parle si peu dans les médias qu'on se demande parfois si elle continue. Pas d'images, donc pas d'information, donc pas d'altération de la vérité puisque l'événement n'existe pas, et le tour est joué !

J. Belot, *Télérama*, 1er janvier 2003.

3/

> **Plan social à l'AGEFI**
> Paris 6 janvier, 19 h 27. Un plan social a été annoncé à l'AGEFI, agence économique et financière, filiale du groupe Finintel (Pinault) qui publie le quotidien Agefi, a-t-on appris lundi auprès de la direction.

AFP, 6 janvier 2003.

4/
Bonne année à tous

On ne les a pas comptées, mais il y en a, c'est sûr plus de dix mille. Dix mille lettres (auxquelles il faut ajouter les mails chaque jour plus nombreux) qui, en 2002, ont tisonné l'indispensable échange entre *Télérama* et les lecteurs, entre vous et nous. Mots d'agacement ou d'affection, de colère ou d'érudition, de déception ou d'approbation…
Mots doux, de toute façon, pour tous ceux qui se proposent chaque semaine – terrible défi ! – de vous offrir leur vision de l'actualité, sans céder aux modes démagogiques, mais avec le secret espoir d'être lu par le plus grand nombre.
Mots utiles, qui montrent que, dans une société qui bouge, vous restez les vigilants copropriétaires attentifs de *Télérama*, rétifs parfois, sincères dans vos engagements, toujours.
Mots indispensables pour nous aider à faire évoluer régulièrement votre hebdo, dont vous êtes près de trois millions de fidèles utilisateurs.
C'est pour vous, justement, qu'en 2003 *Télérama* va encore changer. Sans troubler vos habitudes, espérons-le, mais avec le pointilleux souci de mieux combler vos attentes. […]

Marc Lecarpentier

M. Lecarpentier, *Télérama*, 1er janvier 2003.

vocabulaire

Le lexique de la presse

2 Reconnaître les différents genres d'articles

a] Reliez les termes de la liste A aux définitions de la liste B.

A. Dépêche, brève, filet, montage, reportage, écho, courrier, analyse, enquête, libre opinion.

B. 1. Petite information généralement de cinq à dix lignes, sans titre. Les premiers mots de la première phrase, habituellement imprimés en italiques ou en caractères gras doivent être des mots repères significatifs. 2. Petit article de quinze à vingt-cinq lignes, plus complet que la brève, et titré. 3. Récit d'un événement ou description d'une situation. 4. Petite information (dix à vingt lignes) de caractère anecdotique, mondain ou local, souvent traitée avec humour. 5. Intervention des lecteurs dans le journal. 6. Regroupement du maximum d'informations sur un événement ou une situation, pouvant être présenté sous forme de « série » de plusieurs papiers. 7. Texte signé, extérieur à la rédaction, exprimant des opinions à propos d'événements ou de situations. 8. Communication transmise le plus rapidement possible après la connaissance d'un événement. 9. Article rédigé à partir d'un ensemble de dépêches ou d'informations éparses, éventuellement commentées avec des rappels ou des explications qui replacent la nouvelle dans son contexte. 10. Explication d'un événement ou d'une situation.

b] Aidez-vous d'un dictionnaire pour donner la définition des mots suivants : communiqué, éditorial, billet, chronique, critique.

3 Classer des articles

Associez à chacun des genres d'articles définis dans l'exercice 2 la caractéristique qui leur convient : traitement de l'information brute, récit, étude, paroles rapportées, commentaire.

4 Apprendre le jargon de la presse écrite

Aidez-vous d'un dictionnaire pour donner la définition des termes soulignés dans le texte suivant.

La courte histoire d'Antoine Échotier

Après le bac et la fac de lettres, Antoine avait intégré la <u>locale</u> de Ribamour, vibrant d'enthousiasme : il serait l'<u>Albert-Londres</u> de sa province, le <u>Pulitzer</u> du sud-ouest ! Cinq ans après, sans trop se l'avouer, il en avait soupé des <u>marronniers</u>, des <u>chiens écrasés</u> et de la <u>main-courante</u>. À Ribamour, à part de vagues <u>faits divers</u>, il n'arrivait pas à grand-chose. Et Antoine se surprenait à <u>tirer à la ligne</u> pour remplir son quota de <u>signes</u>, sans trop soigner ses <u>angles</u>.

Arriva le soir où il devait <u>couvrir</u> le rituel dîner de l'Amicale des Sapeurs-pompiers, sous la présidence du sous-préfet. Le quinzième de sa jeune carrière ! Alors, au mépris de toute <u>déontologie</u>, Antoine avait <u>bidonné</u> : deux-trois photos à l'apéritif, une petite phrase du représentant de la République et le tour était joué. Il avait <u>tartiné</u> en deux feuillets le pseudo compte rendu du dîner.

Le lendemain, il avait fait la tournée des <u>correspondants</u> sans se presser. À peine avait-il un pied à la rédaction, que le <u>rédac'chef</u> lui sautait dessus : « Vite, tes photos, ton papier ! Le chef d'édition a repris la <u>viande froide</u>, mais j'ai besoin des dernières paroles pour mon <u>édito</u>. »

Ahuri, puis glacé d'effroi, le garçon avait réalisé le désastre : la veille, une crise cardiaque avait emporté le sous-préfet, au milieu d'une phrase historique aux sapeurs ribamourdais. Quel <u>scoop</u>, pour la <u>Gazette</u> … si Antoine avait été là !

> Article trouvé sur le site du Clemi
> (Centre de liaison de l'enseignement et des moyens
> d'information), coordonné par Pierre Frémont
> (adresse du site : http:// www.clemi.org/formation).

Leçon → **Le lexique de la presse**

▶ **Les articles des journaux sont classés en rubriques en fonction des thèmes traités** : vie politique, vie économique, politique internationale, faits divers, culture, sports, etc.

▶ **Dans la presse, on trouve des genres d'articles différents selon l'angle adopté par le journaliste pour traiter de l'actualité.**

▶ **Le vocabulaire de la presse comporte un jargon de mots techniques comme il en existe dans tous les métiers.**

grammaire

Les constructions passives et pronominales

 Distinguer les constructions actives et passives

Relevez les formes verbales dans le texte suivant et indiquez si la construction est active ou passive.

1. Des études ont été réalisées sur les habitudes de lecture. 2. On a constaté que les yeux des lecteurs se posaient en priorité sur les pages de droite, numérotées par des chiffres impairs. 3. Les yeux ne paraissent pas respecter le sens du balayage qui leur a été enseigné pour le déchiffrage des textes. 4. Ce « zapping » des yeux dure jusqu'à ce qu'il soit arrêté, saisi au passage par des images ou des mots. 5. Les gros titres et les intertitres sont conçus pour attirer le regard des lecteurs.

 Quand et comment utiliser le passif ?

Mettez les phrases suivantes à la forme passive, quand cela est possible.

1. Les journaux pour enfants n'ont pas toujours existé. 2. Mais le nombre des périodiques pour les jeunes s'est multiplié. 3. Néanmoins aucune forme de presse n'est encore tout à fait parvenue à fidéliser le jeune lectorat. 4. Dans les années 1970, les groupes de presse ont lancé de nouveaux journaux sur l'actualité pour la jeunesse. 5. Les journaux lancent souvent des abonnements promotionnels pour attirer de nouveaux lecteurs.

 Passer de l'actif au passif et inversement

Transformez les constructions actives en constructions passives et inversement, en respectant le temps des verbes.

1. Les faiblesses de la presse française ont longtemps été imputées à la médiocrité de son système de distribution. 2. La distribution française est caractérisée par le quasi monopole des Nouvelles Messageries de la presse parisienne et par un taux de portage à domicile anormalement bas. 3. Mais la presse écrite, dont on a prédit souvent la mort, depuis l'avènement de la télévision, a plutôt bien résisté malgré la perte de plusieurs titres.

4. En effet s'il y avait plus de 240 titres en 1914, seulement 70 environ peuvent être répertoriés aujourd'hui. 5. Néanmoins des thèmes comme les faits divers ou l'argent continuent à captiver les foules.

8 **Conjuguer au passif**

Conjuguez au passif les verbes entre parenthèses en respectant les temps indiqués. Attention aux accords des participes passés.

1. Les « unes » et les couvertures des journaux sont les premiers éléments (percevoir, participe passé) par les lecteurs. 2. Cela leur vaut de (comparer, infinitif) à des vitrines. 3. C'est pourquoi elles (soigner, présent du conditionnel) en conséquence par les journalistes. 4. Il est possible qu'elles (céder, présent du subjonctif) à prix d'or à la publicité. 5. Le grand format de certains quotidiens justifie que la dernière page (traiter, présent du subjonctif) comme une seconde « une » par les journalistes. 6. La dernière page aussi peut (payer, infinitif) très cher par les annonceurs. 7. Journalistes et annonceurs publicitaires y (encourager, présent) par une raison technique. 8. En effet les deux pages (imprimer, présent) ensemble et presque toujours plus tard que les autres, ce qui y autorise des insertions de « dernière heure ». 9. L'objectivité ne saurait (revendiquer, infinitif) par les journalistes. 10. En effet ceux-ci par nécessité (confronter, présent) à des choix. 11. C'est bien par eux que les nouvelles (sélectionner, passé composé). 12. Souvent des sujets semblables (aborder, présent de l'indicatif) par des journaux différents. 13. Les analyses peuvent se distinguer parce que les faits (analyser, futur antérieur) sous un angle différent. 14. L'orientation idéologique d'un journal (hériter, présent) de son histoire. 15. Un journal reste fidèle aux engagements datant de sa création même si les membres de son équipe de rédaction (modifier, passé composé).

9 **Identifier le sens des constructions pronominales**

a | Dites si les verbes à la forme pronominale expriment une relation réfléchie (*le journal se félicite de ses ventes* : félicite lui-même), réciproque (*les journalistes se reconnaissent* : les uns les autres) ou un sens passif (*l'article se lit facilement* : est lu...).

1. Les journaux se vendent dans les kiosques. 2. Le reportage s'est finalement imposé comme le genre jour-

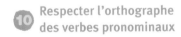

grammaire

nalistique majeur. 3. Les informations ne se donnent pas à la légère. 4. Les journalistes s'engagent à enquêter sur le terrain. 5. *Le Monde* et *Le Figaro* se disputent la première place des quotidiens édités à Paris.

b] Relevez les verbes à la forme pronominale. Indiquez s'ils sont essentiellement pronominaux (*Il se souvient* : « souvenir » n'existe pas) ou non. S'ils ne le sont pas, précisez la relation qu'ils expriment.

1. Le journal *Ouest-France* se taille la part du lion des ventes de la presse régionale. 2. Traditionnel en France, le succès des magazines dévolus à la santé ne se dément pas. 3. Les grands journaux se doivent de disposer de leurs propres envoyés spéciaux et de leurs propres signatures. 4. Les journalistes s'en tiennent à la rigueur des faits. 5. Ils se réclament de la profession d'écrivain. 6. Ils s'ingénient à trouver des formules percutantes pour s'attirer l'attention des lecteurs. 7. Le travail du journaliste ne se réduit pas à énumérer les faits de l'actualité. 8. Il est souvent amené à donner son opinion sur ce qui se passe. 9. Les journaux destinés aux jeunes se sont développés au XIXe siècle. 10. Aujourd'hui, les titres et les sujets pour eux se sont multipliés.

10 Respecter l'orthographe des verbes pronominaux

Conjuguez les verbes pronominaux entre parenthèses au passé composé en accordant correctement les participes passés.

1. Six rédacteurs en chef (se succéder) au *Monde* depuis les débuts du journal en 1944. 2. C'est l'équipe de la rédaction de *Libération* qui (s'apercevoir) de la manipulation de l'information à Timisoara. 3. Les quotidiens (se vendre) toujours à un très grand nombre d'exemplaires les jours de résultats électoraux. 4. Les règles déontologiques que les journalistes (s'imposer) ne sont malheureusement pas toujours respectées. 5. Les journalistes (se taire) sur la question.

11 Inventer des constructions passives et pronominales

Commentez la photographie (colonne de droite) en utilisant cinq constructions passives et cinq constructions pronominales.

Le photographe J. Nachtwey, lors d'affrontements en Afrique du Sud, 1994.

Leçon ⟶ Les constructions passives et pronominales

▶ Les phrases comportant un verbe suivi d'un COD peuvent être transposées au passif : le COD devient sujet et le sujet devient complément du verbe passif, introduit par la préposition « par » ou, plus rarement, « de ». La construction passive associe l'auxiliaire « être », conjugué au même temps que le verbe de la construction active, et le participe passé du verbe.

▶ Les verbes pronominaux sont précédés d'un pronom conjoint de la même personne que le sujet (*Elle s'exprime* : *s'* est à la 3e personne comme le pronom sujet *elle*).

▶ Ils peuvent exprimer un sens réfléchi, réciproque (dans ces deux cas, le pronom a une fonction de COD ou de COI), ou un sens passif. Si le pronom est inséparable du verbe, le verbe est dit essentiellement pronominal.

▶ Le participe passé des verbes pronominaux s'accorde avec le sujet sauf quand le pronom conjoint est COI (*ils se sont nui* = ils ont nui à eux).

Pratique de la langue

Écrire...

s'exercer

12 Inventer des titres

Trouvez des titres qui conviendraient à des articles d'information puis à des articles d'opinion écrits à partir des dépêches suivantes de l'AFP.

1/ Aéroport de Roissy, 6 janvier 2003, 20 h 40. Les deux journalistes maliens interpellés le 30 décembre dernier à l'aéroport de Roissy l'ont été pour être entendus comme témoins, et non pour avoir filmé dans un avion une scène d'expulsion de Maliens, précise la Direction Générale de la Police Nationale (DGPN).

2/ Paris 6 janvier 2003, 15 h 39. Vingt-cinq journalistes ont été tués en 2002, dans le monde, soit six de moins qu'en 2001, mais le nombre de journalistes interpellés a augmenté de près de 40 % et celui des journalistes agressés ou menacés de 100 %, a affirmé lundi l'association *Reporters sans frontières* dans un communiqué.

3/ Paris 7 janvier 2003, 07 h 34. Surprise mercredi pour les jeunes abonnés de *L'Hebdo des juniors* qui ne recevront pas leur magazine habituel mais *L'Hebdo* tout simplement, sous-titré « Le monde des ados ».

13 Écrire une dépêche

Rédigez sur un événement de votre choix une courte dépêche sur le modèle de celles de l'exercice précédent.

14 Rédiger une critique

Donnez votre avis argumenté sur un film tiré d'un livre que vous avez lu. Vos appréciations seront subjectives, mais le ton de votre article ne doit pas être personnel : évitez la 1re personne et les anecdotes.

15 Écrire la légende d'une image de presse

Rédigez une légende pour le dessin humoristique ci-dessous. Votre légende comprendra une construction passive et un verbe à la forme pronominale.

Dessin
de Plantu,
Le Monde,
19 mai 2000.

16 Expliquer des images de presse

Comparez la fonction des deux images ci-dessous parues dans la presse. Puis, en vous aidant de la séance 2 sur les droits des journalistes, commentez une de ces deux images.

Affiche de *Reporters sans frontières*, 2002.

Dessin de Plantu,
Le Monde,
3 mai 2000.

17 Analyser l'engagement d'un journaliste

Documentez-vous sur la répression du Printemps de Prague par les Soviétiques en 1968, et faites un commentaire de l'image (page suivante) où vous analyserez l'engagement du photographe.

Écrire...

rédiger

Écrire un article d'opinion sur un sujet d'actualité

▧ CHOISISSEZ UN SUJET D'ACTUALITÉ ▧

• Rédigez un article d'information sur le sujet choisi (culture, environnement...) dans lequel vous ferez la chronologie des événements ou la récapitulation des faits.

• Écrivez ensuite un article d'opinion dans lequel vous donnerez votre avis en argumentant votre position.

▧ SE DOCUMENTER ▧

Vous pouvez trouver des périodiques dans les kiosques ou les consulter à la médiathèque. Vous pouvez également consulter les sites Internet des agences et des organes de presse. Par exemple vous trouverez sur le site de l'AFP (http://www.afp.com) des liens vers les sites d'un grand nombre de journaux du monde entier.

▧ CHOISIR UN ANGLE ▧

Il faut trouver un point de vue à travers lequel vous allez traiter l'événement. Cet angle va vous servir de guide car, contrairement à un texte documentaire, l'article de presse ne dit pas tout.

▧ RESPECTER UNE PROGRESSION LOGIQUE ▧

Il n'y a pas de plan systématique. On doit néanmoins respecter une progression logique. On peut aller de l'essentiel à l'accessoire, partir du présent ou du futur immédiat pour aller vers le passé, aller du concret vers l'abstrait ou combiner plusieurs progressions, allant par exemple du général abstrait et passé jusqu'au futur concret et particulier.

▧ MARQUER LA PROGRESSION PAR DES CONNECTEURS ▧

• Vous utiliserez des connecteurs spatio-temporels dans les passages narratifs et descriptifs de l'article d'information.

• Vous utiliserez des connecteurs logiques dans l'article d'opinion pour souligner les étapes de votre argumentation. Dans un article d'opinion, le journaliste veut en effet convaincre le lecteur de la validité de son analyse.

▧ ADOPTER UN STYLE CONCIS ▧

Le lecteur d'un journal lit vite. Il faut donc que la syntaxe des articles soit limpide : des phrases simples et courtes sont à préférer aux phrases complexes, enchaînant les subordonnées. Les phrases nominales peuvent même ajouter à la concision et créer des changements de rythme dans l'écriture. La simplicité des phrases n'empêche pas l'utilisation de figures de style : comparaisons ou métaphores, anaphores ou périphrases qui frappent le lecteur. Les constructions passives permettent d'insister sur les faits, présentés comme objets d'analyse.

▧ SOIGNER L'ATTAQUE ET LA CHUTE ▧

Pour convaincre d'emblée son lecteur de l'intérêt de lire son article, le journaliste doit aller droit au but, d'où l'importance du début de l'article. Les articles commencent et se terminent souvent par une phrase interrogative qui suscite la curiosité du lecteur.

▧ INVENTER UN TITRE ACCROCHEUR ▧

La recherche du titre se fait après la rédaction de l'article. Le titre doit résumer l'ensemble de l'article et attirer l'attention du lecteur, par un jeu de mots par exemple. Une phrase nominale permet une plus grande concision qu'une phrase verbale ; l'accent est mis sur le fait ou l'événement rapporté.

Ex. «*Arrestation des malfaiteurs*» *est plus incisif que* «*Les malfaiteurs sont arrêtés*».

Un jeune Tchèque crie sa révolte contre les envahisseurs, J. Koudelka, Prague, 1968.

Qu'est-ce que nous faisons ensemble dans la cité ?

L'auteur de l'article, Stéphane Paoli, est rédacteur en chef de la tranche 6-9 heures de France-Inter.

Qu'est-ce que nous faisons ensemble dans la cité ?

Mon premier geste, lorsque j'arrive à France-Inter, vers cinq heures du matin, c'est de lire la presse écrite. Je me mets dans un coin, avec ma pile de journaux. Et je prends mon temps. Parce qu'il faut du temps pour lire un article. Il faut accepter de consentir ce temps-là à la réflexion et à l'analyse critique. C'est ainsi que je peux exercer pleinement mon métier de journaliste.

Le temps, c'est ce qui manque aux journalistes. On ne peut pas gérer l'information comme l'économie, en temps réel. Or, aujourd'hui, il y a, à mon sens, un découplage incroyable et grave entre temps technologique et temps biologique. C'est l'exemple même du charnier de Timisoara. Une analyse attentive et critique des images aurait au moins posé une question : pourquoi les corps étaient-ils recousus ? Quand on massacre les gens, on ne s'amuse pas à les rafistoler, en général. Bien sûr, la presse écrite est aussi tombée dans le panneau. C'est normal : nous sommes dans un monde qui fonctionne en réseaux, et donc, nous nous influençons.

Mais le principal mérite de la presse écrite, pour moi, est de s'inscrire dans ce temps biologique de l'homme. Imaginer la disparition de la presse écrite est inconcevable. Elle quittera peut-être le support papier pour s'inscrire dans de nouvelles technologies, comme Internet. Mais notre problème, aujourd'hui, c'est de gérer les incidences de ce développement des nouvelles technologies sur notre réflexion.

Actuellement, la technologie définit les contenus à la télévision. Ça ne me paraît pas normal. On ne se pose pas la question de savoir pourquoi on fait telle ou telle émission, tel ou tel direct. Il y a là un réel danger pour la démocratie. Le direct pour le direct, c'est le live-cam : on installe des caméras, qui tournent en permanence, sans commentaire. Les gens n'ont plus qu'à se faire eux-mêmes leur opinion. Or, le décryptage, l'explication de textes du quotidien, c'est la base du journalisme. Pour se faire une opinion, il faut connaître les tenants et les aboutissants d'une situation. Si on s'en tient au pur aspect technologique, demain, nous ne ferons plus de politique, au sens premier du terme : qu'est-ce que nous faisons ensemble dans la cité ? Et comment comprendre ensemble ce qu'est le monde ?

En vérité, on s'éloigne du sens en privilégiant l'outil que nous fabriquons. La télévision, à ce titre, est un extraordinaire miroir de ce que nous sommes : de plus en plus elle fabrique des émissions sur elle-même. Elle se glorifie. La télévision est une sorte d'allégorie de notre monde : on se regarde le nombril, on se replie, on s'enferme sur soi-même. Nous sommes dans un monde qui fonctionne à plusieurs vitesses, et qui se protège jusqu'à l'extrême. Si on étend le propos, il existe d'ores et déjà des villes, aux États-Unis, qui ferment à clef tous les soirs, avec miradors et chiens de garde. On se cache derrière l'argument technologique, mais c'est une régression. En fait, la télévision pèche par orgueil, et sans humour, à aussi peu douter de ce que nous sommes et de ce que nous faisons. Je suis un homme de radio. Et je voudrais que la radio soit, beaucoup plus qu'aujourd'hui, un outil de questionnement. Un électron libre, un peu subversif, un poil à gratter. Dans une société incroyablement synchronisée, formatée, la radio pourrait être un espace de dérégulation. Un espace où chaque question, chaque idée, chaque point de vue pourrait représenter un risque.

L'HUMANITÉ • 27 janvier 2000

S. Paoli, propos recueillis par C. Constant pour *L'Humanité*, 27 janvier 2000.

vers le
brevet

QUESTIONS
(15 points)

A. Le métier de journaliste (5 points)

1 S'agit-il d'un article d'information ou d'opinion ? Justifiez votre réponse. (1 point)

2 Quels sont, d'après Stéphane Paoli, les conditions nécessaires au bon exercice du métier de journaliste ? Quels sont les médias les plus appropriés ? Pourquoi ? (3 points)

3 Comment le texte définit-il le métier de journaliste ? Justifiez votre réponse en citant le texte. (1 point)

B. Une réflexion argumentée (6 points)

4 Expliquez avec précision pourquoi le temps est si important pour les journalistes. (2 points)

5 Relevez et classez les procédés utilisés pour souligner l'argumentation (connecteurs logiques, formes de phrases emphatiques, etc.). (2 points)

6 Dans le passage : « La télévision, à ce titre » à « qui se protège jusqu'à l'extrême » (3ᵉ colonne), relevez les verbes à la forme pronominale réfléchie. À votre avis, quel rapport existe-t-il entre l'idée que la télévision est un miroir et la forme pronominale choisie ? (2 points)

C. Une critique sévère (4 points)

7 À quel média le journaliste adresse-t-il ses critiques ? Quels reproches formule-t-il à son égard ? (2 points)

8 Donnez, d'après ce texte, un exemple d'information manipulée par le direct télévisé. (1 point)

9 Pourquoi la disparition de la presse écrite est-elle inconcevable, d'après le journaliste ? (1 point)

RÉÉCRITURE
(5 points)

Réécrivez l'avant-dernier paragraphe en remplaçant le pronom indéfini « on » par le pronom personnel « nous » (masculin pluriel) et en transposant au passé composé. Attention aux accords des participes passés.

RÉDACTION
(20 points)

Écrivez un article d'opinion sur les médias.

Consigne d'écriture.

Votre article contiendra au moins deux citations, une d'un journaliste critiquant la télévision et une d'un élève la défendant. Les citations que vous aurez inventées devront être argumentées.

Dossier

I. Critique du pouvoir : le général de Gaulle

[1] Conférence de presse à l'Élysée du général de Gaulle, entouré de personnalités du gouvernement dont M. Schumann, A. Malraux, G. Pompidou, E. Faure, A. Peyrefitte, M. Debré…, 27 novembre 1967.

[2] *Rites et coutumes de la Cinquième*, J. Effel, 1964.

— Veuillez, messieurs les journalistes, fournir vos questions à mes réponses.

Dessin d'humour et caricature

Critique du pouvoir et critique sociale

De la réalité de l'Histoire...

1⟩ Qui était le général de Gaulle ? Quelle était la fonction qu'il exerçait au moment de la photographie ?

2⟩ Observez la photographie (doc. 1). Qui est installé sur l'estrade ? dans quels buts ? Distinguez les hommes politiques et les journalistes.

3⟩ Expliquez, dans le document 2, le lien entre le titre du dessin et « la cinquième [République] ».

4⟩ Le point de vue du photographe (doc. 1)
a. Quel est l'angle choisi par le photographe ? Quelle hiérarchie met en évidence ce point de vue ? Justifiez votre réponse.
b. À quelle place se trouve le photographe ? Est-ce logique ? Pourquoi ?

Leçon ⟶ Dessin d'humour et caricature

▶ Le dessin d'humour a pour fonction de représenter de façon dérisoire ou parodique une situation politique, sociale ou quotidienne. Fondé sur un comique de situation et de geste, il peut s'appuyer sur une légende ou un titre qui explique ou développe l'humour du dessin.

▶ La caricature fait donc souvent partie du dessin d'humour comme un élément comique supplémentaire. Elle naît du décalage entre le modèle connu de tous et le dessin, qui accentue les traits et les défauts du personnage caricaturé : le physique est souligné, les gestes ou les positions physiques amplifiés. C'est dans l'exagération que la caricature devient amusante : un élément peut, à lui seul, caractériser un personnage public, comme le nez pour le général de Gaulle.

▶ On retrouve la caricature dans tous les arts visuels : dessin, sculpture, théâtre, *one-man show*, émission de télévision (*Les Guignols de l'info*, par exemple) mais aussi dans la littérature : fondée là encore sur l'exagération, elle s'appuie sur un lexique souvent dépréciatif et sur des images ou des comparaisons exagérées et insolites (« un cou de girafe », « une démarche de robot »...).

... à la satire du pouvoir

5⟩ Le dessin d'humour est-il fidèle à la situation photographiée ? Situez les hommes politiques et les journalistes, et relevez des détails amusants les concernant.

6⟩ Le dessinateur est-il placé au même endroit que le photographe ? Montrez que ce point de vue permet de montrer les à-côtés de la conférence de presse.

7⟩ Montrez que le dessin et sa légende remettent en cause la spontanéité de l'interview.

8⟩ En quoi le titre du document 2 donne-t-il une dimension générale et politique à ce dessin d'humour.

Une caricature mise en scène

9⟩ Le dessin est aussi une caricature du général de Gaulle.
a. Relevez, par comparaison avec la photographie, les traits physiques caricaturés.
b. Que pensez-vous de l'attitude physique du général de Gaulle face aux journalistes ? Que traduit-elle ? Par quels moyens caricaturaux le dessinateur accentue-t-il cette attitude ?

10⟩ Montrez que ce dessin est à la fois une caricature discrète des journalistes et des hommes politiques.

Activité

Rédiger un portrait caricatural. Choisissez un des personnages du dessin d'Effel et rédigez son portrait en deux temps :
▶ vous écrirez d'abord un portrait fidèle que vous pourrez développer en inventant des éléments que le dessin ne montre pas (tics, comportement, etc.) ;
▶ vous transformerez votre texte en un portrait caricatural, en veillant à être fidèle au premier texte rédigé.

Vous lirez ensuite un de vos deux textes à la classe qui devra retrouver dans le dessin le personnage décrit.

[1] H. Rigaud (1659-1743),
*Louis XIV (1638-1715), roi de France
et de Navarre, en costume royal
(dit à tort costume de sacre)*, 1701.

Un tableau historique

1 Rigaud a peint Louis XIV. À quel siècle ce roi a-t-il vécu ? À quel monument célèbre est-il associé ? Pourquoi ?

2 Quelle est la position physique du roi ? En quoi est-elle majestueuse ?

3 Relevez, dans le tableau de Rigaud :
a. des éléments (objets, costumes, etc.) qui mettent en valeur la personne de Louis XIV ;
b. des éléments qui symbolisent le pouvoir.

4 Quelle est, selon vous, la fonction d'un tel tableau ?

Une parodie irrespectueuse mais pleine de finesse

5 Comment pouvez-vous identifier le personnage dessiné par Moisan ? Quel aspect physique caractéristique du président est ici caricaturé ?

6 En vous appuyant sur la réponse à la question 2, montrez que son attitude parodie celle de Louis XIV.

7 Retrouvez, dans le dessin, un angelot, un épouvantail, un aigle et un maître de cérémonie. Moisan caricature aussi des aspects physiques de quelques ministres du général de Gaulle : relevez-les.

8 Faites des recherches sur Louis XIV. De quelle nature fut son règne ? Quel « type » de pouvoir a-t-il en quelque sorte inventé ?

CHARLES DE GAULLE REGNANTE (1958-1965)

[2] Caricature de Moisan, pastichant le portrait en pied de Louis XIV peint par Rigaud en 1701, parue dans le *Canard enchaîné*.

[3] André Malraux (écrivain et homme politique français) en 1952.

9 Cherchez les conditions dans lesquelles de Gaulle a été élu. Pourquoi peut-on aussi parler, comme dans le dessin, de « règne » ?

10 Sachant qu'il a été mis en « ballottage » (c'est-à-dire qu'il n'a été élu qu'au second tour) en 1965, comment comprenez-vous le cartouche au bas du tableau ? En quoi est-il provocateur ?

11 Retrouvez, à l'aide du portrait de Malraux, sa caricature dans le dessin.

a. En quoi est-il représenté ? En faisant des recherches au CDI, établissez un lien entre cette caricature et, d'une part, sa carrière politique, de l'autre, le titre d'une de ses œuvres.

b. Pourquoi peut-on dire que Malraux garde déjà le « tableau » ?

Leçon ➔ Références et modèles

▶ Le dessin ou la caricature sont parfois aussi des critiques de modèles culturels ou institutionnels : la parodie s'ajoute alors à la simple déformation comique et instaure avec le spectateur une complicité essentielle. Celui-ci comprend la référence et, inconsciemment flatté, adhère plus facilement à la critique proposée.

▶ Le spectateur sourit d'autant plus volontiers qu'il reconnaît le modèle : il ne peut être touché par une parodie mal comprise.

II. Critique sociale : du bourgeois établi...

Monsieur Prudhomme, le modèle du bourgeois du XIXe siècle

[1]

Monsieur Prudhomme

Il est grave : il est maire et père de famille.
Son faux col engloutit son oreille. Ses yeux
Dans un rêve sans fin flottent insoucieux,
Et le printemps en fleur sur ses pantoufles brille.

Que lui fait l'astre d'or, que lui fait la charmille
Où l'oiseau chante à l'ombre, et que lui font les cieux,
Et les prés verts et les gazons silencieux ?
Monsieur Prudhomme songe à marier sa fille

Avec monsieur Machin, un jeune homme cossu.
Il est juste-milieu, botaniste et pansu.
Quant aux faiseurs de vers, ces vauriens, ces maroufles[1],

Ces fainéants barbus, mal peignés, il les a
Plus en horreur que son éternel coryza[2],
Et le printemps en fleur brille sur ses pantoufles.

P. Verlaine, *Poèmes saturniens*, 1866.

1. Maroufles : voyous.
2. Coryza : inflammation de la muqueuse des fosses nasales (rhume de cerveau).

[2] *Portrait d'Henri-Bonaventure Monnier, écrivain et caricaturiste français, travesti en Monsieur Prudhomme, É. Carjat, 2e moitié du XIXe s.*

Un portrait peu flatteur

1] À quel type social correspond Monsieur Prud-homme ? Justifiez votre réponse en vous appuyant sur le poème et la photographie.

2] Quelle représentation en donne Carjat ? Relevez tout ce qui dans son attitude, son physique ou sa tenue vestimentaire traduit l'homme installé.

3] Comment le personnage est-il présenté dans le poème de Verlaine ? Relevez les attributs du sujet qui le caractérisent. Comment comprenez-vous l'expression « juste-milieu » ?

4] Relevez tout ce qui, dans les deux documents, peut s'apparenter à une caricature.

5] En vous aidant de la légende et de la leçon, diriez-vous que la photographie est une caricature d'Henri-Bonaventure Monnier ? Justifiez votre réponse.

Une critique sans égard

6] Quelles sont les valeurs et les défauts associés à Monsieur Prudhomme dans la photographie et dans le poème ?

7] Qu'ont d'amusants, dans leur critique, les deux derniers tercets du sonnet de Verlaine ? Pourquoi ?

8] Qui Monsieur Prudhomme méprise-t-il dans le poème de Verlaine ? À quoi paraît-il insensible ?

9] Précisez en quoi les vers 4 et 14 sont ironiques. Trouvez « une image équivalente » dans la photographie.

... au bourgeois rajeuni

Le « bourgeois-jeune », un type de bourgeois contemporain

[3] Dessin de Plantu, 1996.

Une tenue hybride

1 Décrivez avec précision le dessin de Plantu : attitude, tenue vestimentaire, accessoires du personnage.

2 Relevez d'une part les éléments qui connotent la jeunesse et le loisir, d'autre part les éléments qui connotent le travail et le monde adulte. En quoi le mélange de ces deux « mondes » est-il surprenant ?

3 Quel âge environ donnez-vous au personnage dessiné ? En quoi son comportement est-il étonnant ? Justifiez votre réponse en vous appuyant sur les deux premières questions.

Une satire sociale

4 En quoi un tel dessin est-il amusant ? Relevez deux ou trois points qui vous font sourire.

5 Pourquoi l'expression « bourgeois-jeune » est-elle contradictoire ? Montrez que le dessin traduit cette contradiction.

6 Quel élément de la psychologie adulte exprime également ce dessin ? Que refuse le personnage ?

7 Diriez-vous de ce dessin qu'il se contente de décrire une réalité sociale, ou qu'il la critique ? Justifiez votre réponse.

> **Leçon** → **Dessin d'humour et satire sociale**
>
> ▶ Le dessin d'humour, souvent caricatural, peut prendre pour cible une institution, un groupe ou un type social afin de les critiquer : on parle alors de satire sociale.
>
> ▶ La difficulté est la même que pour la caricature : il faut rester fidèle au type social critiqué pour en permettre l'identification, tout en prenant ses distances par rapport à lui.
>
> ▶ Henri-Bonaventure Monnier, créateur du personnage de Monsieur Prudhomme au XIXe siècle se déguise et choisit une position physique éloquente. De même, le dessinateur exagère l'attitude du « bourgeois-jeune » pour la rendre drôle et amplifier la critique.

Pour ou contre le livre?

Techniques de l'argumentation

A. DERAIN,
La Tasse de thé, 1935.

Un vice impuni ?

Valéry
Larbaud
[1881-1957]

*Auteur français
de romans et de nouvelles,
il fut également
traducteur et auteur
d'essais sur la littérature.*

Il y a l'expression d'un sentiment bien des fois éprouvé, et le résultat d'une expérience souvent faite, par beaucoup d'entre nous, dans le joli poème de Logan Pearsall Smith[1] que voici, tel que l'a traduit Philippe Neel :

CONSOLATION :

5   *L'autre jour, accablé dans le métro, je cherchais un réconfort dans la pensée des joies réservées à notre vie humaine. Mais il n'y en avait aucune qui me parût digne du moindre intérêt ; ni le Vin, ni la Gloire ; l'Amitié ni la Mangeaille ; l'Amour ni la Conscience de la Vertu. Valait-il donc la peine de rester jusqu'au bout dans cet ascenseur, et de remonter sur un*
10 *monde qui n'avait rien de moins usé à m'offrir ?*

Mais soudain, je pensai à la Lecture, au fin et subtil bonheur de la Lecture. C'était assez, cette joie que les Ans ne peuvent émousser, ce vice raffiné et impuni, cette égoïste, sereine et durable ivresse.

Une espèce de vice, en effet, la lecture. Comme toutes les habitudes
15 auxquelles nous revenons avec un sentiment vif de plaisir, dans lesquelles nous nous réfugions et nous isolons, et qui nous consolent et nous tiennent lieu de revanche dans nos petits déboires. Mais c'est, aussi, un vice qui nous donne l'illusion qu'il nous mène à la vertu, à une haute sagesse qu'il nous fait entrevoir. Emerson[2], de qui on n'attendrait
20 pas quelque chose d'aussi grossier, a écrit : « Lisez n'importe quoi pendant cinq heures tous les jours, et au bout de peu d'années vous serez savant. » (On ne peut s'empêcher de penser un instant au malheureux qui aurait pu suivre un tel conseil.) Nous savons bien que nous ne deviendrons pas savants à force de lire n'importe quoi – mais nous
25 avons un espoir, assez confus, de devenir, à force de lire, plus sages et plus heureux. Ce n'est peut-être qu'une mauvaise excuse : un nombre immense d'hommes qui ont été parfaitement sages et heureux, et un certain nombre de saints, ne savaient pas lire.

C'est un vice, encore, parce que l'expérience et la statistique nous
30 montrent que c'est une habitude exceptionnelle, anormale, comme tous les vices. L'homme normal lit par nécessité professionnelle, ou pour se distraire de ses occupations et de ses travaux ; les gens qui lisent pour le seul plaisir de la lecture et qui recherchent ce plaisir avec ardeur sont des exceptions. Le fait que presque tout le monde sait lire, et lit plus ou moins,
35 ne doit pas nous tromper : il y a la grande majorité de ceux qui savent lire, comme ils savent monter à bicyclette, se servir du téléphone ou conduire une automobile, et il y a une minorité de gens qui sont des liseurs, comme d'autres, en minorité aussi, sont des joueurs ou des avares.

1. Logan Pearsall Smith :
essayiste anglais célèbre
pour son ironie cinglante.
2. R. W. Emerson :
philosophe américain.

V. Larbaud, *Ce vice impuni, la lecture…*, *Domaine anglais*,
Éd. Gallimard, 1925.

COMPRENDRE LE POINT DE VUE D'AUTRUI

1 Relevez au moins deux expressions qui soulignent que le narrateur aime la lecture. En quoi le titre du texte peut-il alors paraître surprenant ?

2 Repérez les citations. Qui en sont les auteurs ? Résumez ce que signifie chacune d'elles.

3 À quoi servent-elles ? En quoi la seconde citation apporte-t-elle une idée nouvelle ?

4 Montrez que la 1re citation est introduite de façon positive et la seconde de façon négative.

5 Quelle citation le narrateur développe-t-il ? Quelle autre nuance-t-il ? Justifiez votre réponse.

6 VOCABULAIRE L'auteur parle-t-il d'une expérience personnelle ou d'une vérité générale ? Relevez les mots (pronoms personnels, adverbes...) ou les expressions qui justifient votre réponse.

DÉVELOPPER UNE THÈSE

7 Quelle est l'idée principale (thèse) défendue par le narrateur ? Justifiez votre réponse en vous appuyant sur des citations du texte.

8 Reformulez chacun des arguments utilisés pour prouver cette thèse.

9 GRAMMAIRE a. Relevez les connecteurs logiques et classez-les selon qu'ils expriment une relation de cause, de conséquence, d'opposition.
b. Dites par quel connecteur logique (en effet, or...) on pourrait introduire la phrase : «Ce n'est peut-être qu'une mauvaise excuse» (l. 26).

10 Que pensez-vous de la thèse de l'auteur ? Est-elle couramment admise à votre avis ?

11 Précisez en quoi ses arguments vous ont paru convaincants ou pourquoi ils n'ont pas emporté votre conviction.

Leçon → Thèse et arguments

▶ Une argumentation vise à convaincre un destinataire.

▶ La thèse est l'idée principale que le locuteur défend. Elle s'appuie généralement sur des idées d'autres locuteurs qu'elle peut critiquer ou développer, en les intégrant sous forme de citations ou en les reformulant.

▶ Pour défendre une thèse, on enchaîne logiquement des raisonnements les uns aux autres : ce sont les arguments.

| Outils de la langue

▪ Les connecteurs logiques, voir p. 279.

Prolongements

→ ARGUMENTER À PARTIR D'UNE CITATION. Cherchez, dans des journaux, des articles (sur l'environnement, les loisirs, l'éducation, la santé) et choisissez une phrase de portée générale que vous citerez et justifierez avec trois arguments successifs.

→ RÉFUTER UNE THÈSE. Réfutez la thèse contenue dans la citation que vous avez choisie en commençant votre argumentation par la phrase : «Certains pensent que...» suivie de la formulation de cette citation.

Du débat d'opinions personnelles...

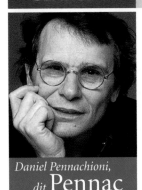

Daniel Pennachioni,
dit **Pennac**

[NÉ EN 1944]

Enseignant et auteur
de romans à succès,
il montre comment
la lecture doit se cultiver
comme un plaisir
dans son essai intitulé
Comme un roman.

Daniel Pennac, après avoir cité l'exemple d'un adolescent qui s'endort sur le livre qu'on l'oblige à lire, évoque la discussion des parents du jeune garçon.

Cependant qu'en bas, autour du poste, l'argument de la télévision corruptrice fait des adeptes :

— La bêtise, la vulgarité, la violence des programmes... C'est inouï ! On ne peut plus allumer son poste sans voir...

5 — Les dessins animés japonais... Vous avez déjà regardé un de ces dessins animés japonais ?

— Ce n'est pas seulement une question de programme... C'est la télé en elle-même... cette facilité... cette passivité du téléspectateur...

— Oui, on allume, on s'assied...

10 — On zappe...

— Cette dispersion...

— Ça permet au moins d'éviter la publicité.

— Même pas. Ils ont mis au point des programmes synchrones. Tu quittes une pub pour tomber sur une autre.

15 — Quelquefois sur la même !

Là, silence : brusque découverte d'un de ces territoires « consensuels » éclairés par l'aveuglant rayonnement de notre lucidité adulte.

Alors, quelqu'un, *mezza voce* :

— Lire, évidemment, lire c'est autre chose, lire est un acte !

20 — C'est très juste, ce que tu viens de dire, lire est un acte, « l'acte de lire », c'est très vrai...

— Tandis que la télé, et même le cinéma si on y réfléchit bien... tout est donné dans un film, rien n'est conquis, tout vous est mâché, l'image, le son, les décors, la musique d'ambiance au cas où on n'aurait

25 pas compris l'intention du réalisateur...

— La porte qui grince pour t'indiquer que c'est le moment d'avoir la trouille...

— Dans la lecture il faut imaginer tout ça... La lecture est un acte de création permanente.

30 Nouveau silence.

(Entre « créateurs permanents » cette fois.)

Puis :

— Ce qui me frappe, moi, c'est le nombre d'heures passées en moyenne par un gosse devant la télé par comparaison aux heures de

35 français à l'école. J'ai lu des statistiques, là-dessus.

– Ça doit être phénoménal !

– Une pour six ou sept. Sans compter les heures passées au cinéma. Un enfant (je ne parle pas du nôtre) passe en moyenne – moyenne minimum – deux heures par jour devant un poste de télé et huit à dix
40 heures pendant le week-end. Soit un total de trente-six heures, pour cinq heures de français hebdomadaires.

– Évidemment, l'école ne fait pas le poids.

Troisième silence.

Celui des gouffres insondables.

D. Pennac, Comme un roman, Éd. Gallimard, coll. « Folio », 1992.

Christian
Baudelot
[NÉ EN 1938]

Professeur de sociologie, il mène des enquêtes méthodiques et nationales sur l'éducation.

1. Liens univoques : liens qui ne changent pas, qui ont toujours le même sens.

2. Coefficients de corrélation : nombres mesurant le degré de dépendance entre deux variables, ici entre médias et lecture.

… à l'enquête rigoureuse

Des analyses statistiques poussées sur les relations existant entre le nombre de livres lus et le temps passé à lire d'un côté, et, de l'autre, à regarder la télévision, écouter de la musique, lire des magazines et des BD et jouer à des jeux vidéo ne montrent pas de
5 liens clairs et univoques[1] entre ces diverses occupations. Aucun argument en tous les cas en faveur de la thèse selon laquelle la télévision signerait la mort du livre ou détournerait les jeunes de la lecture. Les coefficients de corrélation[2] sont faibles parce que les relations entre ces médias et la lecture sont très diversifiées. Pour les
10 relations entre lecture et télévision, nos résultats confirment les résultats bien établis par deux enquêtes récentes. Il n'existe pas de lien direct entre le temps consacré à lire et le temps passé à regarder la télévision. Tous les cas de figure se rencontrent dans la réalité. Il existe parmi les faibles lecteurs des adolescents qui passent devant la
15 télévision deux heures par jour et plus, et d'autres qui la regardent moins d'une heure par semaine. À l'inverse, la catégorie des « gros lecteurs » compte à la fois des élèves qui regardent peu la télévision et d'autres qui la regardent beaucoup. Une consommation intense de télévision peut aller de pair aussi bien avec un haut niveau de lec-
20 ture qu'avec une lecture très faible.

Ch. Baudelot, Et pourtant ils lisent, Éd. du Seuil, 1999.

DEUX LOISIRS OPPOSÉS

1 Relevez les caractéristiques de la lecture d'une part, de la télévision d'autre part, présentées dans ces deux textes. En quoi ces deux loisirs s'opposent-ils ?

2 Quelle est l'idée principale défendue dans chacun de ces deux textes ?

3 Quel texte semble le plus objectif ? le plus nuancé ? Justifiez votre réponse.

UNE DISCUSSION CARICATURALE   [texte 1]

4 Qui sont les interlocuteurs ? Où se trouvent-ils ? Pourquoi ce détail est-il important ?

5 Relevez les arguments sur lesquels les interlocuteurs ne sont pas d'accord.

6 GRAMMAIRE Relevez une proposition qui exprime l'hypothèse sans utiliser la conjonction de subordination « si ».

Leçon ⊙ Le débat d'idées

▶ Une argumentation confronte les opinions de plusieurs personnes. Celles-ci peuvent s'exprimer dans un **dialogue**. Pour que l'argumentation progresse dans un dialogue, il faut que chaque interlocuteur prenne en compte les répliques de l'autre.

▶ Les interlocuteurs cherchent à arriver à un **consensus** ; si l'accord total n'est pas toujours possible, les **concessions** que se font les interlocuteurs entre eux peuvent mener à un consensus partiel.

▶ Mais l'argumentation peut aussi être prise en charge par un seul locuteur qui reprend des opinions ou des débats d'idées connus de tous pour les réfuter avant de développer sa propre thèse.

▶ Le locuteur qui défend une thèse en critiquant celle d'un autre peut s'appuyer sur des statistiques ou un vocabulaire scientifique pour rendre ses arguments irréfutables.

7 VOCABULAIRE Relevez deux adjectifs qui révèlent l'exagération des interlocuteurs.

8 Quel est l'argument développé pour démontrer que « la lecture est un acte » ?

9 Par quelles expressions les interlocuteurs sont-ils désignés ? Ont-elles une connotation péjorative ou méliorative ? À votre avis pourquoi ?

10 Quelle est la position de l'auteur du texte sur l'argumentation des interlocuteurs ? Est-il d'accord avec eux ou non ? Justifiez votre réponse.

UNE DÉMONSTRATION   [texte 2]

11 Relevez la phrase dans laquelle est énoncée la thèse réfutée par le narrateur. Quel est le mode du verbe dans cette phrase ? Pourquoi ?

12 VOCABULAIRE Relevez les termes appartenant au champ lexical du raisonnement. Quelle impression produisent-ils sur le lecteur ?

POUR CONCLURE   [textes 1 et 2]

13 Lequel de ces deux textes part d'une réfutation (rejet d'une thèse) pour proposer une thèse ? Lequel feint de développer une thèse mais la disqualifie par des expressions péjoratives ?

14 Avant d'avoir lu ces deux textes, auriez-vous plutôt défendu l'idée de la télévision « corruptrice » (1er texte, l.2) ou auriez-vous développé la même thèse que Christian Baudelot ?

Prolongement

⊙ S'OPPOSER DANS UN DÉBAT ÉCRIT. Rédigez un dialogue entre deux interlocuteurs : l'interlocuteur A défendra la thèse développée dans le 1er texte, l'interlocuteur B reprendra les arguments du 2e texte. À l'aide de dix ou douze répliques, vous soulignerez par des connecteurs l'opposition entre les deux interlocuteurs.

Outils de la langue

■ Le vocabulaire évaluatif, voir p. 298.
■ L'expression de l'hypothèse, voir p. 280.

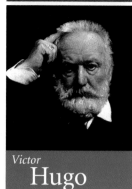

Victor
Hugo
[1802-1885]

*D'abord monarchiste,
avant d'épouser les idées
républicaines, il fut
un farouche opposant
de Napoléon III et vécut
en exil à Guernesey
de 1851 à 1870. Il mit
alors son talent de poète,
de dramaturge et de
romancier au service
de la polémique et de la
défense d'idées généreuses
et humanitaires.*

Un poète indigné

As-tu donc oublié que ton libérateur,
C'est le livre? Le livre est là sur la hauteur;
Il luit; parce qu'il brille et qu'il les illumine,
Il détruit l'échafaud, la guerre, la famine;
5 Il parle; plus d'esclave et plus de paria.
Ouvre un livre, Platon, Milton, Beccaria[1];
Lis ces prophètes, Dante, ou Shakespeare, ou Corneille[2];
L'âme immense qu'ils ont en eux, en toi s'éveille;
Ébloui, tu te sens le même homme qu'eux tous;
10 Tu deviens en lisant grave, pensif et doux;
Tu sens dans ton esprit tous ces grands hommes croître,
Ils t'enseignent ainsi que l'aube éclaire un cloître;
À mesure qu'il plonge en ton cœur plus avant,
Leur chaud rayon t'apaise et te fait plus vivant;
15 Ton âme interrogée est prête à leur répondre;
Tu te reconnais bon, puis meilleur; tu sens fondre
Comme la neige au feu, ton orgueil, tes fureurs,
Le mal, les préjugés, les rois, les empereurs!
Car la science en l'homme arrive la première.
20 Puis vient la liberté. Toute cette lumière,
C'est à toi, comprends donc, et c'est toi qui l'éteins!
Les buts rêvés par toi sont par le livre atteints!
Le livre en ta pensée entre, il défait en elle
Les liens que l'erreur à la vérité mêle,
25 Car toute conscience est un nœud gordien[3].
Il est ton médecin, ton guide, ton gardien.
Ta haine, il la guérit; ta démence, il te l'ôte.
Voilà ce que tu perds, hélas, et par ta faute!
Le livre est ta richesse à toi! c'est le savoir,
30 Le droit, la vertu, le devoir,
Le progrès, la raison dissipant tout délire.
Et tu détruis cela, toi!

V. Hugo, « À qui la faute », *L'Année terrible*, 1871.

1. Platon, Milton et Beccaria: philosophe grec de l'Antiquité, poète anglais du XVIIe siècle et écrivain italien du XVIIIe siècle.

2. Dante, Shakespeare et Corneille: poète italien du XIIIe siècle, poète et auteur de théâtre anglais du XVIe siècle et auteur de théâtre français du XVIIe siècle.

3. Nœud gordien: nœud impossible à défaire qu'Alexandre le Grand trancha de son épée. Ce nœud reliait le char du roi Gordius à son attelage.

Moussa
Konaté

[NÉ EN 1951]

*Écrivain, éditeur
et co-directeur du festival
« Étonnants Voyageurs »
de Bamako (Mali).
Cette manifestation est
en liaison avec le festival
de Saint-Malo
qui rassemble chaque
année des écrivains et des
livres évoquant le voyage
et l'aventure.*

Un homme de lettres convaincu

Télérama – D'où vient votre amour du livre ?

Moussa Konaté – Enfant, j'ai eu cette chance formidable d'avoir des livres à disposition. Je me demande ce que je serais devenu si à 8-9 ans je n'avais pas lu Hergé. *Tintin* m'a fait rêver. Les enfants qui n'ont pas ce
5 bonheur, qui ne peuvent se plonger dans le rêve, quelle enfance ont-ils ? Lire c'est grandir : celui qui ne lit pas cesse de pousser, ne se fortifie pas, devient handicapé. Je ne conçois pas ma vie et celle de mon pays sans le livre. C'est une obsession.

Télérama – Une obsession qui vous a conduit à créer à Bamako, en 1997,
10 une maison d'édition, Le Figuier.

Moussa Konaté – Notre production est à 80% tournée en direction de la jeunesse : une dizaine d'ouvrages d'auteurs et d'illustrateurs africains publiés par an, en langue française mais aussi en bambara, en peul, etc. Ici au Mali, nous nous heurtons à de nombreux préjugés concernant la
15 lecture : « Les Maliens ne lisent pas, n'ont pas d'argent pour acheter des livres… » Donc tout est prétexte pour ne rien faire, ne rien proposer… Je crois qu'il nous faut d'abord mettre à leur disposition ce qu'ils ont envie de lire, et à un prix abordable. Ensuite nous pourrons mettre la barre plus haut, être plus exigeants. Il y a 60 millions de Français, pas
20 60 millions de lecteurs. Pourquoi demander aux 10 millions de Maliens d'être 10 millions de lecteurs ?

Télérama – En 1984, vous abandonnez votre poste de prof pour vivre de votre écriture.

Moussa Konaté – Une folie ! Être écrivain ne signifiait rien dans ce pays où
25 les gens étaient très majoritairement – beaucoup plus qu'aujourd'hui – sans pouvoir d'achat, analphabètes, et surtout de culture orale.

Télérama – L'oralité et le livre ne font pas bon ménage ?

Moussa Konaté – Les contes au clair de lune, les contes autour du feu, mais c'est dépassé ! Ça n'existe plus. C'est de la nostalgie bon marché !
30 Dès l'apparition du livre, l'oralité s'est figée, l'enseignement n'a plus été véhiculé par l'oralité. Le savoir moderne a besoin de l'écrit. Pourquoi devrait-on confiner les Africains dans l'oralité, ne pas leur donner l'accès au savoir ?

Télérama, 15 mai 2002.

L'ENGAGEMENT DES AUTEURS

1 Quel est le thème commun à ces deux textes ? Formulez avec précision la thèse de Victor Hugo et celle de Moussa Konaté.

2 Précisez qui s'adresse à qui dans chacun de ces deux extraits.

3 Quels sont les motifs de l'indignation exprimée par chacun des auteurs ? Comment ce sentiment est-il montré ?

4 GRAMMAIRE Relevez toutes les phrases de type interrogatif. Indiquez celles qui servent à poser des questions et celles qui n'attendent pas vraiment de réponse et servent à impliquer le destinataire (questions rhétoriques).

5 Relevez pour chacun des textes toutes les marques d'implication des auteurs (verbes de pensée, modalisateurs, apostrophes au destinataire, vocabulaire évaluatif, péjoratif ou mélioratif...).

6 À quel genre appartient chacun de ces textes (théâtre, roman, poésie, entretien, lettre, essai autobiographique...) ?

L'EXPLICATION D'UNE THÈSE

7 Quels sont les différents moyens d'insérer des explications dans chacun de ces deux textes ?

8 Relevez les passages explicatifs. Précisez à chaque fois quelle idée ils développent et par quels exemples ils sont illustrés.

9 Relevez les connecteurs et indiquez la relation qu'ils expriment (temps, cause, conséquence, opposition, concession).

10 VOCABULAIRE Relevez, dans le 1er texte, tous les termes appartenant au champ lexical de la lumière. En quoi ce champ lexical sert-il à convaincre le destinataire ?

11 GRAMMAIRE **a.** Relevez, dans le 2e texte, une phrase exprimant l'hypothèse. Cette phrase sert-elle d'argument ou d'exemple ?
b. Relevez un exemple de présent de vérité générale et un exemple de présent d'énonciation dans chacun de ces deux textes.

Leçon → **L'explication convaincante**

▶ Pour convaincre quelqu'un d'une idée, il faut lui en expliquer la validité. Mais les explications ne servent pas toujours à démontrer des généralités, elles peuvent analyser des faits ou des réalités concrètes à la lumière de vérités générales.

▶ Puisque l'explication est indispensable à l'argumentation, elle existe dans tous les genres de texte (poésie, théâtre, roman, essai, lettre, interview, etc.). Les exemples servent à illustrer et à justifier des arguments, à partir de cas particuliers.

Prolongement

→ ILLUSTRER DES ARGUMENTS À L'AIDE D'EXEMPLES. Reprenez l'entretien (2e texte) et transformez-le en un texte argumentatif expliquant l'importance de la lecture. Vous utiliserez trois arguments et trois exemples en employant au moins trois connecteurs logiques et une phrase exprimant l'hypothèse.

Outils de la langue

■ L'expression de l'hypothèse, voir p. 280.

Des livres à pleines dents

Devorez
des livres
GÉRARD PHILIPE

Mieux qu'un cadeau, **UN LIVRE**

1. Affiche publicitaire, campagne en faveur de la lecture, le Cercle de la librairie, 1950.

DEUX AFFICHES ARGUMENTATIVES

1│ Quel est le but de ces deux affiches ? Le destinataire est-il exactement le même ? Justifiez votre réponse.

2│ Distinguez, dans ces deux affiches, le texte et l'image et relevez le slogan (voir définition p. 304) de l'une d'elles. Expliquez la contradiction apparente sur laquelle il repose.

3│ Relevez les éléments informatifs de la 2e affiche. Sur quels éléments insistent la typographie et le surlignement en noir ?

4│ Montrez que le choix de la typographie contribue à la lisibilité de la 1re affiche.

5│ Retrouvez le nom du personnage photographié sur cette affiche. Effectuez des recherches sur lui et montrez qu'il apporte une caution à la campagne.

2. Affiche pour le Salon du livre et de la presse pour la jeunesse de Montreuil, 2002.

NOURRITURE POUR LA JEUNESSE [affiche 2]

10 À quel conte célèbre ce document fait-il référence ? Justifiez votre réponse en relevant des éléments précis de l'affiche.

11 Montrez que l'affiche inverse le rôle des personnages du conte.

12 La situation représentée est-elle réaliste ? En quoi montre-t-elle le triomphe de la lecture et de l'imaginaire ? Retrouvez le message sous-entendu de l'affiche.

13 Montrez que ces deux affiches reposent sur la connivence avec le lecteur et que la 2e affiche est une parodie du conte célèbre auquel elle fait référence.

> **Leçon** → **Les procédés de l'image argumentative**
>
> ▶ L'image argumentative, dont le but est de convaincre ou de persuader le lecteur, utilise plusieurs procédés.
>
> ▶ Elle vise à susciter l'émotion du spectateur qui va s'arrêter devant l'image et la mémoriser. Certaines campagnes publicitaires chercheront à toucher, à surprendre, à amuser, voire à choquer pour atteindre leur but.
>
> ▶ La présence d'une caution, une personne célèbre (un acteur, par exemple) bénéficiant d'une bonne image, permet aussi d'attirer l'attention du spectateur qui va inconsciemment associer cette caution positive au produit vanté ou à l'idée défendue.
>
> ▶ La qualité esthétique a également une valeur argumentative : le spectateur se laisse séduire par la beauté de l'image et se trouve ainsi tout disposé à retenir le message délivré. Un véritable travail artistique peut être à l'origine des images qui présentent des produits de luxe (le parfum, par exemple) ou qui défendent des causes humanitaires (l'affiche de Picasso pour *Amnesty international*, par exemple, voir p. 172).
>
> ▶ La connivence, c'est-à-dire la complicité instaurée avec le spectateur, crée un effet de « dialogue » : la parodie, le jeu de mots, la référence culturelle sont autant de moyens d'intéresser le public au message diffusé.

UN JEU AVEC LE SPECTATEUR

6 Pourquoi peut-on affirmer que les deux images sont surprenantes ? Dans quel but, selon vous ?

7 La technique employée (photographie, montage, dessin) pour la réalisation des deux affiches est-elle la même ? Justifiez votre réponse par une description précise de chacune d'elles.

8 Dans la 1re affiche, retrouvez la phrase qui reprend explicitement la photographie et expliquez le lien entre l'image et le texte.

9 Montrez que ces deux affiches développent la même métaphore ; expliquez-la. Dans quel cas est-elle formulée ? Dans quel cas est-elle implicite ? Justifiez votre réponse.

Des morales immorales

Jean-Jacques
Rousseau
[1712-1778]

Philosophe des Lumières, il écrivit des textes autobiographiques, des romans, des essais politiques ou pédagogiques, comme L'Émile.
Toutes ses œuvres reflètent sa conception de l'homme qui naît bon et se trouve corrompu par la société.

Rousseau refuse que les enfants lisent et apprennent des fables de La Fontaine. Il vient de critiquer vers après vers « Le corbeau et le renard ».

Passons maintenant à la morale. Je demande si c'est à des enfants de dix ans qu'il faut apprendre qu'il y a des hommes qui flattent et mentent pour leur profit. On pourrait tout au plus leur apprendre qu'il y a des railleurs qui persiflent[1] les petits garçons, et se moquent en secret
5 de leur sotte vanité ; mais le fromage gâte tout ; on leur apprend moins à ne pas le laisser tomber de leur bec qu'à le faire tomber du bec d'un autre. C'est ici mon second paradoxe, et ce n'est pas le moins important.

Suivez les enfants apprenant leurs fables, et vous verrez que, quand ils sont en état d'en faire l'application, ils en font presque toujours une
10 contraire à l'intention de l'auteur, et qu'au lieu de s'observer sur le défaut dont on les veut guérir ou préserver, ils penchent à aimer le vice avec lequel on tire parti des défauts des autres. Dans la fable précédente, les enfants se moquent du corbeau, mais ils affectionnent tous au renard[2] ; dans la fable qui suit, vous croyez leur donner la cigale
15 pour exemple ; et point du tout, c'est la fourmi qu'ils choisiront. On n'aime point à s'humilier : ils prendront toujours le beau rôle ; c'est le choix de l'amour-propre, c'est un choix très naturel. Or, quelle horrible leçon pour l'enfance ! Le plus odieux de tous les monstres serait un enfant avare et dur, qui saurait ce qu'on lui demande et ce qu'il refuse.
20 La fourmi fait plus encore, elle lui apprend à railler dans ses refus.

Dans toutes les fables où le lion est un des personnages, comme c'est d'ordinaire le plus brillant,
25 l'enfant ne manque point de se faire lion ; et quand il préside à quelque partage, bien instruit par son modèle, il a grand soin de
30 s'emparer de tout. Mais, quand le moucheron terrasse le lion, c'est une autre affaire ; alors l'enfant n'est plus lion, il est mou-
35 cheron. Il apprend à tuer un jour à coups d'aiguillon ceux qu'il n'oserait attaquer de pied ferme.

1. Persiflent : tournent en ridicule sur un ton ironique.
2. Affectionnent à : s'attachent à.

G. Moreau, « Le lion et le moucheron », esquisse pour les *Fables de la Fontaine*.

40 Dans la fable du loup maigre et du chien gras[3], au lieu d'une leçon de modération qu'on prétend lui donner, il en prend une de licence[4]. Je n'oublierai jamais d'avoir vu beaucoup pleurer une petite fille qu'on avait désolée avec cette fable, tout en lui prêchant toujours la docilité. On eut peine à savoir la cause de ses pleurs ; on la sut enfin. La pauvre enfant s'ennuyait d'être à la chaîne, elle se sentait le cou pelé ; elle pleu-
45 rait de n'être pas loup.

Ainsi donc la morale de la première fable citée est pour l'enfant une leçon de la plus basse flatterie, celle de la seconde une leçon d'inhumanité, celle de la troisième, une leçon d'injustice ; celle de la quatrième, une leçon de satire ; celle de la cinquième, une leçon d'indépendance.
50 Cette dernière leçon, pour être superflue à mon élève n'en est pas plus convenable aux vôtres. Quand vous leur donnez des préceptes qui se contredisent, quel fruit espérez-vous de vos soins ?

J.-J. Rousseau, *Émile ou De l'éducation*, livre II, 1762.

3. « Le loup et le chien » : dans cette fable, le loup, n'est pas convaincu par l'exposé du chien, nourri certes mais dépendant de ses maîtres, et explique qu'il préfère sa liberté.

4. Licence : liberté.

Un texte provocateur

Je hais les livres : ils n'apprennent qu'à parler de ce qu'on ne sait pas. On dit qu'Hermès[1] grava sur des colonnes les éléments des sciences pour mettre ses découvertes à l'abri d'un déluge. S'il les eût bien imprimées dans la tête des hommes, elles s'y seraient conservées par tradi-
5 tion. Des cerveaux bien préparés sont les monuments où se gravent le plus sûrement les connaissances humaines. N'y aurait-il point moyen de rapprocher tant de leçons éparses dans tant de livres, de les réunir sous un objet commun qui pût être facile à voir, intéressant à suivre, et qui pût servir de stimulant, même à cet âge[2] ? […] Puisqu'il nous faut
10 absolument des livres, il en existe un qui fournit, à mon gré, le plus heureux traité d'éducation naturelle. Ce livre sera le premier que lira mon Émile[3] ; seul il composera pendant longtemps toute sa bibliothèque, et il y tiendra toujours une place distinguée. Il sera le texte auquel tous nos entretiens sur les sciences naturelles ne serviront que
15 de commentaire. Il servira d'épreuve durant nos progrès à l'état de notre jugement ; et, tant que notre goût ne sera pas gâté, sa lecture nous plaira toujours. Quel est donc ce merveilleux livre ? Est-ce Aristote ? est-ce Pline ? est-ce Buffon[4] ? Non ; c'est Robinson Crusoé.

Robinson Crusoé dans son île, seul, dépourvu de l'assistance de ses
20 semblables et des instruments de tous les arts, pourvoyant cependant à sa subsistance, à sa conservation, et se procurant même une sorte de bien-être, voilà un objet intéressant pour tout âge, et qu'on a mille moyens de rendre agréable aux enfants.

J.-J. Rousseau, *Émile ou De l'éducation*, livre III, 1762.

1. Hermès : dieu grec, messager des dieux.

2. Cet âge : Rousseau pense à un enfant d'une dizaine d'années.

3. Émile : élève idéal dont Rousseau imagine l'éducation.

4. Aristote, Pline, Buffon : respectivement philosophe grec, écrivain latin, naturaliste et écrivain français du XVIIIe siècle.

DES CRITIQUES PARADOXALES

1 Quels sont les reproches faits aux fables (1er texte) ? aux livres (2e texte) ?

2 À quoi doit servir un livre selon Rousseau ?

UN PROCÈS INATTENDU   [texte 1]

3 Quel est l'argument de Rousseau pour montrer que les fables ne sont pas morales ?

4 VOCABULAIRE Quels sont l'origine et le sens du mot « paradoxe » (l. 7) ? Pourquoi Rousseau parle-t-il de « second paradoxe ». Quel est le premier ?

5 Citez les exemples par lesquels Rousseau illustre sa thèse selon laquelle les fables sont nocives. Lesquels sont abstraits, lesquels sont tirés d'une expérience personnelle ?

6 Relevez les termes (adjectifs, groupes prépositionnels, adverbes) qui expriment une contradiction et montrent que Rousseau critique l'opinion commune sur les fables.

7 Comment comprenez-vous la phrase « cette dernière leçon, pour être superflue à mon élève n'en est pas plus convenable aux vôtres. » (l. 50-51) L'auteur y exprime-t-il une idée d'opposition ? de but ? de cause à la conséquence imprévue (concession) ?

Leçon ➔ La thèse paradoxale

▸ Un paradoxe est une idée (une thèse) qui contredit une opinion répandue, généralement admise. Comme l'idée paradoxale n'est pas reconnue de tous, elle doit nécessairement être défendue par une argumentation rigoureuse pour être comprise et justifiée.

▸ Pour réfuter une thèse généralement admise, il faut exposer les arguments de l'adversaire et les critiquer, en montrant qu'ils reposent sur des bases insuffisantes ou que leurs conséquences pourraient être négatives.

▸ La réfutation d'une thèse utilise des liens logiques (connecteurs) marquant l'opposition, la concession ou la condition.

UN PROJET PÉDAGOGIQUE   [texte 2]

8 Quels sont les trois arguments utilisés pour contester la valeur pédagogique du livre ?

9 Relevez les marques de l'implication de Rousseau. Montrez comment il prend en compte son destinataire.

10 Montrez que « puisque » (l. 9) exprime la conséquence d'une idée différente finalement acceptée. Justifiez votre réponse.

11 Vous paraît-il logique que Rousseau dénonce les livres et en propose un comme « traité d'éducation » ? Que pensez-vous du choix de ce livre pour éduquer un enfant destiné à vivre en société ? Justifiez vos réponses.

12 Que pensez-vous des arguments de Rousseau dans ces deux textes ? Comment justifie-t-il sa position ?

Prolongements

➲ INVENTER DES PARADOXES. Formulez des paradoxes pour contredire les vérités proverbiales suivantes (sans reprendre les mêmes termes) : 1. Rien ne sert de courir, il faut partir à point. 2. La vérité sort de la bouche des enfants. 3. Il faut laisser du temps au temps. 4. Qui se ressemble s'assemble. 5. Les cordonniers sont toujours les moins bien chaussés.

➲ JUSTIFIER DES PARADOXES. Choisissez l'un de vos paradoxes et défendez-le en utilisant deux arguments ; chaque argument devra être accompagné d'un exemple.

➲ ÉCRIRE UNE FABLE EN PROSE. Choisissez une fable de La Fontaine et réécrivez-la en prose, en soulignant l'argumentation par des connecteurs logiques et en lui donnant une morale conforme aux idées de Rousseau.

Outils de la langue

■ La formation des mots, voir p. 89.
■ L'expression de la concession, voir p. 281.
■ Les connecteurs logiques, voir p. 279.

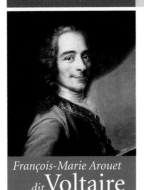

François-Marie Arouet
dit Voltaire
[1694-1778]

Poète, auteur de théâtre,
essayiste, il est surtout
connu pour ses textes
satiriques et ironiques.
Grand lecteur
des Mille et une nuits,
conte oriental traduit
au début du XVIIIe siècle,
Voltaire déguisa souvent
sous un cadre exotique
les critiques qu'il faisait
de son époque.

Du palais de la stupidité...

Comme ainsi soit que Saïd Effendi, ci-devant ambassadeur de la Sublime-Porte[1] vers un petit État nommé Frankrom, situé entre l'Espagne et l'Italie, a rapporté parmi nous le pernicieux[2] usage de l'imprimerie, ayant consulté sur cette nouveauté nos véné-
5 rables frères les cadis et imams[3] de la ville impériale de Stamboul[4], et surtout les fakirs connus par leur zèle contre l'esprit, il a semblé bon à Mahomet et à nous de condamner, proscrire, anathématiser[5] ladite infernale invention de l'imprimerie, pour les causes ci-dessous énoncées.

10   1. Cette facilité de communiquer ses pensées tend évidemment à dissiper l'ignorance, qui est la gardienne et la sauvegarde des États bien policés[6].

   2. Il est à craindre que, parmi les livres apportés d'Occident, il ne s'en trouve quelques-uns sur l'agriculture et sur les moyens de per-
15 fectionner les arts mécaniques, lesquels ouvrages pourraient à la longue, ce qu'à Dieu ne plaise, réveiller le génie de nos cultivateurs et de nos manufacturiers, exciter leur industrie, augmenter leurs richesses, et leur inspirer un jour quelque élévation d'âme, quelque amour du bien public, sentiments absolument opposés à la sainte
20 doctrine.

   3. Il arriverait à la fin que nous aurions des livres d'histoire déga-gés du merveilleux qui entretient la nation dans une heureuse stupi-dité. On aurait dans ces livres l'imprudence de rendre justice aux bonnes et aux mauvaises actions, et en recommander l'équité et
25 l'amour de la patrie, ce qui est visiblement contraire aux droits de notre place. [...]

   Donné dans notre palais de la stupidité, le 7 de la lune de Muharem, l'an 1143 de l'hégire[7].

Voltaire, « De l'horrible danger de la lecture »,
Nouveaux mélanges, 1765.

1. Sublime-Porte : nom donné au gouvernement de l'empire turc.

2. Pernicieux : dangereux.

3. Imam : chef religieux musulman.

4. Stamboul : actuelle Istanbul.

5. Anathémiser : condamner avec violence, maudire.

6. Policé : civilisé.

7. Hégire : calendrier musulman dont le début correspond à la fuite de Mahomet (année 622 de l'ère chrétienne).

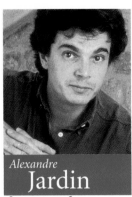

Alexandre
Jardin

[NÉ EN 1965]

*Réalisateur, scénariste,
auteur à succès de romans
et d'essais. Il est à l'origine
d'un programme non
gouvernemental « Lire
& Faire lire », ayant pour
but de diffuser le goût
de la lecture, grâce à des
retraités bénévoles qui,
depuis 2001, vont dans
les écoles primaires lire
des histoires aux enfants.*

… au comble de l'absurdité

Quel profit, même fluet[1], y aurait-il à ne pas lire ? Cette question, trop souvent négligée, ouvre des perspectives réjouissantes. Disons-le nettement, il y a dans le refus de se gaspiller en lectures une sagesse alléchante, voire un signe d'excellente santé mentale.

5 En dépit de ses dénégations[2], l'homme s'applique chaque jour à perfectionner les conditions de son malheur, comme s'il éprouvait une obscure délectation à demeurer incompris, méconnu, cadenassé dans des croyances folles qui le torturent. Si les êtres humains n'étaient pas des fakirs – si empressés à s'aventurer sur des chemins cloutés –, nous
10 connaîtrions des guirlandes de gens heureux. Or il se trouve qu'en ne lisant pas nous avons tous la possibilité de persister à souffrir de la solitude. En nous détournant des livres avec constance, l'enfer de l'isolement est à notre portée.

Mais si l'on tient à connaître la plénitude dans la difficulté d'être, il
15 convient surtout d'éviter les auteurs qui mettent en prose nos sensations, nos attentes secrètes et nos frustrations. Les plus pernicieux étant, naturellement, les plumitifs qui décrivent avec justesse nos douleurs muettes. Tout sentiment de complicité entre le lecteur et l'auteur doit donc être proscrit ; faute de quoi vous risqueriez de passer à côté
20 d'une solitude absolue, d'un malheur auquel vous avez droit.

Et puis, ouvrir des livres expose au risque de se rencontrer. Les non-lettrés jouissent de cet avantage inouï sur les lettrés de pouvoir passer avec quiétude à côté d'eux-mêmes ; ce qui n'est pas sans repos. Les grands romans ont tous un effet de miroir qui favorise la prise de
25 conscience de nos insuffisances, du décalage irritant qui existe entre nos rêves et ce que nous en avons fait. […] On ne dira jamais assez combien les romans ont, sous ce rapport, un effet désastreux sur la vie d'hommes et de femmes qui, s'ils avaient eu la prudence de n'être pas lecteurs, eussent profité de la torpeur d'une vie sans désirs.

30 Mais le plaisir de ne pas lire est aussi celui de se complaire dans ses propres idées, de se prélasser dans les certitudes qui nous tiennent à cœur ; car il est indéniable qu'en cédant aux attraits de la lecture on s'expose au désagrément de rencontrer l'univers des autres. Or il faut bien le dire, les autres et leurs perceptions sont agaçants. Finalement,
35 rien n'est plus irritant que d'être dérangé par d'autres points de vue que le sien. Restons fidèles à nos vérités confortables !

A. Jardin, « Lire ou ne pas lire », préface de *Lire pour vivre*,
R. Laffont, 2000.

1. Fluet : mince.

2. Dénégation : refus de reconnaître la vérité.

UNE SITUATION D'ÉNONCIATION FICTIVE [texte 1]

1 À quelle réalité géographique et historique la situation fictive présentée fait-elle allusion ?

2 À votre avis pourquoi l'auteur présente-t-il la situation d'énonciation avec tant de détails ?

3 Comment sont présentés les arguments contre la lecture ? sont-ils enchaînés par des liens logiques ? Pourquoi à votre avis ?

4 Relevez les expressions (expansions du nom, appositions, alliances de mots contradictoires...) exprimant une opposition aux vérités générales et aux idées de progrès les plus répandues.

5 Voltaire pense-t-il que l'ignorance soit la gardienne des États civilisés, que l'élévation d'âme et l'amour du bien public soient opposés à la religion, que la justice et l'amour de la patrie soient contraires au droit ? Pourquoi le dit-il alors ? Justifiez votre réponse.

6 À partir des arguments exposés (l. 10-26), formulez les arguments correspondant à la défense implicite que Voltaire donne en fait de la lecture.

7 À quoi reconnaît-on l'ironie de Voltaire ?

UNE DÉMONSTRATION PARFAITE [texte 2]

8 Quelle est la thèse apparemment soutenue au début du texte ?

9 À votre avis, qui pose la question initiale ? À qui s'adresse-t-elle ?

10 Contre quelle affirmation préalable et sous-entendue l'énonciateur réagit-il ?

11 Les pronoms personnels « nous » utilisés aux lignes 9 à 11 font-ils références aux mêmes énonciateurs ? Lequel désigne l'énonciateur ? Lequel inclut son destinataire ?

12 VOCABULAIRE Relevez les propositions qui juxtaposent les termes péjoratifs et mélioratifs (oxymores) et dites quel effet est ainsi produit.

13 Repérez, en vous aidant des pronoms personnels, le passage où le destinataire démontre sa thèse. Cette démonstration vous paraît-elle logiquement menée ? Justifiez votre réponse.

14 GRAMMAIRE **a.** Relevez les propositions subordonnées introduites par « si » ; précisez quels temps sont utilisés dans ces subordonnées.
b. Quelles propositions expriment une hypothèse possible, une hypothèse irréalisable au présent ou au passé ? En quoi les hypothèses aident-elles la démonstration ?

POUR CONCLURE [textes 1 et 2]

15 Quel est le thème commun aux deux textes ? Défendent-ils la même thèse ? Expliquez à l'aide de citations comment chaque auteur prouve sa thèse.

16 Quelles réactions les deux auteurs veulent-ils susciter chez leurs lecteurs ?

Prolongements

◉ TROUVER DES ARGUMENTS POUR UNE THÈSE ET LA THÈSE ADVERSE. Choisissez une prise de position (favorable ou défavorable) sur le thème de la violence à la télévision. Présentez deux arguments en faveur de votre thèse et deux arguments en faveur de la thèse adverse.

◉ FEINDRE DE DÉFENDRE UNE THÈSE QU'ON RÉFUTE. Prenez les deux arguments de la thèse adverse que vous venez de proposer et développez-les en exprimant votre désaccord de façon ironique (exagération des arguments réfutés, modalisateurs, appositions, alliance de termes contradictoires).

Leçon ◉ **L'implicite et l'ironie**

▶ Certains auteurs de textes argumentatifs ne défendent pas explicitement leur thèse. Ils mettent en scène la thèse qu'ils réfutent, ils la font défendre par des énonciateurs qu'ils discréditent en exagérant ou ridiculisant leurs propos. C'est cet écart entre la **thèse implicite** de l'auteur et les propos, parfois contraires, explicités par le narrateur qui constitue l'**ironie**.

▶ Les auteurs signalent leur **distance** par rapport à la thèse, qui est exprimée mais qu'ils réfutent, par des **modalisateurs**, des commentaires, des alliances de termes contradictoires.

Outils de la **langue**

■ Le vocabulaire évaluatif, voir p. 298.
■ Les modalisateurs, voir p. 299.
■ L'expression de l'hypothèse, voir p. 280.

Thèses, arguments et exemples

1 Repérer le fonctionnement de l'argumentation

a] Dans les textes suivants, repérez la thèse défendue et la thèse réfutée ; précisez si elles sont exprimées ou sous-entendues.

b] Repérez les arguments développés en les enchaînant par des connecteurs logiques.

c] Citez les exemples utilisés ; précisez s'ils sont puisés dans l'expérience personnelle de l'auteur ou s'ils sont généraux et abstraits.

1/ Il faut lire, il faut lire…
Et si, au lieu *d'exiger la lecture* le professeur décidait soudain de *partager* son propre bonheur de lire ?
Le bonheur de lire ? Qu'est-ce que c'est que ça le bonheur de lire ?
Questions qui supposent un fameux retour sur soi en effet !
Et pour commencer, l'aveu de cette vérité qui va radicalement à l'encontre du dogme : la plupart des lectures qui nous ont façonnés, nous ne les avons pas faites *pour*, mais *contre*. […] C'est Kafka lisant contre les projets mercantiles du père, c'est Flannery O'Connor lisant Dostoïevski contre l'ironie de la mère (« *L'Idiot* ? Ça te ressemble de commander un livre avec un nom pareil ! »), c'est Thibaudet lisant Montaigne dans les tranchées de Verdun, c'est Henri Mondor plongé dans *son* Mallarmé sous la France de l'Occupation et du marché noir.

D. Pennac, *Comme un roman*, Éd. Gallimard, 1992.

2/ Dans la lecture, l'amitié est soudain ramenée à sa pureté première. Avec les livres, pas d'amabilité. Ces amis-là, si nous passons la soirée avec eux, c'est vraiment que nous en avons envie. Eux, du moins, nous ne les quittons souvent qu'à regret. Et quand nous les avons quittés, aucune de ces pensées qui gâtent l'amitié : Qu'ont-ils pensé de nous ? – N'avons-nous pas manqué de tact ? Avons-nous plu ? – et la peur d'être oublié pour tel autre. Toutes ces agitations de l'amitié expirent au seuil de cette amitié pure et calme qu'est la lecture. Pas de déférence non plus ; nous ne rions de ce que dit Molière que dans la mesure exacte où nous le trouvons drôle ; quand il nous ennuie, nous n'avons pas peur d'avoir l'air ennuyé, et quand nous avons décidément assez d'être avec lui, nous le remettons à sa place aussi brusquement que s'il n'avait ni génie ni célébrité.

M. Proust, *Sur la lecture*, 1906.

3/ Jeux vidéo, bandes dessinées, magazines et télévision qui constituent désormais l'environnement culturel quotidien des jeunes d'aujourd'hui ne sont pas les concurrents les plus dangereux de la lecture de livres. Les activités tournées vers l'extérieur et orientées vers la sociabilité le sont davantage. Les adolescents fréquentent les soirées dansantes le week-end sont moins nombreux que la moyenne à déclarer avoir lu un livre alors que ceux qui fréquentent les musées y sont plus nombreux.
Plutôt que de concurrences entre médias, mieux vaut chercher à saisir la façon dont se combinent et cohabitent chez ces élèves les univers culturels apparemment très éloignés et contradictoires dans lesquels ils se meuvent. Entre Racine et Michael Jackson, Voltaire et Nirvana, Maupassant et *OK Podium* ou *Femme actuelle*, Stendhal et J.-J. Goldmann, *Queen* ou *Ace of Base*, le lien n'est pas évident. Et pourtant il existe.

Ch. Baudelot, *Et pourtant ils lisent*, Éd. du Seuil, 1999.

4/ Personnellement, c'est moins les incitations de l'entourage qui ont fait de moi une bibliophage, une boulimique, que la transgression de rares interdits maternels (lire après l'heure), de sages conseils (ne pas lire avant l'âge) ou de règles scolaires (lâcher *L'Herbe rouge* pendant le cours de maths).

A. François, *Bouquiner*, Éd. du Seuil, 2000.

5/ Et si par hasard vous avez la prétention de devenir écrivain à votre tour, ce que je ne vous souhaite pas, lisez attentivement et sans relâche. Le *Littré*, les articles de dernière heure, […] lisez, lisez tout ce qui passe à votre portée. À moins que, comme ce fut souvent mon cas, vous n'ayez même pas de quoi vous acheter le journal du matin. Alors descendez dans le métro, asseyez-vous au chaud sur le banc poisseux – et lisez ! Lisez les avis, les affiches, lisez les pancartes émaillées ou les papiers froissés dans la corbeille, lisez par-dessus l'épaule du voisin, mais lisez !

L. Calaferte, *Septentrion*, Éd. Denoël, 1984.

6/ Pour l'homme, le monde des livres est le plus grand des mondes dont la nature ne lui a pas fait cadeau et qu'il a donc dû créer avec son propre génie. Tout enfant qui dessine les premières lettres sur son ardoise et fait ses premiers essais de lecture accomplit ainsi ses premiers pas dans un univers artificiel et extrêmement compliqué, dont aucune existence humaine ne saurait suffire pour connaître et appliquer totalement les lois et règles du jeu. Sans la parole, sans l'écrit et les livres, l'histoire n'existe pas, pas plus que la notion d'humanité. Et si quelqu'un voulait faire l'essai d'enfermer dans un petit espace, dans une seule maison ou dans une seule pièce l'histoire de l'esprit humain, et la faire sienne, il ne pourrait le faire que sous la forme d'une sélection de livres.

H. Hesse, *Magie du livre*, Éd. José Corti, 1994.

7/ L'apparition de l'électronique et de l'informatique a fait naître l'idée que le livre était condamné à disparaître. Cette idée a pris deux formes : le remplacement du texte et donc du livre par l'image (Mac Luhan) et le remplacement du livre par le support informatique, avec dans ce cas conservation du texte.

Les prédictions de Mac Luhan sur l'ère électronique de l'image remplaçant l'ère de l'écrit et du livre ne semblent pas se réaliser (en tout cas pas aussi vite que prévu) [...]. Le livre perdure mais peut-être pas à la façon dont on entend l'écho des sentences des éternels gourous virevoltants. Ce n'est pas la permanence du livre qui s'annonce, c'est la coexistence de médias différents sans qu'il y ait forcément de medium dominant. Et là est peut-être la véritable nouveauté. Les nouvelles technologies n'excluent pas les anciennes. Dans les bibliothèques, on réalise des microfiches pour économiser de la place et en même temps on prône la mise en contact du public avec les ouvrages imprimés, ce qui « perd » de la place. Mais il n'y a pas contradiction pour autant. La microfiche est plutôt réservée à l'ouvrage de référence, le livre en rayon s'apparente à l'étalage des supermarchés : le plaisir de la découverte.

H. Portine, « Lecture(s) et technologies »,
Revue internationale d'éducation, juin 1994.

8/ Quand le livre est arrivé on a pu dire : « On va s'enfermer dans le livre. On ne se parlera plus puisque les gens vont s'enfermer entre deux feuilles de papier. » Et on a vu que le livre a ouvert un nouvel espace de l'imaginaire. Je pense qu'il en est de même de ces techniques. Elles ouvrent de nouveaux espaces. Il faut les maîtriser pour mieux les comprendre. Vivre en symbiose dans certains cas, et offrir une résistance forte dans d'autres. Je pense que ces technologies ne doivent pas envahir la classe par effet de mode. Il faut les rationaliser pour les utiliser de manière à faire passer la rigueur et la logique qui sont l'essentiel de la formation pédagogique. On peut ou résister en évitant de se laisser submerger par elle, ou nager, naviguer. Je reprends ce que j'ai dit tout à l'heure. L'information n'est rien si elle n'est pas intégrée dans des savoirs, dans des connaissances, dans des cultures.

Je vais vous donner un exemple : prenez un point. Un point n'a pas de dimension dans un espace. C'est une donnée. Plusieurs points reliés entre eux, c'est une information : cela fait une ligne. Plusieurs lignes reliées entre elles, cela fait un plan. Ce plan est la relation des informations entre elles ; c'est un savoir. Et plusieurs plans reliés entre eux dans trois dimensions forment un cube. Ce cube est l'équivalent des connaissances. Cela veut dire que l'intégration des données dans les informations, des informations dans des savoirs et des savoirs dans de la connaissance constitue un ensemble, un processus qui permet d'éviter qu'on ne se noie dans l'information.

Propos de J. de Rosnay recueillis par A. Jaillet,
Les Cahiers pédagogiques, mars 1998.

2 Analyser le fonctionnement d'une publicité

a] De quoi cette publicité veut-elle convaincre ?

b] Quels moyens utilise-t-elle ?

Publicité pour les éditions 10-18, *Télérama*, 26 juin 2002.

grammaire

L'expression de l'implicite

 Expliciter les présupposés

Dans les phrases suivantes, explicitez les présupposés signalés par les mots ou les expressions en caractères gras.

> Ex. *Elle s'imagine qu'elle écrira un roman.*
> Présupposé : elle n'écrira pas de roman.

1. Il y a **également** beaucoup de livres ici. 2. Il lit **de nouveau** toute la journée. 3. **À quelle revue** s'abonnera-t-il demain ? 4. Il **rêve** de lire tard tous les soirs. 5. **Il se prend** pour un grand écrivain.

 Repérer les présupposés

Relevez le présupposé contenu dans chacune des phrases suivantes en précisant chaque fois le mot qui le signale.

> Ex. *Elle est retournée à la bibliothèque.*
> «*retournée* » => présupposé : elle y était déjà allée.

1. Il a arrêté de fumer. 2. Il a enfin réussi à faire quelque chose de bien. 3. Il était lui aussi un grand lecteur. 4. Quels sont tes vrais loisirs ? 5. Elle se figure qu'elle va pouvoir prendre des vacances.

 Comprendre des sous-entendus

Proposez un sous-entendu que le locuteur pourrait chercher à faire passer en énonçant les phrases suivantes.

> Ex. *Je suis rassasié.*
> Sous-entendu possible : Je ne prendrai pas de dessert.

1. Je viens de nettoyer le sol. 2. Il est tard. 3. Je me lève tôt demain. 4. Je n'ai plus de livre à lire. 5. Je ne comprends rien.

 Reconnaître un paradoxe

Retrouvez l'opinion commune sur laquelle est fondé chacun des paradoxes suivants.

1. Le sport est mauvais pour la santé. 2. La lecture est un vice. 3. Les enfants ne doivent pas lire de fables de la Fontaine. 4. Les livres sont inutiles. 5. La télévision favorise la lecture.

 Utiliser des antiphrases par ironie

Imaginez ce que voudrait dire le locuteur en énonçant les phrases suivantes s'il était ironique.

> Ex. *Vous m'avez été d'une grande utilité* pour dire : *Vous ne m'avez absolument pas aidé.*

1. Je vous remercie pour votre compliment. 2. Tu es tout à fait charmant. 3. Je vous crois sur parole. 4. On peut dire que tu es un génie. 5. C'est du beau travail.

 Inventer des phrases ironiques

Pour chacune des situations suivantes, inventez deux phrases ironiques fondées a] sur une litote (atténuation) b] sur une antiphrase.

> Ex. *X arrive deux heures en retard à son rendez-vous avec Y.* Y pourrait dire : a] «Tu es légèrement en retard ! » b] «Eh ! bien ! tu es en avance... ».

1. Vous assistez à un spectacle qui ne vous plaît pas. 2. Vous n'aimez pas un plat qu'un ami vous a préparé. 3. Vous arrivez dans un hôtel magnifique. 4. Vous tombez en panne d'essence sous la neige. 5. Votre chien a déchiré le roman que vous étiez en train de lire et qui vous passionnait.

Leçon ⊖ L'implicite

▶ **Les présupposés** et les **sous-entendus** sont les deux types d'implicite principaux. Les premiers font partie de l'énoncé (Ex. *Il aime lire lui aussi. Aussi* présuppose : quelqu'un d'autre que lui aime lire) ; les seconds doivent être devinés par le destinataire de l'énoncé (Ex. *Il fait froid* peut sous-entendre : *fermez la fenêtre*).

▶ L'implicite est le fondement de l'ironie : en effet, dans un énoncé ironique, le locuteur fait comprendre au destinataire qu'il ne croit pas ce qu'il dit.

▶ Plusieurs figures de style reposent sur l'implicite :
– le **paradoxe** prend le contre-pied de l'opinion commune, des idées reçues ;
– l'**antiphrase** dit le contraire de ce que pense le locuteur ;
– la **litote** « en dit moins » pour suggérer plus.

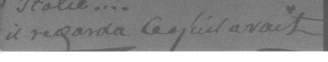

grammaire

Les connecteurs logiques

 Distinguer les connecteurs logiques

Relevez les connecteurs logiques et précisez la relation qu'ils expriment (cause, conséquence, opposition, condition).

Les ordinateurs permettent d'accéder à tous les livres saisis de sorte que les habitudes de lecture vont changer. En effet, on pourra découvrir de nouveaux ouvrages sans avoir à les acheter. C'est pourquoi il faut espérer que l'accès à ces machines se développe le plus possible. Mais il y aurait des nostalgiques du livre s'il disparaissait.

 Reconnaître la valeur argumentative des connecteurs logiques

Indiquez si les connecteurs logiques en gras introduisent dans l'argumentation une cause, une alternative, un renchérissement, une conclusion.

1. **Étant donné** que les jeunes aiment les bandes dessinées, il faut les encourager à en lire. 2. **D'ailleurs** cette lecture leur est rendue facile par les librairies qui permettent aux jeunes de lire sur place. 3. **En fin de compte** cette lecture méprisée par certains est enrichissante. 4. **Soit** le dessin est privilégié, **soit** le texte est mis en valeur. 5. **De plus**, le talent d'un dessinateur peut donner un nouvel éclairage au texte.

11 **Utiliser les connecteurs logiques**

Complétez chacune des phrases suivantes en choisissant le connecteur qui convient dans la liste ci-dessous : *comme, certes, du moment que, en outre, néanmoins.*

1. … vous aimez les romans policiers, lisez *La Nuit du renard*. 2. Je pense que… vous rendez vos livres aujourd'hui, vous n'aurez pas d'amende. 3. … c'est lui qui avait décidé d'être libraire mais ce métier ne lui convenait pas. 4. Il l'abandonna, … il m'avoua qu'il le regrettait car il aimait ses clients. 5. … l'odeur des livres neufs lui manquait.

12 **Repérer la classe grammaticale des connecteurs logiques**

Dites à quelle classe grammaticale (adverbe ou locution adverbiale, conjonction de coordination ou de subordination) appartient chacun des connecteurs en caractères gras.

1. **En effet** les enfants aujourd'hui aiment lire les bandes dessinées. 2. **Mais** ils ne découvrent pas pour autant les romans plus tard. 3. Ils ont beaucoup de choix dans les bibliothèques **de sorte qu'**ils lisent. 4. Ils regardent la télévision, **cependant** le goût de lire ne disparait pas. 5. **Finalement**, il y a autant de romans publiés à notre époque qu'autrefois.

 Organiser un raisonnement

À partir de l'énoncé : « La lecture empêche de s'ennuyer », écrivez cinq phrases commençant chacune par un des connecteurs logiques suivants. Précisez chaque fois la valeur argumentative du connecteur logique employé.

1. En effet. 2. Si bien que. 3. De plus. 4. Cependant. 5. À condition que.

Leçon **Les connecteurs logiques**

▶ Les connecteurs logiques jouent un rôle important dans les textes argumentatifs dont ils soulignent l'organisation.

▶ Ce sont des mots ou des locutions invariables qui appartiennent à l'une des trois classes grammaticales suivantes : adverbes ou locutions adverbiales (*donc, en effet, ainsi, néanmoins…*), conjonction de coordination (*mais, or, ni, car…*), conjonction de subordination (*parce que, puisque, comme, ainsi que…*).

▶ Les connecteurs logiques peuvent exprimer différentes relations : la cause (*en effet, car, étant donné que…*), la conséquence (*c'est pourquoi, donc, de sorte que…*), l'opposition (*cependant, mais, alors que…*), la condition (ou hypothèse)…

▶ Ils permettent l'articulation claire des étapes d'un raisonnement : addition d'idées (*et, ainsi que…*), renchérissement (*or, de plus…*), alternative (*soit…soit*), conclusion (*donc, finalement…*), par exemple.

grammaire

L'expression de l'hypothèse

 Reconnaître différentes valeurs de « si »

Précisez la valeur de « si » dans les phrases suivantes : conjonction introduisant une subordonnée de conséquence (associée à « que »), une subordonnée hypothétique ou une interrogative indirecte.

1. Ce lecteur se demande souvent si le livre peut être un objet de cauchemar pour les conservateurs de bibliothèque. 2. Si on lit un texte sur ordinateur, on peut élargir sa lecture à d'autres univers. 3. La question était de savoir si l'ordinateur pouvait remplacer le livre. 4. Cet écrivain est si habile qu'il entraîne le lecteur dans sa fiction. 5. Si l'ordinateur était plus petit, il serait aussi facile à transporter qu'un livre de poche.

15 **Reconnaître les différents systèmes hypothétiques**

En vous aidant de la leçon, expliquez la valeur de ces subordonnées hypothétiques (potentiel ou irréel du présent, irréel du passé, vérité générale, condition dans le futur).

1. Si on lit, on apprend beaucoup. 2. Si tu lisais, tu apprendrais davantage. 3. Si tu avais lu davantage dans ta jeunesse, tu aurais mieux réussi. 4. Si tu veux des livres, viens au CDI. 5. Si tu voulais lire, je te prêterais de nombreux ouvrages.

16 **Exprimer l'hypothèse**

Dans les phrases suivantes, dites par quel moyen est exprimée l'hypothèse et reformulez la phrase en utilisant un autre moyen que vous préciserez.

1. À supposer que le *power book* remplace le livre imprimé, le goût de consulter de beaux livres subsistera. 2. En mettant des textes sur écran, on peut relier ensemble tous les livres. 3. Si les nouvelles générations lisent de moins en moins de littérature, elles risquent de perdre le goût de la lecture. 4. Aurait-on accès à tous les livres en réseaux, aurait-on pour autant le temps de les lire ? 5. Sans formation pour hiérarchiser les données, les utilisateurs d'Internet sont noyés dans l'excès d'informations. 6. Heureusement que l'informatique n'a pas détrôné le livre écrit, sinon on devrait se contenter de tiroirs de microfiches en guise de bibliothèques. 7. Pour peu que de nouvelles technologies se développent, l'industrie de l'imprimerie perdra encore de l'importance. 8. Au cas où certains se plaindraient qu'on lit moins aujourd'hui, il faudrait répondre que la lecture n'est plus comme aux temps anciens réservée à une élite de lettrés. 9. À condition de se repérer dans la masse de connaissances données, on peut se servir efficacement d'Internet. 10. En surfant sur Internet, on accumule des informations.

Leçon ⊖ **L'expression de l'hypothèse**

▶ La conjonction de subordination « si » introduit la plupart des subordonnées circonstancielles hypothétiques (ou conditionnelles).

▶ Quand le **verbe principal est au conditionnel**, l'hypothèse est située **hors du réel** :
– Si le verbe de la subordonnée est à l'imparfait, il s'agit, selon le contexte, du **potentiel** : l'hypothèse est réalisable dans le futur (Ex. *Si j'étais libre demain, je terminerais mon roman.*) ou de l'**irréel du présent** : l'hypothèse est en contradiction avec la réalité (Ex. *Si j'étais libre aujourd'hui, je terminerais mon roman.*).
– Si le verbe de la subordonnée est au plus-que-parfait, il s'agit de l'**irréel du passé** (Ex. *Si j'avais eu le temps hier, j'aurais terminé mon roman.*).

▶ Quand le **verbe principal n'est pas au conditionnel**, l'hypothèse est située **dans le réel** et peut exprimer :
– une **vérité générale** (Ex. *Si on aime lire, on le fait avec plaisir.*) ;
– une **condition dans le futur** (Ex. *S'il le peut, il lira toute la journée demain.*).

▶ Les subordonnées hypothétiques peuvent être introduites par d'autres subordonnants suivis du **subjonctif** (*pourvu que, à condition que*) ou du **conditionnel** (*au cas où*).

▶ L'hypothèse peut être exprimée par d'autres moyens : en particulier, une **tournure interrogative** (Ex. *Lui parlait-on de lire, il se crispait.*), un **groupe au gérondif** (Ex. *En lisant, on peut se cultiver.*), un **adverbe comme « sinon »** (Ex. *Heureusement qu'il a des livres, sinon il serait malheureux.*)

grammaire

L'expression de la concession

17 Distinguer les différentes subordonnées circonstancielles

Dites si ces propositions subordonnées expriment la cause, l'hypothèse ou la concession.

1. Ceux qui écrivent comme ils parlent, quoiqu'ils parlent très bien, écrivent mal. (Buffon) 2. Si je lis avec plaisir cette phrase, cette histoire ou ce mot, c'est qu'ils ont été écrits dans le plaisir. (Roland Barthes) 3. La vraie lecture est la chose la plus intime et la plus désintéressée, encore qu'il ne s'y agisse que de nous-mêmes. (Jean Guéhenno) 4. Elle est heureuse à condition qu'elle lise. 5. Un homme ne peut bien écrire s'il n'est quelque peu bon lisart [liseur]. (Clément Marot)

18 Comprendre la logique de la concession

Sur le modèle de l'exemple de la leçon, retrouvez les trois propositions P1, P2 (sous-entendue) et P3 correspondant au raisonnement sur lequel repose la concession exprimée en caractères gras.

1. **Même si certains considèrent la lecture comme un loisir fatigant**, la vente des livres affiche de bons résultats. 2. **Quoique l'audiovisuel et l'informatique aient menacé le livre**, ce dernier continue à être apprécié. 3. **Malgré son prix**, le livre électronique séduit des lecteurs. 4. **En dépit des prédictions alarmistes**, l'imprimerie ne porte pas ombrage au goût de l'écriture manuelle. (Alberto Manguel) 5. À la fin du XVe siècle, **bien que l'imprimerie fût alors chose établie**, le souci d'écrire d'une main élégante n'avait pas disparu. (Alberto Manguel)

19 Exprimer la concession

Transformez chaque couple de phrases en une phrase complexe comportant une subordonnée circonstancielle de concession. Chaque subordonnée sera introduite par un subordonnant différent.

1. Il appela son fils d'une voix terrible. Ce dernier continua à lire malgré tout. 2. La lecture donne le goût de communiquer avec les autres hommes. Pourtant l'indifférence des hommes les uns envers les autres semble dominer le monde. 3. L'ordinateur paraît être une source d'informations inépuisable. Cependant l'utilisateur ne sait pas toujours les utiliser. 4. La lecture est un acte solitaire. Néanmoins elle permet d'entrer en contact avec le monde imaginaire d'un auteur. 5. Un livre est certes le produit d'un auteur. Chaque lecteur y rajoute toutefois ses interprétations.

20 Savoir utiliser « quoique » et « quoi que »

Complétez les phrases suivantes en y introduisant l'idée de concession à l'aide de « quoique » ou de « quoi que ».

1. ..., il ne lit jamais. 2. ..., le livre ne disparaîtra pas. 3. ..., la lecture est un passe-temps. 4. ..., le livre électronique est une invention révolutionnaire. 5. ..., les jeunes continuent à lire.

Leçon → **L'expression de la concession**

▶ La concession ne doit pas être confondue avec l'opposition qui met en parallèle deux faits pour souligner une contradiction (Ex. *Elle lit alors que tout le monde regarde la télévision.*) : la concession apporte à une proposition (P) une nuance ou une restriction, contraire à la conséquence normalement attendue.
Ex. *Bien que ce soit dangereux, c'est autorisé.*
– P1 : *C'est dangereux.*
– P2 (conséquence logique attendue et non réalisée) : *C'est interdit.*
– P3 : *C'est (pourtant) autorisé.*

▶ On peut exprimer la concession de plusieurs manières :
– par des **subordonnées circonstancielles** introduites par les subordonnants *bien que, quoique, même si...* ;
– par des **relatives indéfinies** introduites par des pronoms relatifs composés : *qui que, quoi que, que,* suivis du subjonctif ;
– par des **prépositions** ou des **locutions prépositionnelles** comme *malgré, en dépit de* ;
– par des **adverbes connecteurs** comme *pourtant, cependant, toutefois* ;
– par les **tournures** : *avoir beau* +verbe à l'infinitif, adverbe *quelque* (ou *tout*) + adjectif + *que* + verbe au subjonctif (Ex. *Tout petit qu'il soit, il est très robuste.*).

Pratique de la langue

s'exercer

 21 Repérer les arguments d'une thèse

Dans la liste des arguments suivants, dites ceux qui permettraient de soutenir la thèse : « Le livre est irremplaçable » et ceux qui permettraient de la réfuter.

1. Il peut être offert. 2. Il peut être remplacé par l'informatique. 3. Il propose des contenus organisés. 4. Il est limité. 5. Il remplit les bibliothèques. 6. Il est fragile. 7. Il est lourd. 8. Il peut être emporté. 9. Il est décoratif.

22 Écrire un dialogue argumentatif

À partir de la thèse et des arguments présentés dans l'exercice précédent, écrivez un dialogue d'une dizaine de lignes dont les interlocuteurs s'opposent et cherchent à se convaincre mutuellement.

23 Défendre des points de vue différents

À partir de la thèse et des arguments présentés ci-dessus, écrivez trois textes d'une dizaine de lignes chacun : le texte A soutiendra la thèse que le livre est irremplaçable, le texte B réfutera cette thèse, le texte C fera quelques concessions vis-à-vis de la réfutation du texte B mais soutiendra la thèse du texte A.

 24 Associer exemples et arguments

Formulez les arguments pour défendre la thèse : « La lecture empêche de souffrir de la solitude » que les exemples de la liste suivante permettent d'illustrer et de justifier.

1. Vous allez à la bibliothèque chercher un livre. 2. Vous demandez des informations à quelqu'un qui lit un livre dont le titre vous attire. 3. Vous demandez un livre à quelqu'un qui du coup vous invite chez lui pour vous le donner. 4. Vous relativisez votre sentiment de solitude en vous identifiant à des héros solitaires comme Robinson Crusoé par exemple. 5. Vous parlez de vos lectures à d'autres qui ainsi découvrent vos qualités.

 25 S'opposer à une thèse

Cherchez trois arguments pour réfuter la thèse proposée dans l'exercice précédent. Associez au moins un exemple à chaque argument.

 26 Justifier ses choix

Préférez-vous lire des romans, des journaux ou des bandes dessinées ? Argumentez votre réponse avec trois arguments, chacun s'appuyant sur un ou plusieurs exemples. Pensez à utiliser des connecteurs appropriés en vous aidant de la liste suivante : *d'ailleurs, de même, de plus, en outre, d'une part, d'autre part, en premier lieu, aussi, d'abord, ensuite, enfin, de toute façon, pourtant, néanmoins, or, car, parce que, puisque, par conséquent, c'est pourquoi, donc.*

 27 Convaincre un destinataire

En vous aidant de l'argumentation que vous avez développée dans l'exercice précédent, écrivez un texte d'une dizaine de lignes destiné à un ami que vous voulez convaincre de lire. Vous soulignerez votre implication dans votre argumentation en insistant sur les marques de subjectivité (pronoms personnels, modalisateurs, interjections, etc.).

 28 Développer une thèse paradoxale

À propos d'un livre apprécié de tous, développez, en une dizaine de lignes, une argumentation allant à l'encontre de l'opinion commune.

29 Expliquer l'argumentation d'autrui

Expliquez pourquoi cette publicité (p. 283) est convaincante. Pour souligner l'idée implicite qui y est réfutée, intégrez à votre explication deux des tournures concessives suivantes : *quoique, quoi que, bien que, avoir beau* + verbe à l'infinitif.

30 Organiser une argumentation

Rédigez deux paragraphes argumentatifs dont les éléments suivront le schéma suivant :

– 1er paragraphe : présentation de la thèse « la lecture fait découvrir des horizons inconnus », un argument, un exemple ;

– 2e paragraphe : présentation de la thèse adverse, un argument, deux exemples.

rédiger

Rédiger un texte argumentatif en réfutant une thèse

Pour rédiger une argumentation convaincante, il faut respecter un certain nombre de règles.

▨▨ PRÉPARER LA SITUATION D'ARGUMENTATION ▨▨

Il faut imaginer que les interlocuteurs ont des intérêts à défendre. Il peut y avoir un rapport de force entre les interlocuteurs (autorité, âge, hiérarchie, etc.).

▨▨ ANTICIPER LA RÉFUTATION DE L'AUTRE ▨▨

Pour capter l'attention de son destinataire, l'énonciateur peut évoquer la thèse de l'adversaire qu'il a le projet de réfuter. C'est une façon de montrer que la démonstration à venir le concerne et que ses idées sont prises en compte. On peut introduire la thèse réfutée par des tournures telles que « il est vrai », « bien sûr », « certes ».

▨▨ SAVOIR OÙ EN VENIR ▨▨

Une fois la thèse adversaire évoquée (l'antithèse), il faut démontrer la thèse en avançant les arguments qui la prouvent.

Rien ne vous embarque comme un Folio

folio
vous lirez loin

Publicité pour la collection Folio,
Télérama, 12/18 octobre 2002.

▨▨ ENCHAÎNER LES ARGUMENTS ▨▨

Il convient de choisir quelques arguments et de les enchaîner par des connecteurs logiques.

▨▨ ILLUSTRER SES ARGUMENTS PAR DES EXEMPLES ▨▨

Chaque argument peut être étayé par un exemple personnel ou général.

▨▨ DÉVELOPPER UNE SYNTHÈSE ▨▨

Après l'exposition de l'antithèse et le développement de la thèse, l'énonciateur peut proposer une synthèse. En effet, pour s'assurer que le destinataire (l'adversaire) ne va pas reprendre les arguments contre lui, l'énonciateur doit montrer qu'il accepte partiellement les arguments adverses, qu'il fait des concessions mais qu'il garde le dernier mot.

▨▨ ORGANISER SON ARGUMENTATION EN PARAGRAPHES ▨▨

Pour faire clairement apparaître la séparation entre la thèse défendue et la thèse adverse, il convient de les exposer dans des paragraphes distincts (marqués par un retour à la ligne et un alinéa de deux ou trois carreaux). Un nouveau paragraphe est nécessaire pour développer la synthèse. Chaque paragraphe peut, pour souligner la clarté du raisonnememt, commencer par un connecteur logique.

| Sujets au choix

>>> 1. **Écrivez une lettre pour convaincre une personne de votre choix que votre opinion sur la lecture est la meilleure.**

>>> 2. **Rédigez un texte argumentatif et ironique pour dénoncer une réalité qui vous paraît scandaleuse. Votre texte ne s'adressera pas à un destinataire particulier.**

>>> 3. **Imaginez un dialogue entre deux interlocuteurs qui s'opposent. Chacune des thèses sera donc développée dans les reparties.**

Écrire...

La lecture : silence ou partage ?

Difficile d'enseigner les Belles-Lettres, quand la lecture commande à ce point le retrait et le silence !
La lecture, acte de communication ? Encore une jolie blague de commentateurs ! Ce que nous lisons, nous le taisons. Le plaisir du livre lu,
5 nous le gardons le plus souvent au secret de notre jalousie. Soit parce que nous n'y voyons pas matière à discours, soit parce que, avant d'en pouvoir dire un mot, il nous faut laisser le temps faire son délicieux travail de distillation. Ce silence-là est le garant de notre intimité. Le livre est lu mais nous y sommes encore. Sa seule évocation ouvre un refuge à nos
10 refus. Il nous préserve du Grand Extérieur. Il nous offre un observatoire planté très au-dessus des paysages contingents. Nous avons lu et nous nous taisons. Nous nous taisons *parce que* nous avons lu. Il ferait beau voir qu'un embusqué nous attende au tournant de notre lecture pour nous demander : « Aloooors ? C'est beau ? Tu as compris ? Au rapport ! »

15 Parfois c'est l'humilité qui commande notre silence. Pas la glorieuse humilité des analystes professionnels, mais la conscience intime, solitaire, presque douloureuse, que cette lecture-ci, que cet auteur-là, viennent, comme on dit, de « changer ma vie » !

Ou, tout à coup, cet autre éblouissement, à rendre aphone : com-
20 ment se peut-il que ce qui vient de me bouleverser à ce point n'ait en rien modifié l'ordre du monde ? Est-il possible que notre siècle ait été ce qu'il fut après que Dostoïevski eut écrit *Les Possédés* ? […]

Que des livres puissent à ce point bouleverser notre conscience et le monde aller au pire, voilà de quoi rester muet. Silence, donc…

25 Sauf, bien entendu, pour les phraseurs du pouvoir culturel.

Ah ! ces propos de salons où, personne n'ayant rien à dire à personne, la lecture passe au rang des sujets de conversation possibles. Le roman ravalé à une stratégie de la *communication* ! Tant de hurlements silencieux, tant de gratuité obstinée pour que ce crétin aille draguer cette
30 pimbêche : « Comment, vous n'avez pas lu *Voyage au bout de la nuit* ? »
On tue pour moins que ça.

*

Pourtant, si la lecture n'est pas un acte de communication *immédiate*, elle est, *finalement*, objet de partage. Mais un partage longuement différé, et farouchement sélectif.

35 Si nous faisions la part des grandes lectures que nous devons à l'École, à la Critique, à toutes formes de publicité, ou, au contraire, à l'ami, à l'amant, au camarade de classe, voire même à la famille – quand elle ne range pas les livres dans le placard de l'éducation – le résultat serait clair : ce que nous avons lu de plus beau, c'est le plus souvent à un être cher que
40 nous le devons. Et c'est à un être cher que nous en parlerons d'abord.

D. Pennac, *Comme un roman*, Éd. Gallimard, 1992.

■ *Voir la biographie de Daniel Pennac,* p. 264.

QUESTIONS
(15 points)

A. L'engagement du narrateur (5 points)

1 De quoi parle le narrateur dans ce texte ? Parle-t-il en tant que professeur ou en tant que lecteur ? (1 point)

2 Relevez les expressions ou les termes péjoratifs en précisant leur niveau de langue. (1,5 point)

3 Trouvez trois phrases où l'auteur exprime respectivement son indignation, sa surprise, une vérité générale. (1,5 point)

4 Relevez les propositions entre guillemets qui citent des paroles d'autrui dont l'auteur se moque implicitement. (1 point)

B. Réfutation et dénonciation (4 points)

5 Quelles sont les idées réfutées, les comportements dénoncés ? (1 point)

6 Relevez les éléments qui signalent l'ironie de l'auteur (exagération, prise de distance, modalisateurs, etc.). (2 points)

7 Dans les subordonnées introduites par « si » (l. 32-40), laquelle exprime la concession, laquelle exprime l'hypothèse ? (1 point)

C. Une démonstration organisée (6 points)

8 Quelle est la thèse réfutée qui sert de point de départ au raisonnement de l'auteur ? (1 point)

9 Par quel type de phrase cette antithèse est-elle présentée ? À qui est-elle attribuée ? (1 point)

10 Repérez les lignes où sont exposées la thèse d'une part et la thèse réfutée d'autre part. (1 point)

11 Relevez tous les termes évoquant le silence. Quel argument ce champ lexical sert-il à développer ? (1 point)

12 Que pensez-vous de la démonstration de Daniel Pennac ? Quel est l'argument qui vous paraît le plus convaincant ? Pourquoi ? (2 points)

RÉÉCRITURE
(5 points)

Résumez la démonstration de Daniel Pennac en trois phrases. L'une d'elles exprimera la concession, une autre l'hypothèse.

RÉDACTION
(20 points)

Vous avez à défendre, en une vingtaine de lignes, la thèse que la lecture d'un livre peut « changer la vie ».

Consignes d'écriture.

◎ *Dans un 1er paragraphe, vous présenterez la thèse que vous réfutez (la lecture ne sert à rien, un livre ne peut pas changer une vie...), en exprimant votre surprise, votre incompréhension ou votre indignation.*

◎ *Dans un 2e paragraphe, vous développerez votre thèse, à l'aide de deux arguments et de deux exemples.*

◎ *Dans un 3e paragraphe, vous reprendrez la thèse réfutée pour nuancer votre propre thèse et offrir une synthèse.*

HUGO

Claude Gueux

séquence 10

Un apologue :
Claude Gueux, V. Hugo

Pour écrire *Claude Gueux* (1834), Victor Hugo s'est inspiré d'un vrai fait divers, étonnant et tragique : en 1831, un certain Claude Gueux a assassiné le directeur des ateliers de la prison de Clairvaux.

SÉANCES

V. HUGO,
Claude Gueux, 1ʳᵉ de
couverture, Éd. Mille
et une nuits, 2000.

Un personnage exemplaire

■ *Voir la biographie de Victor Hugo,* p. 265.

Il y a sept ou huit ans, un homme nommé Claude Gueux, pauvre ouvrier, vivait à Paris. Il avait avec lui une fille[1] qui était sa maîtresse, et un enfant de cette fille. Je dis les choses comme elles sont, laissant le lecteur ramasser les moralités à mesure que les faits
5 les sèment sur leur chemin. L'ouvrier était capable, habile, intelligent, fort mal traité par l'éducation, fort bien traité par la nature, ne sachant pas lire et sachant penser. Un hiver, l'ouvrage manqua. Pas de feu ni de pain dans le galetas[2].
10 L'homme, la fille et l'enfant eurent froid et faim. L'homme vola. Je ne sais ce qu'il vola, je ne sais où il vola. Ce que je sais, c'est que de ce vol il résulta trois jours de pain et de feu
15 pour la femme et pour l'enfant, et cinq ans de prison pour l'homme. L'homme fut envoyé faire son temps à la maison centrale de Clairvaux. Clairvaux, abbaye dont on a fait
20 une bastille[3], cellule dont on a fait un cabanon[4], autel dont on a fait un pilori[5]. Quand nous parlons de progrès, c'est ainsi que certaines gens le comprennent et l'exécutent. Voilà la
25 chose qu'ils mettent sous notre mot. Poursuivons.

Arrivé là, on le mit dans un cachot pour la nuit, et dans un atelier pour le jour. Ce n'est pas l'atelier que je blâme.
30 Claude Gueux, honnête ouvrier naguère, voleur désormais, était une figure digne et grave. Il avait le front haut, déjà ridé, quoique jeune encore, quelques cheveux gris perdus dans les touffes noires, l'œil doux et fort puissamment enfoncé sous une arcade sourcilière bien modelée, les narines
35 ouvertes, le menton avancé, la lèvre dédaigneuse. C'était une belle tête. On va voir ce que la société en a fait.

Claude Gueux, illustration de Gavarny et Andrieux, Éd. Hetzel, 1866.

1. Fille : femme vivant en concubinage.

2. Galetas : logement misérable.

3. Bastille : prison. L'abbaye de Clairvaux fut transformée en prison en 1808. 2 000 prisonniers y étaient enfermés et y travaillaient dans des ateliers.

4. « Cellule […] cabanon » : chambre d'un moine dont on a fait un cachot.

5. Pilori : poteau où l'on attachait un criminel, dans un lieu public, pour que le peuple se moque de lui et l'humilie.

UNE DESCRIPTION EXPRESSIVE

1 Relevez, dans le premier paragraphe (l. 1-16), les informations sur la situation familiale et sociale de Claude Gueux.

2 VOCABULAIRE Relevez, dans ce même paragraphe, les expressions appartenant au champ lexical du manque. Quel est l'effet produit sur le lecteur ?

3 En quoi la description du visage de Claude Gueux souligne-t-elle ses qualités morales (l. 31-36) ? Relevez les diverses expansions du nom pour justifier votre réponse.

4 GRAMMAIRE Dans le deuxième paragraphe, relevez les trois groupes nominaux mis en apposition à « Clairvaux » (l. 19-22). Montrez que ce sont des antithèses.

5 En vous appuyant sur votre réponse à la question précédente et sur la note 3, expliquez en quoi le terme de « progrès » (l. 22-23) est ironique.

Leçon ➔ Description et argumentation

▶ L'auteur se sert d'un **cas concret**, dont son narrateur imaginaire aurait été le **témoin** privilégié, pour développer son **point de vue** sur la société de son temps et, plus précisément, sur la justice.

▶ C'est pourquoi les **passages descriptifs** insérés dans le récit ont une **valeur argumentative** ; ils énoncent la **thèse** de l'auteur : c'est la société qui a fait de Claude Gueux, naturellement bon, un voleur puis un assassin.

▶ Les **expansions du groupe nominal** rendent le personnage **attachant** et **émouvant** : c'est en touchant son destinataire que l'auteur veut l'amener à une prise de conscience.

▶ Les phrases, liées entre elles par des **rapports de cause ou de conséquence**, s'enchaînent avec **logique**. Ainsi, le jugement du narrateur apparaît **fiable** : il est fondé sur un raisonnement rigoureux.

▶ L'emploi de **l'article défini** (« l'enfant, l'homme... ») montre que la description est aussi une **réflexion générale**.

---

6 D'après le portrait de Claude Gueux et la description de Clairvaux, comment la société de 1831 est-elle présentée ? Cette présentation est-elle faite de manière objective ? Justifiez votre réponse.

UNE LOGIQUE IMPLACABLE

7 De quoi Claude Gueux est-il coupable ? Relevez, dans le premier paragraphe, l'enchaînement de faits concrets qui l'ont conduit à commettre ce délit.

8 Le narrateur condamne-t-il Claude Gueux ? Justifiez votre réponse.

9 GRAMMAIRE « L'homme, la fille et l'enfant eurent froid et faim. L'homme vola. » (l. 10-11) Quel rapport logique existe-t-il entre la première et la deuxième phrase ? Réécrivez ces deux phrases en les reliant d'abord par une conjonction de coordination puis par une conjonction de subordination qui rendra explicite l'enchaînement des idées.

10 « L'homme, la fille et l'enfant » (l. 10). Dans cette expression, le narrateur se contente-t-il d'évoquer le cas de Claude Gueux ? Qui ces expressions peuvent-elles désigner ? Justifiez votre réponse.

Prolongement

➔ INSÉRER UNE DESCRIPTION DANS UN RÉCIT ARGUMENTATIF. On ne sait rien sur l'enfant de Claude Gueux. Faites, en une dizaine de lignes, un portrait physique qui insistera sur l'innocence de ce personnage. Insérez cette description après « un enfant de cette fille » (l.3).

Outils de la **langue**

- L'antithèse, voir pp. 188-189.
- Les expansions du nom, voir p. 135.

En prison

Claude Gueux sait s'imposer sans violence, contrairement au directeur de la prison, incarnant l'autorité et la loi. Il est admiré de tous, et surtout du jeune Albin.

Il y a des hommes qui sont fer et des hommes qui sont aimant. Claude était aimant.

En moins de trois mois donc, Claude était devenu l'âme, la loi et l'ordre de l'atelier. Toutes ces aiguilles tournaient sur son cadran. Il
5 devait douter lui-même par moments s'il était roi ou prisonnier. C'était une sorte de pape captif avec ses cardinaux.

Et, par une réaction toute naturelle, dont l'effet s'accomplit sur toutes les échelles, aimé des prisonniers, il était détesté des geôliers. Cela est toujours ainsi. La popularité ne va jamais sans la défaveur.
10 L'amour des esclaves est toujours doublé de la haine des maîtres.

Claude Gueux était grand mangeur. C'était une particularité de son organisation. Il avait l'estomac fait de telle sorte que la nourriture de deux hommes ordinaires suffisait à peine à sa journée. M. de Cotadilla[1] avait un de ces appétits-là, et en riait ; mais ce qui est une occasion de
15 gaieté pour un duc, grand d'Espagne, qui a cinq cent mille moutons, est une charge pour un ouvrier et un malheur pour un prisonnier.

Claude Gueux, libre dans son grenier, travaillait tout le jour, gagnait son pain de quatre livres et le mangeait. Claude Gueux, en prison, travaillait tout le jour et recevait invariablement pour sa peine une livre et
20 demie de pain et quatre onces[2] de viande. La ration est inexorable[3]. Claude avait donc habituellement faim dans la prison de Clairvaux.

Il avait faim, et c'était tout. Il n'en parlait pas. C'était sa nature ainsi.

Un jour, Claude venait de dévorer sa maigre pitance, et s'était remis à son métier, croyant tromper la faim par le travail. Les autres prison-
25 niers mangeaient joyeusement. Un jeune homme, pâle, blanc, faible, vint se placer près de lui. Il tenait à la main sa ration, à laquelle il n'avait pas encore touché, et un couteau. Il restait là debout près de Claude, ayant l'air de vouloir parler et de ne pas oser. Cet homme, et son pain, et sa viande, importunaient Claude.
30   – Que veux-tu ? dit-il enfin brusquement.

– Que tu me rendes un service, dit timidement le jeune homme.

– Quoi ? reprit Claude.

– Que tu m'aides à manger cela. J'en ai trop.

Une larme roula dans l'œil hautain de Claude. Il prit le couteau,
35 partagea la ration du jeune homme en deux parts égales, en prit une, et se mit à manger.

– Merci, dit le jeune homme. Si tu veux, nous partagerons comme cela tous les jours.

– Comment t'appelles-tu ? dit Claude Gueux.
40   – Albin.

« Le juste milieu entre la guillotine et la liberté », lithographie de Delaporte d'après Ch. Philipon (1806-1862) et Julien, illustration de *Claude Gueux*.

1. M. de Cotadilla : Grand d'Espagne, il était commandant de l'escorte qui permit à la mère de Victor Hugo de rejoindre son mari à Madrid, en 1811.

2. Once : ancien poids qui représente une très petite quantité.

3. Inexorable : inévitable.

L'ÉTRANGE POUVOIR DE CLAUDE GUEUX

1 Quel est l'effet produit par Claude Gueux sur ses co-détenus ? Justifiez votre propos en relevant, dans le 2ᵉ paragraphe, le champ lexical de l'influence.

2 Quelle est l'origine de cet étrange pouvoir ? Pourquoi suscite-t-il la haine des gardiens de prison ?

3 VOCABULAIRE « Il y a des hommes qui sont fer et d'autres qui sont aimant » (l. 1). Expliquez la métaphore en précisant le comparant et le comparé. Quelles autres images évoquent le magnétisme de Claude Gueux ?

4 Quoique « prisonnier », Claude Gueux est comme un « roi » (l. 5). Relevez les autres antithèses décrivant le personnage. Pourquoi est-il surprenant de décrire ainsi un voleur et un futur meurtrier ?

5 De quelle forme d'autorité Claude Gueux est-il le symbole ?

Leçon ➔ L'apologue, un récit argumentatif

▶ Dans les textes explicitement argumentatifs, la thèse est exposée, avant d'être développée par des arguments, illustrés à l'aide d'exemples.

▶ Mais l'auteur peut présenter une opinion à travers un récit, comportant une morale, explicite ou implicite. C'est ce que l'on appelle un apologue. La fable, le conte, la parabole, certains romans sont des exemples d'apologue.

▶ L'apologue est un récit complexe. Des dialogues sont insérés dans la narration principale sans en rompre le fil. Narration, description et dialogue se combinent pour présenter l'histoire d'un personnage incarnant les idées de l'auteur.

▶ Les interventions du narrateur dans le récit permettent d'expliciter ces idées et prouvent que le but de l'apologue est d'exposer les thèses de l'auteur.

▶ Plusieurs procédés d'écriture permettent de donner plus de force aux idées exprimées :
– des constructions (énumérations, antithèses et articulations logiques) ;
– des figures de style comme les comparaisons et les métaphores.

LOI DE LA PRISON ET LOI DE L'AMITIÉ

6 Relevez le passage prouvant que la quantité de nourriture donnée à chaque prisonnier ne tient compte ni des besoins ni du mérite de chacun. Relevez l'adjectif et l'adverbe montrant la rigidité de cette décision. Quelle est la conséquence de cette intransigeance ?

7 Quel argument Albin emploie-t-il pour proposer à Claude Gueux une partie de son repas ? Quel effet produit cet argument sur Claude Gueux ?

8 Comment l'amitié permet-elle de corriger le règlement de la prison en matière de nourriture ?

UN RÉCIT COMPLEXE

9 GRAMMAIRE Relevez, dans ce récit, un passage narratif, un passage descriptif et un passage argumentatif. Quel est le rôle du dialogue final ?

10 Relevez deux passages où le narrateur intervient dans le récit pour donner son opinion. À quel temps sont alors conjugués les verbes ?

11 Selon le narrateur, Claude Gueux est « la loi et l'ordre de l'atelier » (l. 3-4). Quel genre de petite société s'est créée autour de lui ?

12 En quoi cette société semble-t-elle plus juste que celle de 1831 ?

Prolongement

➔ ORGANISER ET RÉDIGER UN APOLOGUE.
Pour traiter le sujet suivant : « L'excès d'autorité nuit à l'épanouissement des enfants. »
• Inventez un ou plusieurs personnages, un décor, une époque, le schéma narratif d'une histoire (situation initiale, élément perturbateur, péripéties, résolution, situation finale).
• Rédigez ensuite un récit complexe dans lequel vous insérerez des passages descriptifs et des dialogues.

Outils de la langue

■ Les figures de style, voir pp. 187-189.

Le meurtre

Jaloux de Claude Gueux, le directeur des ateliers se venge en le séparant de son ami Albin. Tous les jours, Claude lui réclame son compagnon, en vain.

« **M**onsieur le directeur, dit Claude avec une voix qui eût attendri le démon, je vous en supplie, remettez Albin avec moi, vous verrez comme je travaillerai bien. Vous qui êtes libre, cela vous est égal, vous ne savez pas ce que c'est qu'un ami ; mais, moi,
5 je n'ai que les quatre murs de ma prison. Vous pouvez aller et venir, vous ; moi je n'ai qu'Albin. Rendez-le-moi. Albin me nourrissait, vous le savez bien. Cela ne vous coûterait que la peine de dire oui. Qu'est-ce que cela vous fait qu'il y ait dans la même salle un homme qui s'appelle Claude Gueux et un autre qui s'appelle Albin ? Car ce n'est pas plus
10 compliqué que cela. Monsieur le directeur, mon bon monsieur D., je vous supplie vraiment, au nom du ciel !

Claude n'en avait peut-être jamais tant dit à la fois à un geôlier. Après cet effort, épuisé, il attendit. Le directeur répliqua avec un geste d'impatience :
15 – Impossible. C'est dit. Voyons, ne m'en reparle plus. Tu m'ennuies.

Et, comme il était pressé, il doubla le pas. Claude aussi. En parlant ainsi, ils étaient arrivés tous deux près de la porte de sortie ; les quatre-vingts voleurs regardaient et écoutaient, haletants.

Claude toucha doucement le bras du directeur.
20 – Mais au moins que je sache pourquoi je suis condamné à mort ! Dites-moi pourquoi vous l'avez séparé de moi.

– Je te l'ai déjà dit, répondit le directeur. Parce que.

Et, tournant le dos à Claude, il avança la main vers le loquet de la porte de sortie.
25 À la réponse du directeur, Claude avait reculé d'un pas. Les quatre-vingts statues qui étaient là virent sortir de son pantalon sa main droite avec la hache. Cette main se leva, et, avant que le directeur eût pu pousser un cri, trois coups de hache, chose affreuse à dire, assénés tous les trois dans la même entaille, lui avaient ouvert le crâne. Au moment où
30 il tombait à la renverse, un quatrième coup lui balafra le visage ; puis, comme une fureur lancée ne s'arrête pas court, Claude Gueux lui fendit la cuisse droite d'un cinquième coup inutile. Le directeur était mort.

Alors Claude jeta la hache et cria : – *À l'autre maintenant !* L'autre, c'était lui. On le vit tirer de sa veste les petits ciseaux de « sa femme » ; et,
35 sans que personne songeât à l'en empêcher, il se les enfonça dans la poitrine. La lame était courte, la poitrine était profonde. Il y fouilla longtemps et à plus de vingt reprises, en criant : « Cœur de damné, je ne te trouverai donc pas ! » et enfin il tomba baigné dans son sang, évanoui sur le mort.

Lequel des deux était la victime de l'autre ?

UN RÉCIT COMPLEXE

1 Donnez un titre à chacune des deux parties du texte. Dans quelle partie trouve-t-on beaucoup de dialogue inséré dans le récit ? Quel est l'effet produit ?

2 VOCABULAIRE À la ligne 12, quelle expression montre l'incertitude du narrateur ?

3 Qui, d'après vous, pose la question qui clôt le texte ? Quelle est la réponse attendue ?

4 Présentez, dans un paragraphe argumenté, quel enseignement l'auteur veut nous voir retenir de l'histoire de Claude Gueux.

UNE SUPPLIQUE ÉMOUVANTE

5 Quelles raisons Claude Gueux donne-t-il au directeur de l'atelier pour le faire changer d'avis ? Distinguez les arguments qui s'adressent à la raison et ceux qui sont destinés à émouvoir.

6 GRAMMAIRE Relevez les formes verbales à l'impératif et précisez pourquoi Claude Gueux emploie ce mode.

7 Sur quel ton Claude Gueux formule-t-il sa demande ? Justifiez votre propos en relevant le champ lexical de la prière.

8 Quels sentiments la prière de Claude Gueux vous inspire-t-elle ?

L'ÉCHEC DU DIALOGUE

9 Comment le directeur réagit-il physiquement au discours de Claude Gueux ?

10 Que signifie, selon vous, la brièveté des justifications du directeur ? Pourquoi refuse-t-il ainsi d'argumenter ?

11 Dans les lignes 1 à 24, relevez le passage où le lecteur peut pressentir que l'échec du dialogue sera lourd de conséquences.

12 GRAMMAIRE Relevez les indices temporels qui rythment la scène du meurtre et de la tentative de suicide.

13 Quelle impression l'auteur a-t-il voulu produire sur le lecteur en faisant se succéder des actions violentes et horribles ?

Leçon ➔ Émotion et persuasion

▶ L'expérience vécue par Claude Gueux et relatée par un narrateur anonyme a pour mission d'atteindre la sensibilité du lecteur, de l'émouvoir pour le persuader, c'est-à-dire d'obtenir son adhésion affective.

▶ Cette forme d'argumentation cherche à établir une relation de communication qui séduise ou surprenne le destinataire pour mieux agir sur lui : le narrateur ne se contente pas d'utiliser le vocabulaire des sentiments, les actions relatées sont choquantes ou spectaculaires, le ton est chargé de violence, l'impératif a la valeur d'une exhortation ou d'une prière insistante.

Prolongements

➔ IMAGINER UN DISCOURS. Le directeur des ateliers a accepté de répondre à Claude Gueux. Imaginez sa réponse argumentée et insérez-la dans le récit initial. Pour justifier sa décision, ce personnage fera valoir sa longue expérience professionnelle.

➔ RÉÉCRIRE LA FIN. Le directeur des ateliers a accepté la requête de Claude Gueux. Écrivez le discours où il énonce et justifie sa décision et racontez en une vingtaine de lignes la conséquence de ce choix.

Outils de la langue

■ Les modalisateurs, voir p. 299.
■ Les techniques de l'argumentation, voir p. 276.

Le plaidoyer d'un citoyen anonyme

Claude Gueux, illustration
de Gavarny et Andrieux,
Éd. Hetzel, 1866.

Claude Gueux, qui n'a pas réussi à se suicider, apprend qu'on ne l'a soigné que pour le juger et le guillotiner. Après l'exécution, le narrateur, citoyen anonyme, prend la parole pour demander aux hommes de lois de réformer la société.

Il monta sur l'échafaud gravement, l'œil toujours fixé sur le gibet du Christ. Il voulut embrasser le prêtre puis le bourreau, remerciant l'un, pardonnant l'autre. Le bourreau *le repoussa doucement*, dit une relation. Au moment où l'aide le liait sur la hideuse mécanique, il fit
5 signe au prêtre de prendre la pièce de cinq francs qu'il avait dans sa main droite, et lui dit :
– *Pour les pauvres.*

Comme huit heures sonnaient en ce moment, le bruit du beffroi de l'horloge couvrit sa voix, et le confesseur lui répondit qu'il n'entendait
10 pas. Claude attendit l'intervalle de deux coups et répéta avec douceur :
– *Pour les pauvres.*

Le huitième coup n'était pas encore sonné que cette noble et intelligente tête était tombée.

Admirable effet des exécutions publiques ! ce jour-là même, la
15 machine étant encore debout au milieu d'eux et pas lavée, les gens du marché s'ameutèrent pour une question de tarif et faillirent massacrer un employé de l'octroi. Le doux peuple que vous font ces lois-là !

Nous avons cru devoir raconter en détail l'histoire de Claude Gueux, parce que, selon nous, tous les paragraphes de cette histoire
20 pourraient servir de têtes de chapitre au livre où serait résolu le grand problème du peuple au dix-neuvième siècle.

Dans cette vie importante il y a deux phases principales, avant la chute, après la chute ; et, sous ces deux phases, deux questions, question de l'éducation, question de la pénalité ; et entre ces deux questions, la
25 société tout entière.

Cet homme, certes, était bien né, bien organisé, bien doué. Que lui a-t-il donc manqué ? Réfléchissez.

C'est là le grand problème de proportion dont la solution, encore à trouver, donnera l'équilibre universel : *Que la société fasse toujours pour*
30 *l'individu autant que la nature.*

Voyez Claude Gueux. Cerveau bien fait, cœur bien fait, sans nul doute. Mais le sort le met dans une société si mal faite, qu'il finit par voler. La société le met dans une prison si mal faite, qu'il finit par tuer.

Qui est réellement coupable ? Est-ce lui ? Est-ce nous ?
35 Questions sévères, questions poignantes, qui sollicitent à cette heure toutes les intelligences, qui nous tirent tous tant que nous sommes par le pan de notre habit, et qui nous barreront un jour si complètement le chemin qu'il faudra bien les regarder en face et savoir ce qu'elles nous veulent.

Celui qui écrit ces lignes essaiera de dire bientôt peut-être de quelle
40 façon il les comprend.

Quand on est en présence de pareils faits, quand on songe à la
manière dont ces questions nous pressent, on se demande à quoi pensent ceux qui gouvernent, s'ils ne pensent pas à cela.

UNE MORT EXEMPLAIRE

1 Relevez les dernières paroles prononcées par Claude Gueux. Quel effet produisent sur vous ces paroles rapportées au style direct ?

2 VOCABULAIRE Relevez le lexique mélioratif utilisé pour décrire Claude Gueux. Quelle dernière image le lecteur se fait-il de ce personnage ?

3 Relevez des indices permettant de rapprocher l'exécution de Claude Gueux de celle du Christ ?

CONTRE LA PEINE DE MORT

4 Explicitez la position du narrateur par rapport à la peine de mort et justifiez votre propos en citant les passages du texte qui laissent transparaître ses idées.

5 Selon certains, la peine capitale et l'exécution publique servent d'exemple. Comment le narrateur combat-il cet argument ? Résumez l'anecdote qui sert de contre-argument.

DU CAS PARTICULIER À LA RÉFLEXION GÉNÉRALE

6 GRAMMAIRE Dans les lignes 32-33, relevez les subordonnées circonstancielles de conséquence. Comment expliquent-elles la chute d'un homme dans la délinquance ?

7 À quel moment le narrateur délaisse-t-il l'histoire de Claude Gueux pour généraliser son propos ? À quels temps sont alors conjugués les verbes ?

8 À qui s'adresse alors le texte ? Justifiez votre propos en relevant quelques pronoms personnels.

9 « Qui est réellement coupable ? Est-ce lui ? Est-ce nous ? » (l. 34) À quoi servent ces questions, dont le narrateur connaît déjà la réponse ?

10 Quelles sont les deux grandes questions sur lesquelles le narrateur entend faire réfléchir ? Pourquoi s'agit-il, selon lui, d'un débat essentiel ?

Leçon ⊙ De l'apologue au discours argumentatif

▶ Le récit du destin exemplaire de Claude Gueux dénonce de manière vivante les injustices de son temps sans exposer directement le point de vue de l'auteur.

▶ Mais après ce récit concret émouvant, V. Hugo développe une argumentation abstraite, où il prend explicitement position pour une réforme de la justice et l'éducation.

▶ Nul doute que sa harangue aux législateurs aurait eu moins d'impact si elle n'avait pas été précédée d'un récit émouvant. Toutefois, en s'adressant, pour finir, à la raison plus qu'au cœur et au sentiment, il essaie de convaincre le destinataire, d'obtenir son adhésion réfléchie en utilisant un discours essentiellement argumentatif.

Prolongement

⊙ RÉDIGER UNE PLAIDOIRIE. La plaidoirie de l'avocat de Claude Gueux n'est pas reproduite par le narrateur. Écrivez-la en utilisant trois arguments. Vous vous adresserez directement à « Monsieur le Président et Messieurs les jurés ».

Outils de la langue

■ Le lexique mélioratif, voir p. 298.

La peine de mort en question

1. J. Giovanni, *Deux hommes dans la ville*, 1973.

DEUX POINTS DE VUE DISTINCTS

1 Quel est le thème commun de ces deux images ? Ce thème est-il évident dans les deux cas ? Justifiez votre réponse.

2 Précisez pour quel document on peut plus spécifiquement parler de dénonciation. Pourquoi ?

3 Montrez que l'une des deux images est plus narrative, l'autre plus argumentative.

UNE GUILLOTINE MENAÇANTE [image 1]

4 En quoi l'endroit où se situe la caméra est-il dérangeant pour le spectateur ?

5 À quelle hauteur est placée la caméra ? Retrouvez le nom que l'on donne à un tel procédé cinématographique. Quel est l'effet produit ?

6 Montrez que le regard levé du condamné traduit la menace de la guillotine. Quelle autre signification peut-on également donner à ce regard ?

LE REFUS DE LA BANALISATION [image 2]

7 Cherchez, dans un dictionnaire, le sens du mot « sérigraphie ». Essayez de trouver les raisons qui ont pu amener Andy Warhol à utiliser cette technique.

8 La reproduction ou la copie d'une image augmente-t-elle sa valeur ? banalise-t-elle l'objet représenté ? Justifiez votre réponse.

9 Que symbolise la chaise électrique au États-Unis ? Que dénonce Warhol par cette reproduction ?

10 L'absence de condamné rend-elle l'image plus impersonnelle ? plus émouvante ? plus tragique ? Justifiez votre réponse et montrez que la démarche est très différente dans les images 1 et 2.

Leçon → **La dénonciation par l'image : l'art engagé**

▶ La dénonciation a pour but de faire connaître une réalité que l'on juge répréhensible : l'image, comme le texte, devient alors le moyen de transmettre un point de vue et de sensibiliser le spectateur à certaines idées. Le choix du support (cinéma, photographie, peinture, dessin, etc.) permet l'utilisation de techniques spécifiques mises au service de la dénonciation. C'est le cas pour le document 2.

▶ L'étude de ce type d'image argumentative met donc en lumière la démarche adoptée par l'artiste : son œuvre a une fonction sociale et politique, elle traduit son engagement au service de causes diverses (contre la peine de mort, la torture, pour la paix, etc.). Il existe une littérature engagée, il existe aussi un art engagé.

2. A. Warhol, *La Chaise électrique*, acrylique et sérigraphie sur toile, 1967.

Les différentes formes d'apologue

❶ Lire et comprendre différentes formes d'apologues

a] Résumez, pour chacun des extraits suivants, l'histoire racontée par l'auteur en précisant quels sont les personnages mis en scène et le contexte dans lequel ils évoluent.

b] Résumez, en quelques lignes chaque fois, la leçon que l'on peut tirer de chacune de ces histoires.

c] Relevez les caractéristiques de chacune de ces formes d'apologues (forme de discours, personne, temps des verbes…).

1/ Extrait d'essai

L'on voit certains animaux farouches, des mâles et des femelles, répandus par la campagne, noirs, livides, et tout brûlés de soleil, attachés à la terre qu'ils fouillent avec une opiniâtreté invincible ; ils ont comme une voix articulée, et, quand ils se lèvent sur leurs pieds, ils montrent une face humaine, et en effet ce sont des hommes. Ils se retirent la nuit dans des tanières, où ils vivent de pain noir, d'eau et de racines ; ils épargnent aux autres hommes la peine de semer, de labourer et de recueillir pour vivre, et méritent ainsi de ne pas manquer de ce pain qu'ils ont semé.

J. de La Bruyère, « De l'homme »,
Caractères, 1688.

2/ Extrait de conte philosophique

En approchant de la ville, ils rencontrèrent un nègre étendu par terre, n'ayant plus que la moitié de son habit, c'est-à-dire d'un caleçon de toile bleue ; il manquait à ce pauvre homme la jambe gauche et la main droite. « Eh ! mon Dieu ! lui dit Candide en hollandais, que fais-tu là, mon ami, dans l'état horrible où je te vois ?
– J'attends mon maître, monsieur Vanderdendur, le fameux négociant, répondit le nègre. – Est-ce monsieur Vanderdendur, dit Candide, qui t'a traité ainsi ?
– Oui, monsieur, dit le nègre, c'est l'usage. On nous donne un caleçon de toile pour tout vêtement deux fois l'année. Quand nous travaillons aux sucreries, et que la meule nous attrape le doigt, on nous coupe la main ; quand nous voulons nous enfuir, on nous coupe la jambe : je me suis trouvé dans les deux cas. C'est à ce prix que vous mangez du sucre en Europe. »

Voltaire, *Candide*, 1759.

3/ Extrait de roman

J'ai été à une auberge. On m'a dit : Va-t-en ! Chez l'un, chez l'autre. Personne n'a voulu de moi. J'ai été à la prison, le guichetier ne m'a pas ouvert. J'ai été dans la niche d'un chien. Ce chien m'a mordu et m'a chassé, comme s'il avait été un homme […] je m'en suis allé dans les champs pour coucher à la belle étoile, il n'y avait pas d'étoile. J'ai pensé qu'il pleuvrait, et qu'il n'y avait pas de bon Dieu pour empêcher de pleuvoir, et je suis rentré dans la ville pour y trouver le renfoncement d'une porte.

V. Hugo, *Les Misérables*, 1862.

4/ Extrait de fable

Un brave jardinier, vivant à son aise, s'est plaint à son seigneur qu'un lapin dévastait son jardin. Mal lui en a pris : le seigneur arrive avec toute sa troupe de chasseurs et prétend déjeuner avant de chasser…

Çà, déjeunons, dit-il : vos poulets sont-ils tendres ?
La fille du logis, qu'on vous voie ; approchez :
Quand la marions-nous ? Quand aurons-nous des
[gendres ?
Bon homme, c'est ce coup qu'il faut, vous m'entendez,
    Qu'il faut fouiller à l'escarcelle.
Disant ces mots, il fait connaissance avec elle,
    Auprès de lui la fait asseoir,
Prend une main, un bras, lève un coin du mouchoir ;
    Toutes sottises dont la belle
    Se défend avec grand respect :
Tant qu'au père à la fin cela devient suspect.
Cependant on fricasse, on se rue en cuisine.
De quand sont vos jambons ? ils ont fort bonne mine.
Monsieur, ils sont à vous. Vraiment dit le seigneur,
    Je les reçois, et de bon cœur.
Il déjeune très bien ; aussi fait sa famille,
Chiens, chevaux et valets, tous gens bien endentés :
Il commande chez l'hôte, y prend des libertés,
    Boit son vin, caresse sa fille.
L'embarras des chasseurs succède au déjeuner.
    Chacun s'anime et se prépare :
Les trompes et les cors font un tel tintamarre
    Que le bon homme est étonné.
Le pis fut que l'on mit en piteux équipage
Le pauvre potager : adieu planches, carreaux
    Adieu chicorée et poireaux ;
    Adieu de quoi mettre au potage. […]

J. de La Fontaine, « Le Jardinier et son seigneur »,
Fables, 1688-1693.

Pratique de la langue

vocabulaire

Les marques de l'opinion

2 Distinguer les termes péjoratifs, mélioratifs ou neutres

Classez les mots des listes suivantes en trois catégories : péjoratifs, mélioratifs ou neutres.

1/ Loyal, brillant, conducteur, médiocre, moyen, maison, chauffard, gourbi, marron, voiture.

2/ Brunâtre, nigaud, limité, ignoble, violet, gras, rectangulaire, dodu, tacot, gros.

3 Repérer les modalisateurs

Relevez, dans les phrases suivantes, l'élément modalisateur et précisez s'il s'agit d'un adjectif, d'un adverbe, d'un verbe, d'un mode.

1. Jacques peut arriver n'importe quand. 2. Je pense qu'il partira après demain. 3. Ces critiques sont vraiment difficiles à entendre. 4. Je regrette beaucoup votre départ. 5. Malheureusement, elle n'a pas été assez prudente. 6. À mon avis, Norbert vit encore chez ses parents. 7. De toute évidence, tu es incapable d'arriver à l'heure.

4 Être sensible aux prises de position du narrateur

Relevez, dans ces phrases extraites de *Claude Gueux,* les mots qui expriment implicitement l'opinion du narrateur en précisant quelle est cette position.

1/ « Alors il se passa dans cet atelier une scène extraordinaire, une scène qui n'est ni sans majesté ni sans terreur, la seule de ce genre qu'aucune histoire puisse raconter. »

2/ « Que fais-tu là, toi ? dit le directeur ; pourquoi n'es-tu pas à ta place ? » Car un homme n'est plus un homme là, c'est un chien, on le tutoie.

3/ On avait choisi ce jour-là pour l'exécution parce que c'était un jour de marché, afin qu'il y eût le plus de regards possibles sur son passage ; car il paraît qu'il y a encore en France des bourgades à demi sauvages où, quand la société tue un homme, elle s'en vante.

5 Analyser une prise de position

a] Le poème de Voltaire a été écrit après un grave tremblement de terre. Quels noms et quels adjectifs montrent que l'auteur exprime son opinion et ses sentiments.

b] Dans quelle intention Voltaire a-t-il rédigé ce texte ?

Ô malheureux mortels ! ô terre déplorable !
Ô de tous les mortels assemblage effroyable !
D'inutiles douleurs éternel entretien !
Philosophes trompés qui criez tout est bien ;
Accourez, contemplez ces ruines affreuses,
Ces débris, ces lambeaux, ces cendres malheureuses,
Ces femmes, ces enfants l'un sur l'autre entassés,
Sous ces marbres rompus ces membres dispersés ;
Cent mille infortunés que la terre dévore,
Qui, sanglants, déchirés, et palpitants encore,
Enterrés sous leurs toits, terminent sans secours
Dans l'horreur des tourments leurs lamentables jours !

Voltaire, *Poème sur le désastre de Lisbonne*, 1756.

Leçon ⟶ Les marques de l'opinion

▶ L'auteur peut exprimer son jugement par un vocabulaire évaluatif ou affectif :
– des noms ou des adjectifs qualificatifs péjoratifs ou mélioratifs comme *juste/injuste, bravoure/lâcheté* ;
Ex. *Le directeur était « dur (terme péjoratif) plutôt que ferme (terme neutre) ».*

– des suffixes dévalorisants (*-âtre, -asse*) ou valorisants (*-issime*)
Ex. *Le bourreau avait le teint verdâtre.*

▶ Les figures de style, et notamment les comparaisons et les métaphores, ouvrent l'imagination du lecteur et le rendent plus sensible à la cause défendue.

▶ Certains mots, positifs, peuvent être ironiques. L'auteur, en écrivant le contraire de ce qu'il pense, donne implicitement son opinion.
Ex. *Les gens du marché [...] faillirent massacrer un employé de l'octroi. Le doux peuple que vous font ces lois-là !*

grammaire

Les verbes modalisateurs

 Repérer les modalisateurs

Dans les phrases suivantes, relevez toutes les expressions ou les formes verbales qui permettent au locuteur de prendre position (modalisateurs verbaux).

1. Peut-être que ce qui s'est passé ne peut pas être compris, et même ne doit pas être compris, dans la mesure où comprendre, c'est presque justifier. (Primo Levi) 2. Je crus qu'un être ou qu'une force invisible attirait doucement ma barque au fond de l'eau et la soulevait ensuite pour la laisser retomber. (Maupassant) 3. Les propos recueillis auprès de ce témoin semblent douteux. Il convient de ne pas lui accorder notre confiance : selon d'autres témoins, il n'y aurait pas eu de violence physique. 4. D'après la rumeur, l'accident serait d'origine criminelle. Les pouvoirs publics doivent faire une enquête.

 Présenter son opinion avec des nuances

Les phrases suivantes énoncent des faits de façon neutre. Réécrivez-les en ajoutant un modalisateur verbal qui permette d'exprimer l'idée entre parenthèses.

1. 826 millions d'habitants de la planète n'ont pas assez à manger. (certitude) 2. Les pays démocratiques condamnent les arrestations arbitraires. (obligation) 3. Des milliers de diplômés acceptent des métiers peu rémunérés. (doute) 4. Un adolescent a l'avenir devant lui. (appréciation positive) 5. Chaque jour, les Français passent en moyenne deux heures et demie devant leur poste de télévision. (certitude) 6. La voiture est un mode de transport plus sûr que le train. (doute) 7. Dans 15 ans, l'école aura beaucoup changé. (obligation)

8 **Prendre position pour ou contre**

a] Classez les verbes (ou périphrases verbales, voir la leçon) suivants selon qu'ils marquent une prise de distance ou au contraire une adhésion au propos.

1. Il est possible 2. estimer 3. il paraît que 4. affirmer 5. il semble que 6. on suppose que 7. il est établi que 8. on dirait que 9. prétendre 10. avoir l'air 11. il est certain.

b] Rédigez un petit article de presse relatant le procès de Claude Gueux. Vous prendrez position pour ou contre ce personnage en employant les expressions de la liste proposée ci-dessus.

 Exprimer sa position ou garder ses distances

Développez en quelques lignes chacune des opinions suivantes de deux manières différentes a] en utilisant des verbes modalisateurs pour prendre position b] en gardant vos distances dans un énoncé neutre.

1. La bande dessinée est la seule littérature qui puisse captiver les enfants. 2. La fin justifie les moyens. 3. Pour s'affirmer, tous les adolescents entrent en conflit avec leurs parents.

Leçon ⊛ **Les verbes modalisateurs**

▶ On peut exprimer son jugement de manière indirecte, grâce à des verbes permettant de prendre position par rapport à ce qu'on dit. Ce sont des verbes modalisateurs.

▶ La certitude et le doute sont exprimés par des verbes (*croire, penser, trouver...*), des verbes semi-auxiliaires (*devoir, pouvoir*), des périphrases verbales (*il paraît que, il semble que, il est certain que...*).
Le mode conditionnel, dans une proposition indépendante, marque aussi le doute et l'incertitude.
Ex. *Des extra-terrestres auraient atterri dans la cour du collège.*

▶ La volonté ou la nécessité sont également exprimées par des verbes (*vouloir, refuser, admettre...*), des périphrases verbales (*il faut que, il convient que...*).
Ex. *Il importe de retrancher de la communauté sociale un membre qui lui a déjà nui et qui pourrait lui nuire encore* (V. Hugo).

▶ Le jugement, positif ou négatif, est exprimé par des verbes comme *estimer, juger, critiquer...*, accompagnés éventuellement de termes comportant des suffixes péjoratifs ou intensifs.
Ex. *Mais vous, est-ce bien sérieusement que vous croyez faire un exemple quand vous « égorgillez » misérablement un pauvre homme ?* (V. Hugo)

s'exercer

10 Utilisez le lexique évaluatif et affectif

a] V. Hugo témoigne devant les députés de ce qu'il a vu dans les quartiers pauvres. Quelle idée cherche-t-il à faire partager ? Vous justifierez votre réponse en relevant le vocabulaire affectif et évaluatif, ainsi que les figures de style.

b] À l'imitation de V. Hugo, écrivez un bref discours d'un paragraphe aux puissants de ce monde les alertant sur un problème qui vous tient à cœur. Vous utiliserez le lexique affectif et évaluatif.

Ah ! Messieurs ! je ne fais injure au cœur de personne, si ceux qui s'irritent à mes paroles en ce moment avaient vu ce que j'ai vu, s'ils avaient vu comme moi de malheureux enfants vêtus de guenilles mouillées qui ne sèchent pas de tout l'hiver […], s'ils avaient vu les pères et les mères de ces pauvres petits êtres, qui souffrent bien plus encore, car ils souffrent dans eux-mêmes et dans leurs enfants, s'ils avaient vu cela comme moi, ils auraient le cœur serré comme je l'ai en ce moment, et, j'en suis sûr, je leur fais cet honneur d'en être sûr, loin de m'interrompre, ils me soutiendraient, et ils me crieraient : Courage ! Parlez pour les pauvres !

V. Hugo, *Discours à l'Assemblée*, 1850.

c] Présentez en une dizaine de lignes l'impression que produit sur vous cette représentation de Claude Gueux. Utilisez un vocabulaire varié pour traduire vos sentiments.

◄ T. A. Steinlen, *Claude Gueux*, mine de plomb, XIXe siècle, Paris, musée Victor Hugo.

11 Rédiger un dialogue argumentatif

Voici une série d'arguments sur le progrès.

a] Classez-les en regroupant ceux qui font confiance au progrès et ceux qui expriment un avis plus réservé.

b] Utilisez ces arguments dans un dialogue opposant deux personnes en désaccord sur le sujet. Vous inventerez un ou plusieurs exemples pour chaque argument.

1. Si l'humanité progresse dans certains domaines, elle régresse dans d'autres. Toutes les guerres contemporaines le montrent. 2. Le progrès, notamment médical, permet à l'humanité de vivre mieux. 3. L'humanité progresse indiscutablement mais pas partout et pas de la même manière. 4. Le progrès permet l'enrichissement de tous. 5. Le progrès technologique ne rend pas les hommes meilleurs.

12 Opposer des arguments

a] D'après le texte suivant, quelles sont les qualités et les limites du téléphone ?

b] Que permet l'écriture ? Citez deux arguments de l'auteur en faveur de la communication écrite.

c] Transposez le texte suivant en montrant quelles sont les limites de la communication écrite et en faisant l'éloge du téléphone. Vous donnerez chaque fois deux arguments.

De nos jours, le téléphone surmonte l'obstacle de la distance et transmet la parole à travers les pays et les continents. On continue pourtant de s'écrire, et pas seulement par économie.
Plusieurs même, et j'en suis, préfèrent recevoir une lettre plutôt qu'un coup de fil. Pour quelle raison ? Parce que le téléphone est importun, indiscret, bavard. Aussi, surtout, parce que des choses ne peuvent être dites que par l'écriture.
L'écriture naît de l'impossibilité de la parole, de sa difficulté, de son échec. De ce qu'on ne peut dire, ou qu'on n'ose pas dire, ou qu'on ne sait pas. Cet impossible que l'on porte en soi. […] Ce qu'on ne peut pas dire, il faut l'écrire.

A. Comte-Sponville, « La correspondance », *Impromptus*, Éd. des PUF, 1996.

rédiger

Inventer un apologue qui se termine par un discours argumentatif

Un apologue expose un cas concret, émouvant ou plaisant. C'est une stratégie argumentative très habile : le lecteur, touché ou amusé, se sent impliqué et adhère plus facilement à la thèse de l'auteur.

Pour écrire un apologue efficace, il faut donc apporter un soin extrême au récit de l'anecdote, de l'histoire exemplaire servant à exprimer implicitement la thèse que l'on veut défendre ou l'idée que l'on veut réfuter.

BÂTIR UNE HISTOIRE

• **Choisir un genre littéraire.** Les formes de l'apologue sont variées. On peut écrire un poème, une nouvelle, un conte, une parabole, une lettre, etc.

• **Construire le schéma narratif.** Pour bâtir une histoire cohérente, pensez à utilisez les ressources du schéma narratif : après avoir choisi votre héros, précisez au brouillon quelle sera la situation initiale, l'élément perturbateur, les trois ou quatre péripéties et la situation finale.

• **Mêler plusieurs formes de discours.** L'apologue est souvent un récit complexe : réfléchissez à la façon dont vous allez insérer le portrait du personnage principal, la description du cadre, les passages explicatifs.

• **Insérer des dialogues.** Respectez la présentation du dialogue (guillemets, tirets, verbes introducteurs variés).

IMPLIQUER LE DESTINATAIRE

• Votre récit sera à la troisième personne du singulier. Mais vous pouvez intervenir dans le récit à la manière de V. Hugo en utilisant la première personne. N'hésitez pas à interpeller le lecteur : l'emploi de la deuxième personne lui donne le sentiment d'être directement concerné par le sujet évoqué.

• Des questions rhétoriques (voir séance 4) forceront le lecteur à réfléchir.

• Vous pourrez parfois vous montrer ironique en reprenant les arguments de l'adversaire, en les exagérant pour les rendre ridicules.

UTILISER DES MODALISATEURS

Vos convictions apparaîtront à travers le choix de modalisateurs : pour exprimer de manière implicite votre point de vue, pensez à utiliser un vocabulaire évaluatif, qui exprime un jugement, et un vocabulaire affectif, qui traduit vos sentiments.

TERMINER PAR UNE ARGUMENTATION

Vous achèverez votre récit par un ou plusieurs paragraphes argumentatifs. Vous généraliserez alors votre propos en vous servant de votre récit comme d'un exemple venant à l'appui de la thèse que vous souhaitez défendre.

Sujets au choix

Rédigez un apologue où vous prendrez position pour ou contre l'une des opinions suivantes.

》》》 **1.** La beauté physique est une source d'épanouissement personnel.

》》》 **2.** Il est plus agréable et plus joyeux de voyager en groupe qu'en famille.

》》》 **3.** « Il n'est pas vrai que le sport soit la santé, il n'est pas vrai que ce soit la beauté, il n'est pas vrai que ce soit la vertu, il n'est pas vrai que ce soit l'équilibre. C'est la plus belle escroquerie des temps modernes. » (J. Giono, *Les Terrasses de l'île d'Elbe*, Éd. Gallimard, 1976.)

Écrire...

Ayez pitié du peuple

Le narrateur anonyme continue son discours en invitant les parlementaires à délaisser les discussions secondaires pour s'occuper d'une question urgente: la question sociale.

Il est indispensable que les orateurs politiques de ce pays ferraillent, trois grands jours durant, à propos du budget, pour Corneille et Racine, contre on ne sait qui, et profitent de cette occasion littéraire pour s'enfoncer les uns les autres à qui mieux mieux dans la gorge de
5 grandes fautes de français jusqu'à la garde.

Tout cela est important; nous croyons cependant qu'il pourrait y avoir des choses plus importantes encore.

Que dirait la Chambre[1], au milieu des futiles démêlés qui font si souvent colleter[2] le ministère par l'opposition et l'opposition par le minis-
10 tère, si, tout à coup, des bancs de la Chambre ou de la tribune publique, qu'importe? quelqu'un se levait et disait ces sérieuses paroles:

– Taisez-vous, monsieur Mauguin[3]! taisez-vous, monsieur Thiers[4]! vous croyez être dans la question, vous n'y êtes pas. La question, la voici: la justice vient, il y a un an à peine, de déchiqueter un homme à
15 Pamiers avec un eustache[5]; à Dijon, elle vient d'arracher la tête à une femme; à Paris, elle fait, barrière Saint-Jacques, des exécutions inédites. Ceci est la question. Occupez-vous de ceci. Vous vous querellerez après pour savoir si les boutons de la garde nationale doivent être blancs ou jaunes, et si *l'assurance* est une plus belle chose que *la certitude*.
20 Messieurs des centres, messieurs des extrémités, le gros du peuple souffre. Que vous l'appeliez république ou que vous l'appeliez monarchie, le peuple souffre. Ceci est un fait.

Le peuple a faim, le peuple a froid. La misère le pousse au crime ou au vice, selon le sexe. Ayez pitié du peuple, à qui le bagne prend ses fils,
25 et le lupanar ses filles. Vous avez trop de forçats, vous avez trop de prostituées. Que prouvent ces deux ulcères? Que le corps social a un vice dans le sang. Vous voilà réunis en consultation au chevet du malade: occupez-vous de la maladie. […]

Démontez-moi cette vieille échelle boiteuse des crimes et des
30 peines, et refaites-la. Refaites votre pénalité, refaites vos codes, refaites vos prisons, refaites vos juges. Remettez les lois au pas des mœurs.

Messieurs, il se coupe trop de têtes par en France. Puisque vous êtes en train de faire des économies, faites-en là-dessus. Puisque vous êtes en verve de suppressions, supprimez le bourreau. Avec la solde de vos
35 quatre-vingts bourreaux, vous paierez six cents maîtres d'école.

Songez au gros du peuple. Des écoles pour les enfants, des ateliers pour les hommes.

V. Hugo, *Claude Gueux*, 1834.

1. La Chambre: la Chambre des députés.

2. Colleter: se battre.

3. M. Mauguin: ministre de gauche.

4. M. Thiers: ministre de droite.

5. Eustache: couteau de poche.

QUESTIONS
(15 points)

A. La force de l'argumentation (5 points)

1 À quelle ligne le premier narrateur cède-t-il la parole à un second narrateur, totalement inventé, qui s'adressera directement aux députés ? (1 point)

2 Quels débats, en réalité secondaires, le narrateur fait-il semblant de trouver importants ? Montrez que cela rend les parlementaires ridicules. (1 point)

3 Quels sont les arguments mis en avant par le narrateur pour inviter les parlementaires à réfléchir à la misère ? (2 points)

4 Quelle réaction le narrateur veut-il susciter en énumérant des exemples d'exécutions particulièrement cruelles ? (1 point)

B. La question sociale (5 points)

5 « La question la voici » (l. 13-14) : formulez explicitement la question dont les parlementaires doivent s'occuper. (2 points)

6 Relevez les mots appartenant au champ lexical de la maladie. Quelle réalité sociale servent-ils à dénoncer ? (2 points)

7 Quel est l'effet produit sur vous par la métaphore de la maladie ? (1 point)

C. L'appel à la réforme (5 points)

8 Quel type de réforme souhaite le narrateur ? (1 point)

9 À quel mode les verbes sont-ils conjugués quand le narrateur s'adresse aux parlementaires ? Pourquoi ? (2 points)

10 Relevez l'anaphore de la fin du texte. Sur quelle idée insiste-t-elle ? (2 points)

RÉÉCRITURE
(5 points)

Réécrivez au style indirect le passage : « Démontez-moi cette vieille échelle [...] au pas des mœurs. » (l. 29-31). Vous commencerez par « Je vous demanderai de... » et ferez les transformations qui s'imposent.

RÉDACTION
(20 points)

Sujets au choix

1 Écrivez une lettre à votre meilleure amie pour la dissuader de faire ce que vous estimez être une grosse erreur.

Consigne d'écriture.

  Votre lettre prendra la forme d'un texte argumentatif.

2 Reprenez le récit que vous avez écrit page 301 et transformez-le en texte argumentatif présentant un raisonnement.

Consigne d'écriture.

  Votre exposé se présentera sous forme d'arguments que vous appuierez sur des exemples concrets.

I. Connaître les composantes d'un visuel publicitaire

⇒ Le logo

Le logo est le dessin qui représente une marque ou une association. Il associe le nom de l'entreprise (ou ses initiales), un graphisme spécifique, un système de couleurs et, parfois, un symbole. Grâce à la combinaison de ces quatre éléments, il est la carte d'identité visuelle de l'entreprise.

⇒ L'accroche

L'accroche : phrase ou formule forte destinée à attirer l'attention en premier lieu. Dans une annonce presse, l'accroche sert souvent de titre.

[1] Affiche pour la Renault Mégane, 2003.

⇒ Le slogan

Le slogan : phrase ou expression courte, bien rythmée, porteuse d'un message simple. Jeu de mots, rimes, assonances et allitérations, parallélisme de construction… sont les procédés d'écriture qui le rendent aisément mémorisable.

⇒ L'argumentaire

L'argumentaire : texte explicatif et argumentatif, de longueur variable, qui vante les mérites de la marque représentée.

Une image originale

1] Que représente cette image ? Décrivez-la rapidement. En quoi l'image ainsi composée est-elle créative et originale ?

2] Montrez que la mise en scène de la voiture permet d'entraîner le spectateur dans un univers imaginaire.

3] Montrez en quoi l'image est en accord avec la phrase d'accroche : « Renault : créateur d'automobile ».

4] Le logo est placé juste avant la phrase d'accroche. Quelle qualité Renault veut-il donc que l'on associe à son logo ? Cela vous semble-t-il un bon choix pour un constructeur automobile ?

5] Quelle est la qualité principale du véhicule, vantée par le texte situé en haut à droite de la publicité ? Comment la publicité met-elle l'accent sur cette caractéristique du produit ?

Clair de terre

6] Quels éléments du décor permettent d'affirmer que la voiture roule sur le sol de la lune ? À quel autre engin la Mégane peut-elle faire penser ? Selon la publicité, à quel rêve cette voiture donne-t-elle donc accès ?

7] Que pouvez-vous conclure de l'harmonie de couleur entre le paysage lunaire et la voiture ? Où sont localisées les seules couleurs vives ? Quel est le message publicitaire ainsi transmis ?

8] Retrouvez ce qu'est l'attraction terrestre et expliquez comment vous comprenez le slogan : « Nouvelle Mégane. Force d'attraction. »

9] Ce slogan donne aussi une certaine image du futur conducteur du véhicule. Laquelle ? Montrez qu'elle est valorisante.

10] Pourquoi le conducteur n'est-il pas représenté ? En l'absence de tout personnage, qu'est-ce qui est ainsi mis en vedette ?

Parcours de voiture, parcours de lecture

11] Quel signe, répété dans l'image, rappelle les photographies prises par satellite ?

12] Grâce à quel élément, tracé au sol, le regard est-il guidé dans son parcours ? Dessinez le trajet que cette publicité fait suivre au regard du spectateur en montrant en quoi il est judicieusement conçu.

> ## Leçon → Les composantes du visuel publicitaire
>
> ▶ Les publicités visent l'efficacité : l'annonceur (l'entreprise qui charge l'agence de la campagne publicitaire) attend un visuel habilement construit à l'aide de plusieurs composantes.
>
> ▶ L'image. Il peut s'agir d'une photographie en noir et blanc ou en couleurs, plus rarement, d'un dessin, ou d'un graphique.
>
> ▶ Les signes graphiques. La typographie, les sigles, le logo (voir les encadrés de la page précédente) doivent être adaptés à la marque et aux consommateurs. Ils sont conformes aux choix graphiques antérieurs pour permettre l'identification de la marque et consignés dans un document appelé la charte graphique.
>
> ▶ Le texte. Il comporte trois éléments fondamentaux : l'accroche, l'argumentaire et le slogan (voir les encadrés de la page précédente).
>
> ▶ Le sens de lecture : c'est le trajet suivi par l'œil du spectateur ; il se termine le plus souvent sur l'élément que la publicité veut mettre en évidence.

Activité

Analyser des logos. Les quatre images suivantes sont des logos familiers. Analysez ce que chacun représente et expliquez les raisons pour lesquelles ces images ont été retenues pour représenter l'identité visuelle de l'entreprise.

II. Comprendre l'argumentation publicitaire

Un choix stratégique

1⟩ Souvent, le visuel présente le produit et le texte en vante les qualités. Est-ce le cas pour chacune des deux publicités ? Décrivez rapidement les visuels pour expliquer sur quoi ils insistent.

2⟩ Si l'on se contente de regarder la publicité ddp, sans rien savoir de cette marque, peut-on deviner quel est le produit dont on fait la promotion ? Quel est l'effet produit par ce choix stratégique ?

Des campagnes ciblées

3⟩ Quel est le pronom personnel utilisé dans la publicité pour Nokia ? Pourquoi ?

4⟩ Pourquoi la publicité pour ddp n'est-elle guère compréhensible pour un adulte ? Quelle relation s'établit ainsi entre l'annonceur et son destinataire ?

5⟩ Qu'imite la typographie choisie pour écrire le slogan de ddp ? Pourquoi ?

6⟩ Pourquoi le téléphone portable Nokia peut-il permettre de s'affirmer ? Quels sont les arguments

[2] Affiche pour ddp, 2002.

[1] Affiche pour Nokia, 2000.

mis en avant par le texte de la publicité Nokia ? Sont-ils efficaces ?

7⟩ Décrivez rapidement le personnage représenté dans la pub ddp. Qu'y a-t-il de rebelle dans son attitude ? Qui est censé s'identifier à lui ?

8⟩ À qui le téléphone Nokia peut-il appartenir ? Justifiez votre réponse en regardant les objets photographiés avec l'appareil.

9⟩ En vous appuyant sur les réponses aux questions précédentes, précisez l'âge et le sexe de la cible visée par chacune de ces deux publicités.

Différents supports

10⟩ Dans quel genre de magazines peut-on trouver ces deux publicités ?

11⟩ Quels sont les autres supports publicitaires auxquels renvoient les publicités ?

12⟩ L'utilisateur du téléphone Nokia ne se contente pas de téléphoner. Que peut-il faire d'autre, selon la publicité, avec son téléphone ? Que représente alors ce produit ?

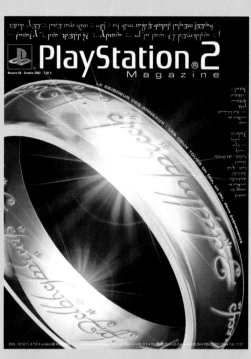

LE SEIGNEUR DES ANNEAUX
LES DEUX TOURS

Un film,
un jeu,
deux événements
en exclusivité
dans le magazine

+ SON DVD DE DÉMOS
EXCLUSIF

PlayStation®2
Magazine

En vente chez votre marchand de journaux

[3] Affiche pour PlayStation 2, 2002.

Leçon → Les choix stratégiques

▶ L'agence de publicité doit proposer à l'annonceur une ligne directrice. Une publicité peut être fondée sur un effet de reconnaissance du produit (identification immédiate par le consommateur) ou sur un effet de surprise : présentation du produit dans un contexte nouveau ou étrange (publicité PlayStation 2), voire absence du produit (publicité ddp).

▶ La cible. Pour être convaincant, le publicitaire réfléchit à sa cible, c'est-à-dire à l'ensemble des individus qu'il souhaite toucher (jeunes, handicapés, cadres supérieurs, femmes...).

▶ Les supports publicitaires. Le publicitaire pense aussi au(x) support(s) de son message, choisi(s) parmi les cinq grands médias : la presse, l'affiche, la télévision, la radio et le cinéma. Internet, depuis peu, vient s'ajouter à cette liste.
On peut aussi faire passer le message autrement : par le mécénat, le parrainage, des jeux sur internet (ddp offre un *tee-shirt* au vainqueur du *taggergame*) ou le marketing direct.

Activités

▶ **Réfléchir aux liens entre culture et publicité.**
Quel film à grand succès est sorti en même temps que la console de jeu Playstation 2 (voir l'affiche ci-dessus) ? Connaissez-vous d'autres films à grand succès qui ont servi de supports à des campagnes publicitaires pour des produits divers ? Que pensez-vous de cette démarche ?

▶ **Analyser des publicités pour les jeunes.**
Rassemblez des publicités ayant les jeunes pour cible, en feuilletant des magazines pour adolescents (*L'Actu, Phosphore*...). Analysez leur composition et leur discours. Lesquelles vous semblent les plus efficaces ? Pourquoi ?

▶ **Créer une publicité.** À votre tour, inventez une publicité (visuel et texte) faisant la promotion d'un produit de votre choix tout particulièrement destiné aux collégiens et aux lycéens.

III. Percevoir les stratégies publicitaires

UNITED COLORS
OF BENETTON.

[1] Affiche pour Benetton, automne-hiver 2002-2003.

Ce que l'on voit

1 Décrivez rapidement l'affiche Benetton.

2 Étudiez le regard et l'expression du visage des personnages. Quelles sont leurs caractéristiques ? Quels sentiments vous inspirent-ils ?

3 Relevez les couleurs des vêtements des enfants. Quel est l'effet produit ?

4 Quelle couleur n'apparaît pas sur les vêtements mais à un autre endroit de l'affiche. Pourquoi ?

Ce que l'on devine

5 Après avoir regardé les vêtements des personnages et la couleur de leur peau, expliquez en quoi le slogan « United colors of Benetton » complète l'image.

6 Dans quel pays imaginaire habitent ces personnages ? Quelle langue universelle y parle-t-on ? Analysez le slogan pour justifier votre propos.

7 Quelle(s) valeur(s) implicite(s) Benetton prétend-il défendre ? Quelle image veut-il ainsi donner de lui-même ?

8 Est-ce, à votre avis, une bonne façon de convaincre le consommateur d'acheter cette marque ?

Le pouvoir des marques

9 Le rôle d'une marque de vêtements est-il de défendre une grande cause ? Présentez une réponse argumentée.

10 Expliquez quelles sont les différentes raisons qui peuvent amener le consommateur à acheter un vêtement de marque. Est-il facile de se « démarquer » ?

Leçon → **L'incitation publicitaire**

▶ L'image publicitaire est conçue pour inciter à la consommation. Chaque détail de l'image donne une vision positive du produit : les couleurs, les lignes de force, les personnages mis en scène ; rien de tout cela n'est laissé au hasard.

▶ C'est encore plus vrai lorsque la publicité essaie de vendre une **marque** : l'annonceur ne se fonde plus seulement sur les qualités réelles du produit (fiabilité, solidité, originalité...) mais sur les valeurs qu'il est censé incarner (liberté, affirmation de soi, audace...).

▶ Certaines marques vont plus loin en défendant des causes de type humanitaire (lutte contre le racisme ou contre le sida) par volonté d'associer leur nom à ces idéaux. Cet engagement magnifie leur image de marque et incite le consommateur à acheter.

Étudiant chinois arrêtant une colonne de chars, place Tian an Men (Chine), Stuart Franklin, printemps 1989.

Activité

Porter un regard critique sur la publicité. La carte postale ci-dessous annonce la Semaine de la publicité.

▶ Montrez ses points communs avec la photo de presse ci-dessus.

▶ Pourquoi peut-on vouloir arrêter une caravane publicitaire et, plus largement, la publicité ? Quelles valeurs peut-on ainsi vouloir combattre ?

[2] Carte postale annonçant la Semaine de la publicité 2002.

AACC

LE 8 MARQUES : DICTATURE ou DÉMOCRATIE ?

SEMAINE DE LA PUBLICITÉ

DU 05 AU 08 NOVEMBRE 2002 MUSÉE DE LA PUBLICITÉ
UCAD.107 RUE DE RIVOLI. 75001 PARIS. WWW.LASEMAINEDELAPUB.COM

IV. Éveiller les consciences par la publicité

[1]

[2]

[1] et [2] Images tirées d'une publicité télévisée
pour Le Secours populaire, nov. 2002-janv. 2003.

Une scène touchante

1] Pourquoi est-il touchant de mettre en scène une petite fille et sa mère ?

2] Qu'offre l'enfant à sa mère ? Imaginez dans quelles circonstances ce cadeau a été offert.

3] Expliquez comment, dans le plan 1, le publicitaire a su recréer une atmosphère de bonheur familial (expression des visages, position des mains...).

4] Pourquoi est-il assez facile de s'identifier à ces personnages ?

5] À quoi l'objet offert va-t-il servir en fait ? Que peut ressentir la mère de famille en sacrifiant son cadeau ?

6] Le téléspectateur s'attendait-il à tel dénouement ? Quel est l'effet créé ?

Un message implicite

7] La publicité explique-t-elle clairement et rationnellement dans quelle détresse se trouve cette famille ?

8] Relevez les détails (couleurs, mobilier à l'arrière-plan...) qui annoncent implicitement le dénouement poignant.

9] Qui est l'annonceur ? Qu'attend-il du spectateur ?

10] Montrez que le slogan et les images s'accordent pour nous émouvoir et nous inciter à agir.

11] Cette publicité, qui joue sur les émotions, vous semble-t-elle plus ou moins efficace qu'un discours argumentatif sur la misère ? Justifiez votre réponse.

[3] Couverture de la plaquette du centre culturel
« Les trois Pierrots » à Saint-Cloud, saison janvier à juin 2003.

Les stratégies de la publicité

Activités

Réfléchir à des images et à des slogans.

Rappelez-vous les dernières campagnes publicitaires pour la Prévention Routière.

▸ Décrivez-les rapidement.

▸ Quelles conséquences dramatiques sont montrées explicitement par les images ?

▸ Le slogan est-il aussi dur que les images ? Le retient-on aisément ?

▸ Quels sont les avantages et les inconvénients de ce genre de campagne très réaliste ?

Créer une publicité culturelle.

▸ Quel moyen le publicitaire a-t-il trouvé pour rendre la culture attrayante (doc. 3) ?

▸ À votre tour, inventez une publicité pour rendre désirable une activité exigeante (la lecture, les sports d'endurance, le travail scolaire, l'implication dans une association…).

Leçon → Publicité et information

▸ Aujourd'hui, la publicité est partout présente, dans l'espace public (affiches placardées sur les murs, panneaux à l'entrée des villes conçus pour être visibles de loin…) comme dans l'espace privé (pages de publicité dans les magazines, spots publicitaires au cœur même des émissions de télévision…).

▸ Les jeunes générations sont tellement façonnées par cette « culture pub » qu'il devient difficile de communiquer autrement lorsque l'on veut faire passer un message important, touchant un vaste public.

▸ Les ministères, les associations…, qui savent bien que les discours sont jugés ennuyeux, n'hésitent plus à recourir à la publicité. Leur but est d'informer le public et d'éveiller sa conscience sur des sujets importants.

▸ Ces publicités n'ont rien à vendre, elles ne poursuivent pas de but commercial : elles tendent plutôt à inciter le public à changer de comportement face à un problème de société, et à agir (action humanitaire).

▸ La publicité peut argumenter pour convaincre (les publicités contre le tabac exposent des vérités médicales). Elle peut aussi émouvoir pour persuader : c'est le choix du Secours populaire.

La versification

LE VERS

Le mot « poésie » vient du grec *poiein*, qui signifie « faire », « fabriquer » : le poète est un artisan du langage. Il combine avec art les sonorités, les rythmes et les mots pour forger un beau texte, en prose ou souvent en vers, riche en images.

1) La mesure du vers (ou mètre)

La poésie française classique se caractérise par la **régularité du vers**, qui compte un nombre précis de syllabes.

■ Les vers les plus fréquemment employés sont des **vers pairs** comme :

– l'**alexandrin**, vers long de 12 syllabes ; lent et solennel, il est aussi utilisé par les auteurs de tragédies ;

Ex. *Oh !/dans/tes/longs/re/gards*
     1   2   3   4   5   6
/j' a/llais/trem/per/mon/(n)âm(e). (Musset)
 7   8   9   10   11   12

– le **décasyllabe**, vers long de 10 syllabes ;

Ex. *Le/vent/se/lè/v(e), il/faut/ten/ter/de/vivr(e).*
     1   2   3   4   5   6   7   8   9   10
(Valéry)

– l'**octosyllabe**, vers court de 8 syllabes.

Ex. *Le/Temps/a/lai/ssé/son/man/teau*
     1   2   3   4   5   6   7   8
De/vent,/de/froi/du/r(e) et/de/pluie.
  1   2   3   4   5   6   7   8
(Charles d'Orléans)

■ Les **vers impairs**, comme l'**heptasyllabe**, sont plus rares.

Ex. *C' est/tous/les/fri/ssons/des/bois.* (Verlaine)
      1   2   3   4   5   6   7

■ La plupart des poèmes classiques respectent la règle du mètre unique, mais depuis le début du XIXe siècle le poète s'accorde la liberté de mêler vers courts et longs, pairs et impairs, afin de varier ses effets.

Ex. *Ne/pou/rrons-/nous/ja/mais/sur/l' o/cé/an*
     1 2   3   4   5   6   7   8 9 10
                              [des/âges
                                11   12
Je/ter/l' an/cr(e) un/seul/jour ? (Lamartine)
 1 2   3   4   5   6

Le premier vers est un alexandrin (vers long), le second un vers de 6 syllabes (vers court).

2) Le décompte des syllabes

La poésie en vers ne se lit pas comme la prose : toutes les syllabes se prononcent. Deux cas particuliers sont à considérer.

■ **Le -*e* final d'un mot**

– En fin de vers, le -*e* de la dernière syllabe écrite ne se prononce jamais.

Ex. *Mon âme est où je ne puis êtr(e)* (Hugo)

– À l'intérieur d'un vers, le -*e* final d'un mot se prononce s'il est suivi d'une consonne (dont *h* aspiré). Suivi d'une voyelle, il ne se prononce pas.

Ex. *La nuit morne tombait*
     sur la morn(e) étendue (Hugo)

■ **La diérèse**
On appelle **diérèse** la prononciation en deux syllabes d'une succession de sons habituellement prononcée en une seule syllabe.

Ex. *A/ssi/se/sur/un/ti/gr(e)a/me/né/d' O/ri/ent*
     1 2   3   4 5 6 7   8 9 10 11 12
(Théodore de Banville)

(-*rient* de « Orient » est habituellement prononcé en une seule syllabe.)

LA RIME

Le **vers traditionnel** français est rimé ; le système des rimes obéit à plusieurs règles.

1) La disposition des rimes

Les rimes vont par deux et sont disposées selon trois combinaisons possibles.

■ Elles peuvent être **plates** ou **suivies** (AA).

Ex. *Un chant ; comme un écho, tout vif*
     Enterré, là, sous le massif   (Corbière)

■ Elles peuvent être **croisées** (ABAB).

Ex. *Il pleut – c' est merveilleux. Je t' aime.*
     Nous resterons à la maison :
     Rien ne nous plaît plus que nous-mêmes
     Par ce temps d' arrière-saison.   (Carco)

■ Elles peuvent être **embrassées** (ABBA).

Ex. *Quand, les deux yeux fermés, en un soir*
                              [chaud d' automne,
     Je respire l' odeur de ton sein chaleureux,
     Je vois se dérouler des rivages heureux
     Qu' éblouissent les feux d' un soleil monotone ;
                                        (Baudelaire)

2) L'alternance des rimes

La poésie en vers classique répond à la contrainte de l'**alternance** des rimes **féminines** et **masculines** : la rime est **féminine** quand elle se termine par un *-e* muet (orthographié *-e, -es, -ent*) ; elle est **masculine** lorsqu'elle s'achève par une autre terminaison.

> Ex. *Dans le quatrain de Baudelaire cité plus haut la rime* AA *est féminine, la rime* BB *est masculine.*

3) La richesse des rimes

Les rimes se distinguent aussi par leur **richesse**.

■ Les rimes **riches** ont au moins **trois sons** en commun.

> Ex. *Le quatrain de Baudelaire cité plus haut comporte deux rimes riches.*

■ les rimes **suffisantes** ont **deux sons** en commun.

> Ex. *Beau-t-é / volup-t-é.*

■ les rimes **pauvres** (ou assonances) ont **un seul son** en commun.

> Ex. *Buiss-on / horiz-on.*

LE RYTHME DU VERS

1) Accents et césure

Lorsqu'on lit des vers, on insiste sur certaines syllabes, en accentuant leur prononciation. Toutes les combinaisons sont possibles, ce qui permet de jouer avec les rythmes et les sonorités. L'accent est souvent porté sur la **dernière syllabe** d'un mot ou d'un groupe de mots.

> Ex. *Un soir, t' en souvient-il ?*
> *Nous voguions en silenc(e).* (Lamartine)

■ Un **alexandrin** compte **deux accents fixes**, sur la 6e et la 12e syllabes (il comporte parfois aussi deux accents secondaires, mobiles). Après le premier accent fixe, une pause, que l'on appelle une **césure**, partage le vers en deux **hémistiches** de six syllabes.

> Ex. *Je/suis/la/Gran/d(e) A/llée//et/ses/deux/*
>   1 2 3 4   5   6   7 8 9
> *[piè/ces/d'eau* (Nerval)
>   10 11 12

■ Pour éviter la monotonie, V. Hugo refuse de respecter systématiquement la règle de la pause à l'hémistiche.

> Ex. *L' a/le/xan/drin/sai/sit/la/cé/su/r(e), et/la/mord.*
>   1 2 3 4   5 6 7 8 9   10   11 12
>   (*Les Contemplations*)

■ Le **décasyllabe** admet trois types de césures : généralement après la 4e syllabe ou la 6e, plus rarement après la 5e.

> Ex. *Dans/le/vieux/parc//sol/li/tai/r(e) et/gla/cé.*
>   1 2   3   4   5 6 7 8 9 10
>   (Verlaine)

■ Les vers plus courts n'ont pas de césure.

2) Enjambement

Le découpage du vers coïncide souvent avec le découpage de la phrase ou de la proposition. Mais, parfois, une proposition peut se prolonger sur le vers suivant, au-delà de la césure. On parle alors d'**enjambement**.

> Ex. *On dirait que l' âme éveillée*
> ***Pleure sous terre*** *à l'unisson*
> *De la chanson* (Hugo)

Si un ou deux mots seulement (placés avant la césure) sont rejetés au début du vers suivant, on parle de **rejet**.

> Ex. *Petit poucet rêveur, j' égrenais dans ma course*
> ***Des rimes.*** *Mon auberge était à la Grande*
>   *[Ourse* (Rimbaud)

LES STROPHES

Le jeu des rimes et l'enchaînement des vers amènent le poète à rassembler certains vers en strophes, qui peuvent avoir différentes longueurs :

■ un **distique** est une strophe de deux vers ;

■ un **tercet**, une strophe de trois vers ;

■ un **quatrain**, une strophe de quatre vers ;

■ un **quintil**, une strophe de cinq vers.

LA POÉSIE MODERNE

Le **poème en vers libre** ne respecte pas les règles de la versification traditionnelle. Le poète s'affranchit des contraintes de la rime et la longueur des vers n'est pas forcément régulière. Le **retour à la ligne** marque le début d'un vers nouveau.

> Ex. *Rappelle-toi Barbara*
> *Il pleuvait sans cesse sur Brest ce jour-là*
> *Et tu marchais souriante*
> *Épanouie ravie ruisselante*
> *Sous la pluie*
> *Rappelle-toi Barbara*
> *[...]*   (Prévert)

L'analyse filmique

Pour bien analyser un film, il est nécessaire de connaître un certain nombre de données techniques et en particulier les procédés de montage cinématographique.

▰ LE CHAMP ET LE HORS-CHAMP ▰

L'espace visible sur l'écran s'appelle **le champ** ; il est délimité par le cadre de l'image. Ce qui est à l'extérieur de l'image se nomme **le hors-champ**, que l'on peut voir dans l'image suivante ou ne jamais voir.

Les frères Lumière, qui inventèrent le Cinématographe en 1895, surprirent les spectateurs en filmant une charrette tirée par un nombre important de chevaux qui venaient du hors-champ, alors que les spectateurs s'attendaient à voir seulement deux chevaux.

▰ LE MONTAGE ▰

Le **montage** est la technique qui consiste à **assembler des plans**, autrement dit à mettre bout à bout des images, de manière à construire une histoire cohérente.

1) Le plan

Le **plan** est la **plus petite unité du montage** (voir la leçon sur l'échelle des plans, du plan d'ensemble au gros plan, p. 158).

▪ La durée du plan

La **durée** des plans est variable. C'est la **façon dont se succèdent les plans** qui crée le **rythme** du film : une suite de très nombreux plans courts en quelques minutes donne une impression de rapidité.

> Ex. *La scène du landeau dans* Le Cuirassé Potemkine *d'Eisenstein (1925).*

▪ L'enchaînement des plans

– Le *cut* (de l'anglais *to cut*, « couper ») : le passage d'un plan à un autre se fait abruptement.

– Le **fondu enchaîné** : une image se superpose à la précédente (surimpression) et la remplace progressivement.

– Le **fondu au noir** : l'écran s'obscurcit entre un plan et le suivant.

– Le **volet** : un plan est balayé par le suivant (effet de rideau).

▪ Le raccord des plans

Quelle que soit la manière dont les plans s'enchaînent, ils doivent être raccordés. On peut **raccorder deux plans** de plusieurs façons : par le **regard** (un personnage est tourné vers quelque chose que le spectateur ne voit pas et qu'il va découvrir dans le plan suivant), le **son**, le **geste** ou le **mouvement**.

Lorsque l'on filme successivement deux aspects d'un même espace, par exemple tour à tour les deux visages de personnages qui se font face, on parle d'un montage **en champ/contre-champ**.

2) La séquence

Une **séquence** est un ensemble de plans qui s'enchaînent pour constituer une **unité narrative** (avec, le plus souvent, une unité de lieu ou d'action).

■ La **séquence ordinaire** inclut le plus souvent des ellipses temporelles, la séquence filmée en temps réel se nommant une « scène ».

■ Le **plan-séquence** est un plan très long montrant de façon continue la totalité d'une scène et constituant à lui seul toute une séquence.

> Ex. *Le début de* La Soif du mal *d'Orson Welles (1957-1958).*

■ La **séquence alternée** présente deux événements liés entre eux qui se déroulent simultanément : dans une course-poursuite, par exemple, on verra alternativement ce qui se passe pour les personnages poursuivis et pour les poursuivants.

■ MOUVEMENTS DE CAMÉRA ET ANGLES DE PRISE DE VUE ■

1) Le panoramique

Lorsque la caméra reste immobile sur son pied, on parle de **plan fixe**. Nombreux sont les plans fixes chez le cinéaste japonais Ozu par exemple.
Lorsque la caméra, maintenue en un **point fixe**, pivote autour de son pied, on parle d'un (plan) **panoramique**. Ce plan peut exprimer, par exemple, la découverte d'un lieu par un personnage.

2) Le travelling

On parle de *travelling* lorsque la **caméra se déplace**.

■ Si la caméra se déplace sur un axe (un rail) en avant, on parle de *travelling* **avant**.

> Ex. *La course de Doisnel sur la plage dans* Les Quatre Cents Coups *de François Truffaut (1959).*

■ Si la caméra se déplace en arrière, on parle de *travelling* **arrière** et si elle se déplace sur le côté on parle de travelling **latéral**.

■ Le *zoom*, appelé aussi *travelling* optique, permet de se rapprocher de l'élément filmé sans mouvement de caméra : le cadre se rétrécit pour aller du plan large au gros plan.

3) Les angles de prise de vue

■ Lorsque la caméra incline son axe vers le bas, qu'elle est située au-dessus du sujet filmé, on parle de **plongée**.

> Ex. *Un passage de la montée de la tour dans* Sueurs froides *d'Alfred Hitchcock (1958).*

■ Le mouvement inverse : la caméra inclinée vers le haut, située en dessous de ce qu'elle filme, se nomme **contre-plongée**.

> Ex. *Dans* Citizen Kane *d'Orson Welles (1940), un passage montrant le héros enfant.*

■ Quand la caméra est à l'aplomb du sujet, en haut d'un immeuble par exemple, on parle de **plongée intégrale**.

> Ex. *Le décollage de la libellule dans le dessin animé* Les aventures de Bernard et Bianca *de Wolfgang Reitherman(Walt Disney) (1977).*

■ SONS ET IMAGES ■

■ Les **sons** : paroles, musiques, bruits, s'analysent dans leur rapport à l'image. On distingue le **son** *in* (la source du son est dans le champ), du **son** *off* (la source du son est hors-champ). Le son *off* peut ainsi faire le lien entre le champ et le hors-champ.

> Ex. *Le bruit d'une voiture que l'on entend sans la voir (son* off*) peut constituer le raccord avec le plan suivant où la voiture arrivera dans le champ (son* in*).*

■ Les sons *off* sont hors-champ mais font partie de l'histoire (voix de personnage, bruits) ; on nomme **sons** *over* les sons sans rapport avec l'histoire comme la musique du film, par exemple.

■ La **bande-son** peut jouer un rôle essentiel dans un film en renforçant les impressions suscitées par l'image.

> Ex. *Le sifflotement du meurtrier dans* M le maudit *de Fritz Lang (1931) qui devient le signe annonciateur d'un meurtre d'enfant ; l'air d'harmonica (musique d'Enrico Morricone) dans* Il était une fois dans l'Ouest *de Sergio Leone (1968) participe à l'histoire et marque les mémoires...*

■ Une musique classique peut acquérir un regain de célébrité grâce à un film.

> Ex. *Richard Strauss ou Ligetti dans* L'Odyssée de l'espace *de Stanley Kubrik (1968).*

Elle peut même devenir le signe de reconnaissance entre plusieurs épisodes d'une saga.

> Ex. *La saga de* La Guerre des étoiles *de Georges Lucas (1977).*

»»» Participer à un débat

En classe de troisième, la pratique du débat est liée à l'apprentissage de l'argumentation. Il est donc important de se familiariser avec cette situation d'échange à plusieurs, de savoir entrer dans un débat, y participer et contribuer à le faire progresser.

▨ PRÉPARER SON OU SES INTERVENTIONS ▨

1) **Cerner le sujet** et le problème particulier soumis à la réflexion commune.

2) **Se documenter** sur ce sujet, en s'informant des opinions et des prises de positions dont il a pu faire l'objet, y compris de celles qui sont opposées aux siennes.

3) **Clarifier son propre point de vue,** en élaborant des arguments, en les hiérarchisant et en les illustrant par des exemples précis. Il importe aussi de prévoir les arguments que vos adversaires ne manqueront pas de vous opposer et de préparer vos réponses.

4) **Écouter attentivement les interventions des autres** participants pour s'insérer au bon moment dans le débat. Il est utile de repérer les idées importantes déjà échangées, pour éviter les redites et affiner ses propres arguments.

▨ PRENDRE PART AU DÉBAT ▨

1) **Intervenir au bon moment**

Il s'agit pour cela :

– d'attendre son tour de parole ;

– de demander au meneur de jeu l'autorisation d'intervenir (par un signe) ;

– de ne pas interrompre l'intervention précédente afin d'éviter les chevauchements ;

– d'avoir le souci de faire avancer la discussion en étant très attentif aux interventions d'autrui.

2) **Présenter son point de vue**

Il est bon de respecter les étapes suivantes.

▪ **Préciser sa position :** il s'agit de formuler son accord ou son désaccord avec l'intervention précédente, et, dans la deuxième hypothèse, de le faire posément, sans agressivité et de façon nuancée.
On peut user par exemple de formules telles que : « je suis absolument d'accord », « je pense moi aussi que », « je ne partage pas totalement votre point de vue », « votre affirmation est discutable, en effet… », « ce que vous dites n'est pas faux, mais… ».

▪ **Exposer son opinion** en la développant et en l'illustrant par des arguments et des exemples. Veillez à ne pas sortir du cadre général du sujet et à éviter les digressions.

▪ **Soutenir sa prise de parole** par un ton et une attitude corporelle adaptée. Il faut ainsi veiller à :

– être audible et compréhensible, en parlant suffisamment fort, en articulant et en ménageant des pauses ;

– avoir un maintien correct et maîtriser les mouvements mal contrôlés ;

– adopter un ton ferme et assuré, tout en restant aimable.

Exercices

1 Analyser un débat

Choisissez à la télévision des émissions qui proposent des débats. Analysez l'un d'entre eux, en tenant compte des éléments suivants :

››› type de débat (social, politique, culturel) ;

››› personnes concernées par le sujet débattu ;

››› rôle du meneur de jeu (comment règle-t-il le débat ? est-il directif ? prend-il parti ?) ;

››› rôle et caractéristiques des intervenants, des assistants (ont-ils la possibilité de participer ?) ;

››› tenue du débat (est-ce un véritable échange ? des points d'accord sont-ils apparus ?) ;

››› utilité de l'échange (a-t-on abouti à une synthèse ? La réflexion sur le sujet a-t-elle progressé ?).

2 Préciser sa position

Un participant à un débat a formulé les opinions suivantes. Imaginez comment vous pourriez intervenir à sa suite, en précisant votre position et en développant quelques arguments (voir séquence 9) :

››› il est difficile de s'entendre avec des personnes de cultures différentes ;

››› le dopage est un mal nécessaire : sans lui, les compétitions sportives seraient moins spectaculaires ;

››› la lecture, c'est très ennuyeux ;

››› le clonage est un danger pour l'avenir de l'homme ;

››› la chasse est dangereuse pour l'équilibre écologique.

3 Exprimer poliment son désaccord

Proposez, pour chacun de ces reproches, une formulation plus courtoise et plus acceptable. Vous pourrez nuancer votre discours par l'emploi du conditionnel, de modalisateurs (voir p. 297).

››› Ce que vous dites n'a aucun sens.

››› Vous racontez n'importe quoi.

››› Vous êtes « hors sujet ».

››› Vos arguments sont nuls.

››› Vous n'avez rien compris à ce que j'ai dit.

4 Organiser un débat

Il faut prévoir les dispositions suivantes :

››› choisir un animateur qui réglera la prise de parole, relancera le débat, veillera à la courtoisie des échanges et fera une petite synthèse à la fin de la discussion ;

››› désigner des intervenants en nombre limité ;

››› prévoir une organisation de la classe (tables en rond par exemple) qui permette une meilleure circulation de la parole ;

››› choisir un thème de débat que vous préciserez en formulant une question plus ciblée.

››› Vous prévoirez aussi deux ou trois questions pour amorcer la discussion.

Ex. *Un thème : le risque.*

Sujet du débat : Le goût du risque est-il une qualité ou un défaut ? un facteur bénéfique ou néfaste ?

Deux questions pour amorcer la discussion : 1. En quoi le goût du risque débouche-t-il sur des conduites très critiquables ? 2. En quoi la prise de risque est-elle cependant nécessaire à tout progrès ?

4 ⟩⟩⟩ Prendre des notes

Consigner les données importantes d'un document oral ou écrit en vue d'un exposé, d'un résumé, conserver les traces écrites d'un cours, d'une conférence..., les occasions de prendre des notes sont nombreuses et nécessitent d'observer certaines étapes.

▬ PRÉPARER SA PRISE DE NOTES ▬

■ Veiller à une bonne organisation matérielle : utilisation de supports pratiques (fiches numérotées ou cahier relié pour éviter les feuilles « volantes »), de stylos de couleurs et de surligneurs.

■ Noter les références utiles des documents permettant de retrouver facilement l'article ou l'ouvrage. Dans le cas d'une prise de notes à partir de l'oral, noter les circonstances de l'intervention (date, objet, intervenants).

■ Définir son projet (ce que l'on cherche dans le document) sous forme de questions, ce qui permet de faire un tri de l'information.

■ Faire une première lecture rapide du document sans prise de notes, pour la saisie globale du sens, le repérage du titre principal, des autres titres et sous-titres qui soulignent l'organisation du texte. On pourra se livrer aussi à un premier repérage des idées directrices, des mots-clés...

▬ EFFECTUER LA PRISE DE NOTES PROPREMENT DITE ▬

Pour garder en mémoire une information condensée, claire et réutilisable, plusieurs démarches sont nécessaires.

1) Sélectionner les informations

■ **En retenant l'essentiel :**

– noter les idées principales en laissant de côté les exemples ;

– relever les mots-clés ou certaines expressions remarquables du texte ;

– résumer à l'aide d'une phrase ou d'un mot personnel une idée du passage développée plus longuement.

■ **En hiérarchisant la présentation :**

– distribuer les informations en grandes parties et sous-parties, et les doter de titres et de sous-titres, pour faire apparaître l'architecture du texte. Utiliser pour cela un système de repérage pratique : chiffres romains, arabes, lettres, points, tirets.

– sauter une ligne en changeant de partie, aller à la ligne dès qu'une nouvelle idée est abordée et aérer les notes qui sont destinées à être relues.

2) Condenser les informations

Il s'agit d'être rapide, surtout pour les notes prises à partir d'un entretien oral, d'un cours, d'une émission de télévision ou de radio : il faut donc abréger les mots et les phrases.

■ **Abréger les mots :**

– par des symboles empruntés aux mathématiques, aux sciences et à la logique : $+/=/\%/>/</=>$

– par des abréviations usuelles fondées en général sur la disparition des consonnes (*svt = souvent, ds = dans, tjs = toujours, jms = jamais, tt = tout, -mt = -ment*) et dont le dictionnaire fournit aussi une liste ;

– par des abréviations personnelles à consigner dans une légende.

■ Abréger les phrases :

– en supprimant les déterminants, les propositions ;

> Ex. *Les conversations entre les parents et les enfants sont souvent réduites à une communication utilitaire.*
> *=> Conversations parents/enfants svt réduites à communication utilitaire.*

– en réduisant une phrase à un groupe nominal ;

> Ex. *Les peuples ont pris position contre la guerre.*
> *=> opposition des peuples à la guerre.*

– en employant des termes génériques ;

> Ex. *Le bateau, les trains, les avions*
> *=> les moyens de transport.*

■ RELIRE ET CLARIFIER SES NOTES ■

Les notes étant destinées à être réutilisées, il est bon d'en améliorer après coup la présentation :

■ en vérifiant la pagination des feuilles, la numérotation des parties et des sous-parties, la mise en relief des mots clés et des idées principales ;

■ en améliorant certaines formulations un peu trop hâtives ou confuses ;

■ en complétant par de brefs commentaires personnels (dans une autre couleur) ou des références à d'autres documents.

Exercices

1 Comprendre des abréviations

⟩⟩⟩ Cherchez à quoi correspondent les symboles : +/≃/ Ǝ ; les abréviations courantes : avt/dvt/bcp/qd/m̂/ex./c.à.d./ qq/tt/ĉ ; et pour les fins de mots : -mt/-T°.

⟩⟩⟩ Retrouvez dans le dictionnaire ce que signifient les abréviations suivantes : contr./cf./ibid./id./symb./syn./péjor./fam./fig./probabl./métaph./quelquef.

2 Utiliser des symboles

Condensez les phrases suivantes en utilisant des symboles et des abréviations.

⟩⟩⟩ *Le nombre de véhicules automobiles a considérablement augmenté ces dernières années, ce qui cause de graves dommages à l'environnement.*

⟩⟩⟩ *Contrairement aux prévisions, la publicité pour les médicaments génériques à la télévision n'a pas encore entraîné une hausse significative de leur consommation.*

⟩⟩⟩ *Le nombre de livres paraissant chaque année est bien supérieur à ce qu'il était il y a seulement dix ans.*

3 Prendre des notes sur un texte

Choisissez une des pages du manuel intitulées « Première approche », et prenez des notes en utilisant tous les moyens recensés pour condenser et hiérarchiser l'information.

Liste des 138 textes étudiés

1] TECHNIQUES DE LA NARRATION

>>> L. Tolstoï,
Maître et serviteurs, nouvelles et récits

>>> D. Diderot,
Jacques le fataliste

>>> G. de Maupassant,
Contes de la bécasse

>>> Marivaux,
La Vie de Marianne

>>> H. Bernardin
de Saint-Pierre,
Paul et Virginie

>>> M. Butor,
La Modification

>>> I. Calvino,
Si par une nuit d'hiver un voyageur

>>> Ch. Juliet,
Lambeaux

>>> A. Ernaux,
Journal du dehors

>>> Ph. Delerm,
L'Envol

>>> J. Giono,
Le Hussard sur le toit

>>> Stendhal,
Armance

>>> A. Gide,
Les Caves du Vatican

>>> H. de Balzac,
Le Chef-d'œuvre inconnu

2] LE RÉCIT RÉALISTE

>>> G. de Maupassant,
Contes de la bécasse

>>> H. de Balzac,
Le Père Goriot

>>> É. Zola,
Germinal

>>> G. de Maupassant,
Bel-Ami

>>> É. Zola,
L'Assommoir (2 textes)

>>> G. de Maupassant,
Boule-de-Suif

>>> G. Flaubert,
Un Cœur simple

>>> É. Holder,
Mademoiselle Chambon

3] TÉMOIGNAGES

>>> Ardouin-Dumazet,
Les Grands Dossiers de L'Illustration

>>> G. Biron,
Paroles de poilus

>>> Roger B.,
Paroles de poilus

>>> Alain-Fournier,
Paroles de poilus

>>> M. Genevoix,
Ceux de 14 (2 textes)

>>> J. Semprun,
L'Écriture ou la vie

>>> E. Hillesum,
Une Vie bouleversée

>>> E. M. Remarque,
À l'Ouest rien de nouveau (2 textes)

>>> R. Benigni,
La Vie est belle (2 textes)

>>> J. Giono,
Le Grand troupeau

>>> E. Jünger,
Orages d'acier

>>> E. Hemingway,
L'Adieu aux armes

>>> S. Nyul Choi,
L'Année de l'impossible adieu

DOSSIER] LA GUERRE EN BD

>>> E. Guibert,
La Guerre d'Alan (4 planches)

>>> Comès,
L'Ombre du corbeau

4] AUTOBIOGRAPHIES

>>> R. Dahl,
Souvenir d'enfance

>>> R. Dahl,
Escadrille 80

>>> H. Keller,
Histoire de ma vie

>>> A. Cohen,
Carnets 1978

>>> M. et Ph. Delerm,
Le Miroir de ma mère

>>> M. de Montaigne,
Essais

>>> J.-J. Rousseau,
Les Confessions (2 textes)

>>> A. Cohen,
Le Livre de ma mère

>>> H. Bazin,
Vipère au poing (2 textes)

>>> R. Queneau,
Chêne et chien

>>> Ch. de Gaulle,
Mémoires de guerre (3 textes)

>>> A. Frank,
Journal (3 textes)

Listes

DES AUTEURS ÉTUDIÉS

DES ÉTUDES D'IMAGES

Tableau

DES QUESTIONS DE **VOCABULAIRE** ET DE **GRAMMAIRE**
TRAITÉES DANS LE MANUEL

	vocabulaire	grammaire
séquence 1 **TECHNIQUES** **DE LA NARRATION**		▪ Énoncés ancrés et non ancrés dans la situation d'énonciation
séquence 2 **LE RÉCIT RÉALISTE**	▪ Évolution des mots dans le langage populaire ▪ Les verbes introducteurs de la parole	▪ Formes cadres et formes encadrées ▪ Le discours rapporté
séquence 3 **TÉMOIGNAGES**	▪ La formation et le sens des mots	▪ Le groupe adjectival
séquence 4 **AUTOBIOGRAPHIES**	▪ Lexique des sentiments et du souvenir	▪ Expansions du nom ▪ Relatives déterminatives et explicatives
séquence 6 **LA POÉSIE LYRIQUE** **ET ENGAGÉE**	▪ Figures vives et figures figées	▪ Connotations ▪ Sens propre et sens figuré
séquence 7 **LE LANGAGE THÉÂTRAL**	▪ Le lexique du pouvoir	▪ Les actes de parole directs et indirects
séquence 8 **LE RÔLE DE LA PRESSE**	▪ Le lexique de la presse	▪ Les constructions passives et pronominales
séquence 9 **TECHNIQUES** **DE L'ARGUMENTATION**		▪ L'expression de l'implicite ▪ Les connecteurs logiques ▪ L'expression de l'hypothèse ▪ L'expression de la concession
séquence 10 **UN APOLOGUE,** ***CLAUDE GUEUX*, V. HUGO**	▪ Les marques de l'opinion	▪ Les verbes modalisateurs

Glossaire

[a]

ACROSTICHE : poème où les initiales de chaque vers, lues dans le sens vertical, composent le nom du poète ou de son destinataire, ou un mot pris pour thème, 190.

ACTE DE PAROLE DIRECTS OU INDIRECTS : produire un acte de parole, c'est parler à quelqu'un dans le but d'avoir une influence sur lui, de le pousser à agir. Les actes de parole directs formulent clairement ce que l'on veut obtenir (ex : ordre), alors que les actes de parole indirects suggèrent seulement ce que l'on veut obtenir, 214-215.

ADHÉSION : attitude de l'auteur qui ne prend pas de distance par rapport à son énoncé, 117, 293.

ADJECTIFS OBJECTIFS : ils sont neutres et désignent la forme, la couleur, l'état…

ADJECTIFS SUBJECTIFS : ils peuvent être évaluatifs (ils traduisent une estimation) ou affectifs (ils traduisent un sentiment) et expriment le point de vue particulier de celui qui les emploie, 296.

ALEXANDRIN (ou dodécasyllabe) : vers long de douze syllabes, 312.

ALLÉGORIE : image littéraire aussi bien qu'artistique consistant à représenter une idée ou un sentiment abstrait par une forme concrète, 205.

ALLITÉRATION : répétition d'une même consonne dans un vers, 179.

ANAPHORE : répétition d'un mot ou d'un groupe de mots en début de vers ou de phrase, 74, 189, 239, 249.

ANGLE : point de vue adopté par un journaliste pour parler d'un événement, 245.

ANTIPHRASE : on dit ironiquement le contraire de ce que l'on veut faire comprendre, 278.

ANTITHÈSE : figure consistant à opposer deux mots, deux expressions ou deux notions contraires, 189.

ANTONYME : mot de sens opposé à un autre mot, 89.

APARTÉ : réplique prononcée à part, c'est-à-dire sans être entendue par les autres personnages.

APOLOGUE : texte où l'auteur donne une leçon, enseigne une morale ou propose une réflexion philosophique à travers une histoire fictive (fable, parabole, conte philosophique…), 289.

APPOSITION : elle complète le groupe nominal sans en faire partie ; elle en est séparée par une virgule. La fonction apposition peut être exercée par un GN, un adjectif ou groupe adjectival, un participe ou groupe participial, un groupe infinitif, une subordonnée relative, 76, 91.

APPRÉCIATIF : le vocabulaire appréciatif traduit des impressions, des émotions et des jugements de la part du narrateur qui manifeste ainsi sa subjectivité. Ce jugement peut être positif (vocabulaire mélioratif ou laudatif) ou négatif (vocabulaire péjoratif ou dépréciatif), 296.

ARGOT : langage populaire qui unit un groupe social, 60.

ARGUMENT : fait, idée, preuve que l'on donne pour convaincre quelqu'un de quelque chose, 263, 269, 274.

ARGUMENTATION : art de présenter des arguments de façon ordonnée et rigoureuse, de justifier son point de vue pour mieux convaincre, 260.

ARRIÈRE-PLAN : voir plan.

ASSONANCE : répétition d'une même voyelle dans un vers, 179.

ATTRIBUT : fonction de l'adjectif, du groupe adjectival, du groupe nominal qui suivent un verbe attributif (*être, demeurer, passer pour…*) et attribuent une qualité au sujet (attribut du sujet) ou au COD (attribut du complément d'objet), 76, 91.

AUTEUR : personne réelle qui écrit un livre, 112.

AUTOBIOGRAPHE : celui qui écrit son autobiographie, 115.

AUTOBIOGRAPHIE : récit qu'une personne fait de sa propre vie, en expliquant les événements qui ont marqué sa personnalité. L'auteur d'une autobiographie est donc aussi le narrateur le personnage principal, 108, 111, 115, 117.

AUTOPORTRAIT : portrait qu'un narrateur, un personnage ou un artiste fait de lui-même, 131.

AXES : voire lignes de forces

[b]

BULLE (ou phylactère) : terme de bande dessinée désignant un espace délimité où sont inscrites les paroles ou les pensées d'un personnage, 99.

[c]

CADRAGE : procédé photographique ou filmique consistant à choisir la disposition des éléments dans l'image. On parle de cadrage rapproché quand le sujet est photographié de près, c'est-à-dire en détail, et inversement, de cadrage éloigné quand la distance entre le photographe et le sujet est plus grande.

CADRE SPATIO-TEMPOREL : lieu et époque où se situe l'action, révélés par des indices (date, adverbes, compléments circonstanciels, etc.).

CARICATURE : texte ou dessin qui exagère les traits physiques ou les traits de caractères d'un personnage pour le ridiculiser, 252-257.

CASE : voir vignette

CÉSURE : coupe marquée qui sépare un vers en deux moitiés, deux hémistiches. Dans l'alexandrin la césure se place après la sixième syllabe, 313.

CHAMP : désigne ce que le spectateur voit sur une image (photographie, bande dessinée, film). Ce que le spectateur imagine hors du cadre de l'image, s'appelle le hors-champ, 155.

CHAMP LEXICAL : ensemble de mots se rapportant à un même thème, un même sentiment et une même idée, 89.

CHAPEAU : paragraphe d'introduction en tête d'un texte, d'un article de presse, 243.

CHRONIQUE : article écrit par un écrivain ou une personnalité qui veut intervenir sur un fait marquant de l'actualité et défendre une opinion, 243.

COMÉDIE : pièce de théâtre au dénouement heureux, qui cherche à faire rire et met souvent en scène des personnages de bourgeois avec leurs serviteurs.

COMIQUE : on distingue le comique de gestes (grimaces, coups…), le comique de mots (jeux de mots, injures, répétitions…), le comique de situation (quiproquos…), le comique de caractère (manies…).

COMPARAISON : image qui rapproche, au moyen d'un outil grammatical *(comme, tel que, etc.)* deux éléments (le comparant et le comparé) pour en souligner la ressemblance, 189.

COMPARATIF : l'adjectif peut permettre de préciser à quel degré le nom possède la propriété indiquée ; le comparatif mesure le degré en comparant deux personnes ou deux choses (supériorité, infériorité, égalité), 90-91.

CONCESSION : restriction apportée à une affirmation. Elle peut être introduite par des adverbes *(pourtant, néanmoins, etc.)*, des prépositions *(malgré)*, des conjonctions de coordination *(mais)* ou de subordination *(bien que)*, 281.

CONNECTEURS LOGIQUES : mots-outils qui organisent l'argumentation et marquent des relations logiques : cause *(en effet, parce que…)*, conséquence *(donc…)*, opposition *(pourtant, mais…)*, conclusion *(ainsi…)*, addition *(et, or, en outre…)*, temps…, 279.

CONNOTATION : différents effets de sens que peut prendre un mot selon le contexte, la subjectivité de l'énonciateur ou du destinataire… (voir dénotation). Ces significations secondaires naissent par associations d'idées ou analogies, 186, 266.

CONSTRUCTION PASSIVE : l'action est présentée comme étant subie par le sujet ; le COD de la phrase active devient le sujet de la phrase passive et le sujet devient le complément du verbe passif introduit par la préposition « par » ou « de ». Le participe passé du verbe est associé à l'auxiliaire « être », 246-247.

CONTRE-PLONGÉE : la scène est vue (au cinéma, en bande dessinée, dans une photographie) d'en bas, 315.

CONVAINCRE : amener quelqu'un à reconnaître la vérité d'un fait ou le bien-fondé d'une idée, en ayant recours à une démonstration et en faisant appel à la raison, 267, 293.

COULEURS PRIMAIRES : jaune/bleu/rouge ; elles se combinent entre elles pour former des couleurs mixtes, 51.

CUT : enchaînement de deux plans au cinéma, une image succédant à l'autre sans transition, 314.

[d]

DÉCASYLLABE : vers long de dix syllabes, 312.

DÉNOTATION : sens d'un mot, tel qu'il apparaît dans le dictionnaire, sans prise en compte des symboles, des idées qu'il peut évoquer (voir connotation), 186.

DÉNOUEMENT : événement qui met fin à l'intrigue, à l'histoire.

DESCRIPTION (OBJECTIVE/SUBJECTIVE) : une description objective rapporte les choses en étant le plus fidèle possible à la réalité tandis qu'une description subjective fait intervenir le point de vue de celui qui décrit et rapporte donc les choses telles qu'il les voit et non telles qu'elles sont, 47-49.

DESSIN D'HUMOUR : dessin qui a pour fonction de représenter de façon dérisoire ou parodique une situation politique sociale ou quotidienne, 252-257.

DIARISTE : celui qui écrit son journal intime, 126.

DIDACTIQUE : un texte ou une image didactique cherche à enseigner quelque chose.

DIDASCALIES : indications scéniques (sur le lieu, l'époque, les accessoires, le ton, les mouvements…) destinées au metteur en scène, aux comédiens, aux techniciens et aux lecteurs, 87.

DIÉRÈSE : en poésie, prononciation de deux voyelles, d'une voyelle et d'une semi consonne en deux syllabes (Li/on), 312.

DILEMME : dans une pièce de théâtre, obligation où se trouve le héros tragique de choisir entre deux propositions contraires ou contradictoires, 207.

DISCOURS DIRECT, INDIRECT, OU INDIRECT LIBRE : voir style direct, indirect, indirect libre. le discours direct consiste à rapporter les paroles d'un personnage telles qu'elles ont été prononcées, tandis que le discours indirect ne rapporte pas exactement les paroles d'un personnage, mais seulement leur sens, à l'aide d'un verbe introducteur, 76, 92, 95.

DISCOURS INDIRECT LIBRE : mêle certaines caractéristiques du discours direct et du discours indirect. Les paroles ne sont pas introduites par un mot subordonnant et conservent des marques de l'oral, mais les temps sont employés comme dans le discours indirect, 55, 63.

DISTANCIATION : distance du locuteur par rapport à son propre discours (elle est souvent liée à l'ironie).

DISTIQUE : strophe de deux vers, 313.

DRAME ROMANTIQUE : nouveau genre théâtral (1re moitié du XIXe siècle) dans lequel les auteurs revendiquent le droit de faire rire et pleurer dans la même pièce et de multiplier les actions, **196**.

[e]

ÉDITORIAL : article qui émane de la direction d'un journal ou d'une revue et qui en précise l'orientation générale ou propose un commentaire, une justification, **239**.

EMPHATIQUE : la forme de phrase emphatique met en relief un groupe sujet ou complément, **74, 251**.

EFFET DE RÉEL : effet produit par des procédés qui visent à donner l'illusion de la réalité, **46**.

ENCHÂSSEMENT : voir formes cadres/formes encadrées.

ENGAGEMENT : attitude d'un auteur ou d'un artiste qui met son œuvre au service d'une cause et défend certaines idées, **148, 168, 179, 181**.

ENJAMBEMENT : dans un poème, l'enjambement consiste à faire se terminer après la césure du vers suivant la proposition commencée au vers précédent, **313**.

ÉNONCÉ ANCRÉ DANS LA SITUATION D'ÉNONCIATION : énoncé qui ne peut se comprendre qu'en référence à la situation d'énonciation (il est nécessaire de savoir qui est le locuteur, le destinataire, où et quand est produit l'énoncé). Certains éléments ont pour fonction d'ancrer l'énoncé dans la situation d'énonciation : indices personnels (de 1re et 2e personne), indices spatio-temporels (maintenant, ici…), système du présent, termes affectifs ou évaluatifs, marques de l'oralité, **18, 36**.

ÉNONCÉ COUPÉ DE LA SITUATION D'ÉNONCIATION : c'est un récit à la 3e personne et au système du passé. Pour comprendre le texte, l'on n'a pas besoin de savoir qui parle, qui est le destinataire, où et quand s'est produite l'énonciation, **18, 36**.

ÉNONCIATION : production d'un énoncé, **36-37**.

ÉPITHÈTE (n. f.) : fonction d'un mot ou groupe de mots placés à côté du nom qu'ils caractérisent et dont ils constituent une expansion, **76, 91**.

ÉVALUATIF : voir appréciatif, **74, 81, 237, 243, 266, 269**.

EXPANSIONS DU NOM : elles servent à caractériser un nom et sont souvent utilisées dans la description (adjectifs ou noms épithètes, compléments du nom, subordonnées relatives épithètes), **135**.

EXPLICATION : discours qui vise à faire comprendre un phénomène, un processus, **61, 267**.

EXPLICITE : un énoncé est explicite quand il exprime formellement et complètement, sans détour, une idée ou un fait (voir implicite).

EXPOSITION : début d'une œuvre où sont exposés les éléments nécessaires à la compréhension du sujet. Elle répond en général aux questions : qui ? quoi ? où ? quand ? comment ?

[f]

FAMILLE DE MOTS : elle regroupe des mots formés à partir d'un même radical auquel a été ajouté un suffixe ou un préfixe ou les deux, **89**.

FICTION : domaine de l'imaginaire (roman, théâtre, conte…).

FIGURATIF : l'art figuratif représente les réalités du monde (décor, personnages…), contrairement à l'art non figuratif .

FIGURE DE STYLE : procédé littéraire donnant à un texte plus de force, plus de poésie : anaphore, assonance, métaphore, comparaison, etc, **187**.

FONDU : au cinéma, manière d'enchaîner deux plans : une image (fondu enchaîné) ou le noir (fondu au noir) se superpose à l'image précédente pour laisser place à la suivante, **314**.

FORME CADRE/FORME ENCADRÉE :
– un texte essentiellement narratif (forme cadre) peut inclure des passages descriptifs, explicatifs ou argumentatifs (formes encadrées) ;
– dans un récit (forme cadre) peut s'insérer un autre récit (forme encadrée) pris en charge par un autre narrateur (on peut parler d'enchâssement), **21, 49**.

FORMES DE DISCOURS : les discours adoptent des dominantes différentes (discours narratif, descriptif, explicatif, argumentatif). On peut trouver diverses formes de discours dans un même texte, **289**.

[g]

GENRE : catégorie d'œuvres littéraires caractérisées par leur style, leur ton, leur atmosphère, leur sujet : roman, poésie, théâtre, lettre (genre épistolaire), essai…

GRADATION : succession de termes de plus en plus forts, **189**.

GROS PLAN : voir plan.

GROUPE ADJECTIVAL : il est formé d'un adjectif et de ses compléments (groupe prépositionnel nominal ou infinitif, subordonnée complétive), **90**.

[h]

HÉMISTICHE : moitié d'un vers marquée par la césure, **313**.

HOMONYMIE : les mots de prononciation identique et de sens différents sont des homonymes, **81, 87, 89**.

HYPERBOLE : figure de style qui vise à présenter la réalité de façon exagérée, outrancière, **189**.

[i]

ILLUSION RÉALISTE : voir effet de réel, **44, 46**.

ILLUSION ROMANESQUE : en lisant un roman, le lecteur a l'impression de voir une histoire réelle se dérouler sous ses yeux, **18**.

IMPLICATION : attitude d'un auteur qui adhère à son énoncé et s'engage dans ce qu'il dit, **26, 58**.

IMPLICITE : les présupposés (qui font partie de l'énoncé) et les sous-entendus (qui doivent être devinés par le destinataire de l'énoncé) sont les deux principaux types d'implicite, **85, 278**.

INDICATIONS SCÉNIQUES : voir didascalies.

INDICES DE LA PRÉSENCE DU NARRATEUR : voir modalisateurs.

INDICES SPATIO-TEMPORELS : détails d'un récit qui permettent au lecteur de connaître les lieux, l'époque, l'ordre et la durée de l'histoire. L'ensemble de ces indices permet de définir le cadre spatio-temporel. Les indices spatio-temporels varient selon que les énoncés sont ancrés dans la situation d'énonciation ou coupés de celle-ci, 36-37.

IN MEDIAS RES : au milieu de l'action ; le récit peut commencer *in medias res*, 46.

INTERLOCUTEUR : un des locuteurs d'un dialogue. Un dialogue comporte plusieurs interlocuteurs. Voir situation de communication, 36-37.

INTERVENTION DU NARRATEUR : le narrateur se manifeste dans son récit pour commenter l'action, juger les personnages, faire une digression, interpeller le lecteur, 18.

INTRIGUE : enchaînement des événements dans un récit de fiction ou une pièce de théâtre ; elle se compose d'une exposition, du nœud de l'action, et du dénouement, 197.

INVARIANTS D'UN MYTHE : éléments stables que l'on trouve dans toutes les reprises et réécritures d'un même mythe, 223.

IRONIE : attitude moqueuse par laquelle on cherche à critiquer, à dénoncer, en feignant d'intégrer à son discours les arguments de son adversaire et parfois en disant le contraire de ce que l'on pense (antiphrase), 120, 277.

[j]

JOURNAL INTIME : l'auteur écrit pour lui-même et au jour le jour ses émotions, ses pensées, ses jugements et raconte les événements qui l'ont marqué, 126.

[l]

LIGNES DE FORCES : dans une image, lignes droites ou courbes qui struc-
turent l'image sans suivre nécessairement les contours du sujet, 51.

LOCUTEUR : celui qui parle. Voir situation de communication, 263, 266.

LYRISME : expression poétique des sentiments personnels ; à l'origine, le poète chantait ses textes en s'accompagnant de la lyre, 168, 176.

[m]

MÉLIORATIF : qui donne, par différents procédés, une vision positive de quelqu'un ou de quelque chose, 296.

MÉMOIRES : récit autobiographique centré sur le destin d'un auteur qui raconte de quelle façon il a assisté ou participé à des événements historiques, 123.

MÉMORIALISTE : celui qui écrit ses mémoires, 123.

MÉTAPHORE : image qui rapproche deux termes appartenant à des champs lexicaux distincts pour en souligner la ressemblance ou les qualités communes, mais sans utiliser d'outil de comparaison. On parle de métaphore filée quand le champ lexical que la métaphore a introduit est développé dans la suite du texte, 187, 189.

MÉTONYMIE : figure qui consiste à remplacer un terme par un autre, lié au premier par un rapport logique (le contenu pour le contenant, la partie pour le tout…), 119.

MÈTRE : mesure d'un vers déterminée par son nombre de syllabes, 312.

MISE EN SCÈNE : ensemble des choix opérés par le metteur en scène pour faire jouer une pièce à des comédiens (décor, ton, jeu, mouvements…), 211.

MODALISATEURS : éléments d'un discours qui montrent la présence et le jugement de celui qui parle ou qui écrit (expressions évaluatives, auxiliaires ou verbes qui traduisent la perception, le doute, la certitude, la volonté, la nécessité, le jugement), 79, 243, 269.

MONOLOGUE : le personnage parle seul sur scène ; on distingue le
monologue informatif, explicatif et délibératif, 207.

MYTHE : récit légendaire, transmis d'âge en âge, mêlant souvent hommes et dieux dans le but de faire réfléchir sur la condition humaine et le destin, 197, 223.

[n]

NATURALISME : courant littéraire qui s'inscrit dans le prolongement du réalisme (voir ce mot) et qui s'inspire des méthodes de la science pour peindre les milieux sociaux, 44, 49.

[o]

OBJECTIVITÉ : effort de neutralité dans un texte qui ne contient aucun indice de la présence ou du jugement du narrateur, 44, 55.

OCTOSYLLABE : vers de huit syllabes, 312.

OXYMORE : alliance de mots contradictoires, 189, 277.

[p]

PARADOXE : opinion qui va à l'encontre de l'opinion communément admise, 274, 278.

PARALLÉLISME DE CONSTRUCTION : procédé qui consiste à répéter la même structure de phrase, 179.

PARODIE : imitation d'une œuvre pour la tourner en ridicule, 253, 255.

PASSIF : voir construction passive.

PAUSE NARRATIVE : moment d'interruption du récit qui laisse place à une description, à un portrait, à une explication, 53.

PÉJORATIF : qui donne, par différents procédés, une vision dévalorisante, négative, de quelqu'un ou de quelque chose, 296.

PÉRIPÉTIES : suite d'actions qui s'enchaînent et de changements de situation qui vont permettre la résolution des difficultés.

PÉRIPHRASE : expression désignant quelqu'un ou quelque chose sans utiliser son nom, dans une formulation plus longue (ex : la capitale de la France pour Paris), 120, 263.

PERSONNIFICATION : donne à un objet inanimé, à un animal ou à une réalité abstraite des traits humains, 187, 189, 205.

PERSPECTIVE : dans une image, représentation de ce que l'œil voit en créant une illusion de profondeur.

PHOTOGRAMME : chaque image photographique (c'est-à-dire fixe) d'un film.

PERSUADER : amener quelqu'un à penser, à vouloir, à faire quelque chose, en jouant sur les sentiments et l'émotion (voir convaincre), 181, 291.

PHRASES VERBALES/NON-VERBALES : les phrases verbales sont construites autour d'un verbe, tandis que les phrases non-verbales n'en comportent pas. (ex. : Silence ! Incroyable !)

PHYLACTÈRE : voir « bulle ».

PLAN : ce que l'on voit à l'intérieur du cadre en photographie et au cinéma. On va ainsi du plan général (vue d'ensemble de la scène, sans distinction des personnages) au gros plan (vue de très près d'un détail, du visage par exemple) ou au très gros plan (objet, élément du visage). Pour toute étude d'image (peinture, photographie, etc.), on peut distinguer ce qui est au premier plan (le plus près du spectateur), ce qui est au second plan… jusqu'à l'arrière-plan qui est le fond de l'image, 158, 314.

PLAN AMÉRICAIN : présente les personnages jusqu'à mi-cuisse, 158.

PLAN D'ENSEMBLE : vue d'ensemble de la scène où l'on distingue cependant les personnages, 158.

PLAN LARGE : au cinéma, comprend le plan général et le plan d'ensemble

PLAN MOYEN : cadre les personnages « en pied », 158.

PLAN RAPPROCHÉ : présente les personnages jusqu'à la taille ou la poitrine, 158.

PLAN-SÉQUENCE : au cinéma, scène composée d'un seul plan, 315.

POÉSIE ENGAGÉE/MILITANTE : poésie qui défend une cause, dénonce des injustices, 168.

POINT DE VUE : angle d'après lequel on aborde un objet ou un sujet. Dans la description ou le portrait, déterminer le point de vue c'est préciser qui voit et d'où la vision est perçue ; dans le récit, c'est préciser ce que le narrateur sait des personnages, des événements :
– dans le point de vue omniscient, le narrateur connaît tout de l'action et des personnages (passé, pensées, etc.), et intervient dans le récit par des commentaires et des jugements ;
– dans le point de vue interne : le narrateur raconte les événements à travers le regard (limité) et la conscience d'un personnage ;
– dans le point de vue externe : le narrateur décrit les événements comme un témoin extérieur, sans entrer dans les pensées des personnages, 29, 31, 34.

PLONGÉE : la scène est vue (au cinéma, dans une photographie, ou dans une bande dessinée) d'en haut, 315.

POLÉMIQUE : le texte polémique attaque directement une cible.

POLYSÉMIE : différents sens d'un même mot, 186.

PRÉFIXE : élément de formation d'un mot qui précède le radical, 79.

PREMIER PLAN : voir plan.

PRÉSENCE DIRECTE DU NARRATEUR : voir interventions du narrateur.

PRÉSENCE INDIRECTE DU NARRATEUR : il n'intervient pas directement dans le récit, mais manifeste sa présence indirectement, par des expressions qui traduisent des jugements de valeur.

PRONOMINAL : voir verbes pronominaux.

[q]

QUATRAIN : strophe de 4 vers, 313.

QUATRIÈME DE COUVERTURE : arrière de la couverture d'un livre sur laquelle se trouve en général un résumé de l'œuvre.

QUINTIL : strophe de cinq vers, 313.

QUIPROQUO : erreur qui consiste à prendre une personne ou une situation pour une autre.

[r]

RADICAL : racine d'un mot, 89.

RÉALISATEUR : personne qui met en images le scénario d'un film.

RÉALISME : courant littéraire et artistique qui vise à représenter le réel, sans chercher à l'embellir, 44-67.

RÉALISTE : caractère d'un récit ou d'une image qui tente de reproduire fidèlement la réalité, telle qu'elle est.

RÉFUTATION : action de démontrer la fausseté d'un raisonnement, 266.

REJET : en poésie, rejet d'un mot (ou d'un groupe de mots) avant la césure du vers suivant.

RÉPLIQUE : au théâtre, réponse d'un personnage à un autre, 264.

REPRISE NOMINALE : dans un texte, pour évoquer une personne ou une chose plusieurs fois, on peut reprendre le même nom en changeant le déterminant (reprise nominale fidèle) ou utiliser un autre nom (reprise nominale infidèle), 237.

RÉSUMÉ DE PAROLES : rapporte les paroles des personnages en les résumant et en les intégrant totalement au récit, 63.

RHÉTORIQUE (question) : question qui n'attend pas de réponse, 85, 205, 269.

ROMAN AUTOBIOGRAPHIQUE : autobiographie romancée où l'auteur modifie ou supprime certains événements de son existence, 108, 120.

ROMAN DE FORMATION : fiction où l'on suit l'évolution et les différents apprentissages d'un personnage, 151.

ROMANTISME : courant littéraire de la 1re moitié du XIXe siècle qui réagit contre les règles du classicisme et met en avant l'expression du moi et des sentiments personnels.

RUBRIQUE (presse) : classement des articles en fonction des thèmes traités, 243.

[s]

SATIRE : critique moqueuse de certains défauts, de certaines mœurs, des institutions ou des fonctionnements de la société.

SATIRIQUE : se dit d'une œuvre (poème, pièce de théâtre, etc.) qui fait, avec humour et ironie, la critique d'un milieu, d'un défaut, etc.

SCÈNE : 1. Plateau sur lequel jouent les comédiens au théâtre. 2. Partie d'une pièce de théâtre délimitée par l'entrée et la sortie des personnages. 3. Passage d'un récit qui met en scène l'action d'un ou de plusieurs personnages, 58.

SCÉNARISTE : personne chargée d'écrire le scénario d'un film (l'histoire) et les dialogues.

SENS PROPRE/SENS FIGURÉ : le sens propre est le premier sens du mot, il renvoie en général au concret, tandis que le sens figuré est imagé, 186.

SÉQUENCE DE FILM : elle est formée de plans qui traduisent le point de vue du cinéaste ou d'un personnage sur une scène, 161, 315.

SITUATION D'ÉNONCIATION : Le locuteur, son destinataire, le moment et le lieu de l'énonciation constituent la situation d'énonciation, 36-37.

SLOGAN : formule brève et facile à mémoriser que l'on emploie surtout en publicité, 304.

SON « IN » : son dont la source peut être identifiée dans l'image, 155, 315.

SON OFF : son dont la source est hors de l'image (par exemple, la voix du narrateur), 155, 315.

SONNET : poème à forme fixe en alexandrins, composé de 2 quatrains et de 2 tercets, et dont les rimes sont disposées selon le schéma : *abba, abba, ccd, eed* ou *ede*. Le dernier vers ou chute se veut frappant, 178.

Stichomythies : échange de répliques courtes et vives (égales ou inférieures à un vers).

STROPHE : ensemble de vers réunis par une certaine disposition de rimes et séparés des vers suivants par une ligne de blanc, 313.

STRUCTURE NARRATIVE : structure du conte ou du récit qui se décompose en situation initiale, élément modificateur/perturbateur, épreuves/péripéties, élément de résolution, situation finale.

STYLE DIRECT/STYLE INDIRECT : le discours au style direct consiste à rapporter les paroles d'un personnage telles qu'elles ont été prononcées, tandis que le discours au style indirect rapporte indirectement les paroles d'un personnage, à l'aide d'un verbe introducteur, dans une subordonnée complétive, 76, 92, 95.

STYLE INDIRECT LIBRE : mêle certaines caractéristiques du discours direct et du discours indirect. Les paroles ne sont pas introduites par un subordonnant et conservent des marques de l'oral, mais les temps sont employés comme dans le discours au style indirect, 55, 63.

SUBORDONNÉE RELATIVE DÉTERMINATIVE OU EXPLICATIVE : une relative épithète peut être déterminative (on ne peut pas la supprimer sans modifier le sens du GN) ou explicative (on peut la supprimer sans modifier le sens du GN), 135.

SUFFIXE : élément de formation d'un mot, placé après un radical, 89.

SUPERLATIF : il isole dans un ensemble le ou les éléments qui possèdent le degré le plus élevé de la propriété indiquée par l'adjectif (superlatif de supériorité) ou le degré le plus bas (superlatif d'infériorité), 90-91.

SYMBOLE : figure qui utilise un objet (concret) pour désigner une idée, une qualité (abstraite).

SYNONYME : mot qui a le même sens, ou un sens très voisin, qu'un autre mot, 89.

[t]

TÉMOIGNAGE : récit que l'on fait à propos d'une époque, d'une situation ou d'événements dont on a été le témoin, 72-88.

TEMPS DE L'ÉCRITURE : moment où l'auteur écrit et qui se distingue du temps du récit (temps de l'histoire, temps du souvenir), 117.

TEMPS DU RÉCIT : voir ci-dessus, 117.

TERCET : strophe de 3 vers, 313.

THÈSE : idée principale soutenue par un auteur, 263, 266, 277.

TIRADE : réplique très longue d'un personnage de théâtre, 205.

THÉÂTRE DE L'ABSURDE : regroupe des pièces souvent sans intrigue, qui s'éloignent de la tradition théâtrale et reposent sur des dialogues insignifiants pour montrer l'impossibilité de la communication, 197, 209.

TRAGÉDIE : pièce de théâtre qui met en scène des rois ou des princes et inspire chez le spectateur la pitié pour les victimes ou la terreur. La pièce s'achève par la mort d'un ou de plusieurs personnages en proie à des conflits violents, 196, 228.

TYPES DE PHRASES : classement des phrases selon les actes de paroles qu'elles permettent d'accomplir : type déclaratif, interrogatif, exclamatif, impératif.

[v]

VERBES DE PAROLE OU VERBES INTRODUCTEURS DE PAROLE : les verbes qui introduisent les paroles des personnages donnent souvent des précisions sur le ton, le volume, l'intention du discours…, 60

VERBES PRONOMINAUX : ils sont précédés d'un pronom conjoint de la même personne que le sujet (elle se promène), 235, 243, 246-247, 251.

VERS LIBRE : vers dont la longueur n'est pas définie et qui n'est délimité que par des blancs en fin de ligne, 184, 313.

VIGNETTE (OU CASE) : image d'une bande dessinée. Plusieurs cases réunies sur une page constituent une planche, 100.

VISÉE : but d'un texte, 231, 244.

Programme ■ des classes de troisième des collèges

(Arrêté du 15 septembre 1998 – BOHS n°10 du 15 octobre 1998)

OBJECTIFS DE LA CLASSE DE TROISIÈME

Dans le cadre des objectifs généraux du collège, la classe de troisième représente une étape décisive pour la maîtrise des discours. Les apprentissages s'organisent selon trois directions essentielles :

■ La compréhension et la pratique des grandes formes de l'argumentation qui constituent pour les élèves l'innovation principale. Leur étude associe celle des discours narratif, descriptif et explicatif.

■ L'expression de soi. Celle-ci peut se manifester par le récit ou l'argumentation, et mettre l'accent sur l'implication et l'engagement (opinion, conviction, émotion), ou au contraire la distanciation et le détachement (objectivité, distance critique, humour).

■ La prise en compte d'autrui, envisagée à la fois dans sa dimension individuelle (dialogue, débat) et dans sa dimension sociale et culturelle (ouverture aux littératures étrangères, notamment européennes).

Ces objectifs orientent les pratiques de lecture, d'écriture et d'oral, combinées dans les séquences qui organisent l'année. Lecture et expression sont toujours liées.

■ La lecture

A. OBJECTIFS

Le principal objectif pratique de la lecture en troisième est de consolider l'autonomie des élèves face à des textes divers.

■ Les principaux objectifs de connaissance sont :
– L'étude de l'expression de soi ;
– la prise en compte de l'expression d'autrui.

■ Dans cette perspective, l'année de troisième :
– met l'accent sur la lecture de textes autobiographiques et de poèmes lyriques ;
– ouvre davantage à la lecture d'œuvres étrangères ;
– accorde une place accrue à la lecture de textes à visée argumentative.

Dans le prolongement des années précédentes, les lectures portent sur des œuvres des XIXe et XXe siècles, sans exclure d'autres périodes. Elles doivent être nombreuses et diversifiées, incluant la littérature pour la jeunesse, les textes documentaires, l'image. Pour enrichir l'imaginaire, on a soin de multiplier et de diversifier les textes, en recourant largement à des lectures cursives. On veillera dans tous les cas à éclairer le contexte des œuvres lues. L'enjeu principal est la compréhension de leur sens. L'appropriation de repères culturels est une finalité majeure des activités de lecture.

B. TEXTES À LIRE

1 Approche des genres

■ Autobiographie et/ou Mémoires : on engage la réflexion sur le discours autobiographique, on observe comment le narratif s'y associe souvent à l'argumentatif.

■ Poésie : on met l'accent notamment sur la poésie lyrique et la poésie engagée y compris la chanson.

■ Roman et nouvelle : on poursuit l'étude des formes narratives, en diversifiant les textes et les pratiques de lecture.

■ Théâtre : on souligne la relation entre le verbal et le visuel dans l'œuvre théâtrale.

2 Choix de textes et d'œuvres

■ Littérature pour la jeunesse

Les titres peuvent être choisis par le professeur dans la liste présentée en annexe des Documents d'accompagnement du programme, avec le souci de proposer au moins une œuvre humoristique.

■ Textes porteurs de références culturelles

– Une œuvre à dominante argumentative (essai, lettre ouverte, conte philosophique) ;
– Une œuvre autobiographique française ;
– Un ensemble de textes poétiques du XIXe ou du XXe siècle ;
– Une pièce de théâtre du XIXe ou du XXe siècle, française ou étrangère ;
– Deux romans, ou un roman et un recueil de nouvelles, du XIXe ou du XXe siècle ;

Ces œuvres, au choix du professeur, devront inclure au moins un titre pris dans les littératures européennes. Les méthodes de lecture mises en œuvre se répartiront, à parts égales, entre la lecture cursive, l'étude de l'œuvre intégrale, l'approche par un ensemble d'extraits.

Textes documentaires

Pour conduire les élèves à une plus grande autonomie dans le choix et le maniement des documents, on développe l'usage de dictionnaires, d'usuels et d'ouvrages de références. On leur apprend à consulter les banques de données, notamment informatiques et télématiques.

Dans l'étude de la presse, on distingue l'information du commentaire, on fait percevoir comment les informations ont été sélectionnées et on dégage les spécificités du discours journalistique, en comparant par exemple le traitement d'un même sujet dans plusieurs journaux (écrits ou audiovisuels).

L'image

On travaille sur les relations entre le visuel et le verbal (cf. entre autres, Théâtre, ci-dessus B.1.). Dans la perspective de l'argumentation, on étudie plus particulièrement l'image publicitaire et le dessin d'humour.

On aborde l'analyse du film en comparant le récit en image et le récit écrit (par exemple à travers une adaptation à l'écran d'une œuvre littéraire ou l'étude d'un scénario).

On développe l'esprit critique par l'analyse de productions audiovisuelles diverses (émissions télévisées, spots publicitaires, documentaires, fictions, etc.).

▌ L'écriture

A. OBJECTIFS

En classe de troisième, l'activité d'écriture a deux objectifs majeurs :
– perfectionner l'écriture de textes narratifs complexes ;
– maîtriser l'exposé écrit d'une opinion personnelle.

Dans la continuité des cycles précédents, on conduit les élèves à produire des écrits fréquents et diversifiés (narration, description, explication, expression d'opinion), dans une progression d'ensemble régie par les deux objectifs ci-dessus.

B. TEXTES À ÉCRIRE

1 ▏ Écriture à usage personnel

Prise de notes à partir d'un support écrit ou d'une communication orale, et reprise de ces notes en vue d'une utilisation précise.

Mise en ordre des idées et des informations.

Écriture et réécriture du brouillon.

Utilisation du traitement de texte.

2 ▏ Écriture pour autrui

Réduction ou amplification d'un récit, d'un texte explicatif, d'un texte argumentatif simple, en fonction d'un contexte.

Pratique du récit :
– rédaction de récits complexes ayant pour cadre le monde réel ou un monde imaginaire ;
– récit dont la trame suit ou ne suit pas l'ordre chronologique, avec insertion de passages descriptifs et utilisation de paroles rapportées directement ou indirectement ;
– récit à partir d'un récit donné avec changement de point de vue.

En particulier les élèves devront rédiger, dans l'année :
– le récit d'une expérience personnelle ;
– un témoignage : relater un événement et exprimer sa réaction.

Pratique de l'argumentation :
– présentation d'une prise de position étayée par un argument concret (par exemple, un fait historique…) et un argument abstrait (raisonnement). Cette compétence est à maîtriser en fin de troisième.
– présentation de plusieurs opinions sur une question. Cette compétence est en cours d'acquisition.

Dans tous les cas, on fera saisir aux élèves la notion de paragraphe. Les textes produits devront comporter une introduction, un développement et des éléments de conclusion. La réalisation de textes d'une à deux pages correctement rédigés est une exigence minimale.

▌ L'oral

A. OBJECTIFS

L'objectif général est qu'en fin de troisième les élèves sachent :
– identifier les situations d'oral les plus usuelles de la vie personnelle, scolaire et sociale ;
– distinguer l'écoute, le dialogue, l'exposé ;
– se comporter de façon pertinente dans les différentes activités orales.

On poursuit les pratiques des années précédentes dans les domaines de la lecture à haute voix et de la récitation. On approfondit, celle du compte rendu oral en l'orientant vers l'initiation à l'exposé, et celle du dialogue en l'orientant vers la participation à un débat.

B. TEXTES À DIRE

1 Lecture et récitation orales

On continue à pratiquer :
– la récitation (en liaison avec les textes étudiés) ;
– la lecture à haute voix (en particulier les mises en voix et mises en espace simples de textes de théâtre).

2 Comptes rendus et témoignages

■ On développe :
– la pratique du compte rendu (à la suite d'une visite de monument, de lectures de documents) ;
– la pratique du récit oral (témoignage, récit d'une expérience personnelle).

■ Il s'agit là d'oral préparé ; on conduira les élèves à se détacher progressivement de leurs notes, pour s'engager dans une expression orale plus improvisée. Ces interventions orales devront avoir une certaine ampleur (plusieurs minutes) sans devenir pour autant de lourds exposés.

C. DIALOGUE, DÉBAT, EXPOSÉ D'UNE OPINION

■ Partant de la pratique des dialogues mise en œuvre en 5e et 4e, on amène les élèves à maîtriser :
– la formulation d'une question précise en fonction d'un destinataire (appelant à développer une information, à justifier un avis, etc.) ;
– l'écoute de l'énoncé d'autrui : sa reformulation pour assurer la compréhension ;
– l'expression d'une opinion personnelle.

■ Cette pratique pourra se faire en situation d'échange à deux (dialogue), ou en situation de groupe (débat). Elle prendra appui sur des lectures (œuvres littéraires, presse, documents audiovisuels…). Diverses formes de simulations peuvent y être mises en œuvre (négociations, procès, émissions de radio ou de télévision, interviews…). Ces activités exigent une durée plus longue que celles présentées en B.

D. LES COMPÉTENCES À DÉVELOPPER

■ L'ensemble des activités d'oral appelle et développe les compétences suivantes :
– adapter l'attitude, la gestuelle et la voix à la situation d'énonciation (prise en compte de l'espace, des interlocuteurs, des règles qui régissent les tours de parole) ;
– distinguer les registres de langue et choisir celui qui convient à la situation de communication (lexique, syntaxe, formes d'interpellation, marques de la politesse) ;
– écouter et reformuler le discours d'autrui (les reformulations sont un moyen privilégié d'évaluer la réussite de l'échange),

– faire des résumés, des synthèses ou des développements en s'entraînant, selon le cas, à la brièveté ou à l'amplification.

LES OUTILS DE LA LANGUE POUR LA LECTURE, L'ÉCRITURE ET LA PRATIQUE DE L'ORAL

A. OBJECTIFS

L'étude de la langue est toujours liée aux lectures et aux productions des élèves. En classe de troisième, ils doivent déjà savoir identifier les diverses formes de discours. On approfondit donc l'étude de l'argumentatif et du narratif, en accordant au premier une place plus importante.

Le but de cette classe est que les élèves comprennent la notion de forme de discours, l'importance de la notion de point de vue, indissociable de celle d'énonciation, et sachent les mettre en œuvre.

Des moments spécifiques seront consacrés à des mises au point sur les outils de la langue, dans le cadre des séquences, en fonction des objectifs d'écriture, d'oral et de lecture.

NB. Les notions qui apparaissent dans les listes qui suivent sont présentées comme des « outils ». Cela signifie que le professeur se préoccupe avant tout de les faire utiliser, en situation de production et de réception, puis, éventuellement et dans un second temps, de les nommer. L'élève n'a donc pas à apprendre des listes de définitions abstraites et la part de métalangage qui apparaît ici s'adresse aux professeurs (ce point sera repris et complété dans le document d'accompagnement pour la classe de 3e, et certaines notions explicitées).

B. VOCABULAIRE

Comme pour la 5e et 4e, l'étude du vocabulaire est envisagée selon différents niveaux d'analyse, en allant de l'organisation du lexique aux relations entre lexique et discours. En liaison avec le discours argumentatif, l'accent est mis en classe de troisième sur la dimension axiologique du lexique.

■ **La structuration lexicale** (préfixe, suffixe, radical, modes de dérivation, néologismes, emprunts). Aperçus sur l'histoire de la langue, sur l'origine des mots français, sur l'évolution de la forme et du sens des mots, sur la formation des locutions.

■ Les relations lexicales: antonymie, synonymie.

■ **Les champs lexicaux et les champs sémantiques**, à travers la lecture et l'étude de textes.

■ **Le lexique et le discours:**
– lexique et niveaux de langue;
– dénotation et connotation;
– lexique de l'évaluation méliorative et péjorative;
– lexique et expressivité: les figures (comparaison, métaphore, métonymie, périphrase, antithèse; leur rôle dans la créativité et dans l'efficacité du discours).

■ **L'enrichissement du vocabulaire** notamment:
– vocabulaire abstrait avec l'étude de l'argumentation;
– vocabulaire de la personne (sensations, affectivité, jugement).
Les enchaînements lexicaux prévisibles par effet d'usage et les expressions toutes faites.

C. GRAMMAIRE

Les italiques indiquent les acquisitions propres à la classe de troisième; les caractères romains: les notions déjà abordées en cycle central.

1 | Discours

■ Énoncé, énonciation:
– personnes, temps verbaux, adverbes, déterminants, dans l'énoncé ancré dans la situation d'énonciation ou coupé de la situation d'énonciation;
– *combinaison entre ces deux systèmes d'énonciation.*

■ *Modalisation: modalisateurs, modes, temps verbaux.*

■ Point de vue de l'énonciateur (approfondissements).

■ Mises en relief, *usage de la voix active et de la voix passive.*

■ Fonctions des discours (synthèses et combinaisons):
– pôle narratif: raconter/décrire;
– pôle argumentatif: expliquer/argumenter.

■ Paroles rapportées directement et indirectement: *« style indirect libre », marques d'oralité, récit de paroles.*

■ Actes de paroles.

■ *Explicite et implicite.*

■ Effets des discours: persuader, dissuader, convaincre, émouvoir, amuser, inquiéter.

2 | Texte

■ Le paragraphe.

■ Connecteurs spatio-temporels et logiques.

■ Reprises pronominales et reprises nominales.

■ Formes de progression.

■ Organisation des textes: formes cadres et formes encadrées.

3 | Phrase

■ Phrase simple et phrase complexe:
– fonctions par rapport au nom (*expansion nominale, apposition, relatives déterminatives et explicatives*);
– fonctions par rapport à l'adjectif (*le groupe adjectival*);
– fonctions par rapport au verbe (approfondissements);
– fonctions par rapport à la phrase (approfondissements);
– coordination et subordination (étude des diverses subordonnées, notamment conjonctives).

■ Étude du verbe:
– aspect verbal;
– *forme pronominale;*
– conjugaison: modes et temps des verbes du premier et du deuxième groupes et des verbes usuels du troisième groupe.

D. ORTHOGRAPHE

On distingue l'orthographe lexicale (ou orthographe d'usage) de l'orthographe grammaticale (formes verbales, accords en genre et en nombre, homophones grammaticaux).

■ Orthographe lexicale:
– familles de mots et de leurs particularités graphiques;
– différentes formes de dérivation;
– homophones et paronymes.

■ Orthographe grammaticale:
– formes verbales (notamment des radicaux, des modes, des temps, des homophones des formes verbales);
– accords dans le groupe nominal, dans la phrase verbale et dans le texte;
– marques de l'énonciation (ex.: je suis venu/je suis venue).

L'évaluation cherche à valoriser les graphies correctes plutôt qu'à sanctionner les erreurs.

On propose aux élèves des exercices brefs, nombreux et variés, distinguant l'apprentissage (exercices à trous, réécritures diverses) et l'évaluation. Les réalisations écrites des élèves donnent lieu à observation, interrogation sur les causes d'erreur, élaboration d'une typologie et mise en place de remédiation.

L'usage du dictionnaire doit être une pratique constante des élèves.

■ Crédits photographiques ■

Ouvrage imprimé en France sur papier mince.
Achevé d'imprimer par Maury à Malesherbes.
N° d'imprimeur : 101652 - N° d'édition : 003513-01.
Dépôt légal : avril 2003.